苏联史

勃列日涅夫的十八年

第八卷

Восемнадцать лет при Брежневе

叶书宗◎著

人民出版社

序

李凤林

苏联是曾经显赫一时的超级大国，对世界历史发展产生过巨大的影响，在现代中国的发展中也留下过重要痕迹。虽然苏联仅存在七十多年的时间，但是在这短短的七十多年中，它两次震撼了世界，改变了世界，一次是1917年的十月革命，另一次是1991年的苏联解体。

历史是一个绵延不断的长河，苏联是俄国历史中的一个阶段，一个时期，俄国作为苏联的前身和继承者，其历史是整个俄国历史这一有机整体中的一个重要组成部分。

历史是最好的老师，无论个人还是国家，都可以从历史的经验和教训中汲取营养。研究历史不仅可以使我们更好地认识过去，也可以使我们更好地把握未来。

历史是人创造的，人在创造历史的过程中，其精神的和物质的活动离不开他所生活的环境。俄国拥有横跨欧亚大陆的广袤国土，博大的生存空间和独特的气候条件孕育了俄国人豪爽、粗犷的性格，以多神教为基础的东正教培育了俄国人推崇平均主义、自给自足、自我封闭、自我欣赏的民族意识以及拯救人类的弥赛亚（救世主）情结。俄国人在这片广袤的国土上创造了灿烂的文明，它在科技、文化、艺术等领域取得的伟大成就得到世界的承认和敬仰。与此同时，俄国人的社会意识和俄国的社会现实往往是矛盾的，例如崇尚自由的俄国人又非常信奉权威，崇尚平均主义的俄国人又可以经常心安理得地生活在垄断的社会经济和政治环境中，生活节奏平缓的俄国人又会在社会变革中急于求成，急躁冒进。俄国人和苏联人正是在这种自然和社会环境中创造自己的历史的。1917 年的十月革命和 1991 年的苏联解体都表现了俄国人的这种民族特点和社会特征。了解这个历史需要超乎寻常的智慧和方法。正如 19 世纪俄国诗人丘切夫诗中所描绘的那样："俄罗斯，你用智慧无法理解，用通常的尺度无法揣摩，它有与众不同的性格，相信它是你唯一的选择。"

苏联是我们的近邻，也是我们的重要伙伴。中国革命和新中国六十年来的发展与苏联有着千丝万缕的联系。在苏联存在的七十多年中，中苏关系经历了兄弟般的联盟关系，苏联对新中国的发展和建设提供了大量援助；与此同时，中苏也经历了意识形态对抗甚至局部的边界冲突；目前中俄关系已经发展成为平等、信任长期的战略协作伙伴关系，双方宣布永远做好邻居、好朋友、好伙伴。对苏联历史的研究有助于我们总结历史的经验教训，深化中俄关系，造福于两国人民。

历史上，苏联对我们的影响是巨大的。这种影响包括历史的、思想的、政治的、经济的、文化的、国际关系方面的……

在意识形态方面，苏联的影响是非同寻常的。1949 年，毛泽东在总结中国共产党 28 年的光辉历程时提出，"十月革命一声炮响，给我们送来了马克思列宁主义"，形象化地揭示了一个基本事实，即中国共产党人了解马克思列宁主义，并以它作为自己指导思想的理论基础是从苏联学来的。被称作"马克思主义百科全书"的《联共(布）党史简明教程》对中国思想界的影响是"深远的"。在政治方面，我们正是在学习苏联的情况下建立了自己的国家政权。在经济方面，苏联不仅向我们提供了巨大的援助，而且其经济管理体制曾经被我们照搬照用。在文化方面，苏联文化和文学曾经影响几代中国人，许多已经被俄国人淡忘的苏联歌曲几乎成为中国的民歌。在国际关系方面，我们在新中国成立初期曾经实行向苏联"一边倒"的外交政策，把国家的建设和发展同苏联紧密地联系在一起。如此等等。

中国的建设深受斯大林模式的影响，在某种意义上说，中国的改革开放是对苏联发展模式的反思、修正或扬弃。因此，研究苏联历史对于当今中国的改革开放和现代化建设事业具有极其深远的历史意义和现实意义。

苏联历史，对于四五十岁以上的中国人来说，是一门既熟悉又陌生的学问。之所以这样说，是因为凡是受到过高等甚至中等教育的人，都或多或少地接触过这门学科，知道苏联历史中的一些重要事件或人物，此其一；其二，我们大多是通过《联共（布）党史简明教程》了解苏联历史的，而此书对苏共历史和苏联历史的阐述、描绘是程式化的，不能全面反映苏联发展的真实历史。

因此对苏联的历史很有必要重新学习，重新研究。历史科学是一门包罗万象的学科，涉及一个社会的方方面面，需要从政治、经济、文化、社会、思想等等各个方面对历史的进程进行全面的考察。研究任何一个历史题目并作出结论，需要具备一系列主客观条件，要有正确的立场、严谨的学风、科学的方法、充分的史料，等等。因此，正确认识历史离不开历史学家的辛勤劳动。可以说，在新形势下撰写和出版一部能够全面反映苏联走过的历程的学术著作是我国史学工作者多年的夙愿。

如今，实现这种夙愿的客观条件已经基本具备，包括：(1）苏联已经成为历史，我们可以在历史的距离中考察这段历史，使历史研究的成果具有较大的客观性；(2）苏联解体后，大量的历史档案已经公布，为客观地研究这段历史提供了较为充分的史料；(3）中国三十多年改革开放的实践使我国的历史学家能够对苏联模式在特定历史条件下的积极意义作出更加客观的分析，同时对这一模式的弊端有了更加透彻的理解，他们更加成熟，思想更加解放，研究方法更为科学；(4）我国已经拥有一批掌握扎实的专业基础知识，科学的研究方法，长期潜心研究苏联历史方面的专家。他们站在马克思主义的立场上，运用科学的研究方法，在分析研究新鲜史料的基础上已经撰写出大量有关苏联史学的最新研究成果。

由中央编译局和人民出版社与国内一批历史学家合作撰写出版的九卷本《苏联史》是苏联史学术研究领域的一件大事。这套著作的出版无疑会在学术界引起强烈反响。参加这套著作撰写的，既有老一代历史学家，也有年富力强的中青年史学工作者。老一代历史学家几乎一生都在研究苏联历史，他们撰写出的著作反映了其毕生的心血。而中青年史学工作者在市场经济大潮中，面对花花世界的各种诱惑，能够坐冷板凳，甘于寂寞，潜心研究历史问题，是值得称道的。

这套著作系统考察和研究了苏联各个时期的历史，对历史事件、历史人物、历史发展脉络进行了全方位的考察和研究。尤其难能可贵的是，这套著作对以往一些研究不够充分的历史时期和某些很少涉及的问题，进行了比较深入的研究和介绍，在某种意义上说，填补了学术研究的空白。就我所知，到现在为止俄罗斯联邦尚未出版过这样规模的反映苏联历史的巨著。

这部九卷本《苏联史》是一个整体，总体上反映了写作集体对苏联史的看法，而每卷书又是由负责写作的学者独立完成的，表现了作者本人的学术观点和研究成果。像任何学术研究一样，这部苏联历史著作中的某些观点也可能引起争鸣。由于所掌握的史料的不同，看问题的角度不同，对同一个历史问题往往会有不同的认识，不同的解读。不同观点的碰撞会推动学术研究的深化，这是好事。相信这部著作的出版一定会有助于我们进一步了解俄国，对于深化中俄战略协作伙伴关系发挥积极的作用。

我本人不是专门学历史的，从 1950 年学习俄文起，一生都从事对苏工作，而在苏联和俄国学习和工作 23 年的经历和外交工作的需要，使我不断学习苏联历史，长期关注苏联历史的研究。本书的有些作者是我的老朋友，我在这里向本书的问世表示祝贺，同时更要向潜心研究俄国，包括它的历史和现状的学者，表示由衷的敬意！

2009 年夏

（作者系中国前驻俄罗斯联邦大使，现任国务院发展研究中心欧亚社会发展研究所所长）

主编的话

郑 异 凡

公元1991年12月，苏联共产党执政了74年的苏联解体了。正如20世纪初的十月革命曾经震惊世界一样，苏联的解体同样震惊了世界。此后苏联历史成了举世瞩目的研究对象，各国学人和政界都在探讨一个世纪之谜——一个超级大国轰然倒塌的原因。大家都想了解这样一个超级大国是怎样兴起，又是怎样一步步走向衰亡的。

苏联历史的轨迹

我们首先看看苏联走过的道路。

俄国是在一个落后的农业国进行社会主义革命的，不具备社会主义的必要的物质前提。这是列宁后来公开承认的。另一个不足是对搞社会主义的理论准备不足。列宁曾是革命的阶段论者，长期以来，一直认为俄国应当先进行民主革命，然后再进行社会主义革命，因此在1917年以前列宁关于民主革命谈得很多，比较具体、周密，而关于社会主义革命谈得较少，比较泛泛。1917年突然提出社会主义革命的任务，在理论和思想准备方面都存在严重的准备不足。对党内高层领导人来说更是如此，因此列宁的主张社会主义革命的“四月提纲”应者寥寥。在举行武装起义问题上，列宁的主张起初不为中央所接受，后来又受到党内声望颇高的季诺维也夫和加米涅夫的顽强反对，这一切都不是偶然的。那时只有少数人主张直接进行社会主义革命，顺便解决民主革命的任务，如布哈林、托洛茨基。

列宁是现实主义者，在第一次世界大战环境所形成的革命危机的形势下，他力促布尔什维克党抓住不可多得的历史机遇，发动武装起义并取得了胜利。这个选择没有错，但这并不改变社会主义需要必要的物质前提这一客观历史要求本身，而仅仅是历史发展顺序的变更。无论如何，发展生产力这一课必须补上。

布尔什维克党夺取政权后，马上遇到政权的建设问题，没有现成的方案，基本上是摸索前进。此前的一些设想非常不完备，部分借鉴巴黎公社，而更多的是从第一次世界大战期间各国（包括沙皇俄国）的战时措施中借鉴而来。由于战争的需要，那时的交战各国都采取了军事管制的办法，政府把生产和消费统统管起来，于是有人认为这就是社会主义的雏形了，称之为“战时社会主义”或“军事社会主义”。国家战时对粮食的垄断，居民消费品的定量供应(配给制)等等，在布尔什维克党执政的情况下就被当作共产主义的措施了。资本主义国家为战时的需要所采取的措施一旦被披上“共产主义”的外衣，加上取消市场、货币关系等传统的共产主义观念中的措施，这一切就变成了所谓的“军事共产主义”。列宁后来说，那时认为把全国的生产和消费统统管起来，就是共产主义了。

高度集中的军事管理体制对战争来说是非常必要的，它保证了苏维埃政权取得国内战争和反击外国武装干涉的胜利。苏俄军事共产主义的一项最基本的措施是“粮食征收制”。这个词通常译作“余粮收集制”，这种译法有两个问题，其一，当时征收的不仅仅是“余粮”，而几乎是农民的所有粮食，其二，这不是和平的收集，而是凭借暴力的强取。何况这是沙俄和临时政府实施过的政策，并非布尔什维克的发明。因此按照这个词的原意改译为“粮食征收制”较为贴切。在这种制度下出卖粮食，甚至家藏粮食都是“投机倒把”和“反革命”行为，要遭到严厉的惩罚。这种做法引起广大农民的严重不满，国内战争的后期，农民反对苏维埃政权的起义蜂起，被称作“小国内战争”，严重威胁到苏维埃政权的存在。

这迫使列宁承认苏维埃政权遇到了十月革命以来最严重的政治和经济危机。在这生死存亡关头，列宁决定赶快后退，向农民让步，实行粮食税，于是出现了所谓的“农民的布列斯特”。由于农民在缴纳了粮食税之后可以自主支配手头的粮食，就引出了交换的问题。于是出现了运用市场、商品、货币这类向来被看作是资本主义的东西的问题，新经济政策应运而生。

这是苏联70多年历史中的第一次改革，是列宁执政五年时间里发生了第一次模式的转换：从军事共产主义转向新经济政策。新经济政策的最重大的突破是在社会主义建设中运用市场机制，这是在马克思主义发展史上应当大书特书的大事。这充分说明列宁不是按预先设定的、固定不变的模式进行社会主义建设的。

新经济政策下尽管也遇到一系列困难，甚至危机，但经过及时的政策调整，苏俄在经济建设中取得了巨大的成绩，工农业生产很快得到恢复。这是苏联走向兴盛的时期。

这时候的政治体制仍然是"一党专政"（这是列宁和俄共公开承认的用语），取缔其他社会主义政党（孟什维克党和社会革命党）和本党内的反对派，驱逐持异议的知识分子（"哲学船事件"），以救灾的名义镇压东正教人士，消除东正教在广大群众中的影响，压制不听话的少数民族干部（格鲁吉亚事件），这样俄共也就失去了党内外的有效监督，没有一支政治和社会力量能够对布尔什维克政权实施监督、施加压力以实施政治体制改革。军事共产主义时期高度集中的政治体制，把全国作为一个军营来管理的军事化体制，已经与和平时期经济建设的需要不相适应，政治体制的改革应当与经济体制的改革同步进行，更不用说，经济改革需要政治体制的保护。但是在新经济政策时期，政治体制没有进行相应的改革，而是朝削弱党内国内民主，朝着高度集权的方向发展。列宁在生命的最后时日感觉到这个问题的严重性，他在给俄共第十二次代表大会的信中建议进行政治制度的改革，要求加强对包括政治局和总书记在内的各级组织和领导人的监督，但为时已晚，已经重病在身的列宁，力不从心，由季诺维也夫、加米涅夫和斯大林组成主政的"三驾马车"对列宁的建议阳奉阴违，置之不理。

政治体制的日益集权化和僵化最终决定了新经济政策的命运。列宁的改革宣告失败。布哈林、李可夫等人在最后关头据理力争，但已无济于事，他们在羽翼丰满的斯大林面前无能为力，无法挽狂澜于既倒。

新经济政策在弥补社会主义革命物质和理论准备不足方面发挥了重大作用——在社会主义建设的理论上加进了利用市场机制这一重要成分，在物质方面，它提供了在落后国家发展经济、和缓社会矛盾的有效手段。到20世纪20

年代末新经济政策处于社会主义发展的十字路口——一个方向是向市场经济和民主化发展，最后形成有特色的苏联社会主义模式；另一个方向是向高度集中的计划经济和集权体制发展，这就是我们在20世纪30年代看到的斯大林模式。

1929年，斯大林在击败了所有反对派之后中断了新经济政策，宣布让新经济政策“见鬼去”，在苏联实行了第二次模式的更换，实行“斯大林模式”，回到了已被历史所否定的军事共产主义模式。斯大林模式通过农业集体化、国家工业化——实际上是重工业化和军事工业化，实行严格的高度集中的计划管理，一方面使苏联的重工业得到高速度的发展，使苏联的一些工业发展指标赶上或接近西方发达国家，另一方面，开始暴露出苏联经济片面发展的弊病——农业和轻工业严重落后，国民经济综合平衡失调。

20世纪30年代形成的斯大林模式是对列宁新经济政策模式的否定和反动，它有三大支撑点：

1. 实行农业全盘集体化，剥夺全体农民。集体农庄并不是列宁所主张的合作社，而只不过是国家向农民征收粮食的大型连环保组织，国库得以充实，而农民变得更穷了。1932—1933年的大饥荒在很大程度上是人为的：全盘集体化对农村生产力的严重破坏，收过头粮，为换取外汇而不断增加粮食出口，向全国和国外隐瞒灾情，拒绝国外援助，等等。

2. 在国家工业化名义下的重工业化和军事工业化，把全国的物力人力集中到重工业和军事工业的发展中去，而置与人民日常生活休戚相关的轻工业于不顾，整个农业生产的首要任务也完全是为重工业服务，为之提供资金和原料。

3. 在阶级斗争尖锐化的借口下在国内对各阶层、各民族实施大规模镇压，以维持斯大林的个人独裁统治。经过20世纪30年代的大清洗、大镇压，列宁的战友和“老近卫军”被消灭了，领导层中有独立见解、有创造精神的人员被消灭了，武装部队中熟悉现代化战争的有才能的将领被消灭了，文化界有创造性的理论家、作家、艺术家、剧作家、历史学家、自然科学家、技术专家被消灭了。这是斯大林的“自宫”行为，其恶果在卫国战争中立即暴露无遗。苏军俘获了德军保卢斯元帅被看作是一重大胜利，而战前斯大林却处决了自己五大元帅中的三个元帅，并且恰恰是懂得现代化战争的元帅（剩下两位元帅伏罗希洛夫和布琼尼都是骑兵出身）。这正是德国统帅部求之不得的天大好事！

在文化界开展的大批判运动，不仅使用了“批判的武器”，而且也动用了“武器的批判”，借此确立了斯大林主义在意识形态领域、文化领域的绝对统治地位，用一本《联共（布）党史简明教程》来治天下。这直接导致马克思主义发展的停滞和倒退，庸俗唯物主义、教条主义的盛行。

在政治上，坚持并强化一党专政的路线，终于形成了斯大林的个人专权。斯大林模式的出现和形成开始了苏联由兴向衰的转折。

在战云密布的20世纪30年代末，斯大林最终采取同希特勒德国结盟、祸水西引的方针，以牺牲他国的利益来保全自己。这一战略让斯大林搬起石头砸了自己的脚，使希特勒赢得时间做好准备，入侵苏联。由于对希特勒德国的入侵丧失起码的警惕，由于大清洗对军队的严重摧残，苏联在战争初期遭受严重挫折。

这场战争终于胜利了，高度集中的军事动员体制、俄国反抗外来侵略的民族主义传统即人民的力量对胜利的结局发挥了决定性的作用。高度集中的体制，使苏联在卫国战争中能迅速把整个国民经济纳入战时轨道。卫国战争的胜利是苏联各族人民保卫祖国浴血奋战的胜利，也是包括中国在内的世界各国对苏联的支援的胜利。领导人在战争初期的严重失误增加了苏联人民的牺牲和损失。然而，令人意想不到的是，战争的胜利反而为加强斯大林模式提供了“依据”，也成为今天不少人为斯大林模式辩解的依据。

胜利的人民有权得到回报，至少应当得到休养生息的机会。应当像列宁在国内战争胜利后那样，适应时代的要求，抓住大好时机，进行改革，改变僵化的模式，让工人、农民和知识分子过上好日子。然而，斯大林不仅放过战后改革的大好机遇，反而加强已不适应时代需要的政治、经济模式。对内加强恐怖统治和思想控制，在反对“世界主义”的旗号下实行文化专制主义即臭名远扬的日丹诺夫主义，在哲学、文学、戏剧、电影、报刊等各个领域继续战前的大批判运动，制造一个接一个的冤假错案。斯大林处死自己曾经宣布的接班人库兹涅佐夫和沃兹涅先斯基，怀疑莫洛托夫、伏罗希洛夫、贝利亚等身边的战友为外国间谍，在临死之前还制造了一个“医生案件”，造成一个人人自危的社会氛围。他加强对农民的剥夺，再次酿成国内的大饥荒。他以战时叛国为名继续迫迁少数民族。对外，他为维护从雅尔塔体系所获得的既得利益，同西方搞冷战，搞军备竞赛。他一手制造了外蒙古独立，肢解中国。他控制东欧国家，改变它们实行的人民民主制度，把这些国家变成自己的“卫星国”，组成“社会主义阵营”。这些做法严重影响了国内的经济发展和人民生活水平的提高，也严重阻碍了东欧国家的政治经济发展。赫鲁晓夫把斯大林的种种行为解释为性格“多疑”，实际上是斯大林害怕大权旁落，权力是斯大林紧紧抓住不放的“命根子”！

1953 年斯大林逝世，苏联出现改革的契机。靠生理学的自然规律来改变国家的命运，是苏联社会主义制度的悲哀！

斯大林的统治如从列宁逝世算起，将近 30 年，如从 1929 年算起，共 24 年，期间积累了大量的问题，在他去世的时候苏联已经处于难以为继的局面，变革的呼声早在斯大林执政的时候已经暗流涌动，斯大林去世后，改革已经成为不可抵挡的潮流。这时候，不管谁上台执政，贝利亚也好，马林科夫也好，赫鲁晓夫也好，都势必把改革提到第一位，人们已经感到高度集权的管理模式已不适合当时的苏联社会，阻碍了社会的发展，区别只会在于改革的深度如何，进程如何，无论如何改革是不可避免的。

在党内斗争中赫鲁晓夫胜出，他以反对“个人崇拜”、平反冤假错案为突破口，实行“解冻”，开始改变斯大林的某些政策，如强调集体领导、抓农业（改变生产资料同生产者的脱离，减轻农民的负担，开垦荒地等等），提升轻工业的地位。对外则设法缓和国际紧张环境，试图以此减少军备竞赛。

赫鲁晓夫的最大功绩是反对斯大林的个人崇拜，从而揭开了斯大林问题的盖子。至今仍有人指责赫鲁晓夫大反斯大林，说他在苏共二十大上所作的秘密报告“全盘否定斯大林”。实际上，如果不是从印象出发，而是从事实出发，只要读一读“秘密报告”本身就可以看到，那里对斯大林的否定并没有否定到点子上，即没有触及斯大林的体制问题。正如当时外国的共产党人铁托和陶里亚蒂所说的，斯大林的问题不是什么个人崇拜问题，而是“制度”问题（那时还没有“体制”的说法，所以用了“制度”一词，所以被指责为否定社会主义制度，不过他们的意思是清楚的）。在苏联历史问题上，赫鲁晓夫全盘肯定了斯大林反对托洛茨基、季诺维也夫、加米涅夫、布哈林、李可夫、托姆斯基等反对派的斗争，肯定了对他们的镇压。他平反了不少冤假错案，但是没有为苏联历史上这些最大的冤假错案平反！他多次赞扬斯大林是“杰出的马克思主义者”。

由于缺乏对斯大林体制的整体认识，改革仅局限于某些局部问题，没有触动斯大林体制本身。赫鲁晓夫继续斯大林的赶超模式，在斯大林的“建成”社会主义论断的基础上，宣布社会主义在苏联取得了“最终的、完全的胜利”，许诺在20年内进入共产主义。他注意了农业和轻工业的发展，人民的日常生活得到了某种程度的改善，然而重工业和军事工业依然是苏联优先发展的重点。由于主客观的原因，赫鲁晓夫继续同美国进行军备竞赛。20世纪60年代利别尔曼提出的改革试验，没有得到实施，便告夭折。当然，赫鲁晓夫的某些改革措施是有意义的，如实行“解冻”，把人们的思想从斯大林主义的桎梏中解放出来，取消干部任期的终身制，使拖拉机等农业生产工具成为集体农庄的财产，等等。他的另一些措施如常受到批评的“三和两全”，从理论上、逻辑上讲并没有什么错误。全民国家、全民党从理论上说是走向共产主义的必经阶段，而就赫鲁晓夫的本意而言，他无非是借此昭示人民，这个国家、这个党是全体人民的，不会再搞无产阶级专政，不会再用专政去镇压人民，因为人民的国家是不能对人民自己专政的。和平共处、和平过渡、和平竞赛，则是要向世界昭示，这个国家不会再去搞世界革命、颠覆其他国家，而要在竞赛中战胜资本主义。这些都仅仅是公示性质、宣言性质的东西，至于苏联在竞赛中是否能够胜出，想来赫鲁晓夫本人也未必相信。就在他接手这个国家的时候，战争的创伤尚未完全修复，人民的生活还相当艰苦，供应还很困难，吃得并不好，他的“土豆烧牛肉”的美餐，只是说给自己的人民听听而已！对西方国家的访问使他开了眼界，知道苏联还落后于西方很多，还必须执行赶超战略。由于抓了农业，开垦了大片荒地，到20世纪50年代后期人民的餐桌才开始丰盛起来，才有较多的牛奶、面包、白糖、香肠供应。

赫鲁晓夫执政十年，当然有很多错误，他文化水平不高，行事鲁莽，常欠考虑，在后期也欣赏起对自己的崇拜。但是应当说，他进行的改革从总体上说是必要的，人们可以指责他改得不够，或者其某些措施不在点子上，但不能否定改革的必要性。然而，在保守的官僚集团面前，就是这样没有实质触动斯大林体制的改革也不能见容，尤其是他的干部制度改革直接损害了当政官僚们的根本利益，于是一场“宫廷政变”轻轻松松地结束了赫鲁晓夫的改革，斯大林主义死灰复活。

勃列日涅夫统治苏联长达18年。不少人至今仍然怀念勃列日涅夫时期，因为这一时期不搞运动，不搞大规模的镇压，社会比较安定。同斯大林、赫鲁晓夫相比，勃列日涅夫的特点是“不折腾”，不过这只是相对而言，其中也包括不搞改革。勃列日涅夫执政初期，柯西金继续改革，但不久就被勃列日涅夫的“新斯大林主义”所取代。不过，由于消除了斯大林模式中频频动用暴力的一面，斯大林模式的潜力在这一时期得到最大程度的发挥。在整个苏联历史发展中，勃列日涅夫时期是以安定，然而保守、停滞著称的。

要维持统治，意识形态的严格控制是必不可少的，这就在国内逼出了“异议人士”（通常译作“持不同政见者”，实际上有的并不一定是“政见”的歧异问题）运动。这些异议人士有的并不反对社会主义，只是反对苏共的错误，反对斯大林主义而已，例如著名的梅德韦杰夫兄弟。但是即使这样，也不见容于当局。在勃列日涅夫统治时期，关集中营的少了，进“精神病院”的多了，反革命罪少了，“流氓罪”多了，驱逐出境的少了，吊销护照的多了……总之，还是变着花样压制“异端”。干部任职的终身制恢复了，正是从勃列日涅夫开始，苏联出现了连续三代病夫治国、老人治国的世界罕见景象。

在勃列日涅夫的统治时期，苏联的官僚特权阶层最终形成，在俄国通常把这个阶层叫做“在册权贵”（номенклатура），即由上级任命的登记在册的高级官员。正是这些“在册权贵”把平庸的勃列日涅夫推上台，并且不让又老又病的勃列日涅夫退下来，正是他们把病人安德罗波夫和老人契尔年科扶上台，也正是他们最后搞垮了苏共和苏联。

勃列日涅夫的对外政策，还是相当折腾的。其一，苏联自己不改革，也反对和压制东欧各国的改革，悍然出兵镇压了捷克的“布拉格之春”，致使“社会主义大家庭”里的矛盾越积越多，错过了拯救社会主义的时机。其二，追求世界霸权，继续同美国进行军备竞赛，消耗了大量国力。其三，实行“勃列日涅夫主义”，干涉他国内政，兵陷阿富汗。正是在这一时期，苏联错过了世界科技革命的大好时机。这一时期是斯大林模式的潜力得到最充分发挥的时期，也是其最后挣扎的时期。

安德罗波夫上台被人们寄予厚望，他的某些措施被看作是改革的先声。作为克格勃的首脑，他对国内的真实情况，国家存在的问题是清楚的，但是他没有一个经过深思熟虑的改革方案，他感觉到这个国家维持现状已经没有前途，但是他所能够实施的仅仅是使用强制手段，加强劳动纪律，并且他已是病入膏肓的人了，没有足够的精力去处理国事，即使他有改革的雄心大志，也已经心有余而力不足了，他执政一年就撒手人寰。人们记得，列宁卧病之中虽想改革，但力不从心的悲剧。接替安德罗波夫的位置的契尔年科不但是一个病魔缠身的老人，并且是一个胸无大志的庸人，他要的只是总书记这个头衔。这样，由勃列日涅夫恢复的职务终身制创造了一个泱泱大国由老人、病人治国，连续三年每年安葬一位党国首脑的世界纪录。

这种情况再也不能继续下去了，全国人心思变，迫使苏共推出“年轻力壮的”54岁的戈尔巴乔夫出任党和国家的领导人（不过，请记住，列宁是在54岁逝世的!）。戈尔巴乔夫的改革是时代的要求，是苏联继续发展的历史要求。但是，戈尔巴乔夫最初并没有看到根本改革体制的必要性，而是认为以往的问题是发展速度不够，因而第一个措施是推行“加速发展战略”，指望在旧体制下通过人为的办法加速经济的发展。不久即证明此路不通。老牛拉破车，靠鞭打怎能加速！那时的苏联真有点儿病急乱投医，开展了一个反酗酒运动，禁售各种酒精饮料。这种做法在20世纪20年代已经试过，并且以失败告终。一则俄国人历来嗜酒如命，积习难改，二则这是国库的重要来源，禁酒等于断了国家的财路。这就注定禁酒运动必然泡汤。有了前面的教训，这才走上体制改革的道路。实践显示，单纯的经济体制改革困难重重，阻力太大，于是想到进行政治体制的改革。一方面，戈尔巴乔夫的改革部分是赫鲁晓夫改革的继续，完成赫鲁晓夫未竟之事业，如平反冤假错案，戈尔巴乔夫的力度和深度都大大加大了。另一方面，他把自己的改革同列宁的新经济政策挂钩，新经济政策成为他的蓝本之一。戈尔巴乔夫提出民主化、公开性，都从列宁的著作中找到根据，是列宁的主张。这一切既是为了打破改革的阻力，也是想使社会主义回归本来的面貌，使社会主义成为民主的自由的社会，即建设一个“人道的民主的社会主义”。本来“人道”、“民主”是社会主义应有之义，无须画蛇添足。戈尔巴乔夫之所以在社会主义之前加上“人道、民主”几个字，是因为公开揭露了斯大林的大量黑暗的暴行之后，需要向人民交代，社会主义到底应当是什么样的，没有民主就没有社会主义，建设一个人道的民主的社会主义社会，是改革的方向和目标，是对人民的许诺。这个目标没有错，可惜的是，当苏共通过这一纲领的时候，苏联已余日无多了，纲领始终是纲领，没有能够变成现实。

戈尔巴乔夫的改革存在严重的缺陷，略举数例。其一是完全忽略了严重的民族问题。列宁曾经说过，沙皇俄国是各族人民的监狱，大俄罗斯民族歧视、迫害少数民族。斯大林执政后推行大俄罗斯沙文主义，继续迫害少数民族，其整体迫迁一系列少数民族的做法是历史罕见的。结果苏联国内民族之间积怨甚深，尤其是第二次世界大战前被并吞的波罗的海三国独立情绪强烈，民族问题呈一触即发之势。其二是国内的贪腐问题严重，老百姓对各级官员的特权深恶痛绝，因此当叶利钦打出“反特权”大旗，一呼百应，大得人心，终于成为他推翻苏共、解体苏联的有力武器。其三是党内“在册权贵”的强大的保守势力，一有机会就兴风作浪。戈尔巴乔夫休假期间爆发的“8·19 事件”，是对改革的反动，使广大群众对苏共失去信心。其四，历史的旧账并未从人民的记忆中消失。清算斯大林大镇压的旧账，是迟到的正义。其五，还有一点是不能忽视的，这就是在戈尔巴乔夫改革的整个时期，国内的经济每况愈下，改革在经济上没有给百姓带来看得见、摸得着的好处，这样其支持率越来越低。我亲耳听到一位列宁格勒大学教授说：生活得苦了，但过得愉快了。“苦”是物质的贫乏，“愉快”是说有了思想自由、言论自由了。

戈尔巴乔夫忽视严重的民族问题，在市场经济问题上举棋不定，在一些关键时刻犹豫不决。由于苏联几十年来一直墨守成规，不善于根据世界和国内形势的变化及时调整自己的理论和方针政策，苏共从整体上来说成为不思变革的保守的党，戈尔巴乔夫的改革首先遇到的阻力就是来自党的各级组织及其领导人，改革到处受到内部力量的抵制。戈尔巴乔夫终于得出结论，不可能把共产党作为改革的依靠力量，试图摆脱僵化的苏共，因此他宁要总统的头衔，而不想要总书记的职位。但是在一个党国一体化的国家里，一旦失去党的支持，就失去了依靠，尤其是在国内和党内尚未形成强大的改革力量的时候。在某些问题上戈尔巴乔夫急于求成（如多元化、多党制、改组苏维埃等等），必须看到苏联几十年形成的体制已到了积重难返的程度，改革既刻不容缓，也不能急于求成，改革的必要性必须同改革的适当措施结合起来。戈尔巴乔夫的悲剧在于看到改革的必然性和必要性，但此时此地他已回天乏术，找不到适当的措施来挽狂澜于既倒。

纵观苏联 74 年的历史，有过两次模式更换（由军事共产主义转换成新经济政策，再由新经济政策转换成斯大林模式）和三次改革。最成功的一次改革是列宁主持的由军事共产主义向新经济政策的转变，它在理论上打破了传统的废除市场关系的社会主义理论，决定在不施加暴力的情况下引导农民走向社会主义，从恢复农业着手，以恢复和发展农业带动工业的恢复和发展，取得了重大成就。但是它也存在致命的缺陷，即没有能够触动政治体制。列宁在经过短时间的犹豫之后，取缔了其他社会主义政党（孟什维克党和社会革命党），在党内又禁止各种派别，这就使列宁所说的“一党专政”变成不受任何监督的“一党独裁”，最后变成一种不受法律约束的无法无天的“个人独裁”。其结果就是经济体制的改革得不到政治体制的保护，一个人就可以用一句话予以废除，新经济政策被打发去“见鬼”。而中断新经济政策，也就埋下了葬送苏共和苏联的历史伏笔！

列宁生前已经看到斯大林掌握的无限权力有可能被滥用，专门写信给党的代表大会，建议一方面加强党内监督，一方面解除斯大林的总书记职务。这时候的总书记职务虽然还不是后来的党政第一把手，但掌握中央组织人事和处理日常事务的大权，一旦被滥用，后果严重。但是列宁的建议没有被接受，最高层的某些人士出于私利的考虑，一心一意支持斯大林继续担任总书记，这便留下了极大的隐患。

苏维埃制度曾被说成世界上最民主、最好的制度。然而，历史表明事实并非如此。在“一党专政”的国家，国家事务的决定权在共产党，而不在苏维埃，十月革命后代表民意的苏维埃逐渐变成无足轻重的机构，最后沦为“橡皮图章”。戈尔巴乔夫后来提出复兴苏维埃，“全部政权归苏维埃”，在“一党专政”的情况下，只是一种幻想，而放弃“一党专政”，全部政权真的归苏维埃，就意味着共产党失去政权。这是一个无法克服的矛盾。

赫鲁晓夫改革的重大缺陷是未能触及体制问题，不能也不敢把斯大林个人专制体制与社会主义制度区分开来。改革是局部性的，对斯大林个人崇拜的揭露虽然震撼世界，但问题往往归结为斯大林个人，这显然是很不够的，不足以解决问题。赫鲁晓夫在开始的时候也强调加强集体领导，但没有形成一种机制，在他站稳脚跟之后，就逐渐退回到个人说了算。这样就为自己的下台埋下了伏笔，给“宫廷政变”开了方便之门。

戈尔巴乔夫的改革比前两次改革都要深入，它触及了积重难返的政治体制，但缺乏充分的准备，如何正确处理党和苏维埃的关系，如何解决一触即发的民族问题，如何推进国内的民主化，又能保持苏共的领导地位，如此等等，戈尔巴乔夫都缺乏预见和考虑，陷入头痛医头、脚痛医脚的状态，徒具愿望而无有力措施，非常被动。

政治体制改革是一大难题，到了20世纪末，不改，则苏共迟早可能步罗马尼亚的后尘，改，如处置不当则反而会加速垮台。这里的问题不出在民主化、公开性，民主自由是当今世界之潮流，世界上众多的民主制国家并没有因民主而垮台，倒是那些强权专制的国家政变频仍，当权者交替出现。苏联由于错过几次改革的良机，问题已经到了积重难返的程度，在这样的国家如何实行改革，做到改而不死，动（变动）而不乱，是一个世界性的难题，是一个值得探讨的问题。

向马克思、恩格斯和列宁求教

苏联兴亡的原因是一个世纪性的问题，即使到本世纪末也未必会有一个公认的答案。本书作者并不企望解答这个难题，只是希望我们提供的事实有助于读者对答案的探寻。我们再提供一些往往被读者忽略的马克思、恩格斯和列宁的论述，也许会给我们以某种启发。

一个由列宁首创的社会主义苏联，一个口口声声要建立社会主义，甚至据说已经开始共产主义建设的苏联，一个千百万群众曾经为之献身奋斗的国家，为什么最终垮台、解体，而达不到自己的目标？

恩格斯在《费尔巴哈和德国古典哲学的终结》中关于历史有一段精辟的论述：

“历史进程是受内在的一般规律支配的。”[1] 人们所预期的东西很少如愿以偿，许多预期的目的在大多数场合都互相干扰，彼此冲突，或者是这些目的本身一开始就是实行不了的，或者是缺乏实行的手段的。“行动的目的是预期的，但是行动实际产生的结果并不是预期的，或者这种结果起初似乎还和预期的目的相符合，而到了最后却完全不是预期的结果。这样，历史事件似乎总的说来同样是由偶然性支配着的。但是，在表面上是偶然性在起作用的地方，这种偶

[1] 《马克思恩格斯选集》第4卷，人民出版社1995年版，第247页。

然性始终是受内部的隐蔽着的规律支配的，而问题只是在于发现这些规律。”[1]

“无论历史的结局如何，人们总是通过每一个人的追求他自己的、自觉预期的目的来创造他们的历史，而这许多按不同方向活动的愿望及其对外部世界的各种各样作用的合力，就是历史。”[2]“我们已经看到，在历史上活动的许多单个愿望在大多数场合下所得到的完全不是预期的结果，往往是恰好相反的结果，因而它们的动机对全部结果来说同样地只有从属的意义。”[3]

恩格斯就此进一步提问：“在这些动机背后隐藏着的又是什么样的动力？在行动者的头脑中以这些动机的形式出现的历史原因又是什么？”[4]他回答说：

“如果要去探究那些隐藏在——自觉地或不自觉地，而且往往是不自觉地——历史人物的动机背后并且构成历史的真正的最后动力的动力，那么问题涉及的，与其说是个别人物、即使是非常杰出的人物的动机，不如说是使广大群众、使整个整个的民族，并且在每一民族中间又是使整个阶级行动起来的动机；而且也不是短暂的爆发和转瞬即逝的火光，而是持久的、引起重大历史变迁的行动。”[5]

探讨促使群众行动起来的动因，这是能够引导我们去探索那些在整个历史中以及个别时期和个别国家的历史中起支配作用的规律的唯一途径。

在这里我们之所以大段援引恩格斯的话，是因为在74年的苏联历史中我们可以多次看到这种预期和结果、动机和效果相背离的状况。尽管领袖们一再宣布他们发现并掌握了“规律”，所发现的“规律”如何正确，他们对规律的运用如何英明，他们的预期如何百分之百得到实现，然而历史毕竟是按照自己的规律发展的，一切违背历史规律的东西都不免遭到失败和破产。“军事共产主义”、“全盘集体化”、“阶级斗争尖锐化”和“大清洗”、“建成社会主义”、“进入共产主义”、“发达社会主义”等无不如此。一部苏联兴亡史如实地证实了恩格斯的论断。实际上，某些领导掌握的并不是什么规律，而是权力，他们依靠

[1] 《马克思恩格斯选集》第4卷，人民出版社1995年版，第247页。

[2] 同上书，第248页。

[3] 同上。

[4] 同上。

[5] 同上书，第249页。

手中的权力恣意妄为，无视历史发展的客观规律，无视人民群众的诉求与呼声，无视历史的潮流，凭自己的意志与权力行事。这就难免一朝崩溃，难逃历史的审判。

有人把苏共丧权、苏联解体归罪于赫鲁晓夫、戈尔巴乔夫，认为是党内出了“叛徒”。很难想象，一个大国、一个大党能够被某一个人、某一个叛徒出卖。可以说，历史上没有任何一个个人拥有这样的力量。苏联共产党、中国共产党党内都出现过货真价实的叛徒，但都没有能够搞垮党。因为决定党的命运的不是个别领袖，而是广大党员、广大群众。列宁就此写道：

“历史上有过各种各样的变化；依靠信念、忠诚和其他优秀的精神品质，这在政治上是完全不严肃的。具有优秀精神品质的是少数人，而决定历史结局的却是广大群众，如果这些少数人不中群众的意，群众有时就会对他们不太客气。”[1]

列宁这里说的是，对历史上任何一个重大转变起决定性作用的是广大群众，而不是少数领袖人物。群众对苏共“不太客气”，是因为它已经“不中群众的意”，换言之，不得人心！当苏共中央总部被查封，其中的工作人员走出总部大楼的时候，围观的群众没有一个人表示声援，而是旁观，甚至嘲笑。这是一幅什么样的情景！

不言而喻，这不是否定领袖的作用，领袖对促进或者推迟历史的发展能够发挥巨大的作用。1871 年 4 月 17 日，恩格斯给库格曼的信中谈到偶然性的作用，他说世界历史“发展的加速和延缓在很大程度上是取决于这些‘偶然性’的，其中也包括一开始就站在运动最前面的那些人物的性格这样一种‘偶然情况’。”[2]

恩格斯在《德国的革命和反革命》中指出，需要研究革命必然爆发又必然失败的原因，“这些原因不应该从一些领袖的偶然的动机、优点、缺点、错误或变节中寻找，而应该从每个经历了动荡的国家的总的社会状况和生活条件中寻找。”恩格斯特意批驳了领袖“出卖”论，他说：“当你问到反革命成功的原因时，你却听到一种现成的回答：因为这个先生或那个公民‘出卖了’人民。

[1] 《列宁选集》第 4 卷，人民出版社 1995 年版，第 679 页。

[2] 《马克思恩格斯全集》第 33 卷，人民出版社 1973 年版，第 210 页。

从具体情况来看，这种回答也许正确，也许错误，但在任何情况下，它都不能说明任何问题。甚至不能说明，‘人民’怎么会让别人出卖自己，而且，如果一个政党的全部本钱只是知道某某公民不可靠这一件事，那么它的前途就太可悲了。”[1]

同样，用“叛徒论”来解释苏联这样一个大国的解体，虽似简单明了，但不能说明任何问题，也是直接违背恩格斯的教导的。

马克思写于1857年的《印度起义》一文中有一段话非常值得注意：

“人类历史上存在着某种类似报应的东西。历史报应的规律就是，锻造报应的工具的，并不是被压迫者，而是压迫者自己。”[2]

马克思说的是印度的起义。此前，英国殖民者在印度本地人中间招募一支名叫“西帕依”的雇佣军，用来征服印度并维持其统治。然而，正是这支部队在1857年震撼殖民者的印度民族起义中发挥了重要的作用。所以马克思接着写道：“第一次打击法兰西君主制的是贵族而不是农民。发动印度起义的不是饱受英国人折磨、侮辱和洗劫的莱特，而是由英国人供给吃穿、受英国人豢养和宠爱的西帕依。”[3]

马克思提到的这个“历史报应的规律”或者“类似报应的东西”，值得我们注意。在苏联共产党垮台上，我们同样看到了它的威力。

历史报应规律包含两个方面：报应什么，由谁执行报应。

历史上的坏事恶事不能不受到历史的报应，中国有俗语说，物极必反，善恶到头终有报，就体现了历史的报应规律。承认报应规律，可以使人们对历史存敬畏之心。

这种报应有的很快来到，有的需假以时日，待矛盾积累到一定时候爆发。十月革命前列宁在《论大俄罗斯人的民族自豪感》中写道：

“我们满怀民族自豪感，因为大俄罗斯民族也造就了革命阶级，也证明了它能给人类提供为自由和为社会主义而斗争的伟大榜样，而不只是大暴行，大批的绞架和刑讯室，普遍的饥荒，以及对神父、沙皇、地主和资本家十足的奴

[1] 《马克思恩格斯全集》第11卷，人民出版社1995年版，第6页。

[2] 《马克思恩格斯全集》第16卷，人民出版社2007年版，第334页。

[3] 同上书，第335页。

颜婢膝。”[1]

按照历史报应规律，这样充满大暴行的制度是迟早要被推翻的。令人遗憾的是革命胜利之后人们在苏联还是看见了大暴行、刑讯室、集中营、大饥荒，以及对领袖的顶礼膜拜……

即使在阶级社会，国家的职能之一也是维持社会的稳定，防止社会分裂，防止“经济利益互相冲突的阶级，不致在无谓的斗争中把自己和社会消灭”，“缓和冲突，把冲突保持在‘秩序’的范围以内”[2]。这是恩格斯在《家庭、私有制和国家的起源》中说的。然而斯大林的国家却人为地掀起“阶级斗争”，制造社会的对抗和分裂。这样的国家出路有两个，一个是痛改前非，进行改革，一个是一意孤行，政权垮台。欠债总是要还的。世界历史的进程是一个不断进步的进程，总是光明战胜黑暗，正义战胜邪恶，民主战胜独裁，自由战胜专制的过程，如果不是这样，人类岂不是永远生活在奴隶社会，或者中世纪的黑暗统治之下！世界历史是世界法庭！布哈林在“自己的”法庭上说得很清楚：“世界历史就是进行审判的一个世界法庭。”[3] 所有处于无奈绝望之中的人们都曾寄希望于世界法庭。历史学家罗・亚・梅德维杰夫把他论斯大林主义的起源及其后果的专著取名为《让历史来审判》，绝非偶然。

报应规律的另一方面是实施报应的往往是作恶者自己打造的工具。苏共的垮台，其原因可以列举很多，但归根结底在于苏共本身。列宁曾经提议解除斯大林的总书记的职务，列宁的理由是斯大林“太粗暴”，他认为，这个缺点在一般共产党人之间的相互交往中是可以容忍的，“但是在总书记的职位上就成为不可容忍的了”，他特别警告说，“这一点看来可能是微不足道的小事”，但“这是一种可能具有决定意义的小事”。[4] 但是列宁身后的领导班子或者出于一己私利的考虑，或者由于眼光短浅，硬是把斯大林保了下来，并且赋予更大更多的权力。这样到 20 世纪 20 年代末，大权在握的斯大林就急不可待地中

---

[1] 《列宁选集》第 2 卷，人民出版社 1995 年版，第 450 页。

[2] 《马克思恩格斯选集》第 4 卷，人民出版社 1995 年版，第 170 页。

[3] 《布哈林在法庭上的最后陈述》(1938 年 3 月 12 日)，《国际共运史研究》(布哈林专辑)，人民出版社 1981 年版，第 139 页。

[4] 《列宁全集》第 43 卷，人民出版社 1987 年版，第 340 页。

断了新经济政策，使社会主义失去走向市场的可能性，而斯大林性格上“粗暴”的缺点，在20世纪30年代的大镇压中毕露无遗。

斯大林实行了由上级任命的等级官员制度，把自己的工资提高到1万卢布，给党政官员以高薪，同时实行暗箱操作的红包制度，在社会主义国家内部培养出一个享有特权的高薪阶层，即“在册权贵”。20世纪50年代赫鲁晓夫进行了还没有触动体制本身的改革，但是他提出的干部任期制已触及一大批干部的利益，于是他们发动“宫廷政变”推翻了赫鲁晓夫政权，使苏联失去一次通过改革以挽救共产党政权的机会。戈尔巴乔夫上台重启改革，这次的改革冲击面更大，深深触及党内利益集团根本利益，这就不可避免地遭到党内“左”右派的反对和抵制，既有保守派的“8·19政变”，又有分裂派的别洛韦日密林会议，叶利钦高举反特权的大旗，赢得大量群众的支持，而结集在他周围的党政官员绝大部分又是在册权贵。在册权贵的各路大军汇集起来推翻了苏共的领导，解散了苏维埃联盟。

促使苏联解体的还有另一支由苏联自己打造的力量。在苏联存在的74年里，在地缘政治上继承的是沙皇俄国的衣钵，它在1921年动用武力并吞了自己刚刚承认的独立的格鲁吉亚民主共和国，1940年，又出兵波罗的海三国，并吞了独立的立陶宛、爱沙尼亚、拉脱维亚。这样，苏联恢复了沙俄帝国的版图。然而，正是这四个被红军占领，强行并入苏维埃联盟的国家，争取民族独立的运动始终不断，成为苏联国内最不安定的因素，它们在20世纪80年代末率先举起民族独立的大旗，宣布本国主权高于一切，动摇了苏维埃联盟的基础，并最后脱离苏联，恢复为独立国家，为苏联国内其他谋求独立的共和国作出了榜样。这支民族分离队伍是苏联自己打造培养出来的，它们曾经“壮大”了苏联，但最后又成为解体苏联的急先锋，这就是一种历史的报应。

多次打断改革、最终使苏共丧权的不是平民百姓，而是苏共自己培植起来的领导上层——“在册权贵”！最后促使苏联解体的急先锋，在联盟内部打开缺口的则是几个被兼并的国家！这大概就是马克思所说的历史报应规律！

苏联史研究在俄国的进步

半个世纪前，赫鲁晓夫“解冻”之后，开始公布一些有关苏共的档案资料，纠正斯大林时期对苏联历史的歪曲，但是这个过程随着赫鲁晓夫被党内政变推翻而中止。戈尔巴乔夫上台之后，继续“解冻”的进程，开始填补“历史空白”，公布许多绝密档案，打开了苏联历史研究中的许多禁区。苏联解体之后，许多重要档案馆对学者开放，历史学家得以深入接触到尘封多年的档案，为真正的史学研究提供了大量可靠的依据。

对苏联历史重新审视始于戈尔巴乔夫时期的剧作家、政论家等，他们不是专业的历史研究者，是“外行”，但恰恰是他们凭自己的敏感、经历和历史见闻，对一些重大的历史事件提出新的看法，尽管多少存在不准确的地方，但非常富有启发性。

我们且以著名的剧作家米·沙特罗夫为例。他发表在 1987 年第 4 期《新世界》上的《布列斯特和约》（中译名为《1918 年的苏俄领袖们》，世界知识出版社出版），《前进，前进，前进……》（1988 年）等剧作在恢复革命的真实历史方面就发挥了积极作用。在这些剧本里，过去一直被从历史上抹去的列宁的战友们如托洛茨基、布哈林、季诺维也夫、加米涅夫等登上了舞台，斯大林也不再是一贯正确的了，也会受到列宁的批评，这样剧作者就在舞台上展示了一幅比较接近历史真实的生动画面，虽然其中还存在如此这般的不足之处。沙特罗夫是中国观众熟悉的《以革命的名义》（1957 年）的剧作者，他的《我们一定胜利》（1982 年）上演后，勃列日涅夫曾率苏共中央政治局全体委员去观看，因为这些党的领袖们所知道的党史知识不会超过《联共（布）党史简明教程》所教给他们的。沙特罗夫写过很多关于列宁的剧作，显然仔细研究过列宁的生平以及他所处的历史时期，知道许多官方历史教科书所不提供的资料。《布列斯特和约》一剧写于 1962 年，当时无法发表或者上演，只能发表一些片段，直到 25 年之后，才得以全文发表。这自然推动了当时提出的“填补历史空白点”、恢复历史真相的运动，同时也给苏联的历史学家们背后击一猛掌。

接着，历史学家们也开始投入重新研究。他们从事两方面的工作：

过去苏联历史学家能看到的机密档案非常有限，只有少数学者能够进入绝密档案库。[1] 西方学者主要依据的是托洛茨基被驱逐出境时携带出去的档案，

[1] 1988 年我参加在联邦德国举行的布哈林问题国际学术研讨会，与会的有一批苏联学者，其中来自苏联科学院历史研究所的学者就当面指责苏共中央马列研究院的学者垄断档案。

德国人在占领期间从斯摩棱斯克掠走的档案（称“斯摩棱斯克档案”）。从 20 世纪 80 年代末起，苏联开始公布一些解密档案，苏联解体后各级档案馆对外开放。历史学家们发掘整理档案资料，报纸杂志上不断披露从档案库中发掘出来的专题资料，在长期工作之后开始出版大量的专题档案集。尤其值得注意的是由 A.H. 雅可夫列夫院士主编，众多著名史家参加整理编辑的系列档案丛刊《20 世纪俄国文献》[1]，一个专题一个专题地公布解密档案，如《1921 年喀琅施塔得文献》、五卷本《新经济政策是怎样被打断的。1928—1929 年联共（布）中央全会速记记录》、《斯大林与世界主义。苏共中央宣传部文件》，等等。

另一方面，历史学家们开始在此基础上撰写苏联史的论文和专著，如俄国史、苏联史、苏联国家史、政治史、经济史、文化史，等等。尽管由于史家们掌握的材料多寡有异，观点立场不同，对同一历史事实看法和评价不尽相同，甚至截然相反，但俄国的苏联史研究开始进入一个新阶段，总体上逐步走向写真实的历史，纠正以往对历史的伪造和歪曲。十月革命和国内战争只讲列宁和斯大林，不讲托洛茨基，能说清楚吗？除了列宁和斯大林两人以外，把十月革命后的所有党政领导人、列宁的亲密战友都打成“人民敌人”、“叛徒”、“内奸”，这样的历史能让人信服吗？一边宣布社会主义已经“建成”，一边实施大镇压，把千百万无辜人士投入监狱、集中营，予以枪毙，这是社会主义吗？这样的党史，这样的苏联史，是不是应当改写呢？写真实的历史必然要否定伪造的历史、歪曲的历史，说是填补历史的空白也好，说是恢复历史的正义也好，归根结底，需要还历史以本来面目！

与此同时，长期以来被雪藏于“特藏库”（спецхран）的禁书禁报禁刊，如托洛茨基、布哈林、季诺维也夫等反对派成员的著作，刊载反对派文章的报刊也解禁开放，有的公开重印。这使读者得以看到反对派的真正观点和主张，而不是靠斯大林著作和党的决议中多半是被歪曲或断章取义的转述和引文来了解他们的主张。苏联当时曾有禁令，禁止在论文和著作中直接引用反对派的言论，而只准转述，否则就是宣扬反对派的言论。过去一些被查禁的图书，如“异议人士”罗伊·梅德韦杰夫的《让历史来审判》等，也得以公开出版。戈

[1] Россия. XX век. Документы. Под общей ред. Академика *А.Н.Яковлева*. Международный фонд «Демократия». Изд. «Материк».

尔巴乔夫在苏联历史上第一次正式承认苏联存在书报检查制度，并予以废除。

自 20 世纪 90 年代以来，互联网得到飞速发展，许多俄国的学术著作、历史资料以至档案文件等可以在网上看到和下载，给史学研究提供了极大的方便。这一切为苏联史的研究提供了扎实的第一手资料，为纠正历史的伪造提供有力的证据。

俄国的史学家，不仅可以看到和使用各种新的解密档案材料，而且在写作史学论著时不再有过去那些官方的意识形态的束缚，没有了各种条条框框，可以按照自己研究的结果来写作了。历史研究成为历史学家的工作，而不再是政治家的工具。政治家们不再能够对历史的学术研究发号施令了，即使有人想发号施令，也再无法定于一尊。对苏联历史的各种问题仍然存在不同看法，争论在继续，但争论不再能够由官方来统一。莫斯科大学历史系副系主任Л.С. 列昂诺娃教授指出：当前，俄国史学家们已达成了一定的共识，认为学术研究不能再回归从前那种思想一统的老路，方法和观点的多元化是任何一门学科顺利发展的首要条件之一。在这种生态条件下，苏联史的研究出了不少可喜的成果，包括论文和专著。这里既有为斯大林辩护的菲利波夫等人著作的教学参考书《俄国现代史（1945—2006）》，也有“颠覆性”的由安·祖波夫主编、多国学者参加编写的两卷本《20 世纪俄国史》。可以同意或者不同意他们的观点，但仅就这两种观点截然对立的图书能在俄国出版而论，不能不承认这是历史的巨大进步。

从这一切可以看到，俄国的苏联史研究在最近 1/4 世纪的时间里有了长足发展，这是史学的进步，而不是历史虚无主义。

我们的工作

苏联的解体为苏联的社会主义画上了一个句号，苏联作为国家，作为制度，已经成为历史，整个苏联时期已经摆在世界历史的舞台上任人评说。苏联史成了整个俄国历史中的一个阶段、一个时期。诚然，这是一个非常独特的、影响过整个世界的时期。写前朝史是史家的一种惯例，一个朝代结束了，就有可能看到被深深掩盖的各种历史真相，有可能较为客观地评说其功过得失，为客观的科学的历史研究提供有利的条件。

苏联解体后，我国出了几本苏联史的专著，发表了不少叙述和论述苏联某一段历史、某一个问题的著作，这些著作分析问题的角度不同，详略不一，观点看法也不一致，对苏联历史和问题的研究出现了争鸣的良好态势。对存在74年的世界上第一个社会主义国家的兴衰存亡过程及其原因的探讨，不是短时间内能够达成共识的。罗马帝国灭亡以来世界上罗马兴亡史就出了好多种。法国大革命离今天已有两百多年，研究的著作依然源源不断地问世。曾有记者问周恩来怎样评价法国大革命？周恩来回答说：现在作结论为时尚早。已经过去两个世纪的法国革命尚且如此，一个曾经影响整个人类社会的社会主义革命的得失和经验教训，绝对不可能在短时间内取得各方的共识。仅仅就斯大林一人的评价而论，从他逝世算起，事过半个多世纪仍然众说纷纭，无法盖棺论定。对这么一段影响世界历史的发展进程的苏联历史决不是某几人或某几本书能作出定论的！

本书的作者群体关注苏联历史已久，有些学者从20世纪50年代起就学习和研究苏联史。有过痛苦的“文化大革命”经历的作者们深感苏联对中国影响之大、之深，开始从中国的教训反思苏联的历史。从20世纪70年代末开始，中国的苏联史研究者写出了一批有独立见解的论述苏联历史的论文和专著。

苏联解体之后我们有意写作一部比较完整、较为详尽的能够反映苏联历史真实过程的苏联史，这既是我国广大关心苏联历史的读者的需要，也是我们自己厘清苏联历史本身发展过程的需要。为此，本书的作者和其他一批苏联史研究者一起从1995年以来投入以下两项工作。

为使中国的学者能够看到并利用从苏联末期起开始公布的大量解密档案，由沈志华教授牵头在中国社会科学院立项，编译出版了34卷《苏联历史档案选编》[1]。我国有数十名苏联史研究者、翻译者投身于《苏联历史档案选编》的编译出版工作，历时七年，于2002年正式出版发行。这部书为我国苏联史的研究提供了一份非常有价值的资料。

编译出版档案资料不是我们的最终目标，利用这些档案资料撰写一部反映苏联历史真实面貌的苏联史，这才是我们追求的目标。1996年由沈志华等教授倡议，“中国史学会东方历史研究出版基金”提供资助，由郑异凡研究员

[1] 参见沈志华执行总主编：《苏联历史档案选编》，社会科学文献出版社2002年版。

牵头在中央编译局为九卷本《苏联史》正式立项。2002年《档案选编》完成之后，作者们开始集中精力撰写这部《苏联史》。

我们长期从事于历史研究，多年的工作使我们深深感到，一个历史工作者需要具备史魂、史识、史胆。“史魂”说的是史家的道德良知，要显善揭恶，独立思考而不媚时，不随风倒，尤其不为恶辩护。“史识”说的是对历史的认知，是建立在历史事实基础上的对历史的清醒认识，以史实为依据，运用历史唯物主义、历史主义，把握基本的历史联系，认识和揭示历史的本来面貌，力求揭示历史发展的规律。“史胆”，面对历史要敢于秉笔直书，敢于讲真话，敢于写真实的历史，这是对历史负责的态度。史魂、史识、史胆，这是中国史学的优良传统，也是我们追求的方向。

本书作者们努力给读者提供一部真实的苏联史。任何一个史家对自己所记叙、描绘的历史，不可完全处于超然的、纯客观的地位，必然会有自己的看法，并且会以各种形式表现出来，这是不言而喻的。本书同样如此，我们力求做到的是，所提供的历史事实，是真实可信的，我们的看法是有据可依的。苏联历史中伪造的东西太多了，纠正这些东西困难重重，尤其是对我们这些外国的史学家来说更是如此。迄今为止俄国的史学家们在这方面做了大量的工作，但是应该说，仍然处于起步阶段。写出一部完整、全面、真实的苏联史，有待俄国和各国历史学家的共同努力，我们所做的工作只是抛砖引玉而已。

当然，我们也不妄自菲薄，中国的历史学家在研究苏联史上具有自己的优势。我们是社会主义国家，正在建设中国特色的社会主义。此前我们在相当长的一个时期曾经照搬照抄过苏联斯大林的那一套做法，我们的社会主义曾经深深留下斯大林模式的烙印。中国人对斯大林模式的弊端有切身体会，摒弃和改革斯大林模式是中国改革开放的起点。这样，我们在考察苏联的成败得失时，会有自己的感性认识，可以通过自己的教训去认识苏联历史中的问题。从20世纪70年代末起，中国学者已经开始对苏联史中的某些问题进行认真的反思，得出新的认识，如列宁晚期思想、对斯大林的评价、对布哈林的评价、对赫鲁晓夫的评价、对《联共（布）党史简明教程》的评价、苏联农业集体化和工业化等等问题，都提出了自己的新见解，可以说，在20世纪80年代中国学者在苏联史的若干问题的研究上走在了苏联史家的前面。

马克思在《〈政治经济学批判〉导言》中说过："人体解剖对于猴体解剖是一把钥匙。反过来说，低等动物身上表露的高等动物的征兆，只有在高等动物本身已经被认识之后才能理解。"[1]这是马克思就资本主义社会对以往的各种社会的关系而言的。资本主义是借以往的社会形式的残片和因素建立起来的，其中一部分是还未克服的遗物，继续在这里存留着，一部分原来只是征兆的东西，得到了充分发展。中国的社会主义，是在苏联模式的基础上建立起来的，而中国特色的社会主义则是在克服和摒弃苏联模式中的斯大林模式的基础上建立起来的，在这里如马克思所说，一部分原来只是征兆的东西，如列宁的运用市场机制的新经济政策，得到了充分发展。在我国斯大林模式虽然已被摒弃，但不可否认，一部分尚未克服的"遗物"仍继续存在。通过中国特色的社会主义实践，我们能够更清楚地认识苏联社会主义的得失，这是不言而喻的。

本书是一部多卷本的苏联史，以相对独立的历史阶段分卷，依次为：俄国革命、国内战争、新经济政策时期、斯大林模式的确立、卫国战争、战后斯大林时期、赫鲁晓夫的十年、勃列日涅夫的十八年、戈尔巴乔夫改革和苏联解体。历史的延续存在有机的内在联系，分卷只是为了写作方便，并不是对苏联史的科学分期。九卷书是一个整体，讲述一个连续不断、有机联系的历史过程。与此同时，各卷的内容又是相对独立的。为发挥每一位作者的特长和创造性，在总体设计下，每卷的作者独立设计本卷的结构和内容，写作风格也不强求一致。为叙事方便，卷与卷之间部分内容或有重叠交叉。由于作者的视角不同，运用的资料不同，这种重叠不会是简单的重复。这样，每一卷都可以作为有头有尾的独立的一段史书来读。由于长期磨合，作者们对苏联历史的总体看法是一致或近似的，相信全书在基本观点上也会是一致的。尤其值得指出的是，本书的多数作者同时也是《苏联历史档案选编》相应卷次的主编，档案的编辑工作为他们提供了扎实的史料。

本书自1996年立项，到2013年开始出书，历时十多年，是名副其实的"十年磨一剑"。一部历史著作的撰写确实需要有较为充裕的时间，急就章是不行的。我们不敢说本书是精品，但是应当说，要出精品就必须舍得下"十年磨一剑"的功夫。

[1] 《马克思恩格斯选集》第2卷，人民出版社1995年版，第23页。

司马光言："鉴前世之兴衰，考当今之得失。"写"前世之兴衰"是历史学家的责任，"考当今之得失"则未必是史学家所能完成的任务，倒不如说是每一位读者自己的任务。历史学家的首要责任就是写出信史，使所写的历史书尽可能接近历史本身。这是考当今之得失的前提。如果历史事实被歪曲了，那由此得出的结论必然陷入谬误。2009 年 5 月 13 日，习近平在中央党校说：领导干部要通过研读历史经典，看成败、鉴是非、知兴替，起到"温故而知新"、"彰往而察来"的作用。我们希望这套《苏联史》能在这方面提供一些有用的东西。

在成书之际我们深深怀念中国社会科学院世界史所已故朱庭光所长，他一直关怀我们的苏联史研究和写作；怀念我们的挚友中央党校战略研究所的姜长斌教授，他不是课题组成员，但几乎参加了我们的所有学术讨论，贡献了许多宝贵的意见，长斌不幸于 2009 年年初去世，未能看到本书的出版，实为憾事。中国社会科学院世界历史研究所闻一、马龙闪研究员、华东师范大学历史系余伟民教授、中国政法大学金雁教授等也参加了我们的部分讨论会，人民出版社张伟珍编审为本书的出版做了大量工作，东方历史研究基金会和人民出版社提供了资助，前驻俄大使李凤林先生百忙中为本书作序，对此我们深表谢意！

2009 年 7 月 18 日二稿

2011 年 5 月 1 日三稿

目录

前　言

本卷阐述勃列日涅夫当政时期的苏联历史，时间跨度是从 1964 年 10 月勃列日涅夫“当选”苏共中央第一书记（之所以用“当选”是因为虽然召开苏共中央全会，但是连选举的形式都没有安排，而是由波德戈尔内宣布：经一致同意勃列日涅夫当选为苏共中央第一书记），到 1982 年 11 月勃列日涅夫逝世，整整 18 年。在这部苏联史中，本卷内容在时间跨度上是最长的。

一

寻求历史的真实，写真实的历史，是严肃的史学工作者的目标定位，也是严肃的史学工作者的自我价值追求。

寻求历史的真实，写真实的历史，基本的、第一位的当然是寻求历史的真实。

历史的真实，关键是真实，是确确实实的历史，是有历史档案、文献、记载，有包括口述历史资料，以及其他遗存、实物，等等可考的。总之绝不是想象的、虚构的。一句话，历史的真实必须是客观的历史存在。

当然，寻求历史的真实，写真实的历史，也不可能对历史上发生的事件，不加取舍地有事必录、有人必记。寻求历史的真实，写真实的历史只能是史学工作者对纷繁复杂的历史事实的一种提炼，是史学工作者的主观与历史客观之间的一种有机结合。只有经过这样的结合，才能使客观历史上发生的那些具有代表性、典型性的事件和人物，凸显成完整的历史真实进程，汇聚成一门知识体系。因此，一部历史著作，也就不可避免地体现着历史研究者本人对历史的某种认识。

因此，在实际的研究过程中，史学工作者尽管主观上把寻求历史的真实作为研究的宗旨，而能否写出真实的历史，以及在多大程度上写出了真实的历史，就仍然需要不断经受时间和实际的检验。正因为如此，历史学才成为人类永恒的研究领域，过去、现在和将来，始终吸引有志于此的人们，痴心不改地探索和挖掘。历史之所以具有如此无穷的魅力，是因为：历史虽然是记录过去，却能感悟未来；历史虽然已经画上了句号，却蕴藏着无限。毫不奇怪，从学术的视角，相同题材的史学著作，也绝不至于千人一面。

苏联历史相对于历史学的其他领域来说，研究的难度更大，原因是不言自明的。研究勃列日涅夫当政时期的苏联历史，由于目前能接触到的档案尚很有限，要把握勃列日涅夫当政时期苏联历史的真实，写出这一时期真实的苏联历史，难度也是可想而知的。

作者从1995年开始，参与沈志华教授主持的《苏联历史档案选编》的工作。根据编委会的分工，作者负责勃列日涅夫当政时期的历史档案整理工作。自此，每年定期与诸位挚友同仁恳谈有关苏联历史的种种问题，并且构思勃列日涅夫当政时期苏联历史的撰写问题。本卷书从2002年9月正式动笔撰写，正文部分至2005年9月完成。[1] 不论寒暑和节假日，作者伏案了整整3年。余下的撰写本卷前言，编排大事年表，做人名索引，罗列参考文献等工作，前后又是近半年。如此这般，尽管自己对自己的研究成果有信心，但是从史学研究的长河来看，它毕竟只能是作者在已见到的相关学者研究成果的基础上，在目前能接触到的档案资料条件下，达到的一种阶段性认识。

二

勃列日涅夫当政时期的苏联历史，表面上比较平稳、平静。勃列日涅夫本人，一般地说待人也是比较地宽容，比较地平易近人。勃列日涅夫对属下讲究情感交流，赠送礼品、颁发勋章、拥抱吻面，是勃列日涅夫对待属下和社交活动的“三套件”。但是，在表面比较平稳、平静的深层，政局和社会的内在变化是深刻的，地火在郁积和涌动。因此，勃列日涅夫当政时期的苏联历史，这一时期的苏共和苏联政府的内外政策，如同勃列日涅夫本人一样，是很复杂的。

20世纪60年代中期，当勃列日涅夫上台时，世界历史发展到一个新阶段。第三次科技革命促使人的生活方式、思维方式都跟着发生变化，人类物质文明生活、精神文明生活也上升到一个新的台阶。在这前后，西方各大国几乎都调整内外政策，以应对时代发展的潮流。勃列日涅夫上台后，并不是毫无作为，

[1] 作者愚拙，不会使用电脑，书稿的每一个字都只好一笔一笔地写。承蒙上海师大人文学院黄清老师不辞辛劳，帮助做成计算机打印稿及软盘。对黄清老师的支持和帮助，由衷地感谢。

也做了几件对苏联历史和苏联社会发展有影响的事情。

一、在国内政治生活方面，比较尊重宪法作为国家根本法的权威，特别是和斯大林时代相比较，社会法治秩序有了明显的健全和稳定

勃列日涅夫对在他当政时期发生的一些突发性事件，基本上都依法律程序处置，没有制造波及全社会的振荡，没有搞什么运动。

1969 年 1 月 22 日，列宁格勒军区空军少尉伊里因在克里姆林宫博罗维察门暗杀勃列日涅夫。克格勃副主席茨维贡早在 1 月 21 日已经收到有关情报，但有意不向第一把手安德罗波夫报告，企图借此制造事端，整安德罗波夫。安德罗波夫获悉危险局势后采取了紧急措施，加强对克里姆林宫以及通往博罗维察门和斯帕斯基大门的警卫，同时指示电视不断报道车队次序的消息，强调勃氏乘坐在第二辆车上。最后，电话建议勃氏立即改乘车队最后一辆车——第五辆车。勃氏接电话后对柯西金等说："我们为什么要坐在前面？谁应该得到荣誉——我们还是宇航员？同志们，应当谦虚点，谦虚点好。"结果，勃列日涅夫的座车（第二辆车）驾驶员伤重丧命，车内的宇航员受轻伤；勃列日涅夫等人由于及时换车，幸免于难。

伊里因进行这次恐怖活动是经过精心准备的，暗杀的目标明确，造成的影响也很大。案件发生后，苏联司法部门根据苏共中央的指示，展开了侦查，对伊里因提起刑事诉讼，根据刑法，按法律程序进行审判。对于这一案件中的相关责任人，也是以事实为依据，按各人不同的责任，作出处理。

1975 年 11 月 8 日，经过一段时间的暗中准备之后，大型反潜舰"护卫"号上的政治副舰长萨布林策动兵变，计划将军舰驶往瑞典。兵变被平息后，萨布林及 11 名积极参与兵变的军官被逮捕。苏军领导机关根据苏共中央的指示，成立了特别委员会，对兵变进行了缜密调查，搞清事件真相之后，移交军事法庭审理。军事法庭以事实为依据，根据相关军法条文，判处萨布林死刑，执行枪决；其余积极参与的人员，视情节轻重，被判处不同刑期的监禁。

1980 年 10 月 4 日，苏共中央政治局候补委员、白俄罗斯苏维埃社会主义共和国党中央第一书记马谢罗夫，在前往集体农庄视察的途中，被迎面的一辆翻斗车撞死，座车驾驶员也当场死亡。苏共中央组织了专门小组对牵涉人员进行侦查，调集交通事故处理专家对事故进行调查取证，认定这是一起交通事故，肇事翻斗车驾驶员负事故全责。案件被移交白俄罗斯司法部门审理，肇事

驾驶员被判处15年监禁，剥夺驾驶交通工具权利5年。肇事者对这一判决表示认罪、伏罪。

即使是对苏联社会的人本主义潜流，对“持不同政见者”也基本上是依法处罚。

关于持有人本主义意识的“持不同政见者”是不是刑事犯罪，这是苏共一党执政的苏联国家制度问题，是另一个问题了。苏联党和国家认定“持不同政见者”的活动是刑事犯罪。为了处罚他们，特增补了相应的刑法条文，作为法律依据。

1966年6月，经苏共中央批准，由俄罗斯联邦最高苏维埃主席团发布关于增补俄联邦刑法的命令：增补俄罗斯联邦刑法第9章关于反社会秩序罪第190条第1款、第190条第2款、第190条第3款如下：

第190条第1款，传播明显的虚假谣言，诽谤苏联国家和社会机构罪，处剥夺自由3年或强制劳动1年，罚款100卢布；

第190条第2款，侮辱苏联、俄罗斯联邦以及其他加盟共和国的国徽、国旗罪，处剥夺自由2年或强制劳动1年，罚款50卢布；

第190条第3款，组织或积极参加违反社会秩序的有组织活动罪，处剥夺自由3年或强制劳动1年，罚款100卢布。

对持不同政见者的处罚，基本上根据上述增补的刑法条款执行。当然，如何制定、解释和运用这些条款，那是由当权者的意志决定的。

即使是勃列日涅夫说出来的意见，也不是不可改变的。

勃列日涅夫对索尔仁尼琴恨得咬牙切齿，骂道：这个流氓分子，我们完全有理由把他关进监狱。但是，安德罗波夫说：我们毕竟没有什么法律根据，把索尔仁尼琴关进监狱。党中央政治局经过讨论，最后还是决定将索尔仁尼琴驱逐出苏联。在处置索尔仁尼琴问题上，安德罗波夫没有把勃列日涅夫的话当做法律；勃列日涅夫也没有把自己说出的话作为法律。

二、加大农业投入，推进了苏联农村现代化的阶段性进程，把农民的生活提高到现代化的水平

勃列日涅夫当政后，把推进农村社会现代化、提升农民的生活质量当做苏共中央的一件大事来抓。

以非黑土带为例。非黑土带包括俄联邦的29个州和自治共和国，农用

土地约 5200 万公顷，其中耕地面积约 3200 万公顷，是俄联邦最大的农业区。1961 年至 1965 年“七年计划”执行期间，农业资金总投入为 63 亿卢布；1966 年至 1970 年“八五计划”期间，农业资金投入为 117 亿卢布；1971 年至 1975 年“九五计划”期间，农业资金投入再增加到 195 亿卢布。由于农业总投入大大地增加了，农副产品的产量有大幅度增加，农村的收入增加。

更有重大意义的是，在 1966 年至 1975 年的 10 年里，也即在第八、第九两个五年计划期间，勃列日涅夫和苏共中央下大决心、花大力气，基本上实现了农村的电气化、煤气化、硬路面道路网络化的“三化”。20 世纪 70 年代中期，广袤的苏联农村真正告别了旧俄农村的落后面貌，农民也跨上了现代化生活的平台。

三、在党政一体的领导体制下，至少在形式上遵守党章的有关规定，奉行“集体领导”的原则

勃列日涅夫在他当政的 18 年里，召开过 4 次苏共代表大会，即 5 年召开一次党代表大会，完成例行的议程。在 1971 年至 1981 年的 10 年里，苏共召开过 22 次中央全会、451 次政治局会议、455 次书记处会议。在勃列日涅夫当政时期，基本上是半年召开一次中央全会，每星期举行一次政治局会议和书记处会议，可以说是雷打不动的。

各种重大问题的决策，也都经过党中央政治局讨论才作出决定。即使是勃列日涅夫的各种报告、讲话，也都经过政治局审议，然后定稿。政治局会议讨论重大问题时，也有分歧的意见，也有经过多次讨论才作出决定的。即使是出兵阿富汗的问题，在政治局会议表决之前，安德罗波夫、乌斯季诺夫、葛罗米柯等 3 人已经在征得勃列日涅夫的同意之后，作出了决定，但是最后还是经过政治局会议以记名表决的方式通过决定。当然，可以说到这个时候已经很难反对了，但是毕竟是每位政治局委员都写着“同意”。无论怎样，各种重大问题都通过一定的程序作出决定，不是勃列日涅夫一人擅自决定的。

四、关注发展各边远民族共和国的经济、文化教育和科学事业，缩小了各民族之间在精神和物质生活方面的差距

尽管“人的新的历史共同体——苏联人民”是勃列日涅夫从赫鲁晓夫那里继承过来的一种杜撰，但是，勃列日涅夫在他当政时期，确实加大了对边远民族共和国的投入，使之在经济、文化教育和科学事业等各方面都有了迅速的

发展，缩小了苏联境内各民族之间在物质和精神生活方面的差距。

在农业投入方面，苏共中央特别向中亚和高加索地区各共和国倾斜。20世纪70年代，农村所享受的国家服务费用，以及集体农庄庄员的家庭平均收入，各民族共和国明显高于俄罗斯联邦。由于联盟国家的扶持和加大投入，各民族共和国，尤其是中亚和高加索地区各共和国的工业生产，发展更为迅速。很多大型的石油化工、有色金属冶炼、轻纺、电器、食品加工等联合企业，都在勃列日涅夫当政时期建成投产。文化教育、医疗卫生等事业的发展，更是跳跃式的。这样，原来是世界落后地区的高加索和中亚地区，在勃列日涅夫当政时期，基本上踏上现代物质文明的台阶。

在勃列日涅夫当政时期，民族压迫、民族歧视，表面上已不存在了。1981年3月，苏共二十六大以后选出的政治局委员和政治局候补委员共22人，其中8人是非俄罗斯人，占1/3以上。至于各民族共和国的部委、州、区，乃至乡镇、集体农庄等的主要领导人，差不多都由当地的本民族干部担任。

勃列日涅夫当政时期，苏共中央和苏联政府在促进各民族共同发展方面所做的实事，既缩小了国内各民族之间生活水平的差距，也使苏联境内原来落后于世界总体发展水平的各民族跨入了世界进步的整体行列。

勃列日涅夫当政时期在民族关系方面所实行的政策措施也迅速培养了新一代的各民族精英。20世纪六七十年代，民族主义的重新激发，摧毁了世界范围内的殖民主义体系，也使苏联境内的民族主义演变成民族分离主义情绪。历史遗留的民族问题没有得到彻底解决，而各民族的发展又促使民族意识觉醒，出现更多的独立性的要求，酝酿着新的民族主义大爆发的风暴。不管怎样，赫鲁晓夫以激烈的言辞批判斯大林的问题：破坏社会主义法制，破坏党的集体领导原则，农业生产长期落后，实行民族迫害等问题，在勃列日涅夫当政时期，都有所改进。

三

如果说赫鲁晓夫是在言辞上激烈地批判过斯大林的话，那么勃列日涅夫则在完善斯大林模式上做了很大的努力。

一、使政治权力结构调整趋于常态化、均衡化、人情化，这是勃列日涅

夫能够平稳地当政18年的政治基础

勃列日涅夫是通过宫廷政变的密谋方式当上苏共中央第一书记的。勃列日涅夫的自身条件，以及权力交接的这种方式，使他在构建新的权力中心时，特别谨慎地解决赫鲁晓夫的拥护者，以及杜绝发生自己当政方式重演的可能等两方面问题。解决这两方面问题，勃列日涅夫既没有（事实上也没有力量）搞斯大林年代的“大清洗运动”，也没有给对方扣上“反党集团”、“阴谋家和野心家”之类帽子，而是采用常态化的方式，逐步地、平静地予以一一“调整”。

勃列日涅夫上台后，从1964年11月至1966年年初，也即至苏共二十三大前的一年多时间里，在苏共中央主席团和书记处的两个班子里，科兹洛夫因病“给予治疗假期”，波利雅科夫、伊利切夫被解除苏共中央书记职务，季托夫调任哈萨克共和国党中央第二书记。支持、拥戴勃列日涅夫上台的谢列平、谢列斯特、马祖罗夫等，提升为党中央主席团委员；杰米契夫等3人提升为党中央主席团候补委员。人员调整幅度很小，而且基本上是做加法。这样，勃列日涅夫很快就稳定了局势。

解决遗留问题，勃列日涅夫也是常态化地逐个调整，做到水波不兴。

在拥戴勃列日涅夫上台的密谋中，关键人物是谢列平和波德戈尔内。

对波德戈尔内，勃列日涅夫先是抓住1965年12月米高扬引退的机会，提名他接任苏联最高苏维埃主席团主席的职务。在1966年3月召开的苏共二十三大上，又以“已担任苏联最高苏维埃主席团主席”为由，将波德戈尔内排除出苏共中央书记处。世人皆知，在苏联政坛上，“苏联最高苏维埃主席团主席”按宪法条文的规定是国家元首，实际上不过是最高荣誉职衔。这样，使得波德戈尔内失去了在苏共中央书记处中的权力。

安排谢列平的过程，充分显示了勃列日涅夫的“政治艺术”。

谢列平不像波德戈尔内。谢列平性格刚烈，且锋芒毕露。他多年担任共青团中央第一书记、苏联国家安全委员会主席等要职，并在这两个部门进行了人事调整，根基深厚。谢列平不凡的地位、身份，以及他在勃列日涅夫上台过程中的举足轻重的作用，使勃列日涅夫当政后，立即提升他为苏共中央主席团委员，分管组织、人事等要害部门。此时，谢列平身兼苏共中央主席团委员、苏共中央书记、党和国家监察委员会主席、苏联部长会议第一副主席等四个要职，权倾苏联朝野。对于谢列平的权势，勃列日涅夫可说是如芒刺背。1965

年12月，勃列日涅夫以“理顺监察机关的名称”为由，将“党和国家监察委员会”改组为“人民监察委员会”，任命他所信任的科瓦廖夫为新的人民监察委员会主席。谢列平丧失了这一重要的职务，又被勃列日涅夫以此为由，指定改为分管轻工业、食品工业等方面的工作。接着，勃列日涅夫又以“让谢列平同志能集中精力从事党中央的工作”为由，解除了他的苏联部长会议第一副主席的职务。这样，谢列平在苏联政府领域的一切权力，就被削夺得一干二净。在这样做的同时，勃列日涅夫还将谢列平的亲信，包括谢米恰斯内，一一从要害部门调整出去，或派到对苏联来说无关紧要的国家去当大使，或调任一些次要职务。1967年7月，谢列平又被“选”为苏联工会中央理事会主席。谁都明白，在苏联的政治生活中，这是一个有名无实的闲职。同年9月，勃列日涅夫又以谢列平已担任苏联工会主席为由，解除他的苏共中央书记职务。

至此，谢列平已不可能构成对勃列日涅夫的权力中心地位的任何挑战了。但是，勃列日涅夫仍然觉得谢列平碍眼。1975年4月，谢列平被调任苏联职业技术教育委员会副主席。这一任命，在苏联政坛对谢列平来说带有明显的政治嘲弄性了。同年4月16日，苏共中央全会宣布：根据谢列平同志的请求，解除他的苏共中央政治局委员职务。勃列日涅夫就是这样“依法”顺理成章地把谢列平逐出了苏联政坛。

二、寻求权力结构的平衡化，是勃列日涅夫审时度势，调整权力结构所把握的又一原则，从而保持了权力中心地位的相对稳定

苏联的政治体制虽然始终是苏共的一党执政、党政一体，但是，自然法则是不以人的意志为转移的。1965年12月，米高扬因年老体衰而引退，标志着参与创建苏维埃国家的老近卫军年代的结束，新的、后革命精英年代的开始。老近卫军年代，苏联领导群体基本上是根据各人在革命过程中的资历，以及他们在革命过程中所表现出的能力和特长来组合、构建的。勃列日涅夫当政时期，政坛精英差不多都出生于20世纪初。在后革命精英年代，怎样保持政局的稳定，是勃列日涅夫构架新的权力结构群体所必须面对的新问题。努力实现权力结构群体的均衡化，可以说是勃列日涅夫构建新的权力结构群体的重要政治艺术。

在勃列日涅夫的干部网络中，有一个以同勃列日涅夫有特殊关系的亲信们组成的无形的圈子，被称做“第聂伯罗彼得罗夫斯克帮”。这个无形的圈子

是勃列日涅夫架构的权力结构体系中的重要一脉。

勃列日涅夫出生于第聂伯罗捷尔任斯克市，毕业于第聂伯罗彼得罗夫斯克冶金学院。在进苏共中央领导班子之前，勃列日涅夫担任过第聂伯罗彼得罗夫斯克州委第一书记、第18集团军政治部主任、苏共摩尔达维亚共和国中央第一书记、苏共哈萨克共和国中央第一书记等职务。在勃列日涅夫的生涯中，第聂伯罗彼得罗夫斯克既是他的故乡，也是他政治生涯中在州一级地方独当一面的圣地。在勃列日涅夫的经历中，在上述这些地方，勃列日涅夫有了一个以他为首、并为他所熟悉和依赖的干部群。这样的干部群是一种感情，更是一种难以用语言文字表达的诸因素的多元组合。在当代西方政治生活中，它可能不屑一顾，而在勃列日涅夫当政的后革命精英年代的苏联，却有了特殊的作用。勃列日涅夫当政后，大力将这批干部提拔、安排到一些关键部门任要职。这样，在苏联庞大的官僚体系中，实际上形成一个特殊的网络。这个特殊网络中的显要人物有：苏联内务部部长晓洛科夫、苏共中央办公厅主任巴甫洛夫、乌克兰共产党中央第一书记谢尔比茨基、经常代替勃列日涅夫主持政治局会议的苏共中央政治局委员基里连科、苏联部长会议副主席诺维科夫、接替柯西金任苏联部长会议主席的吉洪诺夫，以及苏联国家安全委员会的齐涅夫、茨维贡、切布里科夫等三名副主席。

但是，勃列日涅夫构建和安排这个无形的圈子是有分寸的、适度的，即有利于权力结构的均衡。在勃列日涅夫当政的前期，驾驭苏联政局的“三驾马车”是勃列日涅夫、波德戈尔内、柯西金。20世纪70年代后期，当勃列日涅夫的身体条件难以胜任繁重的领导工作时，则形成了以勃列日涅夫为首的，由苏联国家安全委员会主席安德罗波夫、苏联外交部长葛罗米柯、苏联国防部长乌斯季诺夫等组成的“影子三驾马车”。在苏共中央最高决策层中，勃列日涅夫安排苏斯洛夫掌管意识形态工作，让葛罗米柯放手主管外交工作。这样的安排，也是人尽其才。

即使在某一具体部门，勃列日涅夫也十分注意权力的均衡化构架。苏联国家安全委员会担负着特殊的使命。勃列日涅夫安排了无形圈子中的三人为该委员会副主席，而主席一职，却精心挑选了安德罗波夫。勃列日涅夫曾说：安排谁来担任苏联国家安全委员会主席“是件非常困难的事情”。勃列日涅夫终于认准了安德罗波夫：他不属于“第聂伯罗彼得罗夫斯克帮”；他既在党内有相应的地位，又取得勃列日涅夫的信任。后来的实践证明，这一选择有利于政局的稳定。

三、人事关系人情化，营造情感氛围，为自己打造富有人情味的公众形象，从而在新时期赢得相对稳定的信任度，是勃列日涅夫构架权力结构的又一特点

勃列日涅夫上台时，距十月革命半个世纪了。当年那种为推翻沙皇专制统治、创建苏维埃共和国而联结在一起的革命情谊，已随着岁月的流逝而“人去楼空”。用什么来充填权力构架中的这一情感空位，是勃列日涅夫遇到的又一新课题。勃列日涅夫根据自身的条件，以较为现实的态度对待自己和别人，营造人情化的情感氛围，从而在权力构架和保持政局稳定上，为自己积累了当政 18 年的政治资源。

授勋也是勃列日涅夫的一种工作方式和情感纽带。勃列日涅夫把接受勋章和授勋都视为乐事。他自己得了各式各样、数不清的勋章，光列宁勋章就有 5 枚。勃列日涅夫还喜欢给同僚和下属授勋。1982 年 3 月下旬，勃列日涅夫不顾重病缠身，来到塔什干为乌兹别克共和国颁发列宁勋章。3 月 23 日，在参观塔什干飞机制造厂时，因为围观的人太过拥挤而意外受伤。但是勃列日涅夫仍旧坚持按原计划亲自为乌兹别克共和国颁发列宁勋章，并发表讲话，宁可回莫斯科后立即住进医院。而亲自过问“伊诺泽姆采夫事件”，则反映了勃列日涅夫的人情味的另一面。

勃列日涅夫作为苏联的领袖，且不说列宁、斯大林，即使和赫鲁晓夫相比，也有他自身条件的劣势。但是他以比较现实的态度面对自己的条件，在后革命精英年代为自己创造新的执政资源。勃列日涅夫的所作所为，包括实行新经济体制改革，对苏联历史和社会的发展不是没有意义的：它让斯大林模式能够释放它所有的潜能，使苏联社会在勃列日涅夫当政时期出现相对安定的局面，苏联成为能够同美国争霸的超级大国。这一时期，斯大林模式所能容纳的民主、法治，以及恩赐式的关心和提高人民群众的物质生活需求，都达到了极限，可以说是斯大林模式的鼎盛时期。作为斯大林模式的守业型领袖，勃列日涅夫几乎作了他所能作的一切。正是这样，才使得像勃列日涅夫这样一位被公认为是不爱学习、懒于思考、基本上不动笔、缺乏领袖魅力、喜欢过平静生活的“平庸”之辈，能够当政 18 年。

四

历史的辩证法就是这样：勃列日涅夫当政的成功之处，对于苏联共产党和苏维埃社会主义国家来说，恰恰是最大的不幸。这一不幸就在于：斯大林模式已经发挥完其所有的潜力，苏联社会的继续发展，要求突破斯大林模式的狭窄框架；可是，勃列日涅夫的个人素质、他所实行的政策，却制约了苏共中央迈过这道门槛。这一不幸的主要表现是：

一、勃列日涅夫当政时期，苏共中央教条式地对待马克思主义，将马克思主义宗教教义化，使苏联社会从信仰危机深化成意识形态迷茫

20世纪60年代后期，苏联社会已经出现明显的“意识形态疲软”的现象，尤其在年轻一代身上，表现得更为突出。这是一种征兆，它表明苏联社会需要既和俄国的历史、社会传统相衔接，又体现社会的发展，能焕发新活力的意识形态，作为苏联社会的精神支柱。勃列日涅夫和苏共中央也意识到“意识形态疲软”的危机，有时甚至是强烈地意识到。但是，他们采取的对策和做法，基本上是单向的、更大规模的教条式地灌输马克思、列宁以及苏共现领导人们的著作。结果不仅不能扭转“意识形态疲软”，反而使之出现恶性循环。

勃列日涅夫和苏共中央对人本主义意识的敌视和镇压，加剧了信仰危机。

在苏联社会自身发展和世界潮流的带动下，人本主义意识活跃起来。勃列日涅夫和苏共中央视人本主义意识为洪水猛兽，以刑法措施对付敢于呼喊人本主义、敢于表现人本主义的人和事。

凡此种种，勃列日涅夫当政时期既没能加固和树立社会的主流意识，又不能阻遏斯大林模式社会主义以及被苏共教条化了的马克思主义全面地、根本地动摇，于是全社会出现了意识形态迷茫。

二、扼杀新经济体制改革，让新经济体制改革“安乐死”，把苏联的经济体制死钉在斯大林模式计划经济的框框之内，既限制了苏联经济的内在活力，也使苏联经济和世界市场隔离，在经济全球化成为时代潮流的现实面前，苏联经济只能朝死胡同里钻

和赫鲁晓夫当政时期经济改革的应急性、实用性、盲目性相比，柯西金主持的新经济体制改革有新的特点：

有理论准备。利别尔曼计划讨论历时一年多，为新经济体制改革作了理论准备。

目标企求比较明确。在计划经济的范围内，引入市场机制的激励功能。

有程序性操作。对企业进行试探性研究，开展改革试点。

阶段性渐进。改革不是一哄而上，而是分期、分批，试验一段、总结一阵，推广一批。

成效明显。成效包括两方面：既取得明显的经济效益，也触动了斯大林模式计划经济的根基，因此招致各级当权机构和人物的软、硬兼施的反对。

新经济体制改革和赫鲁晓夫当政时期的经济改革相比，还有一个特殊的、重要的区别：赫鲁晓夫当政时期的经济改革是由作为苏共中央第一书记的赫鲁晓夫亲自主持、开展的，不赞成或反对改革的都被赫鲁晓夫以不同的方式一一搬掉；新经济体制改革是由作为苏共中央政治局委员、苏联部长会议主席的柯西金主持的，作为苏共中央总书记的勃列日涅夫对新经济体制改革的态度，可以说决定着改革的命运。勃列日涅夫开始是支持新经济体制改革的，但是，当新经济体制改革因为触动了斯大林模式计划经济的根基，遭到各级当权人物明里暗里的强烈反对时，勃列日涅夫动摇了。1968 年的捷克改革，让勃列日涅夫感到了改革的危险。镇压“布拉格之春”之后，勃列日涅夫也随之根本改变了对新经济体制改革的态度。在新经济体制改革出现严重困难、最需要支持的时候，作为苏共中央总书记的勃列日涅夫站到反对改革的一边，勃列日涅夫的“一票”，决定了新经济体制改革的命运。

新经济体制改革的悲剧终场，表明勃列日涅夫和苏共中央死抱着计划经济和市场经济互为水火的观念不放。1921 年，列宁能够面对现实，接受市场经济。20 世纪 60 年代后期，现实已向苏联斯大林模式计划经济提出比 1921 年更为深刻的挑战，勃列日涅夫却最终拒绝市场经济。不仅如此，勃列日涅夫和苏共中央还把斯大林的“两个平行市场”理论引向极端，提出“社会主义国家经济一体化”的口号和政策。当东欧各国明里暗里想进入世界市场时，苏联就用“经济援助”和施加政治、军事压力等各种做法，甚至不惜直接出兵，来维持实际上无法维持的“经济一体化”。

新经济体制改革是系统工程，牵涉到苏联的各方面问题，包括政治体制的问题。20 世纪 60 年代后期，在开展新经济体制改革的时候，就全社会而言，社会主义的观念和信念还是比较稳定的，不像20世纪80年代后期戈尔巴乔夫改革所遇到的局面。勃列日涅夫如果能认清形势，分清轻重缓急，坚定地支持新经济体制改革，苏联的历史不是没有可能发生另一种变化的。

三、勃列日涅夫当政时期，领导干部职务终身制凝固化，使苏联政治和社会生活的活力丧失殆尽

苏联政治体制的特征之一是领导职务终身制。终身制的形成虽然有一个历史过程，但是它的凝固化则是在勃列日涅夫当政时期。

列宁在实现国家从军事共产主义向新经济政策的历史性转变之后，健康状况急剧恶化，半身瘫痪，语言障碍，丧失了正常工作的能力。列宁自知生命之火将会随时熄灭，为了党的巩固和苏维埃国家的未来，着重思考了保持党的核心圈的团结和党的领导人的继承问题，作了永别性的交代，并对占全国人口80%的农民如何走社会主义道路，提出了明确的意见。这一切都表明，列宁的思维是十分清晰的。但是，列宁在重病之际，虽然实际上已经退出领导岗位，却没有正式辞去党和国家领导职务，而那时的俄共中央需要列宁这面大旗，明知列宁已经不能视事，仍然继续选举列宁为党和国家的领导人。

由此引发历史的联想，即：1797年3月，胜利地领导了北美殖民地独立战争，创建美利坚合众国的华盛顿总统，二任而退。华盛顿的榜样，后来成为美国的宪法条文。因为1787年美国宪法只规定每任总统任期为4年，没有连任次数的限制。在美国历史上，除罗斯福因第二次世界大战这一特殊情况，四任总统之外，无一总统任期超过8年。1947年，美国第80届国会提案，将总统连任限定为两届，1951年获批准，成为美国宪法第22条修正案。当然，俄国的历史积淀不同于美国。俄国是有着一千年封建农奴制统治的老大帝国，背着沉重的封建皇权统治意识和森严的等级制的历史包袱，迈进20世纪。而美国是在资产阶级民主、共和曙光的照耀下，由成千上万名离乡背井、向往自由的移民在新大陆建立起来的新国家。华盛顿和列宁是分别把各自的国家推向现代文明的历史巨人，由于时空条件不同，他们虽然都是通过革命战争建立新政权的领导者，但是对国家最高权力移交的思考和方式却不同。这里，无意将列宁和华盛顿作历史的类比，而只是提出一种疑问，即：列宁是否也无意之间开了另一种先例。

不过，话得说回来！列宁当政时期苏维埃国家尚处于初创阶段，何况党

的核心领导成员都正值盛年，国家政治生活的实践还没有把任期制问题突出地提出来。

斯大林时期的问题是将非常状态下的干部自上而下的委派制加以常态化、制度化；而干部委派制的常态化、制度化，必然要求、必然会形成领导职务终身制。

赫鲁晓夫当政后，觉察到苏共在领导职务任职方面存在的问题，大胆地提出了领导职务轮换制，要求“干部必须轮换”。在苏共二十二大上，赫鲁晓夫明确地说：“由选举产生的各级机关的经常更新，今后应该成为不可违犯的党内生活准则，成为国家和社会生活的准则。”[1] 苏共二十二大通过的党章第25条规定：每届例行选举，苏共中央委员会及其主席团成员至少更换1/4，主席团委员一般只能连续当选三届；党的加盟共和国中央、边疆区委员会、州委员会成员在每届例行选举时，至少更换1/3，这些机关的领导人连续当选不得超过三届；党的专区委、市委、区委及基层党组织的成员，每届例行选举时至少更换1/2。当然，苏共党章还是为某些人留了一条后路：某些享有公认的威信的活动家，可以在更长的时间内连选连任。但是不管怎样，赫鲁晓夫当政时期已在党代表大会上通过了党的各级领导人实行轮换制的决定，并写入党章，这是废除领导干部任职终身制的重要一步。

勃列日涅夫上台后，立即取消了领导干部定期轮换的规定和做法，使终身制凝固化。

勃列日涅夫以稳定为由，在1966年3月底至4月初举行的苏共第二十三次代表大会上，取消了二十二大通过的党章第25条关于更新和更换党的机关成员、党组书记比例的条款。勃列日涅夫在苏共二十三大总结报告中说：“让共产党员自己决定，这一或那一党员在政治质量或业务上是否可以成为党的领导机关的成员，将是更正确和更民主的。”

此后，连选连任也制度化了；“选”是一种形式，连任才是实质。

1976年苏共二十五大时，党中央委员连选连任的比率上升为83.4%。1981年苏共二十六大，这个比率更上升为90%以上。党中央政治局、书记处成员的变动更小，在勃列日涅夫当政的18年中，只下来12人；实际上除自然、

[1] 《苏联共产党第二十二次代表大会主要文件》，人民出版社1961年版，第402页。

意外死亡，或因政治原因之外，没有更动（米高扬、谢列平、谢列斯特、波利扬斯基、波德戈尔内、沃罗诺夫、柯西金、马祖罗夫等，都是或因权力之争，或因和勃列日涅夫发生政见分歧而被驱逐）。在1976年、1981年两届加盟共和国党的代表大会例行选举中，共和国党中央第一书记，除自然死亡和新任命工作而调动之外，无一人被更换。

由于凝固化的终身制，勃列日涅夫当政时期的苏联成了名副其实的老人政治。勃列日涅夫本人于1974年11月接连中风，丧失了正常工作的能力。作为病人，理应得到关爱和休养。但是，他在他那个时期编织的终身制的罗网里，仍然作为苏共中央总书记（1977年6月又兼任苏联最高苏维埃主席团主席），当政8年，直至1982年11月10日逝世。勃列日涅夫当政时期的终身制是苏联社会畸形的政治现象，即使对勃列日涅夫本人来说也是某种折磨。

因此，如同不能把个人崇拜看做是斯大林个人现象一样，终身制也不是勃列日涅夫个人的需要，实际上它是苏联官僚特权阶层的需要。可以这样说，官僚特权阶层需要终身制来保住自己的特权地位和特殊利益；只有终身制才能有效地稳定和巩固特权阶层。可是终身制给苏联社会带来的危害却远远超出了官僚特权阶层为稳定和保障本阶层私利这一目标定位。

四、穷兵黩武，耗竭国力，最终把苏联推向绝路

苏联自建立以来，一直以革命外衣包装俄国强国追求的历史传统。不过，把苏联推上穷兵黩武的道路的则是在勃列日涅夫当政的时期。勃列日涅夫上台后，立即支持军方不惜人力和物力，用强大的技术兵器装备陆海军；不惜代价，动用自己的经济和科技能力，投入核军备的建设和扩充。勃列日涅夫表示要在苏美军备竞赛中保持优势，依靠战略核进攻，尽可能多地摧毁美国的战略力量；依靠战略防御体系，把自己的损失缩小到最低限度。勃列日涅夫当政的18年里，军费支出逐年递增。苏联在洲际导弹、潜艇发射导弹的拥有量上，从落后于美国，到赶上美国，再到超过美国。

勃列日涅夫当政时期，还改变了赫鲁晓夫时期轻视常规军备的方针：既大力发展核武器，也努力发展常规武器。勃列日涅夫宣称："我们在对核武器给予特别关注的同时，也没有忘记常规武器仍起着巨大的作用。"20世纪80年代初，苏联年产坦克的数量是美国的4.5倍，装甲运输车是美国的5倍，大炮是美国的9倍，核动力潜艇吨位是美国的3倍。美国在国防工业中从业的员工

约 220 万，同期的苏联这一数字为 500 万至 800 万。[1]

1970 年至 1980 年代，苏联的国民收入只有美国的一半稍强，但却要维持一个与美国大体相当的军事体系，另外再负担对第三世界的“援助”。苏联的直接军费占国民生产总值的 15% 左右；1/3 的工业生产、1/2 的机器制造业和金属加工工业都直接为军事服务。在和平时期，如此沉重的军费负担，不仅在苏联以往的历史上没有过，哪怕翻遍世界各国历史，也唯有勃列日涅夫当政时期。自古以来，军事大帝国都是短命的。勃列日涅夫把苏联引上这条道路，实际上是通向坟墓的道路。

勃列日涅夫当政时期所实行的方针、政策，相互之间都交叉、影响的。它们之间的相互作用，终于使苏联走向 20 世纪 80 年代末、90 年代初的历史终端。

五

本书的撰写是在国内外学者已有的研究成果的基础上，充分利用《苏联历史档案选编》以及相关的回忆录等资料进行综合、分析而成。

勃列日涅夫执政时期是各国历史学家关注的一个时期。勃列日涅夫逝世之后到今天，俄国出版了大量的有关文献资料和专著。

苏联时期出版过勃列日涅夫的 9 卷本文集《遵循列宁主义的方针》，收集了勃列日涅夫的有关报告、文章。[2] 这是研究勃列日涅夫时期的基本资料之一。

与俄文版文集相当的是中国上海人民出版社、上海译文出版社内部出版的 18 集《勃列日涅夫言论》。[3] 这是研究勃列日涅夫当政时期苏联历史的大型中文文献资料集，共 350 余万字，既有在报刊上公开发表的勃列日涅夫在党代表大会上的长篇工作报告，也有一二百字的应酬讲话。当然这些东西没有一篇

---

[1] История России. С древнейших времен до конца XX века. Отв. ред. *А.Н. Сахаров.* М., АСТ, 1996.С.582.

[2] *Брежнев Л.И.* Ленинским курсом. т.1–9. Москва.1970–1982.

[3] 《勃列日涅夫言论》，上海人民出版社编译室译，上海人民出版社 1974—1975 年版，第 1—11 集。《勃列日涅夫言论》，上海译文出版社、复旦大学外文系俄文教研室、赵风珍等译，上海译文出版社 1979—1986 年版，第 12—18 集。

是勃列日涅夫自己写的，但这些长长短短的报告、讲话是由勃列日涅夫和苏共中央集合的一批苏联社会精英、组成一个特别班子“党的工作者小组”草拟，由勃列日涅夫审阅，通过苏共中央政治局或书记处传阅、讨论，再经不止一次的修改而定的，是勃列日涅夫和苏共中央思想、观念、意志的体现，比对其他资料，还能从字里行间辨认出他们自己的矛盾，以及彼此之间的分歧、磨合。这些文字的内容，涉及政治、经济、军事、外交、文化、科学技术、社会生活、历史、地理，可以说是包罗万象。系统地、仔细地阅读这套《勃列日涅夫言论》，是研究勃列日涅夫当政时期苏联历史的一项基础性工作。很可惜，国内各种有关研究勃列日涅夫当政时期苏联历史的著作，大多没有充分利用这套现成的《勃列日涅夫言论》。与此类似的还有《苏斯洛夫言论选》，当然规模小多了。[1]

勃列日涅夫时期苏共历次代表大会、中央全会的会议记录、决议汇编，也是研究这一时期必不可少的资料。1976 年至 1982 年间，由辛华编译、三联书店出版的苏联共产党第二十三、二十四、二十五、二十六次代表大会主要文件汇编，为了解这方面内容，提供了主要的文献资料。[2] 关于经济方面我国也出版过一些有关决议汇编。[3]

近 20 年，俄国报刊杂志公布了大量解密档案，为研究苏联历史提供了一大批宝贵的资料。20 世纪 90 年代到本世纪初中国一批学者收集和翻译出版了 34 卷集的《苏联历史档案选编》[4]，这是国内唯一的有关苏联时期政治、经济、

[1] 《苏斯洛夫言论选》，上、下册，上海师范大学历史系世界史教研室译，上海人民出版社 1976 年版。

[2] 《苏联共产党第二十三次代表大会主要文件汇编》，辛华编译，三联书店 1978 年版。《苏联共产党第二十四次代表大会主要文件汇编》，辛华编译，三联书店 1976 年版。《苏联共产党第二十五次代表大会主要文件汇编》，辛华编译，三联书店 1977 年版。《苏联共产党第二十六次代表大会主要文件汇编》，辛华编译，三联书店 1982 年版。《勃列日涅夫时期苏共中央全会文件汇编（1964 年 11 月—1976 年 2 月）》，北京大学苏联东欧研究所编，商务印书馆 1978 年版。

[3] 《苏联共产党和苏联政府经济问题决议汇编》，周新城、周太忠、金宗芬等译，中国人民大学出版社 1983—1986 年版，第 5、6、7、10 卷。《苏修关于“经济改革”的决议、条例汇编》，哲学社会科学部经济研究所苏联经济问题研究组编，商务印书馆 1976 年版。

[4] 沈志华执行总主编：《苏联历史档案选编》，社会科学文献出版社 2002 年版。其中第 30、31、33 卷由叶书宗主编，内容涉及勃列日涅夫时期。

军事、外交、文化、社会生活等各方面原始档案资料的大型文献集，其中第30、31、32、33卷所收文献，是本书撰写的主要文献依据。不过受到各方面条件的限制，编入《苏联历史档案选编》的苏联档案资料还是很有限的，而勃列日涅夫当政时期的档案资料，受俄国档案解密年限的限制，就更少了。直到今天，公布的有关勃列日涅夫当政时期的档案资料，仍然很少。尽管如此，充分利用、仔细阅读和思考这些已见到的档案资料，参照相关的回忆录中涉及的方方面面、点点滴滴的内容，比对辨析，仍能厘清不少历史问题。

当事人的回忆录无疑是撰写勃列日涅夫当政时期苏联历史的可贵资料，尤其是近年出版的一批回忆录。撰写回忆录的有勃列日涅夫本人，原先的领导人、谋士，也有同时代的外国有关人员。此外还有关于柯西金总理的回忆录《人所知道的和不知道的总理。回忆柯西金》[1]。运用、引证这类著作的内容，

---

[1] *Брежнев Л.И.* Воспоминания. М., 2005.（《勃列日涅夫回忆录》）。Леонид Брежнев в воспоминаниях, размышлениях, суждениях. Вожди глазами современников. Ростов-на-Дону . Феникс. 1998.（回忆勃列日涅夫。同时代人眼中的领袖）。*ФетисовТ.И.* Премьер известный и неизвестный. Воспоминание о А.Н.Косыгине. Республика . 1997.《赫鲁晓夫回忆录》，张岱云等译，东方出版社1988年版。赫鲁晓夫：《最后的遗言》，上海国际问题研究所、上海市政协编译组译，东方出版社1988年版。安·安·葛罗米柯著：《永志不忘——葛罗米柯回忆录》，伊吾译，世界知识出版社1989年版。米·谢·戈尔巴乔夫著：《戈尔巴乔夫回忆录》，述弢等译，社会科学文献出版社2003年版。费·布尔拉茨基著：《领袖和谋士：关于赫鲁晓夫、安德罗波夫和其他人》，徐锦栋等译，东方出版社1992年版。阿·多勃雷宁著：《信赖》，肖敏等译，世界知识出版社1997年版。瓦·博尔金著：《戈尔巴乔夫沉浮录》，李永全等译，中央编译出版社1996年版。尼·雷日科夫著：《大动荡的十年》，王攀等译，中央编译出版社1998年版。弗·亚·克留奇科夫著：《个人档案（1941—1994）》，何希泉等译，东方出版社2000年版。阿·舍甫琴柯著：《与莫斯科决裂》，王观声译，世界知识出版社1986年版。特罗扬诺夫斯基：《跨越时空》，徐葵等译，世界知识出版社1999年版。外国人的回忆录有：[捷] 约·斯姆尔科夫斯基著：《斯姆尔科夫斯基回忆录——苏联侵捷前后》，钟杰译，商务印书馆1975年版。[捷]亚·杜布切克著：《杜布切克回忆录》，黄英尚译，新华出版社2001年版。[保]托·日夫科夫著：《日夫科夫回忆录》，吴锡俊等译，新华出版社1999年版。[美]亨·基辛格著：《白宫岁月》，陈瑶华等译，世界知识出版社2003年版1—4册，等等。

好的方面是对人或事的记述比较具体、细致；问题是，这类著作一般来说都受到作者本人的经历、思想意识的制约，带有比较明显的个人色彩。同一件事情在不同的人所撰写的回忆录中，不仅会有不同的评价，甚至在记事上也会有出入。这种时候，就需要尽可能从档案资料，或者从当时苏联的报纸、杂志中，仔细寻找有助于作出判断的依据，从中作出选择。

关于这一时期的综合性著作，我看到的第一本勃列日涅夫传记著作，是联邦德国的米夏埃尔·莫罗佐夫著《权力——勃列日涅夫的经历》，此书由张玉书等翻译，1978年香港朝阳出版社出版，原文为英文，原书名为《列昂尼德·勃列日涅夫》。该书作者是根据苏联发表的各种回忆录、百科全书，综合西方各国学者研究勃列日涅夫和苏联领导集团的成果，撰写而成。本书成书于1973年，因此，有关勃列日涅夫的事迹，只写到1972年。1981年我国出版了苏联异议人士阿夫托尔汉诺夫的《勃列日涅夫的力量和弱点》[1]。这些都是写于勃列日涅夫生前的著作，就评述勃列日涅夫而言显然是不完整的。

近年来俄国出版了一些有关勃列日涅夫生平的著作。其中有2002年出版的谢马诺夫《列昂尼德·勃列日涅夫——“黄金世纪”的执政者》，高度评价了这位执政18年的领导人，认为他的王国对劳动者来说是最美好的时代，没有战争、革命、饥荒和动荡，虽然缓慢，但生活得到了改善。2004年出版了马伊苏良的《勃列日涅夫的另一面》，从日常生活、家庭生活、个人爱好等等方面展示其普通人的一面。2006年穆列钦著的《勃列日涅夫》一书问世。作者是作家、电视评论员，这是第一部完整的勃氏政治传记，使用了大量罕见的文献资料和总书记战友的证词。[2] 沃尔科戈诺夫的《七位领袖》一书也有对勃列日涅夫的专门论述。[3]

俄国学者撰写的俄国通史或苏联通史类著作都有关于勃列日涅夫时期的

---

[1] ［苏］阿·阿夫托尔汉诺夫著：《勃列日涅夫的力量和弱点》，杨春华等译，新华出版社1981年版。

[2] *Семанов С.* Леонид Брежнев. Правитель “Золотого века”. Изд. Вече. 2002. Майсурян А. Другой Брежнев. Вагриус. М., 2004. *Млечин Л.М.* Брежнев. Изд. Проспект. 2006.

[3] *Волкогонов Д.* Семь Вождей. М., 1995.

论述，有的单独列章，有的同戈尔巴乔夫时期合在一起。[1]

在中国关于勃列日涅夫时期的专著有1998年中国社会科学出版社出版的由陈之骅主编的《勃列日涅夫时期的苏联》；同年世界知识出版社出版了邢广程著的5卷本《苏联高层决策70年》，其中第4卷，专门阐述勃列日涅夫时期的苏联。这是我国最早的关于勃列日涅夫时期的专著。

1985年，上海人民出版社出版了周尚文等著的《新编苏联史1917—1985》。尽管勃列日涅夫时期只占该书25章中的2章，比较单薄，但是它将勃列日涅夫时期放在苏联整体历史发展进程中来认识和研究，是我国学者撰写、出版的第一本完整的苏联通史类著作。

进入21世纪，涌现了众多包括勃列日涅夫时期在内的、整体性苏联史研究成果。2002年上海人民出版社出版周尚文等著《苏联兴亡史》。2004年人民出版社出版陆南泉等主编《苏联兴亡史论》。中国社会科学出版社出版陈之骅等主编《苏联兴亡史纲》。2007年新华出版社出版的沈志华主编的《中苏关系史纲1917—1991》，根据新的档案文献，对勃列日涅夫时期的中苏关系，作了系统的阐述。上述著作，基本上属于编年体通史类著作，有关勃列日涅夫时期的内容，只占整个苏联74年历史中有限的篇幅。

2005年内蒙古人民出版社出版的郭永胜著《苏联持不同政见者运动研究》，是一本值得注意的专著。"持不同政见者"（异议人士）的出现、活动，基本上是在勃列日涅夫当政时期。因此，研究"持不同政见者"，实际上是研究苏联这一时期社会政治生活的一个侧面。

设在荷兰阿姆斯特丹的赫尔岑基金会，分别于1972年、1975年，用俄文出版1964年至1970年、1965年至1970年等两册《政治日记》。[2] 这是苏联

[1] 例如：История России. Советское Общество. 1917–1991. Под ред. *В.В.Журавлева.* М., Терра. 1997.（俄国史。苏联社会。）История России. С древнейших времен до конца XX века. Отв. ред. *А.Н. Сахаров.* М., АСТ, 1996.（《俄国史。从远古至20世纪末》）*Барсенков А.С. Вдовин А.И.* История России（1938–2002）.Изд. " Аспект-Пресс" . 2003.（俄国史）。

[2] Политический дневник. 1965–1970 . Под ред. *Р. Медведева.* Фонд имени Герцена. Амстердам. 1972–1975.

"异议人士"撰稿的不定期的文集，内容涉及苏联的政治、经济、外交、意识形态、文化思想等方方面面。不过，由于从1970年代开始，苏联加强了对"异议人士"的监控、镇压的力度，《政治日记》只出版到1970年。1983年山东人民出版社出版了此书的选译本。[1]1980年至1981年，我国三联书店出版了10辑《苏联问题译丛》，其中的多数内容涉及勃列日涅夫当政时期苏联社会生活的各个方面。

本书在内容撰写上，尽可能地写人物的活动。

我国古代的史学著作，无论是官修的正史，或者民间流传的"野史"、笔记等，都着眼于记录人的思想、行为、活动。因此，这些史学著作，尽管它们的准确性需要经过考订，但是都写得生动、活泼，令后世的读者爱不释手。这样的史学著作曾被指斥为写"帝、王、将、相"而予以否定。我国当代的很多史学著作，写得干巴巴，千人一面，读来枯燥乏味，其中的重要原因是，作者从主观已有的思维定势出发，对历史进行概括，进而分析原因，总结经验教训，提出和解释各种各样的概念，等等。这样写历史，几乎成为某种模式。本书在写作上努力着眼于写人，写苏联那个时代在各个领域里有代表性、典型性的人的思想、行为、活动，等等。当然，也涉及在国际范围内的活动与关系。

作者对本书没有更高的期望，只想写出勃列日涅夫当政时期的真实的苏联历史。

叶书宗

2008年11月

[1] 罗·亚·梅德维杰夫主编：《政治日记》（选译），贾连义等译，山东人民出版社1983年版。

第一章　勃列日涅夫时期的开始

1964年10月，经过一次宫廷政变式的“逼宫”，勃列日涅夫取代赫鲁晓夫，当选为苏共中央第一书记。在苏联这种体制下，苏共中央最高领导人的更换，标志着新的历史时期的开始。勃列日涅夫入主克里姆林宫，开始了长达18年的勃列日涅夫当政时期的苏联历史。

苏联总共只有74年历史。勃列日涅夫当政的年代之久，在苏联八任领袖中，仅次于斯大林。如果说是斯大林在他当政时期建成了斯大林模式社会主义的话，那么斯大林模式社会主义在苏联的失败，关键则在勃列日涅夫当政的这18年。勃列日涅夫当政的18年，是苏联历史的又一个转折时期。

第一节　勃列日涅夫的上台

勃列日涅夫其人

列昂尼德·伊里奇·勃列日涅夫是俄罗斯人，1906年12月19日生于乌克兰第聂伯罗彼得罗夫斯克州（1926年前称叶卡捷琳诺斯拉夫州）的第聂伯罗捷尔任斯克市（1936年7月20日前称卡缅斯考耶）。勃列日涅夫在家乡上小学，由于父亲是钢铁厂的工人，他15岁就进工厂做工了。勃列日涅夫1923年加入共青团，1931年成为联共（布）党员，1937年5月当上第聂伯罗捷尔任斯克市苏维埃执行委员会副主席，可谓后生可畏！在此之前，他曾毕业于库尔斯克农田耕作与土壤改良中等技术学校（1927年毕业）、第聂伯罗彼得罗夫斯克冶金学院；做过土地丈量员、区农业委员等工作，并曾在红军部队服役一年。身体健壮，精力充沛，年方30的年轻干部勃列日涅夫已有丰富的经历和专业技术学历，这为他以后的发展打下良好基础。

20世纪30年代末，国际局势已日趋紧张，苏联的第三个五年计划实际上已转向军工生产。已被调到联共（布）第聂伯罗彼得罗夫斯克州委机关工作的勃列日涅夫，于1939年2月被任命为州委副书记，负责国防工业生产工作。在这个重要的岗位上，毫无疑问使勃列日涅夫得到锻炼，并有充分展现自己的舞台空间。由于此，也暴露了勃列日涅夫的弱点。当时的俏皮话专家送给他一个外号，叫“芭蕾舞女演员”，意思是谁想怎么摆弄他都可以，隐喻他太容易受别人的影响和受自己情绪的左右。

1941 年 6 月 22 日卫国战争爆发。作为州委副书记的勃列日涅夫于 7 月 14 日入伍从军，在南方方面军任方面军的旅级政治委员，上校军衔。1944 年秋晋升少将；1945 年 4 月担任乌克兰第 4 方面军政治部主任。在四年的卫国战争中，勃列日涅夫有两年多在第 18 集团军任政治部主任（1943 年 4 月被任命为第 18 集团军政治部主任）。第 18 集团军于 1941 年 6 月卫国战争爆发之初组建，曾先后编入南方方面军、乌克兰第 1 方面军、乌克兰第 4 方面军。因此，勃列日涅夫和先后担任过以上各方面军首长的马利诺夫斯基、叶廖缅科、托尔布欣、朱可夫、科涅夫、彼得罗夫、比留佐夫，以及亚速海分舰队司令戈尔什科夫等，都有深厚的关系。卫国战争中的经历，使勃列日涅夫在军队系统中也有了广泛的基础。

作为军队的政治干部，勃列日涅夫是称职的。1943 年 4 月 18 日，朱可夫作为最高统帅部的代表，同海军人民委员库兹涅佐夫、空军司令诺维科夫及总参谋部工作人员什捷缅科，一起来到第 18 集团军。当时，归第 18 集团军防守的诺沃罗西斯克登陆场（部队中称作“小地”）正在进行激烈的战斗。朱可夫在回忆录中写道：“这个登陆场的总面积只有 30 平方公里。那时，我们大家不放心的一个问题是，苏联军人能不能在这场实力悬殊的战斗中经受住考验。敌人日夜对这个登陆场的保卫者实施空中突击和炮兵轰击。我们希望就这个问题同第 18 集团军政治部主任勃列日涅夫商量一下，而他恰巧在‘小地’上，那里正进行着最艰苦的战斗。”[1] 什捷缅科的回忆录《战争年代的总参谋部》也写到这次战斗，说三天以后，我终于会见了勃列日涅夫，“在这里，我初次认识了勃列日涅夫，当时他是这个集团军的政治部主任。”[2] 在被称作“小地”的保卫战中，勃列日涅夫冒着猛烈的炮火，乘坐一艘小船去巡视米斯哈克半岛上的桥头阵地。途中小船触雷沉没，落水的勃列日涅夫被同行的士兵救起。

格列奇科在回忆录中两处写到勃列日涅夫。其一是 1942 年 10 月 20 日，在土阿普谢城下，第 18 集团军面临被德军合围的险境。“黑海集团军群的司令员和军事委员，第 18 集团军司令员和参谋人员都下到部队中去了。集团军群政治部和第 18 集团军政治部的特别有经验的政工人员被派到部队的基层党

[1] ［俄］朱可夫著：《回忆与思考》，洪科译，三联书店 1972 年版，第 780 页。

[2] ［俄］什捷缅科著：《战争年代的总参谋部》，三联书店 1972 年版，第 130—131 页。

组织里去工作。勃列日涅夫直接参加了部队里党的政治工作的领导。”其二是1943年9月，第18集团军投入一场激烈的战斗。“集团军和黑海舰队的政治工作者跟指挥员和参谋人员一起，深入到登陆部队中间。第18集团军政治部主任勃列日涅夫上校待在登陆部队中的时候，检查了作战的准备工作，很关切部队需要什么东西。勃列日涅夫和士兵们谈心，召开指挥员和政工人员会议，参加党和共青团的集会并给新党员颁发党证。”

1978年第2期《新世界》杂志刊登了勃列日涅夫撰写的回忆录《小地》，大肆渲染这次战役的“辉煌”，说这次战斗“堪称为军事艺术的典范”。

当然，以上这些回忆录都是在勃列日涅夫当政时期撰写和出版的，不无吹捧之嫌。但是，不管怎样，勃列日涅夫在卫国战争期间是一名热爱祖国、忠于职守、甘冒矢石的军队政治干部是可以肯定的。战争末期，他率军进入捷克斯洛伐克，到了布拉格，成为解放东欧的英雄之一。更值得骄傲的是，1945年6月24日，勃列日涅夫佩戴四枚勋章，排在乌克兰第4方面军编成的混成团方阵的排首，参加在莫斯科红场举行的胜利阅兵式。这样，勃列日涅夫在卫国战争中的经历和表现画上了光荣的句号。

战争结束以后，勃列日涅夫出任新成立的喀尔巴阡军区政治部主任。一年后，1946年8月，他脱下军装，担任扎波罗热州委第一书记。1947年11月，调任第聂伯罗彼得罗夫斯克州委第一书记。关于这段工作，《新世界》杂志1978年第5期刊登了勃列日涅夫撰写的回忆录《复兴》。《复兴》分为10节，前6节是勃列日涅夫回忆1946年任扎波罗热州委第一书记时重建扎波罗热钢铁公司的情景，后4节写他任第聂伯罗彼得罗夫斯克州委第一书记时的工作。在《复兴》中，勃列日涅夫称自己具有“领导经济工作的艺术”。

勃列日涅夫在第聂伯罗彼得罗夫斯克州委第一书记的岗位上工作了3年，这里也成了以后勃列日涅夫当政时期的“福地”，形成“第聂伯罗彼得罗夫斯克帮”，在苏联的社会政治生活中发生重大影响。

1950年7月，勃列日涅夫当选为摩尔达维亚苏维埃社会主义共和国党中央第一书记。摩尔达维亚共和国在全苏虽然只是个很小的“小弟弟”，20世纪50年代初，首都基什尼奥夫只有11万居民，差不多只有第聂伯罗彼得罗夫斯克的1/4，但是，他毕竟成为加盟共和国的党中央第一书记了，成为独掌一方的封疆大吏。这个共和国是1940年8月2日成立的，勃列日涅夫到任时苏维埃政权建立虽已10年，但是农业集体化却远未完成，还有20%的农户仍在逍遥地单干。战后初期，斯大林以严厉的手段整顿、巩固集体农庄。勃列日涅夫认准了这一形势，也以严厉的手段实现了全盘集体化。到1952年，95.6%的农户都加入了集体农庄。同时，勃列日涅夫还加强对“破坏公共财物”及“怠工”行为的惩罚力度，使摩尔达维亚这个出世最晚的“小弟弟”能在社会主义大家庭中后来居上。这一切都得到斯大林的赏识。

1952年10月，勃列日涅夫率领摩尔达维亚共和国共产党代表团参加在克里姆林宫举行的苏共第十九次代表大会，当选为苏共中央委员。随后，又在中央全会上当选为党中央主席团候补委员、中央书记。最小的共和国之一（面积在15个加盟共和国中排在第14位；人口排在第9位）、20世纪50年代初还只有6万名党员的共和国党的第一书记，赫然升为苏共中央主席团候补委员、苏共中央书记，这是斯大林着力提拔的结果。

1953年斯大林逝世，既给勃列日涅夫的政治生涯带来波折，也为勃列日涅夫创造了新的选择机遇。

1953年3月6日，即斯大林死后的第二天，苏共中央、苏联部长会议、苏联最高苏维埃主席团举行联席全会，将苏共中央主席团成员从25名缩减为10名，主席团候补委员从11名缩减为4名，中央书记从10名缩减为3名。勃列日涅夫作为苏共十九大以后进入党中央主席团和书记处的成员，被从主席团候补委员和苏共中央书记这两份名单上一起“缩减”掉了。凭着在军队中的经历和资历以及种种关系，勃列日涅夫又穿上军装，被任命为苏联海军政治部主任，晋升为中将。10天以后，海军部并入苏联军事部（国防部），勃列日涅夫改任苏联陆海军总政治部副主任。

20世纪50年代中期，苏联的政治权力中心从马林科夫向赫鲁晓夫转移，社会也经历了一场震荡。在局势尚不分明时，勃列日涅夫凭着政治嗅觉和原有的各种关系，追随赫鲁晓夫，这表明勃列日涅夫并不是一个头脑简单的莽汉。1954年2月，在垦荒运动刚刚开始的时候，他被赫鲁晓夫选中，去做垦荒工作。他被派往中亚的哈萨克斯坦任职。勃列日涅夫又一次脱下军装，这成为他一生政治生涯的又一转折点。他先是担任哈萨克共和国党中央第二书记。他全力投入垦荒工作，特别是狠抓动员和安顿来哈萨克斯坦垦荒的人的工作——一项特别棘手、又是完成垦荒和上缴粮食计划的关键工作。50年代中期，哈萨克斯坦全境每平方公里人口密度不到 3 人。在空旷的荒原上垦荒、种粮食，关键是需要劳动力，需要大批有农业生产经验和能使用农业机器的人。虽然赫鲁晓夫以苏共中央的名义，在全国上下动员共青团员和其他人众去垦荒，也规定给予诱人的物质刺激，但执行起来却相当复杂和困难，出了很多乱子。哈萨克斯坦恶劣的自然环境和贫困的物质生活状况，更使安顿垦荒人员的生活和劳动成为一个有威胁性的社会难题。勃列日涅夫在这项工作上花了大力气、真力气，并且凭老关系，从人口密度居全苏前列的摩尔达维亚共和国，动员农村居民、尤其是罗马尼亚人来哈萨克斯坦。勃列日涅夫对前来垦荒的人另给额外优惠：每人允许携带二吨重的私人财物；发给建房补助费和生活口粮贷款；两年之内免缴一切赋税。这项灵活政策确实吸引了大批人口、包括罗马尼亚人来哈萨克斯坦。那几年，哈萨克斯坦的外来人口激增。50 年代末，哈萨克斯坦的俄罗斯人已达到居民总数的 40% 以上，乌克兰人超过 7%，哈萨克人不足 33%，定居在哈萨克斯坦的罗马尼亚人就有 1.5 万人。由于在垦荒工作中的成绩，勃列日涅夫被赫鲁晓夫授予列宁勋章。1978 年第 11 期《新世界》杂志发表了勃列日涅夫的第三篇回忆录《荒地》，记述他 1954 年至 1956 年在哈萨克斯坦领导垦荒工作的经历。回忆录除反映了一些垦荒的真实情况之外，当然也是吹嘘他自己如何成功地领导垦荒而“当选为苏共中央书记”。

1956 年 2 月，勃列日涅夫率哈萨克斯坦共产党代表团参加苏共二十大。他的大会发言的主题就是垦荒工作。当他不无兴奋地讲到“实际开垦了 1800 万公顷荒地，比预定计划多 270 万公顷”时，会场响起一阵热烈的掌声。然后，他又装出内疚的模样说：哈萨克斯坦未能完成畜牧业生产计划，没有很好地利用畜产品生产的各种条件。“苏共中央批评了哈萨克斯坦党组织的工作，这个批评是完全正确的。”勃列日涅夫的这一艺术性表演，又一次赢得掌声。由于有这样的成绩和这样的表演，勃列日涅夫不仅在苏共二十大上依旧当选为苏共中央委员，而且在随后的中央全会上又当选为苏共中央主席团候补委员、苏共中央书记。值得注意的是，在 1953 年 3 月 6 日被联席全会“缩减”掉的 11 名原苏共中央主席团候补委员中，只有勃列日涅夫一人重新进入苏共中央主席团和书记处。苏共二十大，和苏共十九大一样，成为勃列日涅夫政治生涯的又一转折点。更有锦上添花的是，1956 年 12 月，当他 50 岁寿辰时，赫鲁晓夫又给了他一枚列宁勋章。在赫鲁晓夫执政的头三年里，能连获两枚列宁勋章的，

勃列日涅夫成为主席团委员，赫鲁晓夫看重其忠顺

唯有勃列日涅夫，这既表明赫鲁晓夫对勃列日涅夫的评价和器重，也使勃列日涅夫铁心支持赫鲁晓夫。

1957 年 6 月苏共中央发生的那场戏剧性事变中，勃列日涅夫义无反顾地站在赫鲁晓夫一边，从而确定了勃列日涅夫在苏联最高权力圈里的不可动摇的地位。

1957 年 6 月 18 日下午，苏共中央主席团会议的第一天，在双方的争论进入白热化，而且形势不利于赫鲁晓夫的时候，勃列日涅夫负责通知未出席会议的主席团委员、主席团候补委员和中央书记们立即出席会议，以改善赫鲁晓夫的不利政治态势。勃列日涅夫还积极配合朱可夫，把分散在全国各地的苏共中央委员、中央候补委员们紧急接到莫斯科来。在党中央主席团会议上，勃列日涅夫也竭力为赫鲁晓夫辩护，以致卡冈诺维奇打断他的话，尖酸地抢白道：“你瞎掺和什么？你来教训我们还嫌太嫩了点儿。没有人请你发表意见。你在海军里还没有待够吗？小心着，再把你撵回去，可就没有出头之日了。”[1] 不过无论怎么说，在挫败马林科夫等人的反赫鲁晓夫的密谋中，他也属有功之臣。

在紧接着举行的苏共中央全会上，勃列日涅夫踊跃揭批“反党”集团。勃列日涅夫开头就说：“同志们！一起触目惊心的反党阴谋，一起由马林科夫、莫洛托夫、卡冈诺维奇、谢皮洛夫反党集团策划的阴谋，越来越深刻而全面地展现在我们面前。遗憾的是，他们把布尔加宁、萨布罗夫、别尔乌辛也拉进了他们的分裂主义集团。”“他们试图实现骇人听闻的阴谋。但是他们反党、反人

[1] ［俄］谢·赫鲁晓夫著：《赫鲁晓夫下台内幕》，述弢译，中央编译出版社 2000 年版，第 103 页。

民的罪行，逃脱不了公正而严厉的惩罚。”[1] 勃列日涅夫还揭露“反党”集团的策略是：一、逢迎拍马；二、寻衅闹事；三、玩弄权术；最后是图穷匕见，肆无忌惮地孤注一掷。勃列日涅夫还揭发卡冈诺维奇、马林科夫、莫洛托夫等人在历次大清洗中所犯的罪恶，称卡冈诺维奇是“屠杀干部最得力的鼓吹者，是屠杀党内外干部的组织者。”称马林科夫“先是和叶若夫之间的关系是无所不包的，继之则把自己的命运同贝利亚拴在一起。”为了表白自己是坚定地捍卫赫鲁晓夫的领导地位，勃列日涅夫声称：“可以毫不夸张地说，赫鲁晓夫同志是忠诚勤恳地为人民服务的典范。”他甚至禁不住动情地说：“当这些篡党夺权分子高叫把赫鲁晓夫拉下马时，我们感到万分痛心，那种心情是语言无法表达的。”[2] 最后，勃列日涅夫疾呼：马林科夫、莫洛托夫、卡冈诺维奇、谢皮洛夫“不配留在我们的队伍中。他们不配留在主席团和中央委员会里。”“我认为布尔加宁不能留在中央主席团里……他不能留下。”“再说说萨布罗夫和别尔乌辛……我认为对他们必须采取同样的办法，因为他们没有资格留在中央主席团的班子里。”[3]

在对“反党”集团的处理上，赫鲁晓夫并未完全采纳勃列日涅夫的建议，但对勃列日涅夫在这次事变中的表现及发言是非常满意的。在勃列日涅夫发言过程中，赫鲁晓夫有 15 次插话，表示对勃列日涅夫发言的赞许和欣慰。在随后产生的新的苏共中央主席团和书记处里，勃列日涅夫除了继续当选为苏共中央书记之外，醒目的是从主席团候补委员提升为主席团委员。

勃列日涅夫在苏共中央核心领导圈里，开始是主管重工业。1959 年苏共第二十一次非常代表大会之后，分管军队和国防工业等方面的工作。1960 年 5 月 4 日，苏联最高苏维埃主席团任命勃列日涅夫为苏联最高苏维埃主席团主席。尽管苏联最高苏维埃是枚橡皮图章，但是勃列日涅夫毕竟是苏联的国家元首了，开始名正言顺地进行环球性访问，熟悉国际事务，扩大世界影响。1964 年 7 月 14 日，赫鲁晓夫让 69 岁的米高扬接替勃列日涅夫，出任苏联最高苏维

---

[1] 《苏联共产党最后一个“反党”集团》，赵永穆等译，中国社会科学出版社 1997 年版，第 427 页。

[2] 同上书，第 446 页。

[3] 同上书，第 446—447 页。

埃主席团主席。对这一职务的变动，勃列日涅夫的内心十分不快，成为他进行倒赫鲁晓夫密谋的原因之一。但是，也正是由于此，勃列日涅夫能专注于苏共中央权力核心的工作，被主席团内倒赫鲁晓夫的谢列平、波德戈尔内等人选中，作为换马的储君。真是塞翁失马，焉知非福！

至此，尽管勃列日涅夫不爱学习，宁愿拿枪杆，不愿握笔杆，喜欢过平稳安逸的日子，是个思想平庸的人，但是，从他前半生的政治生涯中也看到这样的特点，即“党性强”：认准苏共最高领导人的思想、意图，并坚决地予以执行。这样，在苏联这种政治体制和人事制度下，他的资历、处事原则、各方关系，尤其是在军队和国防工业系统中的关系，在苏共中央主席团里，除苏共中央第一书记赫鲁晓夫外，几乎无人能与他争先了。

成功地“逼宫”

苏联从建立到解体的74年里，经历了8任领导人。在8任领导人中，列宁是苏维埃国家的缔造者，其他几任领导人都是自然继承的，唯有勃列日涅夫，虽然也有“中央全会一致通过”的程序，实际上却是通过“宫廷政变”的密谋上台的。20世纪60年代，宫廷政变在世界的某些地区仍很流行，但是在社会主义国家的政治生活中，通过这种方式上台，勃列日涅夫属于首创者。

赫鲁晓夫从1953年9月当选苏共中央第一书记后，即从批判斯大林个人崇拜、平反冤假错案开始，对斯大林模式进行改革：像大规模开垦荒地；取消农副产品义务交售制；改组农业机器拖拉机站；文学艺术领域实行“解冻”；主动改善和南斯拉夫等东欧各社会主义国家的关系等措施，使苏联社会多少摆脱了斯大林某些教条的束缚，推进了苏联社会主义事业的发展，深得苏联社会各界的拥护。1957年6月，赫鲁晓夫能成功地挫败马林科夫、卡冈诺维奇、莫洛托夫等人的密谋，绝非是偶然的侥幸。但是，由于赫鲁晓夫的社会主义观念仍然是斯大林的，因此，他的种种改革大多是修补和完备斯大林模式。就像人不可能拉着自己的头发离开地面一样，赫鲁晓夫当政的后期也陷入了始终在斯大林模式的框架内打滚的矛盾。况且赫鲁晓夫对各种政策的具体执行上也有种种失当，加上来自各方面的压力，困难重重，难以摆脱。工业党委、农业党委的划分和干部轮换制，招致从上到下的干部的强烈不满。军队系统对继续裁军满腹牢骚。经济工作者对成立国民经济委员会颇有微词。农业歉收几乎招致全国的指责。赫鲁晓夫的处境已是：怎一个“愁”字了得！

赫鲁晓夫已考虑退休和选择接班人问题了。1963年秋，赫鲁晓夫私下说过：“我拉套到二十三大就告老退休。”此时苏共二十三大预定于1965年召开。赫鲁晓夫还说：“我们这些老头子已经干满了年头。应该让路了。要让年轻人有工作的机会。”[1] 赫鲁晓夫对1908年出生的科兹洛夫有殷切的期望，说“此人在地方上干过，曾独当一面处理过问题，对经济了如指掌。”可是，科兹洛夫于1963年4月中风，半身不遂，丧失了说话能力，即使留任党中央主席团委员，也不过是拖延时日。

赫鲁晓夫转而想让谢列平接班。

亚历山大·尼古拉耶维奇·谢列平，1918年8月出生于沃罗涅日的一个铁路工人家庭。1940年年初，苏芬战争激烈时（苏联与芬兰之间的战争爆发于1939年11月30日），正在大学读书的谢列平作为志愿人员走上前线，在共青团滑雪营服役。战争结束后，他没有回学校继续读书，而是成为共青团莫斯科市委负责体育工作的干部。卫国战争期间，他担任苏联共青团中央第二书记，战后被斯大林委任为共青团中央第一书记。在1957年6月苏共中央那场戏剧性的事变中，谢列平也是赫鲁晓夫的坚决支持者之一。1958年12月25日，刚满40岁的谢列平就任苏联国家安全委员会（克格勃）主席的要职，1961年11月成为苏共中央书记。

谢列平不喜欢无聊乏味的会议，而喜欢雷厉风行的工作，对官僚主义作风尤为深恶痛绝。他用有作为的共青团干部替换一批老的国家安全委员会干部，并且精简了大批人员，成为新的铁腕人物。赫鲁晓夫考虑到谢列平是做共青团工作出身，缺乏在地方上独当一面的经验，而且对经济工作也不甚了解，为此建议他去列宁格勒担任州委书记。可是谢列平误解了赫鲁晓夫的良苦用心，以为要把他赶出苏共中央，因而拒绝担任列宁格勒州委书记。赫鲁晓夫在失望之余，也庆幸谢列平有此“表现”，不然的话倒真有后患，从此冷落了谢列平。而谢列平也从赫鲁晓夫的支持者转变为倒赫鲁晓夫的积极策划者。1964年春，在苏共中央主席团内，形成了谢列平、波德戈尔内、勃列日涅夫等人的

[1] 参见《赫鲁晓夫下台内幕》，第18页。

反赫鲁晓夫圈子，积极参加的还有苏联国家安全委员会主席谢米恰斯内。他们在苏共中央核心圈中分头个别串连，商讨除掉赫鲁晓夫的办法。[1]

世上没有不透风的墙。主席团内倒赫鲁晓夫的活动毕竟露出一些蛛丝马迹，有些知道内情的人多次通过各种渠道，把信息秘密传递给赫鲁晓夫。1964年6月，有位不愿透露姓名的妇女，打电话给赫鲁晓夫的女儿拉达，告知在主席团内有人在搞反赫鲁晓夫的密谋。原苏共中央办公厅主任皮沃瓦罗夫也向拉达谈过此事，要她转告赫鲁晓夫：睁大眼睛！ 1964年9月下旬的一天晚上，原苏共中央主席团委员、已经调任俄罗斯联邦最高苏维埃主席团主席的伊格纳托夫的卫队长加柳科夫，通过"自动电话"（高频电话），向赫鲁晓夫的儿子谢尔盖比较具体地通报了反赫鲁晓夫的密谋的情况。拉达、谢尔盖都曾及时地向赫鲁晓夫谈过获得的情报，可是赫鲁晓夫认为这些都是不可能的，并未在意，也没有采取任何防范措施。

1964年7月18日，赫鲁晓夫向苏共中央提出一份《关于农业向集约化过渡的领导问题的意见书》。苏共中央主席团将此意见书下发给各级党组织，根据赫鲁晓夫的建议，将于11月召开苏共中央全会，讨论关于集约化农业生产管理体制问题。反赫鲁晓夫圈子认为：这是一个时机，应当在中央全会之前解决问题。

1964年9月，杰米契夫和谢米恰斯内在斯塔夫罗波尔边疆区的矿泉疗养地热列兹诺沃茨克休养，谢列平则在基斯洛沃茨克休养。他们在休养的日子里，把种种可能出现的情况都加以研究，商定了具体的行动方案，就提前结束休养，返回莫斯科。1964年10月1日，赫鲁晓夫开始休假。他先到克里木州的行政中心辛菲罗波尔，第二天就到黑海之滨阿布哈兹自治共和国境内的皮聪达。米高扬也于10月3日来皮聪达休假。反赫鲁晓夫圈子决定利用赫鲁晓夫不在莫斯科的时机发难。波德戈尔内等人把计划告诉柯西金，柯西金问：克格勃什么态度？在得知谢米恰斯内是中坚人物之后，就立即同意了。国防部长马利诺夫斯基几乎是一拍即合，并下令冻结全国部队，没有他的命令，一概不准

[1] 尼·赫鲁晓夫的儿子谢·赫鲁晓夫在《赫鲁晓夫下台内幕》一书中说：1964年6月，勃列日涅夫建议谢米恰斯内以下毒、制造空难、秘密逮捕等方式，除掉赫鲁晓夫。谢米恰斯内认为均不妥，未予实施。此说在没有相关档案证明之前，尚不能作为史实。

调动。当他们把计划告诉苏斯洛夫时，苏斯洛夫说了句："真的吗？要打内战的。"在得知马利诺夫斯基的态度后，他也不作声了。忠实于赫鲁晓夫的一些要害部门的领导人，像《真理报》主编萨丘科夫、国家广播电视委员会主席哈尔拉莫夫等人，都被波德戈尔内等人巧妙地安排出国访问，"赶出"苏联，改派"信得过"的人去接替。

10月11日，勃列日涅夫在参加民主德国成立15周年的庆祝活动之后，回到了莫斯科。他们把倒赫鲁晓夫计划的决定性日子定在10月12日。

10月12日是载人宇宙飞船"上升号"发射的日子。这天，包括赫鲁晓夫在内的苏联各方领导人，都把注意力集中到发射载人宇宙飞船这件事上。12日下午，在莫斯科的苏共中央主席团委员、主席团候补委员、苏共中央书记们，集中到勃列日涅夫家里开会，决定要赫鲁晓夫下台。会议通过《关于对即将召开的苏共中央全会和制定新时期国民经济远景规划提出的有关问题的决议》。该决议说：迫切需要于近期内召开有赫鲁晓夫同志参加的苏共中央主席团会议，"委托勃列日涅夫、柯西金、苏斯洛夫、波德戈尔内同志打电话同赫鲁晓夫同志联系，向他转达这一决定，以便中央主席团会议能于10月13日举行。"决议还说："有必要将苏共中央委员和中央候补委员以及苏共中央检查委员会委员召集到莫斯科，以便向全会通告苏共中央主席团会议上对问题进行讨论的结果。"[1]与此同时，谢米恰斯内对莫斯科和克里姆林宫警卫和安全防范工作也作了紧急而周密的布置，包括：严密监视赫鲁晓夫在莫斯科的几处住所；监控并切断赫鲁晓夫同外界的通信联络；只保留苏共中央主席团和赫鲁晓夫的通信联络。

10月12日，皮聪达是个好天气。赫鲁晓夫用过早点之后，随手翻翻无关紧要的文件，等待宇宙飞船载人上天的好消息。预定发射的时间过去40分钟了，赫鲁晓夫吩咐接通负责此项工作的苏联部长会议副主席列·瓦·斯米尔诺夫的电话。赫鲁晓夫问：送宇航员升空的情况如何？斯米尔诺夫回答："发射一切正常。宇航员已进入轨道，自我感觉良好。"赫鲁晓夫略带恼怒地说：那您为什么不向我报告？斯米尔诺夫回答："我本该向你报告的……"没等斯米

[1] 苏共中央主席团《关于对即将召开的苏共中央全会和制定新时期国民经济远景计划提出的有关问题的决议》，转引自《苏联共产党最后一个"反党"集团》，第1013—1014页。

尔诺夫把话说完，赫鲁晓夫就打断对方的话，批评他“解决问题老是拖拖拉拉。”然后，赫鲁晓夫就吩咐接通和宇航员通信联系的讯号，向三名宇航员表示祝贺，说几句俏皮话。最后说：“米高扬就在我的身边，他要抢话筒了。再见吧，同志们，我们在地球上等着你们。再见！”这成了赫鲁晓夫最后一次公众讲话。

10月12日傍晚，皮聪达明净的天空已能看见星星在闪烁。赫鲁晓夫沿海边林荫道从容不迫地散步，往回走着。值班员跑过来报告：“尼基塔·谢尔盖耶维奇，苏斯洛夫同志请您接电话。”赫鲁晓夫回到别墅，拿起话筒：“喂，苏斯洛夫同志。”话筒里传来勃列日涅夫的声音，要求赫鲁晓夫返回莫斯科参加苏共中央主席团会议。赫鲁晓夫长时间不说话，然后问：“讨论什么问题？”勃列日涅夫：“农业和其他问题。”赫鲁晓夫：“我不回来解决不了吗？”勃列日涅夫：“你非回来不可。”赫鲁晓夫：“让我考虑一下。”对方在电话里坚持要赫鲁晓夫立即返回，出席“讨论集约化农业生产管理体制问题。”赫鲁晓夫不耐烦了，说“我在休息嘛。什么事情这么紧急。我再过两星期回来，到时候再讨论吧！”对方又说了几句，赫鲁晓夫急了：“我一点也不明白！‘都到齐了’是什么意思？农业问题我们将在11月中央全会上讨论。有时间讨论所有的问题。”至此，勃列日涅夫只好把最后的话说出来：如果您坚持不返回，我们也将在您缺席的情况下召开主席团会议，并形成相应的决议。听到这种话，赫鲁晓夫才心头一凉：“好吧！既然事情这么紧急，那我明天飞回来。只是我得了解一下有没有飞机。再见。”[1]

至此，赫鲁晓夫虽然不知道事情的准确情况，但是凭他一生的政治经验，也能猜到发生了什么事情。他对身旁的米高扬说：“你知道吗？阿纳斯塔斯，他们并没有什么迫切的农业问题。我想这个电话同谢尔盖讲的那件事情有

[1] 谢·赫鲁晓夫在《赫鲁晓夫下台内幕》一书中说，12日和赫鲁晓夫通话的是苏斯洛夫。经多方核实，实际情况是：12日勃列日涅夫在主席团会议后又胆怯了，不敢给赫鲁晓夫打电话。在众人的鼓劲下，勃列日涅夫决定孤注一掷。因此，根据当日主席团会议的决议，由苏斯洛夫接通和赫鲁晓夫的电话，由勃列日涅夫通知赫鲁晓夫返回莫斯科，出席主席团会议。引文见亚·谢列平回忆录，引自 Леонид Брежнев в воспоминаниях, Ростов-на-Дону . Феникс. 1998。

关。”[1] 赫鲁晓夫叹了口气，无奈地说：“如果涉及我，我是不会抗争的。”这表明赫鲁晓夫已做好听天由命的准备。

10 月 13 日下午 1 时，赫鲁晓夫乘伊尔—18 型专机从皮聪达飞回莫斯科，同机返回的还有米高扬。临上飞机时，高加索军区司令赶来送行。照例，应当是格鲁吉亚共和国共产党中央第一书记姆扎瓦纳泽和部长会议主席贾瓦希什维利前来送行的，可现在，苏共中央主席团候补委员姆扎瓦纳泽和苏共中央委员贾瓦希什维利，都被勃列日涅夫召到莫斯科，准备“送旧迎新”了。种种迹象，已使赫鲁晓夫对突发性事变的严峻程度，更有了思想准备。

飞机在莫斯科伏努科沃 2 号机场的政府专用候机大楼前停靠。往常，机场上早已站满了前来迎接的一大帮苏共中央主席团、书记处成员，以及苏联政府各部长们，而赫鲁晓夫假装数落他的群僚“不务正业”、“游手好闲”；听者们则笑着“接受批评”，说要以加倍的努力工作来补偿这点“损失”。眼下，前来“迎接”的只有克格勃主席谢米恰斯内和卫队局局长切卡洛夫，在空旷的机场上显得特别的死寂和凄幽。肃杀的气氛已表明一场政治龙卷风即将袭来。赫鲁晓夫阴沉着脸，走下飞机的舷梯。谢米恰斯内上前，虽然是有礼貌地，但是以不容争辩的口吻说：“祝贺您平安到达，尼基塔·谢尔盖耶维奇。大家都在克里姆林宫集中了，等着您呐！”于是，没让赫鲁晓夫回家，就从机场直接把赫鲁晓夫、米高扬拉到克里姆林宫的苏共中央主席团会议室。

这样安排也是勃列日涅夫布置的。13 日一早，谢米恰斯内打电话问勃列日涅夫，谁到机场接赫鲁晓夫？勃列日涅夫回答：“没人去。你自己去吧！”谢米恰斯内一愣，一时语塞。勃列日涅夫接着说：“当前情况下，干吗还要倾巢出动？”谢米恰斯内略带顾忌地说：“那他不就明白过来了吗？”勃列日涅夫反正已经做定司马昭了，就说：“你带上卫兵就是了。”

主席团会议仍由赫鲁晓夫主持。参加会议的苏共中央主席团成员，除从皮聪达回来的赫鲁晓夫、米高扬之外，还有前天未到会的乌克兰共产党中央第一书记谢列斯特、白俄罗斯共产党中央第一书记马祖罗夫、格鲁吉亚共产党中央第一书记姆扎瓦纳泽、乌兹别克共产党中央第一书记拉希多夫。科兹洛夫因病缺席。会议按事先的布置，激烈抨击赫鲁晓夫：越来越独断专行，滥用权

[1] 指谢尔盖告诉赫鲁晓夫，有人在搞阴谋活动。

力；作风粗暴，不尊重主席团委员；热衷于徒劳的、无休无止的改革，使工、农业生产陷于混乱；任人唯亲，出国访问带妻子、儿女；对兄弟党态度傲慢；对外关系上使苏联处境困难；在古巴导弹危机中冒险；乱发列宁勋章，等等，等等。除米高扬外，与会者基本上都持落井下石的态度，气氛越来越激烈。当赫鲁晓夫说道："主席团委员都是我的朋友"时，沃罗诺夫甚至粗暴地打断，说："这里没有你的朋友。"会议认为必须解除赫鲁晓夫的职务。

赫鲁晓夫竭力为自己辩护。他说：所有重大问题都是经过集体讨论决定的；授予纳赛尔总统列宁勋章是经党中央主席团讨论的；出国访问带妻子儿女是外交部建议的；兼任苏联部长会议主席职务，是包括勃列日涅夫在内的集体决定，"我本人没有力争这样兼任"；至于从古巴撤出导弹，"那怎么办？难道非得打一场世界大战不成？"会上，只有米高扬一人为赫鲁晓夫说好话。还有几个虽然心里同情赫鲁晓夫，但是不敢吭声。米高扬建议：解除赫鲁晓夫苏共中央第一书记职务；保留苏联部长会议主席职务。这一建议被会议拒绝。会议暂时休会。

13 日晚上 8 时，赫鲁晓夫回到家里，完全是心灰意懒和疲惫不堪的样子。谢尔盖问他关于主席团会议的情况，赫鲁晓夫说："别问了，我很累。"赫鲁晓夫自知回天乏术，决定认命了。但是勃列日涅夫等仍然十分紧张，生怕赫鲁晓夫像 1957 年 6 月那样，想出什么脱困的新招来，因而戒备极为森严。晚上，勃列日涅夫还特地打电话给谢米恰斯内，要他监视赫鲁晓夫的行动，不得有丝毫懈怠。其实，此一时也，彼一时也，赫鲁晓夫已无反击的可能了。

10 月 14 日上午，主席团会议继续。过了一夜，赫鲁晓夫仿佛老了许多。他表示愿意让位，说："不过，我想说，对我提出的许多指控都是绝对不能接受的。现在我不可能把所有指控都回忆起来并且一一答复。我只讲一点：我的主要缺点和毛病是善良和轻信。也许还有一点，就是我自己发现不了自己的缺点。不过就连你们，今天在座的各位，也从来没有公开和诚实地指出过我的任何缺点，总是随声附和，对我的所有建议都统统支持。你们也缺乏原则性和勇气。"[1] 赫鲁晓夫表示"自愿"写份要求退休的报告，并亲自签名。这份报告早已替他写好了，只让他在上面签名，其中说："由于年迈并考虑到我的健康状

[1] 参见［俄］谢·赫鲁晓夫著：《赫鲁晓夫下台内幕》，第 146 页。

况，请求苏共中央满足我关于解除我所担任的苏共中央第一书记、苏共中央主席团委员和苏联部长会议主席职务的请求。”赫鲁晓夫想向苏共中央全会提个要求。没等赫鲁晓夫把“要求”说出来，勃列日涅夫当即打断，森然地说：“这办不到!”到这般地步，赫鲁晓夫的老泪夺眶而出，哽咽道：“你们知道，我本来就想过，我该退下来了。问题一大堆，我这么大年纪解决起来很困难……至于现在所发生的一切，历史总有一天会作出有分量的、公正的结论。”最后，赫鲁晓夫说：“如果你们觉得有必要，我可以离开莫斯科。”有人说：“这又何必呢!”这样，总算没有把赫鲁晓夫赶出莫斯科。

一切问题都解决了！苏共中央主席团通过名为《苏共中央主席团关于主席团内部发生的问题和在苏共中央活动中恢复列宁主义集体领导原则的措施的决议》。决议说：“苏共中央主席团决定：满足赫鲁晓夫同志因年迈和健康状况恶化提出解除他的中央第一书记、中央主席团委员和苏联部长会议主席职务的请求。”[1] 决议还规定：“认为今后再由一人身兼中央第一书记和苏联部长会议主席二职是不适当的。”

10月14日下午，立即召开苏共中央全会。勃列日涅夫主持并致开幕词，苏斯洛夫向全会报告刚刚结束的主席团会议的内容。全会不作讨论，通过苏共中央全会《关于尼·谢·赫鲁晓夫同志的决议》。波德戈尔内说：“有人提议选举勃列日涅夫同志为中央第一书记”，同时宣布：“勃列日涅夫同志经一致同意当选中央第一书记”。勃列日涅夫说：中央主席团提议推荐柯西金同志担任苏联部长会议主席，同时宣布“大家一致推荐他出任苏联部长会议主席。”勃列日涅夫宣布：苏共中央全会闭幕。勃列日涅夫初登大宝，主持苏共中央全会就有了几项创新：一是简单，通过中央全会决议、选举中央第一书记、推荐苏联部长会议主席人选等大事，不作酝酿、讨论，连投票的手续也省去，宣布了事；二是时间短，这次中央全会只有半天，成为苏共历史上最短的一次中央全会。

勃列日涅夫还别出心裁，安排了一幕和赫鲁晓夫的告别。中央全会结束后，全体主席团委员返回主席团会议室。众人都站着，赫鲁晓夫走过来，一一握别。当赫鲁晓夫来到谢列平身边时，说了一句：“他们也会这样对你的，说

[1] 参见《苏联共产党最后一个“反党”集团》，第1016页。

不定更糟。”[1]

14 日晚上，米高扬来到赫鲁晓夫家里，说“我受托来向您转达下面几条：这处别墅和城内列宁山上的宅邸归您终身使用；卫队和服务人员也留下，只是得换人；退休金每月 500 卢布，配专车。”米高扬无奈地说：“有人想保留您的最高苏维埃主席团委员职务，诚然，还没有最后定下来。我还提议给您安排一个中央主席团顾问的职务，不过我的提议被否决了。”[2] 赫鲁晓夫说：“这个你就大可不必了。他们绝不会同意的。这一切都发生了，以后他们还要我干吗？再说，同我见面对他们来说也不是件什么乐事……但是谢谢你，自己身边有个朋友感到是件高兴事儿。”米高扬起身告辞，两位老人空前地吻别，彼此都很动情。

勃列日涅夫自导自演的这场“逼宫”戏，总算以“武戏文唱”落幕。10 月 15 日，苏共中央向苏联公众和全世界播发了克里姆林宫易主的“公报”。

勃列日涅夫以密谋的方式，取赫鲁晓夫而代之，当然只能在事后向东欧各国及其他社会主义国家发出通告。此时，中苏两党的大论战已达到白热化的程度，国家关系也是越来越恶化。而且，中国正在走向“文化大革命”。因此，对于赫鲁晓夫的下台和勃列日涅夫上台存有“等着瞧”的想法。

东欧各国和其他社会主义国家立即接受了勃列日涅夫，唯有捷克斯洛伐克例外。包括捷共中央第一书记诺沃提尼在内的捷共中央主席团多数委员都喜欢赫鲁晓夫，不论他是作为一位政治家还是作为一个人都是如此。[3] 当勃列日涅夫把苏共中央全会决议告诉诺沃提尼时，诺沃提尼在电话里争辩说：他（指赫鲁晓夫）刚刚访问过我国，看上去身体很好，“年迈和健康状况”的原因，很难使我党信服。勃列日涅夫只好说等会儿再告诉他。隔了一会儿，勃列日涅

---

[1] 参见［俄］尼·津科维奇著：《极端政治——前苏联首脑遇刺秘闻》，成都科技翻译研究会译，中央编译出版社 1998 年版，第 190 页。

[2] 赫鲁晓夫的苏联最高苏维埃主席团委员的职务也没能保留住，尽管苏共中央主席团决议和苏共中央全会决议都没有提到要解除这一职务。有人提议保留赫鲁晓夫的这一象征性职务，说明仍有人同情赫鲁晓夫。引文参见《赫鲁晓夫下台内幕》，第 151 页。

[3] 参见［捷］亚·杜布切克著：《杜布切克回忆录》，黄英尚译，新华出版社 2001 年版，第 120 页。

夫再次来电，告诉诺沃提尼是因为“政治原因”解除赫鲁晓夫的一切职务。诺沃提尼立即顶上去说：可是您刚才不是这么说的。勃列日涅夫只好回答：要和主席团商量。电话不欢而停。随后，捷克斯洛伐克共产党中央主席团就勃列日涅夫取代赫鲁晓夫一事形成一个文件，基本态度是“对莫斯科的突然变动感到意外”，“也对他们所采用的方法感到非常不安”。[1]1964 年 11 月 7 日是十月革命 47 周年，是勃列日涅夫当政后第一次主持庆祝十月革命的活动。社会主义国家都由党内第一或第二把手率代表团前往莫斯科。中国共产党也由周恩来率代表团前往。捷克斯洛伐克却让在政府中没有职务的捷共中央主席团委员、中央书记亨德利赫率团，这是有意冷落勃列日涅夫。捷共的态度当然不会影响勃列日涅夫地位的稳定，但它表明东欧各国党也是有见解的，对苏共的指鹿为马并不心悦诚服。这也成为勃列日涅夫在 1968 年不支持诺沃提尼的原因之一。

第二节　勃列日涅夫的施政决策

领袖心态与内外政策的新选择

1964 年 10 月 14 日，勃列日涅夫成为苏共中央第一书记，是他一生的根本性转折，他的内心世界也随之发生变化。

勃列日涅夫 1952 年成为苏共中央主席团候补委员、苏共中央书记，1957 年升为苏共中央主席团委员。1960 年又当选苏联最高苏维埃主席团主席，成为苏联国家元首。他进入苏联政治最高领导层已经 12 年了。但是，在苏联这种党政一体的社会里，10 月 14 日前后的勃列日涅夫是有严格区别的：10 月 14 日之后的勃列日涅夫才是苏联“直声动天下”的领袖。

从作为自然人来说，勃列日涅夫仍然是原来的勃列日涅夫。在赫鲁晓夫的眼里，勃列日涅夫是个经验丰富、懂经济、也了解人的人。但是，赫鲁晓夫认为勃列日涅夫“不能坚持自己的方针，太容易受别人的影响和受自己情绪的左右。一个意志坚强的人可以轻而易举地牵着他的鼻子走。”[2]反赫鲁晓夫密谋

[1]　参见《杜布切克回忆录》，第 120 页。

[2]　参见《赫鲁晓夫下台内幕》，第 21 页。

的策划者之一谢列平认为："勃列日涅夫充其量只是一个州一级的干部，而不是个大国的领导。他头脑简单，把两三种观点归纳一下的能力都没有，理论知识微乎其微。所有发言都需要别人事先写好。"[1]令人深思的恰恰在于，斯大林模式这种政治体制，总要把被认为是平庸的人推上领袖的位置，因为这样的人容易被核心圈里的人所共同接受。1922 年推选斯大林担任俄共（布）中央总书记，1953 年推选赫鲁晓夫担任苏共中央第一书记，都有这种因素；1964 年反赫鲁晓夫圈子推举勃列日涅夫为僭主，也同样包含有这种因素。但是，如同当年托洛茨基、季诺维也夫、加米涅夫等低估斯大林，莫洛托夫、贝利亚、卡冈诺维奇等小看了赫鲁晓夫一样，谢列平、波德戈尔内等也小看了勃列日涅夫。只有阿尔祖马尼扬在勃列日涅夫上台之初就一语中的道出："这个人在权力斗争和安插干部方面是不用别人去教他的。"[2]因为阿尔祖马尼扬在勃列日涅夫担任第 18 集团军政治部主任的战争年代，一直是该集团军政治部的讲解员，对自己的顶头上司是旁观者清。

勃列日涅夫上台时，正处于 58 岁的政治上的盛年阶段。他仍然身体健壮，爱说俏皮话，相对而言还算平易近人，作风也比较民主。对于重大问题能听取左右的意见，对帮助他的人，还会说一声谢谢！勃列日涅夫也不装腔作势。他承认自己对经济工作"不太熟悉"，外交事务"也不大了解"，意识形态工作"不是内行"。勃列日涅夫也不爱在报刊、电视屏幕和电影镜头里露面，不愿把自己打扮成天生的领袖。他还对自己的助手们说："写简单点，不要把我写成个理论家。否则，不管怎样，谁也不会相信这是我写的，人们将会嘲笑我的。"[3]他还常常把助手们写的一些复杂、奥妙的句子勾掉，删去马克思、恩格斯著作的引文，并解释说："有谁会相信我读过马克思著作呢！"勃列日涅夫虽然是第一书记了，思想上还来不及实现从凡人到超人的转换，流露出他原本的常人

[1] 参见［俄］列·姆列欣著：《历届克格勃主席的命运》，李惠生等译，新华出版社 2001 年版，第 549 页。

[2] 阿努沙瓦·阿格福诺维奇·阿尔祖马尼扬（1904—1965），苏联经济学家，苏联科学院院士。1923 年加入苏共，1962 年起为苏联最高苏维埃代表。引文参见格·阿·阿尔巴托夫著：《苏联政治内幕：知情者的见证》，徐葵等译，新华出版 1998 年版，第 154 页。

[3] 参见［俄］阿尔巴托夫著：《苏联政治内幕：知情者的见证》，第 162 页。

心态。

但是，斯大林模式要求苏联的领袖必须是超人。勃列日涅夫上台之初，刚刚提升为苏共中央主席团委员的谢列平曾经想把领袖还原为凡人，结果以失败告终。谢列平拒绝接受警卫的保护，说只有苏共中央第一书记、苏联最高苏维埃主席团主席、苏联部长会议主席等3人需要警卫，其他人一概不需要，“谁会来加害他们?”谢列平反对随处出现肖像，对于站在列宁墓上看游行群众举着自己的肖像，浑身不自在。在苏共中央主席团会议上，谢列平提出：“为什么要到处展示领袖肖像呢?”对此，主席团成员都装聋作哑，主席团会议出现难堪的沉默。老资格的苏共中央书记、马列主义理论权威苏斯洛夫说：“这是一种传统。这体现了党的威望。如果我们取消这种做法，人们就会不理解我们。”于是，一切照旧。谢列平还反对苏共中央主席团委员自己给自己授勋，反对享有过分的特权。他成了主席团委员之后，搬迁到主席团委员级别的特殊别墅，只是自己照单支付了装修费。即使这点，也立即引起其他主席团委员的不满。他们忿忿地说：“谢列平太让我们难堪了！我们不习惯这样!”[1] 谢列平很快陷于孤立。

把领袖奉为超人是苏联体制决定的。谢列平只是从个人因素上去反对，结果是可想而知的。

为了把领袖奉为超人，做法之一是把领袖包装成马克思主义理论大师。勃列日涅夫上台之后，苏联也就大量出版勃列日涅夫和其他几个领导人的著作，印制肖像。这些印刷品泛滥成灾，被苏联社会视为“文化垃圾”。直到戈尔巴乔夫当政后的1986年，苏联国家图书出版系统的负责人，仍为无法处置这些印刷品而大伤脑筋。他们向苏共中央请示：堆放着的44万余册党和政府活动家的著作；勃列日涅夫的277.9万册著作；70万幅勃列日涅夫的肖像以及众多其他领导人肖像，价值450万卢布，已绝无销售的可能，只能销毁。[2]

勃列日涅夫上台时，苏共和苏联社会确实面临着两种基本选择：是在赫鲁

[1] 参见［俄］列·姆列欣著：《历届克格勃主席的命运》，第556页。

[2] 《雅科夫列夫关于停止销售国家领导人书籍给苏共中央的报告（1986年8月6日）》，《苏联历史档案选编》第30卷，社会科学文献出版社2002年版，第367页。

晓夫改革的基础上，纠正那些不切实际的草率做法，沿着改革斯大林模式的积极道路走下去，还是退回到斯大林模式的老路上去？此时，苏联社会发展面临的严峻程度，从某种意义上说，甚至不比1917年所面临的选择轻松多少。苏联历史的发展期求一位有大智大勇的人来担任领袖，可是斯大林模式的“时势”却是不断消灭精英的时代。这样，苏联社会在时代的希冀与现实所能提供的狭小选择之间，形成巨大的差距。勃列日涅夫就是在这样的条件下，被推上领袖地位的。

1964年10月19日，勃列日涅夫在劳动人民欢迎宇航员大会上的讲话，是他取代赫鲁晓夫任苏共中央第一书记之后，第一次公开发表讲话。这次讲话，是他代表苏共中央、苏联最高苏维埃主席团和苏联政府，借向苏联宇航员、科学家、工程技术人员、工人表示祝贺之机，在公众场合表明他和新领导集团的政策取向。勃列日涅夫说：“为了人、为了人的幸福”是苏联共产党的总路线。“我们党第二十次、第二十一次和第二十二次代表大会所制定的我们党的总路线是列宁主义的路线。它过去、现在和将来都是共产党和苏联政府整个对内对外政策的唯一的、不可动摇的路线。”[1]勃列日涅夫具体说明，“党认为国内政策的主要任务是：发展我国社会的生产力，在此基础上不断提高苏联人民的福利，大力发扬社会主义民主。”“苏联对外政策不可动摇的基础是：列宁的不同社会制度国家和平共处原则，为巩固和平、为各国人民的友谊与合作、为进一步缓和国际紧张局势而不倦地斗争。这是在当前条件下唯一明智的政策。”关于共产主义运动，勃列日涅夫说：“苏共将捍卫世界共产主义运动的共同路线，争取克服世界共产主义运动队伍中的困难，争取所有的兄弟党在马克思列宁主义、无产阶级国际主义、莫斯科会议的宣言和声明的原则基础上的团结。”[2]

1964年11月6日，勃列日涅夫在克里姆林宫庆祝十月革命47周年大会上的报告，既是对10月19日关于苏联内、外政策的进一步阐述，更是当着世界各社会主义国家领导人的面，表明勃列日涅夫的方针、政策。东欧各国党是

[1] 《勃列日涅夫言论》，第1集，上海人民出版社编译室编译，上海人民出版社1974年版，第4页。

[2] 同上书，第4—6页。

借机当面向勃列日涅夫表示祝贺，因此，保加利亚的日夫科夫、匈牙利的卡达尔、民主德国的乌布利希、波兰的哥穆尔卡都亲率代表团来莫斯科。

勃列日涅夫对苏共的总路线作了更进一步的解释，说："'一切为了人，为了人的幸福'这一口号是我党活动的准则，我们将始终不渝地遵循这一准则。"[1] 勃列日涅夫对"坚持二十大、二十一大、二十二大制定的路线"也作了他自己的表述：停止赫鲁晓夫的改革。他抨击赫鲁晓夫，并表明自己的方针："列宁曾经指出：'我们有许多人喜欢改革一切，结果遭到了我从来没有见过的大灾祸。'列宁教导说，关键不在于机构，不在于新的法令，而在于人和检查执行的情况。苏共中央委员会和苏联政府认为自己的职责是实现完善国民经济领导的必要措施，要审慎地进行这项工作，不能匆忙草率。"[2]10 月 14 日，苏斯洛夫在苏共中央全会上说："赫鲁晓夫同志简直是患了热衷搞五花八门改组与改革之癖，迷信某种神奇的魔力。其实，这些改组与改革只能是瞎折腾人，使他们茫然不知所措而失去信心。"[3] 对赫鲁晓夫强调"物质刺激"的做法，勃列日涅夫也要进行"纠偏"，说"与一贯实行使工作人员从物质利益上关心他们劳动成果的原则的同时，在我们的社会里精神刺激因素也起着作用。"[4] 对于各行各业的劳动者来说，在强调物质利益的同时，也要强调精神因素的作用，这不仅对苏联社会，对其他社会主义社会，即使对任何社会来说，都是正确的。实际上，各国社会在各个不同的历史阶段，也都是在实行物质利益原则的同时，大力提倡道德规范，并未忽视精神因素。因此，勃列日涅夫的讲话是针对赫鲁晓夫时期，批判赫鲁晓夫时期"忘记了精神因素"。而实际上苏联一贯在分配领域实行以权力为第一要素的等级平均主义，赫鲁晓夫刚刚看到并且喊出"物质利益原则"，勃列日涅夫又要加以改变了。

勃列日涅夫在讲话中也批评了赫鲁晓夫限制集体农庄庄员的家庭副业的政策和做法。他说："忽视集体农庄庄员、工人和职员为满足本身需要而从事个人副业的条件，是不正确的。最近几年，在这方面实行了没有根据的限制，

---

[1] 《勃列日涅夫言论》，第 1 集，第 18 页。

[2] 同上书，第 20 页。

[3] 《苏联共产党最后一个"反党"集团》，第 1030—1031 页。

[4] 《勃列日涅夫言论》，第 1 集，第 21 页。

而采取这种步骤的经济条件并没有成熟。”[1]

关于对外政策和世界共产主义运动，勃列日涅夫说：“我们党近几次代表大会的决议和我们党的纲领所确定的苏联对外政策总方针是始终一贯的、不可改变的。”“在世界共产党人大军中，有一条在1957年和1960年两次莫斯科会议上共同制定的明确的总路线。”[2]

关于勃列日涅夫上台之初宣布的方针政策问题，是研究勃列日涅夫时期的苏联的重要问题之一，因为这关系到对勃列日涅夫主政时期的基本估计。众多苏联历史研究著作，都认为勃列日涅夫是宣布“坚持苏共二十大、二十二大所制定的路线不变”。当然，不仅勃列日涅夫不只一次说过这样的话，1964年11月1日《真理报》编辑部文章这样声明，就连柯西金1964年11月25日在庆祝土库曼共和国成立40周年大会上也这样讲，勃列日涅夫在实际执行的政策上，也确有延续苏共二十大、二十二大制定的路线的地方；但是，就勃列日涅夫上台后关于国内政策的基调，就其政策的基本面来说，是改变赫鲁晓夫的政策，而不是继续原来的政策，自然也是改变苏共二十大、二十二大制定的总路线。

从整体上来说，苏共二十大、二十二大制定的路线是改革斯大林模式。不管客观上改革的效果如何，从赫鲁晓夫和苏共中央的主观意图来说，是力求改革，而不是维持原状的稳定。勃列日涅夫把赫鲁晓夫赶下台后，立即从总体上、从路线上否定改革。如果说，苏斯洛夫在10月14日苏共中央全会上说赫鲁晓夫“简直是患了热衷搞五花八门改组与改革之癖，迷信某种神奇的魔力”还包含有某些政治批判因素的话，那么，勃列日涅夫11月6日的讲话，断章取义地引用列宁的话，说“改革给苏联带来从未见过的大灾祸”，就是从整体上反对改革，而不是指赫鲁晓夫某些错误的、或者草率从事的具体政策。

其次，反对斯大林个人崇拜是苏共二十大、二十二大的重要内容之一，它贯穿于二十大、二十二大的总路线之中。勃列日涅夫上台之后，是继续坚持反对斯大林个人崇拜，从思想上清理个人崇拜的有害影响，还是借恢复斯大林名誉为名，维护个人崇拜的思想和体制，在这个根本问题上，勃列日涅夫很快

[1] 《勃列日涅夫言论》，第1集，第22页。

[2] 同上书，第32、33页。

从最初的动摇，倒向了后者。围绕授予格鲁吉亚共和国列宁勋章的讲话，清楚地反映了勃列日涅夫的这一立场。

1966 年 11 月 1 日，勃列日涅夫作为苏共中央总书记（1966 年 3 月举行的苏共二十三大，改称党中央总书记）的身份访问格鲁吉亚共和国，授予该共和国列宁勋章。在助手按勃列日涅夫的意思起草的讲话初稿中，公然颂扬斯大林的丰功伟绩，肯定斯大林是天才的领袖，否定苏共二十大、二十二大对斯大林个人崇拜的批判。勃列日涅夫看过初稿之后，有些疑虑，再次征求助手们的意见。不赞成重树斯大林偶像的人提醒勃列日涅夫：重树斯大林偶像，匈牙利的卡达尔、波兰的哥穆尔卡会怎么想？他们是被斯大林关进监狱而侥幸活下来的；西方共产党会怎么想？它们刚刚跟着苏共二十大转过弯子，现在又要转回去；谢列平、苏斯洛夫、波德戈尔内，包括格鲁吉亚共产党中央第一书记姆扎瓦纳泽会怎么想？他们在苏共二十二大上都言辞尖刻、声色俱厉地批判过斯大林；最后，人们是否会说：勃列日涅夫自己也一直是党中央主席团和书记处成员，现在都怎么啦？在征求意见时，连安德罗波夫也说："在原则上可以认为会出现这些损害。"[1]于是，勃列日涅夫让另一些助手赶紧重新起草讲话稿。在第二稿里，只有在说到格鲁吉亚人民在革命斗争中涌现了一批优秀的革命家，在列举的 7 名革命家中，提到斯大林。[2]

勃列日涅夫上台之初，在基本否定改革的原则下，悄悄地、稳步地向斯大林模式回归。1964 年 11 月苏共中央全会作出《关于合并州、边疆区工业党组织和农业党组织的决议》，撤销了 1962 年 11 月苏共中央全会关于按生产原则改组州和边疆区党组织、国家机关的做法。决议规定，"在原被分为工业党组织和农业党组织的州和边疆区，恢复统一的州、边疆区的党组织，把州和边疆区的所有共产党员，不论他们是从事工业工作，还是从事农业生产，都联合在一起。边疆区、州的党组织建立统一的边疆区、州的党委会。"[3]1964 年 11

[1] 参见［俄］格·阿·阿尔巴托夫著：《苏联政治内幕：知情者的见证》，第 177 页。

[2] 1966 年 11 月 1 日勃列日涅夫在第比利斯授予格鲁吉亚列宁勋章庆祝大会上的讲话，载《勃列日涅夫言论》，第 2 集。

[3] 《勃列日涅夫时期苏共中央全会文件汇编（1964 年 11 月—1976 年 2 月）》，北京大学苏联东欧研究所编，商务印书馆 1978 年版，第 12 页。

月 18 日，《真理报》发表题为《忠于列宁的组织原则》的社论，说："生活并没有证实两年前的这种改组是适时、适宜的。这种改组是在缺乏应有的准备、不考虑它的全部后果的情况下仓促进行的。"社论最后说："中央委员会详细地权衡了当前的形势，考虑了地方工作者、共产党员和劳动者的意见，得出了必须恢复按地区生产特征建立党组织及其领导机关的结论。"

1965 年 3 月苏共中央全会决定，调整农产品的收购政策，废除了赫鲁晓夫后期实施的限制家庭副业的政策。

其中，对苏联体制产生重大影响的是 1966 年三四月间举行的苏共二十三大，决定取消苏共二十二大通过的党章中关于干部定期轮换的规定。至于不顾主客观条件，以行政命令推广种玉米的做法，勃列日涅夫上台后也很快被停止了。

勃列日涅夫一上台，从方针政策上就立即显示出苏联历史开始了新的勃列日涅夫时期。苏共创建的苏联政治体制随着领袖方针决策的更替都随之改变：列宁时期新经济政策随着列宁逝世而很快被废止；赫鲁晓夫上台对斯大林模式进行改革；勃列日涅夫上台后又立即提出自己的一套方针政策。苏联无论哪个领袖上台，都说始终贯彻马克思列宁主义方针，奉行苏共一贯的政策。实际上苏联只是在党政一体、领袖专政、强国追求、意识形态一元化等根本方针，在政治目标定位和追求上是一贯的；至于如何贯彻，就随着领袖的更迭而变换了。所以，苏联的路线方针政策是：既有一贯性，也有急剧改变的变动性。

后革命精英时代的开始

勃列日涅夫上台之初，在苏共最高领导层中并没有作过多的人事更动。从 1964 年 11 月至 1965 年 12 月，也即苏共二十三大前的一年多时间里，被补选为苏共中央主席团委员的有谢列平、谢列斯特、马祖罗夫；补选为主席团候补委员的有杰米契夫、乌斯季诺夫、谢尔比茨基；补选为苏共中央书记的有乌斯季诺夫（主席团候补委员）、库拉科夫、卡皮托诺夫。被解除苏共中央主席团委员、苏共中央书记职务的有科兹洛夫（给予他治疗假期）；被解除苏共中央书记职务的有波利雅科夫、伊利切夫、季托夫（降为哈萨克斯坦党中央第二书记）。阿朱别依"由于工作中所犯错误"，被开除出苏共中央委员会。在苏共中央主席团和书记处中，除赫鲁晓夫的亲信之外，基本不动。

在最高领导层中，米高扬是个特殊人物。勃列日涅夫对米高扬的处置，充分显示了他那娴熟的政治手腕。

阿·伊·米高扬生于1895年，1915年加入布尔什维克党，参加过创建苏维埃政权的斗争。1920年任下诺夫哥罗德省委书记，1923年成为联共（布）中央委员，是列宁时期的高级干部。不久，米高扬调任北高加索边疆区党委书记，1926年成为联共（布）中央政治局候补委员。此后，米高扬即在苏联中央政府任职，担任过对外贸易人民委员、贸易人民委员。1935年成为联共(布)中央政治局委员。1946年任苏联部长会议副主席。1955年布尔加宁替代马林科夫任苏联部长会议主席之后，米高扬任苏联部长会议第一副主席。1964年7月，由赫鲁晓夫提名，米高扬出任苏联最高苏维埃主席团主席。米高扬从1915年加入苏共，投身革命开始，在半个世纪里，历经政治斗争的风霜，练就了不败金身，是苏共领导核心圈中仅存的列宁时代的老近卫军了。在勃列日涅夫等人制造的“逼宫”事件中，米高扬是唯一在苏共中央主席团中公开为赫鲁晓夫说好话的人。在勃列日涅夫上台，政治大局已定以后，他依然肯定赫鲁晓夫的历史功绩。1964年12月14日，米高扬参加“红色无产者”工厂的党的会议。有人向米高扬提问：为什么突然解除赫鲁晓夫的职务？米高扬在回答这个问题时依然首先肯定：“我们不能否定赫鲁晓夫的功绩。在争取和平的斗争，在消除个人崇拜的后果，在发扬社会主义民主，在筹备和主持苏共二十次、二十一次、二十二次这样最重要的党代表大会以及通过党纲，在所有这些方面，他的功绩是巨大的。”[1] 此时的米高扬在政治斗争舞台上已经看破一切，无所顾忌了。1964年12月31日，当赫鲁晓夫木然地坐在餐桌旁，和家人一起迎接1965年新年时，米高扬仍然给赫鲁晓夫打电话，祝福新年快乐。为此，勃列日涅夫十分不快。这样，他和勃列日涅夫之间的关系也可想而知。1965年12月初，米高扬以“年老体弱”为由，向苏共中央主席团提出解除他的苏联最高苏维埃主席团主席职务的要求，勃列日涅夫正好顺水推舟。1965年12月9日，勃列日涅夫在苏联最高苏维埃会议上讲话，“满足米高扬的要求”，“同

[1] А.И.Микоян об Октябрьском пленуме ЦК КПСС и Хрущёве. Политический дневник. 1964–1970. Фонд имени Герцена. Амстердам. 1972. С.5–6.

时建议选举米高扬同志为最高苏维埃主席团委员”。这是给米高扬一个荣誉职衔。从此，米高扬隐出政治舞台。根据勃列日涅夫的建议，苏联最高苏维埃会议选举波德戈尔内为苏联最高苏维埃主席团主席。

最高苏维埃主席团主席尼·波德戈尔内

米高扬被解除职务，标志着苏联一个时代的结束。

也是在 1964 年 12 月 14 日，米高扬在讲话中对苏共中央主席团成员的组成，从年龄上作了分层。米高扬说：“主席团成员由三代人组成：一、老一代有我和什维尔尼克；二、中间一代是勃列日涅夫、柯西金、波德戈尔内；三、年轻一代是谢列平、谢列斯特，尽管就年龄来说已不那么年轻了。”[1] 什维尔尼克生于 1888 年，1905 年加入布尔什维克党，曾任苏联最高苏维埃主席团主席、全苏工会中央理事会主席、苏共中央监察委员会主席等职。此时，什维尔尼克任苏共中央党务委员会主席，是个有名无实的闲职，实际上已经是“在职养老”了。因此，米高扬的去职，标志着创建苏维埃国家的老一代革命家完全让位于革命后的新一代社会精英。

苏共中央第一书记勃列日涅夫、苏联部长会议主席柯西金、苏联最高苏维埃主席团主席波德戈尔内，这是勃列日涅夫营造的三驾马车式的领导格局。尽管勃列日涅夫对柯西金、波德戈尔内都心存疑虑，但认为不足以威胁他的地

[1] Политический дневник. С. 8.

位。最让勃列日涅夫放心不下的是谢列平。勃列日涅夫是通过“皇袍加身”的方式上台的，对于在这一事件中的策划人员，暂时加官晋爵，实际上是在寻找机会，必欲去之而后心安。谢列平是把勃列日涅夫推上台的关键人物，勃列日涅夫对谢列平的处置，充分表现了勃列日涅夫的心计和特点。

驱逐谢列平

1964 年 11 月 16 日，苏共中央全会选举谢列平为苏共中央主席团委员，分管组织、人事等党和国家机关的关键部门。此时的谢列平身兼党中央主席团委员、党中央书记、党和国家监察委员会主席、苏联部长会议第一副主席等四个党政要职，一时可以说是权倾朝野。此外，共青团是谢列平政治上起家的老根据地，苏联国家安全委员会是谢列平多年担任主官、进行过人事调整的部门，这两个部门都经由谢列平而联结起来。谢列平成为勃列日涅夫地位的有力竞争者，自然也是威胁者。

勃列日涅夫对付谢列平的办法是逐步地、不动声色地削去谢列平的职权，除掉谢列平的羽翼，从根基上掏空谢列平，然后，轻而易举地把谢列平逐出苏联政治舞台。

勃列日涅夫先从改组党和国家监察委员会着手。

党和国家监察委员会是 1962 年赫鲁晓夫当政时建立的、党政一体的监察机构。1965 年 12 月 6 日，勃列日涅夫在苏共中央全会上作了题为《关于改组党和国家监察机关的讲话》。勃列日涅夫提出：社会主义国家的一切权力都属于人民，现在的监察机关叫做“党和国家监察机关。这不是完全准确的叫法……改组这些机关并且把它们称为人民监察机关，将更加准确。”[1]勃列日涅夫进而阐明：人民监察机关在党和政府领导下进行工作，“它们的主要活动是帮助党和国家经常调查党和政府的批示实际执行情况，进一步完善对共产主义建设的领导，为社会主义经济的全面高涨而奋斗，使国家纪律和社会主义法制得到遵守。”[2] 勃列日涅夫强调：“人民监察机关并不监督党的机关的工作。”当

---

[1] 《勃列日涅夫言论》，第 1 集，第 356 页。

[2] 同上书，第 357 页。

天，苏共中央全会根据勃列日涅夫的报告，通过了《关于改组党和国家监察机关的决议》。决议说："苏共中央全会决定：把党和国家监察机关改为人民监察机关，人民监察机关应当成为党和国家在更广泛地吸引人民群众管理国家事务，保证经常检查苏维埃组织、经济组织和其他组织执行党和政府的指示，以及加强国家纪律和社会主义法制方面的有效手段之一。"[1] 苏共中央全会还选举卡皮托诺夫为苏共中央书记，并由勃列日涅夫指定负责原由谢列平分管的组织、人事工作。谢列平被迫交出组织、人事权之后被指定分管轻工业、食品工业和财政方面的工作。1965 年 12 月 7 日，苏联最高苏维埃六届七次会议决定，把党和国家监察机关改为人民检察机关，任命原党和国家监察委员会副主席、勃列日涅夫的亲信科瓦诺夫为检察委员会主席。谢列平就这样被解除了党和国家监察委员会主席的职务。不仅如此，勃列日涅夫为了让谢列平"集中精力"从事党中央的工作，解除了他的苏联部长会议第一副主席的职务，实际上是把谢列平逐出了苏联政府机关。对于这样的安排，谢列平极其不满，但也只能在私下发牢骚："我没有固定的职责，有的是固定的谈话。"[2]

1967 年 6 月，莫斯科市委第一书记叶戈雷切夫被解除职务，调任苏联驻丹麦大使，使谢列平丧失了一位有力的支持者和阵地。这一事件的导火线是苏联的中东政策。

1967 年 6 月 5 日清晨，以色列出动由 120 架飞机组成的作战机群，袭击了埃及东北部和西奈半岛的埃及军用机场。埃及方面对以色列的进攻毫无戒备。西奈地区空军司令马哈茂德于 6 月 4 日晚为女儿订婚而大宴宾客，绝大部分军官都聚集在宴会上。飞行员放假 24 小时，各自回家了。马哈茂德 5 日凌晨才准备睡觉，命卫兵在上午 10 时之前不要叫醒他。就这样，不到 3 个小时，埃及的 16 个空军机场、300 架左右的飞机，未待升空就被炸毁。随着空中袭击，以色列的地面部队也向加沙地区和西奈半岛发起全线进攻。第三次中东战争开始了。在6天的战争中，以色列以极少的代价，歼灭阿拉伯国家军队3万余人。损失最惨的当数埃及：死伤官兵 1.15 万人，5 千余人被俘；431 架作战飞机中

[1] 《勃列日涅夫时期苏共中央全会文件汇编》（1964 年 11 月—1976 年 2 月），北京大学苏联东欧研究所编，商务印书馆 1978 年版，第 116 页。

[2] 参见［俄］列・姆列欣著：《历届克格勃主席的命运》，第 550 页。

的356架被击毁；700余辆坦克、1万余辆机动车被击毁。以色列不仅摧毁了阿拉伯国家的军事力量，还占领了戈兰高地、约旦河西岸、加沙地区、西奈半岛，以及耶路撒冷旧城，领土面积比战争前扩大了6.57万余平方公里，大大地扩大了战略纵深，改善了战略态势。

6月5日、6日、7日的3天里，勃列日涅夫、柯西金、波德戈尔内，连夜间也没有离开过克里姆林宫。苏联开始重新审查中东政策的许多方面。但是不管怎样，埃及在第三次中东战争中惨败，作为埃及的积极支持者和援助者的苏联，自然也难辞其咎，勃列日涅夫的中东政策受到非难。一直伺机反击的谢列平，当然不会放弃这一机会。1967年6月20日的苏共中央全会，讨论了苏联的中东政策。谢列平的支持者、苏共莫斯科市委第一书记叶戈雷切夫激烈批评勃列日涅夫的中东政策失误，要求勃列日涅夫对埃及在第三次中东战争中的惨败作出解释。谢列平也明确地支持叶戈雷切夫，会上发生面对面的争执。勃列日涅夫在全会上作了《关于苏联对以色列在近东的侵略的政策》的报告。全会最终支持勃列日涅夫的中东政策，通过了《关于苏联对以色列在近东的侵略政策的决议》。决议说："我们党和政府的立场以及它们对近东事态采取的实际措施，得到全体苏联人民的完全拥护。"[1]

中央六月全会结束后，各共和国和边疆区、州的党组织纷纷开会，表示支持苏共中央全会的决议，唯独莫斯科市委对此表示沉默。6月27日，莫斯科市委召开全会，叶戈雷切夫被解除市委第一书记职务，由勃列日涅夫的支持者、苏共中央政治局[2]候补委员格里申担任莫斯科市委第一书记。7月1日，莫斯科市委也和全国其他的党组织一样，举行党员积极分子会议，听取格里申传达苏共中央全会的报告，"完完全全地赞同苏共中央六月全会的工作结果及其决议。"这次会议还独创性地"一致推选党中央政治局为会议的荣誉主席团"。[3]会后，莫斯科市党的积极分子写信给苏共中央，说"莫斯科共产党人认为自己的义务是，更紧密地团结在苏共中央的周围，以新的精力动员劳动人

[1] 《勃列日涅夫时期苏共中央全会文件汇编》，第143页。

[2] 1966年4月苏共二十三大以后，苏共中央主席团改称苏共中央政治局；苏共中央第一书记改称苏共中央总书记。

[3] 参见邢广程：《苏联高层决策70年》，第4分册，世界知识出版社1998年版，第29页。

民为进一步加强国家的经济力量和防御力量，全力提高苏联人对帝国主义阴谋的警惕，为培养他们的社会主义爱国主义和国际主义精神而斗争。”[1]

谢列平和勃列日涅夫之间的矛盾已明朗化了。1967 年 7 月 11 日，苏联工会中央理事会举行全体会议，选举谢列平为苏联工会中央理事会主席。1967 年 9 月 26 日，苏共中央全会宣布：谢列平已调任苏联工会中央理事会主席，“中央全会解除他苏共中央书记职务。”这样，谢列平又被逐出了苏共中央高层决策圈，仅在苏共中央政治局里保留一席虚位。

如果说解除叶戈雷切夫的莫斯科市委第一书记职务是卸掉谢列平的左膀的话，那么谢米恰斯内被解除苏联国家安全委员会主席职务，就是砍去谢列平的右臂了。

谢米恰斯内生于 1924 年，1945 年担任顿涅茨州共青团州委第一书记，1950 年任苏联共青团中央书记。1958 年 12 月谢列平升任苏联国家安全委员会主席后，谢米恰斯内接任苏联共青团中央第一书记；1961 年 11 月谢列平当选苏共中央书记，谢米恰斯内跟进，任苏联国家安全委员会主席。谢米恰斯内和谢列平几乎是形影相随。谢米恰斯内也是赫鲁晓夫一手提拔起来的年轻干部；在倒赫鲁晓夫的密谋中，谢米恰斯内跟随谢列平，成为这一密谋的关键人物之一。1964 年 11 月，苏共中央全会把谢米恰斯内从苏共中央候补委员提升为中央委员，作为对他鼎力支持勃列日涅夫上台的回报。不过，由于谢米恰斯内和谢列平之间的特殊关系，勃列日涅夫愈是担心类似的事件重演，就愈是感到谢米恰斯内的国家安全委员会对他来说是不安全的。

勃列日涅夫撤换谢米恰斯内苏联国家安全委员会主席职务的借口是斯大林的女儿斯维特兰娜·约瑟芙娜·阿利卢耶娃出走美国、寻求政治避难的事件。

1967 年 3 月初，阿利卢耶娃写信给勃列日涅夫，请求准许去印度，参加他死去的印度丈夫拉杰什·布里兹·辛格的葬礼。此事经苏共中央政治局讨论同意。阿利卢耶娃在葬礼完毕后，并未返回苏联，3 月 7 日深夜来到美国驻印度大使馆，寻求去美国政治避难。在美国驻印大使馆人员的护送下，4 月 22 日飞抵美国。当事情真的发生了之后，勃列日涅夫把这一切的责任，都扣在谢

[1] 参见沈志华等编著：《苏联共产党 93 年》，当代中国出版社 1993 年版，第 645 页。

米恰斯内的头上。

1967年5月19日，勃列日涅夫把谢米恰斯内叫到苏共中央政治局会议上，宣布："现在需要讨论一下谢米恰斯内的问题。"谢米恰斯内不明白，为什么把中央委员的他叫进政治局会议室，茫然地问："讨论什么？"勃列日涅夫说："有人提议解除你国家安全委员会主席的职务，调任他职。"谢米恰斯内说："为什么？没有人同我谈过这件事，我甚至不知道这一调动的原因。"勃列日涅夫粗暴地说："国家安全委员会工作的缺点很多，情报和间谍工作没有起色。阿利卢耶娃一事怎么解释？她怎么会去印度，又怎么从那里飞往美国呢？"[1]没容谢米恰斯内解释，勃列日涅夫宣布：解除谢米恰斯内苏联国家安全委员会主席职务，任命他为乌克兰共和国部长会议第一副主席，迁出莫斯科；任命安德罗波夫为苏联国家安全委员会主席。

事后，勃列日涅夫曾说：撤换谢米恰斯内是件非常困难的事情。[2]究其原因，除了国家安全委员会掌握着极大的权力之外，还因为需要找一个既在苏共内有相应的地位，又能让勃列日涅夫放心的人，实属不易。勃列日涅夫终于认准了苏共中央书记安德罗波夫。安德罗波夫虽然不属于第聂伯罗彼得罗夫斯克帮，但他对勃列日涅夫几乎是绝对地忠诚。尽管勃列日涅夫对他也存有戒心，任命齐涅夫和茨维贡为苏联国家安全委员会副主席，时刻监视安德罗波夫。安德罗波夫明明清楚勃列日涅夫的刻意安排，却佯装浑然不知，帮助勃列日涅夫除掉觊觎苏共中央总书记职务的一个个竞争者。勃列日涅夫也在实际工作中认识到安德罗波夫的可靠，亲昵地称安德罗波夫为"尤拉"，而不按俄罗斯的习惯称"尤里·弗拉基米罗维奇"。

谢列平的另外几名亲信，也被勃列日涅夫一一剔除：1965年，苏联内务部部长季库诺夫被派往罗马尼亚，任苏联驻该国大使；苏联国家广播电视委员会主席梅夏采夫被派往澳大利亚，任苏联驻该国大使；塔斯社社长戈留诺夫于1967年5月22日被派到非洲的内罗毕，任苏联驻肯尼亚共和国大使。谢列平在苏联政治舞台上的根，都被刨去了。

[1] 参见［俄］列·姆列欣著：《历届克格勃主席的命运》，第594页。

[2] 参见［俄］尼·津科维奇著：《权力与争斗》，郅友昌等译，东方出版社2000年版，第331页。

1975 年 4 月，谢列平被调任全苏职业技术教育委员会副主席。对谢列平的这种任命，在苏联的官场中已带有嘲弄性了。4 月 16 日，苏共中央全会宣布："根据谢列平同志的请求，全会解除了他的苏共中央政治局委员职务。"至此，谢列平被踢出了苏联政治舞台。

"第聂伯罗彼得罗夫斯克帮"

在勃列日涅夫的干部网络中，还有一个以同勃列日涅夫有特殊关系的亲信们组成的小圈子，被称作"第聂伯罗彼得罗夫斯克帮"。这个"帮"虽然人数很少，但影响和作用却很大，是勃列日涅夫时期形成的又一张特殊的干部网。

勃列日涅夫生于第聂伯罗捷尔任斯克市，毕业于第聂伯罗彼得罗夫斯克冶金学院，担任过第聂伯罗彼得罗夫斯克州委第一书记。这里是勃列日涅夫开始在地方上独当一面的圣地，有了以勃列日涅夫为首的地方性干部之间的特殊关系，有一个勃列日涅夫所熟悉的、得心应手的干部群。勃列日涅夫当政以后，大力将这些干部提拔、安插到关键部门担任要职。这样，在苏联庞大的官僚体系中，形成一个特殊网络。晓洛科夫、巴甫洛夫、阿尔费多夫、谢尔比茨基、基里连科、吉洪诺夫、诺维科夫、楚卡诺夫、齐涅夫、茨维贡、斯米尔诺夫等，就是勃列日涅夫构筑的这个特殊网络中的显要人物。

尼·阿·晓洛科夫生于 1910 年，1931 年加入苏共，毕业于第聂伯罗彼得罗夫斯克冶金学院。勃列日涅夫任第聂伯罗彼得罗夫斯克州委第一书记时，晓洛科夫任第聂伯罗彼得罗夫斯克市苏维埃主席。勃列日涅夫任摩尔达维亚共和国党中央第一书记时，晓洛科夫也在该共和国任职，成为勃列日涅夫的同事和下级。1966 年，勃列日涅夫把晓洛科夫从摩尔达维亚共和国党中央第二书记升任苏联内务部部长的要职，成为勃列日涅夫的安全保障。

格·谢·巴甫洛夫生于 1910 年，1939 年加入苏共，毕业于第聂伯罗彼得罗夫斯克冶金学院。巴甫洛夫在战后曾任第聂伯罗彼得罗夫斯克市委书记。勃列日涅夫当政后，将巴甫洛夫从土库曼斯坦马雷州委第一书记升任苏共中央办公厅主任，成为勃列日涅夫的"内务总管"。

弗·瓦·谢尔比茨基生于 1918 年，1941 年加入苏共，曾任第聂伯罗彼得罗夫斯克市委第二书记、第一书记，1955年任第聂伯罗彼得罗夫斯克州委第一书记。勃列日涅夫上台后，谢尔比茨基作为乌克兰共和国部长会议主席，于1965年12月当选为苏共中央主席团候补委员，1971年成为苏共中央政治局委员。1972年谢列斯特被解除职务后，谢尔比茨基则成为乌克兰共和国党中央第一书记。

安·巴·基里连科生于1906年，1931年加入苏共，1950年任第聂伯罗彼得罗夫斯克州委第一书记。1961年苏共二十二大后，基里连科几度进出苏共中央主席团。1966年，已是苏共中央政治局委员的基里连科又被选为苏共中央书记。勃列日涅夫有意提升基里连科，作为对苏斯洛夫的牵制。

尼·亚·吉洪诺夫生于1905年，1940年加入苏共，毕业于第聂伯罗彼得罗夫斯克冶金学院。勃列日涅夫当政后，吉洪诺夫被从国家计划委员会副主席提升为苏联部长会议副主席。勃列日涅夫有意将吉洪诺夫安排为柯西金的主要监督者。1980年吉洪诺夫取代柯西金，任苏联部长会议主席。

弗·尼·诺维科夫生于1907年，1936年加入苏共，毕业于第聂伯罗彼得罗夫斯克冶金学院。勃列日涅夫当政后，诺维科夫于1965年被任命为苏联部长会议副主席，是勃列日涅夫所依靠的经济大员。

格·安·楚卡诺夫生于1919年，1941年加入苏共，毕业于第聂伯罗彼得罗夫斯克冶金学院。楚卡诺夫自1958年开始在苏共中央机关任职。1960年5月勃列日涅夫任苏联最高苏维埃主席团主席后，楚卡诺夫也跟着到苏联最高苏维埃主席团任职，1963年又回苏共中央机关任职，勃列日涅夫上台后即被作为主要助手。

勃列日涅夫安插在苏联国家安全委员会里的“四大金刚”是：谢·库·茨维贡、格·卡·齐涅夫、维·米·切布里科夫和伊·米罗诺夫。

茨维贡生于1917年，是勃列日涅夫任摩尔达维亚共和国党中央第一书记时的该共和国安全部副部长。1967年5月安德罗波夫任苏联国家安全委员会主席后，茨维贡从阿塞拜疆共和国安全委员会主席岗位上调入苏联国家安全委员会，6月，被任命为苏联国家安全委员会副主席、第一副主席，授上将军衔。茨维贡还是勃列日涅夫的连襟，是勃家的常客，并负有随时向勃列日涅夫汇报安德罗波夫一言一行的特殊任务。

齐涅夫生于1907年，毕业于第聂伯罗彼得罗夫斯克冶金学院。勃列日涅

政治局委员

夫任第聂伯罗彼得罗夫斯克州委第一书记时，齐涅夫任第聂伯罗彼得罗夫斯克市委书记。卫国战争爆发后，齐涅夫与勃列日涅夫一起入伍，也从事部队的政治工作。1953 年“贝利亚事件”后，齐涅夫调入苏联国家安全部任职。勃列日涅夫当政后，齐涅夫被任命为苏联国家安全委员会第一副主席，授大将军衔。齐涅夫也是勃列日涅夫家的常客，同样负有向勃列日涅夫报告安德罗波夫一言一行的任务。

切布里科夫生于 1923 年，1944 年加入苏共，毕业于第聂伯罗彼得罗夫斯克冶金学院，1958 年任第聂伯罗彼得罗夫斯克市委第二书记，1967 年任第聂伯罗彼得罗夫斯克州委第二书记。不久，切布里科夫被任命为苏联国家安全委员会副主席，1981 年当选为苏共中央委员。

勃列日涅夫当政时期，苏联的当权者们基本上是 20 世纪初出生，30 年代入党，具有大学学历。他们是生于沙皇俄国时期，在苏维埃的旗帜下成长的新一代社会精英的代表。他们虽然经历过卫国战争的洗礼，但是夺取政权、创建苏维埃国家对他们来说已是遥远的往事了。因此，他们的思想观念同列宁、斯大林一代的老近卫军之间，已有了很大的差异。

苏联党政一体的社会政治生活已经模式化了。在这种社会政治生活模式下，干部的选拔也是很特殊的。在革命年代，基本上以对马克思主义学说的理解，对革命事业的忠诚和在革命实践斗争中的业绩，作为衡量和选拔干部的标准。苏共的高层领导，职业革命家们，则是由在革命斗争实践中涌现出来的优秀分子组合而成。夺取政权以后，由于没有建立符合民主程序的干部选拔制度，非常时期所实行的干部委派制也常态化、制度化了。到了勃列日涅夫时期，对革命的忠诚异化为对领导者个人的忠诚，革命实践中的业绩异化为见风使舵、投领导者个人所好。“第聂伯罗彼得罗夫斯克帮”是苏联干部选拔制度在革命岁月流逝后的必然产物。

第二章　农业生产的苦难历程

本章撰写的是勃列日涅夫当政时期的农业问题，分别阐述勃列日涅夫上台后勃列日涅夫和苏共中央对农业问题的认识；采取了哪些政策和措施；取得了哪些成效；出现了哪些新问题；结果怎样，等等。

一个国家和民族走向现代化，其基础在于解决好农业生产和农村社会的现代化问题。斯大林在20世纪20年代确定了一条通过集体化来改造农村和农业生产的“道路”。在斯大林当政年代，苏联农村基本上实现了集体化，农业生产基本上实现了机械化，但是农村仍然十分落后，农民生活极其贫困，1953年的年粮食产量还不及沙皇时期的1913年。赫鲁晓夫当政后，激烈地抨击过斯大林的农业政策，揭露了苏联在农业生产方面的落后，采取了包括大规模开垦荒地在内的一些重大措施，使农业生产状况有所改观，粮食产量有较大幅度的增长。但是，由于城乡结构、农业生产体制一成未变，曾几何时，苏联的农业生产又陷入困境。农业问题遂成了苏联最难念的一本经，农业部长是苏联最难当的官。具有讽刺意味的是：赫鲁晓夫以抓农业问题起家，农业生产落后最终又成了赫鲁晓夫被赶下台的“罪状”之一。

勃列日涅夫当政后，立即着手抓农业问题。应当说，勃列日涅夫是从基础设施抓起，提高农村社会的现代化水平和农民的生活质量，力度比赫鲁晓夫当政时期更大，并取得一定成效。但是，勃列日涅夫和赫鲁晓夫一样，固守斯大林确立的农村社会结构和农业生产体制，不久，农业生产又跌入新的、更深的泥潭。其实，苏联从集体化开始，农业生产就发生危机。农业生产危机是苏联农业集体化这条“道路”和这条“道路”下的农业生产体制造成的。勃列日涅夫当政年代，苏联在农业生产和改变农村面貌方面所作的努力，归根到底仍然是自上而下的政府行为，不是劳动者即不是农民自己发自内心的改变处境的行为，因此可以收到一时的成效，从长远来说却激发不起农民自己的积极性。

苏联的农业问题说明，通过行政命令强行将农民组织成集体生产单位，不是农村社会和农业现代化的成功之举。

第一节　农业生产的一般状况

农业问题决策的改向

苏联的农业生产自全盘集体化以来，一直陷于慢性危机的泥潭。赫鲁晓夫当政后，废除义务交售制，改组机器拖拉机站，提出物质利益原则，大规模开垦荒地，进行了一些卓有成效的改革，农业生产一度有了很大的起色。但是，由于农村社会和农业生产并没有走出斯大林模式所设定的狭窄框框，农业生产很快又出现新的低迷。自 1959 年以来，全国谷类作物的平均单位面积产量徘徊在每公顷 11.4 公担至 8.3 公担之间，谷物总收获量在 15210 万吨至 10260 万吨之间起伏，国家每年收购量在 6830 万吨至 3540 万吨之间摇摆。农业生产的振幅很大，即使是高峰年也不能满足苏联社会和苏联国家对农产品的需求，更不必说低谷年份了。农业生产的困境是赫鲁晓夫后期的改革受挫，“病急乱投医”，并导致他被赶下台的原因之一。

1964 年 11 月 16 日，苏共中央全会通过了关于把州、边疆区工业党组织和农业党组织合并的决议，恢复统一的州、边疆区的党委会。同时，集体农庄、国营农场生产管理局党委会也改组为区党委会。接着，1965 年 3 月 24—26 日，苏共中央召开全体会议，着重讨论了农业生产问题。勃列日涅夫在会上作了题为《关于进一步发展苏联农业的刻不容缓的措施》的报告，这个报告成为整个勃列日涅夫当政时期苏联有关农业问题的决策性纲领。

勃列日涅夫在报告中对 1953 年苏共中央九月全会的意义，仅限于肯定：成千上万的专家和农业生产组织者下到农村去；开垦荒地使播种面积大大地扩大了，单位面积产量、农业总产量和商品粮都增加了。勃列日涅夫在作了这样的开场白之后，立即话锋一转，说：遗憾的是最近 5 年来农业发展减慢了，农业生产计划远没有完成。按照控制数字，七年计划（1959—1965 年）期间，农业总产量应增 70%，实际只增加 10%。勃列日涅夫特别举出：斯摩棱斯克州的农业总产量只增加 1%，几种最重要的大田作物的产量还没有达到战前水平；农业作物的单位面积产量仍然很低；农业各部门除亚麻外，全都亏本。[1]

关于农业生产落后的原因，勃列日涅夫归结为：一、忽视经济规律的要求，许多农产品的收购价格还抵不上生产费用；大量的、有时是臆想出来的改组造成了神经过敏和无谓地瞎忙，使播种面积锐减，产量骤降。勃列日涅夫举出：以荞麦生产来说，巴什基尔自治共和国的种植面积从 19.4 万公顷缩减到了 3.2 万公顷，总收获量从 13.1 万吨减少到 1.6 万吨，减少了 7/8；鞑靼自治共和国的

[1] 《勃列日涅夫时期苏共中央全会文件汇编（1964 年 11 月—1976 年 2 月）》，第 26 页。

播种面积从14.3万公顷缩减到4万公顷，总产量也减少7/8；库尔斯克州的播种面积从9.75万公顷缩减到3.5万公顷，播种面积减少近65%。二、没有正确地确定农产品和加工商品的价格水平，农业投资太少，国营农场和集体农庄的建设没有得到相应的材料和成套设备的供应。三、轮作制被破坏了；不遵守起码的农业技术规程。其实，勃列日涅夫所总结的农业生产落后的原因，除"大量的、有时是臆想出来的改组"这条之外，基本上都是赫鲁晓夫曾经说过的，并且曾经努力弥补过的。可见勃列日涅夫的认识并没有超出赫鲁晓夫的水平。

勃列日涅夫根据他自己的认识，提出：苏共中央主席团制定了旨在从组织上和经济上巩固集体农庄和国营农场的重要措施，包括：一、降低国家收购计划指标，谷物收购计划指标从40亿普特降为34亿普特，这一收购计划指标直至1970年的6年内固定不变；二、提高收购价格，荞麦收购价格由每吨200卢布提高到300卢布，优质黍每吨由80卢布提高到110卢布，稻谷每吨由220卢布提高到300卢布，畜产品的收购价格也相应提高，而粮食、米粮、肉类和肉制品的现行零售价格一律不变；三、取消对集体农庄庄员、工人和职员私人副业饲养牲畜的限制；四、恢复轮作制。这些措施，其实在赫鲁晓夫当政时期，也都不同程度地实行过。

勃列日涅夫在报告中还提出，要加强农业的物质技术基础。勃列日涅夫说，由于拖拉机、汽车、联合收割机以及其他复杂农业机器的不足，秋耕本应在18天至20天内完成，而实际却拖延两个月，谷物收割往往拖延30天到40天；如此延误农时，不仅使农作物生长大受影响，在收获时又造成严重浪费。勃列日涅夫允诺要大大增加农业投入，增加拖拉机、联合收割机和供应农村的载重汽车的生产，完善灌溉工程，并努力使农业科学为农业生产服务。勃列日涅夫还提出要完成农业的"彻底集约化"。

关于农村社会和农业生产体制，勃列日涅夫在报告中强调要"进一步巩固集体农庄和国营农场"。他说：国家所有制的国营农场和合作社所有制的集体农庄这两种社会主义所有制形式，是我国农业中历史地形成的两种类型的公有经济，"我们现阶段的任务不是加速使一种形式变为另一种形式，而是尽力促进这两种公有经济的发展和繁荣。"[1]勃列日涅夫谴责了赫鲁晓夫当政时期

[1] 《勃列日涅夫言论》，第2集，上海人民出版社1974年版，第90页。

"大规模地进行合并农庄的工作。"

最后，勃列日涅夫要求提高党的农村工作水平。20世纪60年代中期，苏联农村有5万多个基层党组织，拥有200余万名党员。勃列日涅夫说："这是一支巨大的力量，它能够以战斗的姿态完成党提出的任务。"

根据勃列日涅夫的报告，1965年3月26日，苏共中央通过了《关于进一步发展苏联农业的刻不容缓的措施的决议》。决议说："破坏社会主义生产发展的经济规律，破坏集体农庄庄员和国营农场工人在提高公有经济方面的物质利益原则，以及破坏社会利益和个人利益正确结合的原则，这些是农业落后的基本原因。"[1]

在整个勃列日涅夫当政时期，农村问题和农业生产就是在排除体制改革的前提下，在苏共中央力所能及的统一计划范围内，注意经济投入和生产技术改造。1966年5月25—27日，苏共中央召开五月全会，这是苏共二十三大后举行的第二次中央全会，是为贯彻苏共二十三大关于农业问题决议的中央全会。在苏共中央五月全会上，勃列日涅夫作了题为《土壤改良工作是我们建立稳定的农业生产的根本问题》的报告。根据勃列日涅夫的报告，全会通过了相应的决议，提出了勃列日涅夫在1965年3月苏共中央全会上创造的"实行彻底的农业集约化"的新口号。而所谓"实行彻底的农业集约化"，就是"实行一整套提高土地肥力，提高耕作水平和广泛进行土地改良的大型措施。"实际上，"彻底的农业集约化"不过是增加农业投入，提高农业机械化的程度，进行土壤改良，等等。实际上，至1966年年底，苏联拥有农用拖拉机166万台，谷物联合收割机53.1万台，农业动力设备的总能力，比1917年增加9倍，机械化的程度不能说不高。但是，机械化水平虽然高却改变不了农业生产的落后状况。

1971年3月30日，勃列日涅夫在苏共二十四大的总结报告中，降低了调子，说："农业问题就是这样，在一两年内甚至五年内是难以完全解决的；这要经过比较长的时期，要有大量拨款，不仅需要农业劳动者作出巨大努力，而且需要我们整个工业的劳动者作出巨大努力。"[2] 勃列日涅夫的"努力"，就是"遵

[1] 《勃列日涅夫时期苏共中央全会文件汇编》，第48页。

[2] 《勃列日涅夫言论》，第7集，上海人民出版社1975年版，第59页。

循1965年三月中央全会规定的并由第二十三次代表大会决议固定下来的路线，特别着重于建立刺激农业生产高涨的稳定的经济条件。”勃列日涅夫直到他当政的最后年月，1981年2月24日在苏共二十六大的总结报告中仍然坚持“社会主义农业的基础始终是集体农庄和国营农场。”[1] 勃列日涅夫说：现在农产品产量，已足以显著改善对居民的各种食品供应，今后整个农业问题就是提高效率和质量。勃列日涅夫在苏共二十六大所作的总结报告，已经不像以往历次党代表大会的总结报告那样，专门列出标题，长篇论述农业问题，而是在总结其他经济问题时，零散地、顺便谈及农业问题。勃列日涅夫自己也意识到农业问题的无望！

1978年，苏联的总人口为2亿6千万，其中农业人口约1亿零2百万，占39%。苏联的农业人口在总人口中所占比率和世界上的发达国家相比（捷克斯洛伐克的农业人口为34%，法国为30%，美国为27%，民主德国为25%，加拿大为24%）高出许多。当然，全苏农业人口在总人口中所占比例，各加盟共和国是各不相同的，其中塔吉克为64%，吉尔吉斯、乌兹别克为61%，土库曼为52%。[2] 但是不管怎么说，近40%的农业人口却满足不了全国对农产品的需求，每年大约从国外进口3000万吨粮食，进口粮食、食品原料约占每年外贸进口总额的20%。1973年，苏联净进口粮食1904万吨，在历史上第一次成为粮食净进口国。苏联进口粮食成瘾，就像吸毒者上了海洛因的瘾一样。“1981至1982年，由于购买小麦太多，震惊了世界市场，各国纷纷表示愤怒：俄罗斯简直是在吃穷人的粮食。”[3] 十八、九世纪是俄罗斯供养西欧；20世纪的苏联却要靠西欧来供养。

勃列日涅夫在农业生产问题上的悲剧，是他整个当政时期成为苏联历史悲剧的某种缩影。勃列日涅夫不明白，赫鲁晓夫当政时期农业生产的起伏并最终陷入困境，根本原因在于没有走出斯大林模式农业体制的狭窄围栏。赫鲁晓夫废除义务交售制，改组机器拖拉机站，强调物质利益原则，短时间内确实刺

[1] 《勃列日涅夫言论》，第17集，左玲珍、高文英译，上海译文出版社1985年版，第59页。

[2] 统计数据参见《苏联问题译丛》，第3辑，三联书店1980年版，第136页。

[3] 参见《苏联兴亡史论》，陆南泉等主编，人民出版社2002年版，第636页。

激了农民的劳动积极性，可是终究没有从制度层面上去调动农民的经营主动性和生产积极性，没有解决人的问题。但是赫鲁晓夫改革的最大的意义在于使农民摆脱了准国家农奴式的生存地位。勃列日涅夫如果沿着这个方向，结合苏联的国情，寻找农村社会发展的新办法，是有可能使农业生产从面对国家计划转向面对市场，创出农业生产的苏联式途径。不幸的是勃列日涅夫遮没了赫鲁晓夫改革带给农民作为农业生产独立主体的朦胧曙光，把农业生产更紧地捆在国家统一计划上。勃列日涅夫的提高农产品收购价格，降低国家收购指标，加大农业投入，能使农民受益于一时，却无法消除弥漫于整个农村，渗入农民心灵的消极性。

莫斯科市郊弗拉基米尔区布尔什维克集体农庄饿死235头牛的事，是集体农庄庄员消极心态的写照之一。

1978年2月，几个星期的连绵霪雨，使该农庄的300来头牛没有饲料，在雨中挨饿，庄员们喝酒消磨时光。3月1日，区党委委员、国家谷物储备员问布尔什维克集体农庄主席："你们那里有饲料吗?"农庄主席回答："当然有。没饲料还像话吗!"3月11日，天空总算放晴。庄员们到牧场一看，16头牛死了!庄员们赶快采取补救措施，运来饲料喂养。由于饲料质量太差，接连又死去219头牛，共损失4万卢布。法院判决有关责任人在7年内赔偿其中的7500卢布，其余32500卢布由国家负责。[1]收获中的浪费也是惊人的。有人作过统计：每收获100个土豆，真正吃的只有40个。

1965年2月1日，全苏列宁农业科学院通讯院士、列宁勋章获得者莫伊谢耶夫致信勃列日涅夫和柯西金，疾呼："作用甚微的决议、措施，是改变不了农业这种状况的。我们必须用一年、二年时间，一而再、再而三地采取刺激农业发展的措施，否则农业就可能陷入困境。现在对农业、农村、农民必须采取重大的政治、经济政策的调整，这才是迫在眉睫的事了。"[2]莫伊谢耶夫在信中还尖刻地说：自第二次世界大战结束到现在，许多年过去了。"此前，资本主义国家同样也曾经饱受战争之苦，如法国和德意志联邦共和国，但战后至今，他们不仅恢复了农业生产，并且很快发展到能向我们出售余粮的地步，真

[1] 参见《苏联问题译丛》，第4辑，三联书店1980年版，第284—285页。

[2] 《苏联历史档案选编》，第30卷，第116页。

使我们汗颜。而我们的国营农场和集体农庄具有比他们的小农经济更加优越的潜力，然而却没有得到发展。”[1] 关于农业生产落后的原因，莫伊谢耶夫说：“可以毫不夸张地说，造成农业艰难状况 3/4 的原因在于，我们对商品经济的要求和原则予以粗暴的压制和破坏。”

从时间上说，勃列日涅夫在 1965 年 3 月苏共中央全会上的报告，是在莫伊谢耶夫的来信之后。如果说勃列日涅夫的报告和苏共中央三月全会的决议，仍限于“作用甚微的决议、措施”是可以理解的话，那么问题的关键在于勃列日涅夫从 1964 年上台至 1982 年去世，农业方针始终在原地踏步，没有前进，拒绝采纳莫伊谢耶夫来信中的中心思想。勃列日涅夫的农业方针和赫鲁晓夫当政时期相比较，不仅没有创新，反而倒退。

农业生产的严酷现实

1965 年 3 月 24 日，勃列日涅夫在苏共中央全会上提出，要改善农产品征购制度，“现在的征购制度使集体农庄和国营农场对工作缺乏信心，使它们不能正确地拟定自己的生产计划。”[2]

“完善征购制度”的具体政策包括：一、降低谷物收购计划；二、提高收购价格；三、为了鼓励集体农庄和国营农场在固定计划之外出售产品，对小麦和黑麦增加相当于基本收购价格 50% 的附加价格；四、改善对集体农庄的拨款和贷款制度，修改集体农庄所得税征收制度，“不按照集体农庄的总收入，而按照其纯收入征收所得税”，即集体农庄用于庄员劳动报酬的费用，免征所得税；五、加大对农业的投入，第八个五年计划（1966—1970 年）规定由国家对集体农庄进行的投资为 710 亿卢布。勃列日涅夫还允诺将大大地扩大拖拉机等大型农业机械生产，1970 年的拖拉机年产量将达到 62.5 万台。

以非黑土带为例，可以看出勃列日涅夫当政初期加大农业投资的力度。

非黑土带包括俄罗斯联邦的 29 个州和自治共和国，农业用地约 5200 万

[1] 《苏联历史档案选编》，第 30 卷，第 117 页。

[2] 《勃列日涅夫言论》，第 1 集，第 89 页。

公顷，其中耕地面积约3200万公顷，是俄罗斯联邦最大的农业区。这里，每年出产的牛奶和蛋类占俄罗斯联邦的40%，肉类占1/3，蔬菜占43%，土豆占50%以上，以及所有的亚麻制品。非黑土带的农业用地占全苏联农业用地的10%左右，出产的农产品占全苏联的15%左右。它在苏联的农业生产中占有重要地位。

勃列日涅夫当政初期，对这里加大了农业投入。农业投入和农产品增产情况，列表如下：[1]

资金和农业装备投入表

年份	1961—1965	1966—1970	1971—1975	1971—1975年为1961—1965年的百分比
资金投入（亿卢布）	63	117	195	近310
拖拉机（千辆）	170	235	287	168
收割机（千辆）	57	59	70	140
载重汽车（千辆）	52	102	187	360
无机肥料（百万吨）	16	40	65	400

部分农产品增产表

（单位：百万吨）

年份	1961—1965	1966—1970	1971—1975	1971—1975年为1961—1965年的百分比
粮食	12	17.2	20	166
土豆	24.4	28.4	24.8	101.6
蔬菜	3.7	4	4.2	113.5
肉类（净重）	1.5	1.9	2.2	147
牛奶	14.1	17.6	18.2	129

[1] 统计资料参见《比丘金关于苏维埃非黑土带农业发展给巴伊巴科夫的工作报告》，《苏联历史档案选编》，第30卷，第130页。

统计数据表明，由于加大了农业投入，提高机械化程度，促进了农业生产的上扬。1966—1970 年，农业总产值提高 21%，粮食产量提高 29%，肉和奶的产量各提高 25%。[1] 在 1966—1975 年的 10 年里，还曾三次提高农副产品的收购价格：谷物的收购价格共提高了 54%，棉花提高了 62%，肉类提高了 99%，奶提高了 94%，羊毛提高了 50%。同期内，国家卖给集体农庄、国营农场的农业机械、化肥等生产资料的价格不变。由于这一价格调整而出现的新差价，全部由国家预算拨款予以填平。1966—1970 年，这项预算拨款为 385.5 亿卢布；1971—1975 年，这项预算拨款增大到 868 亿卢布，分别占预算支出的 6% 和 9% 以上。[2]

1964 年 10 月 27 日，苏共中央通过了《关于取消对集体农庄庄员、工人和职员个人副业的不合理限制》的决议。决议“委托加盟共和国党中央和部长会议审议和解决关于取消最近几年实行的对集体农庄庄员、工人和职员个人副业中生产农产品的限制问题，同时，仍然应坚持加盟共和国实行上述限制以前规定的牲畜饲养标准和宅旁园地数量。”[3] 这一决议将集体农庄庄员和职工从事家庭副业的范围恢复到 1958 年以前所规定的标准。1969 年 4 月 24 日，苏联部长会议颁布了新的《集体农庄示范章程》，以取代 1935 年颁布的老章程。新章程规定必须按月支付庄员的劳动报酬、养老金以及国家规定的其他形式的劳动组织，集体农庄的下属单位可自行经济核算，给集体农庄组织留出更多的灵活空间。新章程将农庄庄员的宅旁园地拥有额放宽到 0.5 公顷，饲养家禽的数量不限。新章程还允许居住在农村的工人、职员、退休人员也可获得宅旁园地。但是新章程明确规定了集体农庄对国家负有的义务，尤其是在使用土地和完成征购计划方面的义务，这样就在新条件下强化了斯大林规定的集体农庄和国家之间的基本关系。

在放宽家庭副业限制的同时，对集体农庄庄员的社会保障也出台了新的

---

[1] 参见《苏联问题译丛》，第 7 辑，三联书店 1981 年版，第 284 页。

[2] 统计数字参见陈之骅主编：《勃列日涅夫时期的苏联》，中国社会科学出版社 1998 年版，第 50—51 页。

[3] 《苏联共产党和苏联政府经济问题决议汇编》，第 5 卷，中国人民大学出版社 1988 年版，第 535 页。

政策。1964 年 11 月，苏联部长会议批准了集体农庄庄员社会保障的全联盟统一基金条例。条例规定，由集体农庄总收入中提成和每年国家预算拨款，建立集体农庄庄员社会保障的全联盟统一基金，用于支付苏联国家规定的优抚金和补助金。此外，根据勃列日涅夫在苏共二十三大上的建议，从 1966 年 7 月 1 日开始，集体农庄庄员按不同的工种评工资等级，领取有保障的现金和实物。这样，集体农庄庄员实际上每月可以领取固定的工资，作为集体农庄未来收入的预支。由于实行这一办法，自 20 世纪 20 年代末以来实行的按劳动日计酬的办法也随之停止。

勃列日涅夫当政后的这些措施和大量投入，增加了集体农庄和庄员的收益，农产品的产量有所提高。1966—1970 年第八个五年计划期间，谷物年均产量为 16760 万吨，较 1961—1965 年的五年谷物平均年产量的 13000 万吨增长 28.5%。

勃列日涅夫当政初期，已经在国家统一计划的可能范围内向农业倾斜，可是农业生产很快又跌入低谷。尤其是 1972 年的农业歉收，震撼了整个国民经济，以致不得不从国外大量进口粮食，以填补粮食的缺口。由于大量进口粮食，按勃列日涅夫的说法是："没有使国家处于所谓领荒年配给粮的境地。"

集体农庄和国营农场的经营亏损越来越厉害，是农业生产的又一严重问题。仍以非黑土带为例，经营亏损在勃列日涅夫当政初期已经在迅速扩大。

集体农庄和国营农场亏损情况 [1]

	集体农庄			国营农场		
年　份	1965	1970	1973	1965	1970	1973
亏损企业数	134	273	992	992	1022	2066
亏损企业占企业总数的 %	1.9	4.7	18.1	38	39	54

尽管如此，勃列日涅夫并没有停止寻找提高农业生产途径的努力。1973

[1] 《比丘金关于苏维埃非黑土带农业发展给巴伊巴科夫的工作报告》，《苏联历史档案选编》，第 30 卷，第 135 页。

年 12 月 10 日，勃列日涅夫在苏共中央全会上强调："要克服农业这一国民经济部门的严重落后状态。"如何克服呢？勃列日涅夫提出："要把农业生产集约化的任务提到首要地位。"勃列日涅夫举出：坦波夫州大型专业化农庄农场每增加一公担猪肉的成本是 57 卢布，而州内其他所有农庄农场增加同等猪肉的成本是 135 卢布。勃列日涅夫说："你们看，每公担相差 78 卢布。这是值得想一想的。"[1] 勃列日涅夫批评说："农业中，特别是畜牧业的商品生产在很多情况下分散在各个小畜牧场和生产队进行。因此，产品成本高，劳动力消耗大，而生产率低。"[2] 出路何在呢？勃列日涅夫说："今天已经出现了广泛地利用科学技术成就逐步地转到采用工业方法的大型专业生产的轨道上去的可能性。我认为这是一条发展农业的康庄大道。"[3]

勃列日涅夫关于发展农业的这一思路，是在批判市场社会主义之后提出来的。勃列日涅夫的这一思路，是向斯大林"规模越大、商品率越高"的思路回归。为此，勃列日涅夫要求全国向建设大型畜牧场和联合企业的目标前进。勃列日涅夫要求建立跨农庄的、跨农场的，以及农庄、农场合办基础上的大型畜牧场和综合企业。勃列日涅夫将建立大型专业化农庄农场的意义提高到是向共产主义过渡的重要途径。勃列日涅夫说："跨集体农庄和国营农场的企业和联合公司将不仅有助于提高农产品的产量，它们还负有解决下面这样一项巨大社会任务的使命——提高集体农庄生产公有化的水平，消除集体农庄所有制形式和国家所有制形式之间的界限。而这是党的重要的、我认为是纲领性的任务之一。"[4]

勃列日涅夫最终回到了斯大林的农业发展道路上来。这条道路远离市场，使得投入和产出之间严重失衡。从 1965 年开始到 80 年代中期的 20 年里，农业的固定基金增加了大约 4 倍，农药的使用量增加了 3.5 倍，可浇灌和可排水的耕地增加了 1.5 倍，而栽培植物的总产值总共才增加 20%。[5]

[1] 《勃列日涅夫言论》，第 9 集，上海人民出版社编译室编译，上海人民出版社 1975 年版，第 361 页。

[2] 同上书，第 361—362 页。

[3] 同上书，第 362 页。

[4] 同上书，第 363 页。

[5] 《关于苏联全国生态环境的报告》，《苏联历史档案选编》，第 33 卷，第 672 页。

第二节　农村社会与自然生态环境

农村面貌的变化

勃列日涅夫当政初期，国家经济计划向农村倾斜，加大农业投资力度，虽然没有从根本上扭转农业生产的颓势，但农民毕竟受益，农村面貌也有了较大的变化。可以说，苏联农村的现代面貌基本上是在勃列日涅夫当政时期实现的。

1966—1975 年的 10 年里，也即在第 8 和第 9 两个五年计划期间，国家在提高全国农村的电气化、煤气化和道路建设等基础设施的建设方面，迈出了较大的步伐。

道路是农村和社会联系的基本渠道，对发展农业，改善农村居民的生活条件，意义重大。1968 年 8 月 5 日，苏共中央和苏联部长会议通过《关于进一步发展苏联的道路建设》的决议，要求苏联交通部在苏联国防部和各加盟共和国部长会议的参与下，于 1969 年年底前制定苏联国家级和各加盟共和国级公路网的总体规划。各加盟共和国应会同苏联农业部于 1969 年年底前制定发展地方级公路网的总体方案。决议提出：自 1968 年起，硬路面公路（包括混凝土路面、沥青路面和坚固土路面）的修筑速度，每年提高 20%。至 1975 年，年筑路应达到 4 万公里。公路的修筑费、保养费，除国家计划拨款、汽车运输组织和企业在营运中的收入提成外，还将向拥有个人轻便汽车的公民酌收少量款项。

经过 10 年的努力，农村的交通状况有了很大的改善。但是到 1977 年，全国农村仍然只有 17% 的农庄和农场有硬路面的公路；每个集体农庄、国营农场平均拥有硬路面公路不足 10 公里，全国还有近 4 万个集体农庄和国营农场没有硬路面公路相通。[1]这样的农庄和农场，在秋冬季节和春季的泥泞时期，同供应单位和收购单位的联系、交往都很困难。农村青年往往因生活、文化娱乐条件的低下而大量外流。20 世纪 70 年代末，苏共中央和苏联政府将不拥有硬路面公路，远离公路干线的偏僻农庄、农场、畜牧场，大量关闭和拆并。

[1]　统计数据参见《苏联问题译丛》，第 4 辑，三联书店 1980 年版，第 264 页。

实现农村电气化是第 8、第 9 个五年计划期间农村基础设施建设的重要项目。1966 年 8 月 27 日，苏共中央和苏联部长会议通过《关于 1966—1970 年苏联农业的电气化》决议。决议除要求保证集体农庄和国营农场的生产用电之外，特别强调“到 1970 年年底之前，应保证基本上实现集体农庄庄员和国营农场职工的家庭电气化。”决议规定国家电力系统向农村供电必须达到向全国供电量的 80%—90%。[1] 决议还规定各加盟共和国、自治共和国、边疆区、州的动力和电气化部（局），必须完成各集体农庄、国营农场的生产用房、文化和生活用房、庄员和职工住房的一切动力装置和照明设备的安装工程，架设配套的输电线路以及室内电线。决议提出：“使农村居民在各个方面都能使用电力以满足日常生活需要，是进一步发展农业的最重要任务之一。”[2] 到 20 世纪 70 年代后期，农村用电已比较普及，照明也告别了古老的、传统的油灯和松明子。

电气化带动了全国的电冰箱生产。1969 年 5 月 12 日，苏联部长会议决议要求到 1973 年 1 月 1 日，家用电冰箱的生产能力达到年产 612 万台，压缩机达到年产 653 万台。决议还规定必须拨给莫斯科家用电冰箱厂 53500 平方米的住房，用以安置因该厂扩建而动迁的居民。20 世纪 70 年代后期，家用电冰箱在全国差不多普及了。

全国煤气化工程的加紧实施，和电气化、公路建设等工作配套，提升了农村的生活质量和环境条件。1968 年 9 月 12 日，苏共中央和苏联部长会议通过《关于整顿农村建设》的决议，要求把农村居民点逐步改造成设施完备的村镇。决议要求新的村镇应当具备能满足居民生活需要的良好住宅条件和文化生活条件；要顾及农业生产的特点、居民的民族特点、周围风景；有令人喜爱的建筑外貌，能融合现代建筑成果和民间建筑艺术的优秀传统。

建设具有现代生活气息的农村居住区，使农村的社会经济和文化生活条件向城市靠拢，除了道路和电气化方面的建设工作之外，实现煤气化也是不可缺少的条件之一。在第 8 和第 9 两个五年计划期间，国家用于建造农村住宅、

---

[1] E. 佳盖编《苏联共产党和苏联政府经济问题决议汇编》，周太忠等译，第 6 卷，中国人民大学出版社 1983 年版，第 227 页。

[2] 同上书，第 232 页。

俱乐部、幼儿园和煤气化方面的总投资为320亿卢布，几乎是1961—1965年的五年(68亿卢布）的5倍。新铺设煤气管道7500余公里。竣工的住宅面积1.3亿余平方米。新建成的住宅有配套的供水、取暖、煤气和地下排水道等设施。在此期间还建成可容纳140余万名学龄前儿童入学的教学建筑，建成的俱乐部总座位超过520万个。[1]

培养农业专业技术人员的工作，也有了新的发展。苏联农业部高等和中等农业教育局局长马卡罗夫在《农业干部》1978年第5期上撰文说：1961年全苏高等农业学校招收的新生总数是3600名，1971年招收新生的总数为63900名，1975年招收的新生总数为56500名。在第8和第9两个五年计划的10年里，高等农业学校共培养了545500名面向农村的农业专家。[2]

农业中等职业技术学校培养专业知识面较广、能独立操作多种复杂农机的熟练技术工人，更受集体农庄、国营农场和其他农业企业的欢迎。20世纪70年代后期，全苏有1787所各类农业职业技术学校，在校学生近80万。作为学校的教学器材，每所农业中等职业技术学校平均拥有34台拖拉机、9台联合收割机、10辆汽车以及60台各种用途的农业机器，供在校学生实际操作。农业中等职业技术学校的毕业生在独立工作的头几个月，劳动生产率往往能很快赶上有经验的农机手。乌克兰共和国赫尔松州阿尔汉格尔斯科耶第10中等职业技术学校到70年代中期已培养了3万多名熟练的农机手和各不同工种的操作工。该校由于教学工作成绩突出，1979年获苏共中央、苏联部长会议、全苏工会中央理事会和共青团中央的流动红旗及列宁共青团奖金。

勃列日涅夫当政的前期，依靠国家的行政权力，使农业生产有所发展，农村面貌有所变化，但是由此也产生了新的一连串问题，而且这些新问题是难以靠国家行政命令所能解决的。

首先是农村人口，尤其是青壮年，不断流向城市，造成农村劳动力锐减。

苏联从20世纪60年代开始，人口自然增长率就急剧下降。人口自然增长率的下降速度，农村又比城镇更快。从1960—1975年，人口自然增长率从17.8‰下降为8.8‰。在同期内，人口的出生率城镇下降22.4%，农村下降

[1] 统计数据参见《苏联问题译丛》，第4辑，第261—262页。

[2] 参见同上书，第6辑，第11页。

28.8%。[1] 拿俄罗斯联邦非黑土带来说，70 年代中期有居民 5800 万，占俄罗斯联邦人口总数的 44%。1959—1973 年，农村有劳动能力的人数减少了 410 万，占农村有劳动能力的人口的 34%。尤其是 20—29 岁的年轻人减少了 240 万，占减少人口的 58%。从农业中等职业技术学校毕业的青年技术熟练工，大多率先离开集体农庄或国营农场，原因是对农村的文化生活条件和劳动报酬不满意。青年人流向城市，还造成农村的新的社会问题：1970 年以前，涌入城市的大多为畜牧业中从事繁重体力劳动的女青年，从而导致农村女性在总人口中的比例下降为 46%，促使男青年跟着流向城市；1974 年，农村男青年流向城市的势头大大高过女青年，使农村又出现新的男女比例失调。奥廖尔州、图拉州的农村女性人口占 58%，布良斯克州、基洛夫州的农村女性人口占 61%。波浪式的农村人口男女比例失调，导致农村的青年人不停地流向城市。

其次是在全苏人口出现老龄化的大趋势下，农村人口老龄化的速度大大超过城镇。1959 年，苏联农村每千名人口中，20—34 岁的青壮年有 247 人，1970 年该年龄段的青壮年人下降为 165 人，下降了 66% 以上。[2] 俄罗斯联邦非黑土带农村达到丧失劳动能力年龄的人数，1959 年占农村总人口的 14.5%，1974 年上升到 21.6%，15 年里上升了 7.1 个百分点。其中诺夫哥罗德州、普斯科夫州、加里宁州、梁赞州的集体农庄，1/3 庄员已达到退休年龄。[3]

再次是农村的发展不平衡加剧，不仅是苏联的欧洲地区和中亚、高加索等地区的差距拉大，即使是欧洲地区，各地之间的差距也在扩大，导致各地之间、中央和地方之间的不满和矛盾加深。勃列日涅夫当政前期，对波罗的海沿岸三国、白俄罗斯共和国农业的投入，明显高于对俄罗斯联邦的农业的投入，造成俄罗斯联邦传统农业区愈来愈落后。20 世纪 70 年代，俄罗斯联邦农村的居民点仍然非常分散。1970 年，俄罗斯联邦非黑土带有 142500 多个居民点，其中 102400 多个居民点的居民数少于 100 人。像阿尔汉格尔斯克、沃洛格达、诺夫哥罗德、普斯科夫、伊万诺夫、加里宁、科斯特罗马、雅罗斯拉夫、基洛

---

[1] 统计数据参见《苏联问题译丛》，第 3 辑，第 151 页。

[2] 同上书，第 155 页。

[3] 《比丘金关于苏维埃非黑土带农业发展给巴伊巴科夫的工作报告》，《苏联历史档案选编》，第 30 卷，第 133 页。

夫等 9 个州的农村，基本上还是星星点点，遍布传统的小村庄，80%—90% 的居民点居民数为 30—38 人。

1970 年，俄罗斯联邦非黑土带农村还有 6 万多个居民点距最近的汽车站在 6 公里以上；还有 4.9 万个居民点的孩子要到离本村 3 公里以上的地方去读小学，约 12% 的居民点没有通电，26% 的居民点没有电视接收设备。

勃列日涅夫的农业方针是中止了赫鲁晓夫向市场经济倾斜的探索，回归到斯大林关于农业生产的旧思路，采用加大农业投资力度、扩大生产规模的方法，力图以此解决苏联的农业问题。勃列日涅夫的农业方针确使农民的生活质量有较大提高，农村面貌也有所改观；但是，苏联的完全的计划经济的痼疾却益发变得不可治理，同时又出现了当代发达国家存在的新的社会问题。

环境保护问题的凸现

勃列日涅夫当政时期，环境污染日益成为严峻的社会公害。

还在 20 世纪 50 年代中期，苏共中央和苏联部长会议已经注意到防止工业污染的问题，并陆续出台了一些环境保护法令。1960 年 4 月 22 日，苏联部长会议第 425 号决定《关于整顿利用和加强保护苏联水资源的措施》，禁止验收没有完成废水净化无危害措施而排放废水的企业、车间和机组。但是实际情况是各企业、车间有法不依，各行其是。萨拉托夫州的伏尔加河港口城市恩格斯市（1931 年以前称波克罗夫斯克）人造合成纤维厂，1956 年开始兴建污水净化设施，动用预算 13160 万卢布，按计划应于 1967 年建成，投入使用。但是直到 1965 年全套生物净化设施根本没有上马，未经任何净化处理的废水，直接排入伏尔加河，严重污染了俄罗斯的母亲河。1965 年，对全国 1763 座造成水资源污染的工业城市进行环保调查，具有废水生物净化设施的只有 30 座左右，不到 2%。其中 70% 以上城市的工业废水，未经任何净化处理就直接排入河流或水库。[1]

严重污染水资源的情况不仅限于工业相对发达的欧洲地区，即使是西伯

[1] 《苏联国家计委关于水资源保护问题答霍洛德科夫问（1965 年 6 月 15 日）》，《苏联历史档案选编》，第 30 卷，第 137 页。

利亚地区，也同样令人触目惊心。20 世纪 60 年代中期，克拉斯诺亚尔斯克纸浆造纸联合企业，在 62% 即将投产的项目中，净化设施仅完成 19%。克拉斯诺亚尔斯克人造纤维厂自 50 年代中期以来的 10 年里，每年向叶尼塞河排放未经任何处理的废水 1610 万立方米。每年随同废水排入叶尼塞河的有 30200 吨硫酸钠、7500 吨硫酸、3900 吨硫酸锌、1000 吨硫化二氢、1260 吨苛性钠，以及 361 吨对生物有严重危害的二硫化碳等有害物质，由此造成了叶尼塞河鱼类的生存危机。这些企业尽管还没有确定建设废水净化设施的规划，却仍在不断扩大生产，增加废水排放量。[1]

20 世纪 60 年代中期，秋明天然气油田已开采了多年，但是没有一口油井安装必需的净化装置，致使鄂毕河、额尔齐斯河水域及流域受到石油、泥浆和其他有害物质的污染。

阿塞拜疆共和国境内的石油、天然气工业，包括著名的巴库油田在内，环境保护意识更差。未经净化处理的废水不断地排入里海，每年随同废水流入里海的石油就有几万吨，致使里海的水质恶化程度逐年加深。[2]

连续不断发生的事故，更使环境污染的状况犹如雪上加霜。

1965 年 2 月，伏尔加格勒一家企业的废水蓄水池堤坝决口，废水倾泻进伏尔加河，使伏尔加河很长一段水域被严重污染，造成鱼类大量死亡。据苏联土壤改良和水利经济部统计，仅 1966 年 9 月 15 日—12 月 9 日的不到 3 个月的时间里，由于油田区的输油管泄漏等事故，石油流入海中，使捕渔业损失 145.9 万卢布。[3]

由于组织编排得不善，致使木材在浮运过程中大量沉没，也是水资源的又一严重污染源。1964 年，仅在阿尔汉格尔斯克州境内的各条渔业河道里就沉没了 35 万余立方米原木。1964 年，全苏约有 300 万立方米木材在浮运中沉没。沉没的木材，其中只有 20% 左右被打捞出来，其余沉没的木材堵塞河道，污染水质。秋明州因为浮运木材大量沉没，造成 62 座水库的渔业几乎停产，从木材和树皮中浸滤出来的鞣质、树脂和有机酸等物质，导致鱼类大量死亡。

[1] 参见《苏联历史档案选编》，第 30 卷，第 138 页。

[2] 《采油工业部为保护水资源给各企业和部门领导人的通函》，同上书，第 141 页。

[3] 参见同上书，第 142 页。

1968 年 9 月 23 日，苏联部长会议通过《关于防止里海污染的措施》的决议。决议指出：里海经常受到苏联石油开采工业部、石油加工和石油化学工业部、化学工业部和其他工业部门企业的石油和污水的污染。苏联海运部、俄罗斯联邦航运部和苏联渔业部的各类船只的船舶压舱水、船底积水沟的废水，里海沿岸城镇以及里海河流流域城镇的生活污水，所有这些废水都未经净化处理排入里海。里海简直成了“污水池”！目前，污染已对里海的鱼类储量和再生造成毁灭性的后果。面对各种日益严峻的污染形势，苏联部长会议决定：责成苏联石油工业相关各部、苏联化学工业部、俄罗斯联邦部长会议、哈萨克共和国部长会议、阿塞拜疆共和国部长会议和土库曼共和国部长会议，“采取必要的措施防止里海受石油和石油制品、未经净化的工业和生活污水、船舶废水的污染。禁止验收那些未采取净化措施而排放污水的企业、车间长期或临时投入生产。”[1]决议还责成苏联人民检察委员会对苏联各部、各主管机关和各加盟共和国在执行本决议中的情况进行经常性的监督；对违反本决议并造成严重后果的将追究责任。

此后，各企业对环保问题有所重视，国家在环保方面的投入也有所增加，不过形势仍然十分严峻。受污染最严重的水域有西布格河、德涅斯特河、顿河、伏尔加河、萨哈林河、科拉半岛上的河流和湖泊，以及阿穆尔河(黑龙江)下游。这些河流水域中污染物的浓度严重超过苏联国家标准（10 个极限容许浓度)。库班河水域石油和铜的含量超过极限容许浓度的 4—6 倍。

土地资源的损失也与生态环境的被破坏有直接关系。到 20 世纪 80 年代中期大约有 15700 万公顷的农业用地盐碱化，11300 万公顷的土地被侵蚀，8700 万公顷的土地过分潮湿和沼泽化。此外，由于风化、侵蚀，每年的肥土损失约 15 亿吨，土壤中腐殖质的含量全国平均减少 0.4%。[2]

[1] [俄] 契尔年科等编：《苏联共产党和苏联政府经济问题决议汇编》，周新城等译，第 7 卷，中国人民大学出版社 1986 年版，第 102 页。

[2] 参见《苏联历史档案选编》，第 33 卷，第 671 页。

第三章　拒绝市场的僵化经济运行机制

本章阐述勃列日涅夫当政时期的经济运行机制以及国民经济状况。准确地说，经济运行机制和国民经济状况，应当包括农业在内。因为农业生产在前一章已作单独阐述，故本章涉及的内容仅仅是工矿、交通运输、金融业等的状况。因此，本章的标题严格地说不很科学但权且如此。

经济运行机制是关系苏联根本命运的大问题。勃列日涅夫当政时期正是第三次科技革命迅速铺开，全球化趋势明朗化的历史阶段，而且还承接了赫鲁晓夫改革的遗产，这些都为勃列日涅夫的守业和开创，提供了更为有利的机遇。

勃列日涅夫当政时期苏联经济生活的重心问题是柯西金主持的新经济体制改革及结果。

柯西金的改革，俄文叫 реформа；而以后戈尔巴乔夫当政后的改革，俄文叫 перестройка。реформа 和 перестройка 都可以译成中文“改革”，但这两个单词的俄文词义是有区别的。реформа 还有改良、完善的含义；перестройка 有改造、重建的含义。从柯西金改革的目标定位来看，在于把市场机制的某些刺激因素，引入苏联的计划经济，以增强企业的活力和职工的劳动热情，完善计划经济体制，柯西金主持的新经济体制改革，既是赫鲁晓夫改革的继续，更是赫鲁晓夫改革的深化。柯西金的改革，当然没有触动计划经济体制的根本，但是改革的闸门一经打开，就此止步几乎是不可能的。新经济体制改革在实施过程中不断显露出来的矛盾，有些是属于改革措施本身需要完善，但是矛盾的基本面在于计划经济体制的束缚，以及从上到下各级官僚机构和根深蒂固的计划经济观念的阻挠。

新经济体制改革和赫鲁晓夫改革不同的是，赫鲁晓夫是苏共中央第一书记，不赞成赫鲁晓夫改革的马林科夫、莫洛托夫、卡冈诺维奇等人，都被赫鲁晓夫以各种理由解除职务。柯西金是作为苏联部长会议主席实施的改革，在苏联党政一体这种政治体制下，苏共中央第一书记（苏共二十三大以后改称总书记）勃列日涅夫对改革的态度，决定着改革的命运。勃列日涅夫对改革的态度，虽然与柯西金不甚一致，但开始时还是支持的。1968 年“捷克斯洛伐克事件”以后，勃列日涅夫明显地从支持转向阻挠和反对。这样，新经济体制改革的命运也就决定了。当然，勃列日涅夫反对新经济体制改革不会、也不可能像斯大林那样的做法，而是让新经济体制改革平静地“安乐死”，批判的靶子是“市场社会主义”。

新经济体制改革的命运和结局，是不是也成了戈尔巴乔夫上台后进行“перестройка”的原因？

第一节　新经济体制的改革冲动

改革经济体制的新酝酿

赫鲁晓夫当政时期，经济体制改革就已经开始了。20 世纪 50 年代中期改革的重要内容，一是下放一部分企业的管理权，扩大各加盟共和国在管理和经营方面的主动权，裁撤了部分管理机构。在国家的国民经济计划中，只给各加盟共和国规定总额，各加盟共和国部长会议自行确定本共和国各部门一切工程项目的项目表、设计任务、财务计算书的批准程序。二是扩大厂长、经理在计划管理、基建投资管理、物资处理、人员编制、工资基金、财务管理等方面的权限。三是对国家银行及其信贷结算机构的工作方法作了调整，使国家银行通过信贷和结算工作，对企业的积累过程和流动资金的使用施加影响，提高赢利在评估企业实绩中的地位。苏共中央的这些举措仅仅是改革经济体制的开始，而且在实际工作中阻碍重重，并未切实贯彻。

1962 年 9 月，在赫鲁晓夫的支持下，开展了历时一年的“利别尔曼建议”大讨论。这场讨论从如何使企业最大限度地关心生产问题开始，深入到计划经济和物质刺激的方法，计划指标和企业如何利用生产基金，企业活动的经济刺激和奖励员工的方法等各方面问题，对苏联社会主义经济中的利润率、成本、劳动生产率等等问题，都提出了新的见解。这场讨论的核心问题实际上是关于苏联社会主义企业生产的目的是什么？是为完成国家计划，还是为了满足社会的需要？这个问题，在马克思的政治经济学中答案是明确的：无产阶级掌握政权后的国家计划，能最完美地满足社会的需要。但是，苏联社会主义实践却表明，国家计划日益和社会需要相背离，两者之间的矛盾越来越突出。讨论并没有明确的结论，不过赫鲁晓夫表示：利别尔曼的建议是宝贵的，并在少数企业中进行利别尔曼建议的某些试验。

勃列日涅夫上台以后，苏联经济学界围绕经济改革问题，思想仍然比较活跃。部分经济学家认为，社会主义经济，实质上是商品生产的一种形式，是新型的商品生产。利别尔曼在1966年8月18日《文学报》发表《答反对者》，说："社会主义是商品生产的一种形式，但不是自发的，而是有计划的；不是以劳动工具私有制，而是以公有制为基础的商品生产形式。社会主义制度下的集中计划经济不仅包括使用经济杠杆，而且还和合理利用商品生产的经济杠杆（价格、利润、个人的物质利益）不可分的。"著名经济学家、苏联科学院通讯院士列昂节夫认为，社会主义是新型商品生产。他在1966年出版的《经济改革与经济理论的若干问题》一书中说：在社会主义的商品生产中，价格、工资、利润等不是资本主义的残余，而是社会主义生产关系的表现，是社会主义的价值范畴。

关于社会主义制度下商品生产的必然性问题，部分经济学家认为，仅仅从存在生产资料公有制的两种形式来解释是不够的，必须从国营企业的相对独立性，社会主义劳动性质的特点，以及物质利益原则的要求等方面来说明。他们认为，不仅是消费资料，包括生产资料，无论在形式上或者实质上，都是商品。

关于价值规律在苏联经济生活中的作用问题，长期以来是苏联经济学界争论的重要问题。这个问题实际上牵涉到对计划经济和市场经济的根本看法。利西奇金在1966年2月27日的《消息报》上发表《生活提出修正》一文，激烈地提出："长期以来，一些经济学家坚持认为价值规律和计划是互不相容的。他们把价值规律和资本主义市场的无政府状态、危机画等号，把计划看作是给市场的混乱状态带来秩序的唯一创造性力量。"利西奇金说：这种观点实在背离实际，"不以市场为依据的计划就像不以计划来规范市场一样，同样无法克服比例失调。只有把计划和市场辩证地统一起来，才能形成对社会主义经济最有效的经济领导体制。"

利西奇金还以苏联经济发展曲折的事实为例指出：1953年苏共中央九月全会急剧提高农产品收购价格，1955—1959年间农业总产量每年提高7.6%。1958年以后，拖拉机和机器备用部件、液体燃料的价格提高了，向集体农庄征收的所得税增加了，还强制集体农庄提前还清购买机器拖拉机站的机器设备的款项，结果使农业总产量急剧下降。1965年苏共中央三月全会对这方面的不正常状况作了调整，集体农庄和国营农场马上作出反应：小麦播种面积扩大

200万公顷，向日葵播种面积扩大25万公顷，荞麦播种面积扩大31万公顷。所有这些都没有采取行政强制措施。这难道不是价值规律、价格调节作用的最有力证明？利西奇金说："价值规律是通过价格来表现自己的作用的。只有闭着眼睛不看事实的人才说价值规律在我们的条件下不是生产的调节者。"[1]利西奇金不仅以苏联经济生活的事实来论证价值规律确确实实在调节着生产，而且还提出：市场不是资本主义所特有，计划也不是社会主义所特有，社会主义经济应当是计划和市场的辩证的统一。

在现实的挑战面前，苏联的经济学理论也有了新的突破。经济理论的活跃，也是经济体制改革的一种准备。

1964年12月9—11日苏联最高苏维埃举行会议，苏联部长会议主席柯西金就经济体制改革问题说：必须改善现行的计划和管理制度，加强对生产的经济刺激。柯西金提出："迫切需要解决的是扩大企业经营的独立性，扩大企业经理、车间主任、工长的权力，根据经济核算制定有根据的价格，增强利润和物质鼓励的作用，这些是加速发展苏联经济的条件。"[2]

1964年12月，《消息报》报道：从1965年开始，利沃夫将有5个工业企业试行"利别尔曼建议"，试验方案由利别尔曼参与制订。方案规定：对重工业企业，国家只下达产量计划和赢利指标，其他各项经济指标由企业制定；轻工业企业的产量计划也由企业自行制订。企业完成计划时，可以从利润中提取一定比例的奖励基金；利润越高，提取的奖励基金也越多。

苏联最高国民经济委员会决定，从1965年1月1日开始，莫斯科、列宁格勒等10个大城市的缝纫和制鞋企业，以及摩尔达维亚共和国、中亚细亚各共和国、外高加索各共和国的400家轻工业企业，推行根据商业部门直接订货完成生产计划的试验。缝纫、制鞋、纺织等许多工业企业都根据商业部门的订货来制订和完成生产计划，工业企业的经营活动根据产品销售额和利润指标进行评价；商业部门则根据调查居民对商品的需求向生产单位订货。这种调整工商关系的办法，使产品质量有所提高、销售加快，企业的收入也有所增加，莫斯科的缝纫工厂，1965年第三季度销出的成品比1964年第三

[1] Известия.1966.27 фев.

[2] 邢广程：《苏联高层决策70年》，第4卷，第63页。

季度增加 7%。拉脱维亚“宇宙”制革制鞋公司在一个季度里，产品产量和利润各增加 6%。[1]

1965 年 7 月 3 日，勃列日涅夫在克里姆林宫接见军事学院毕业生时说道：“目前，苏共中央和苏联部长会议正在大力进行工作，以制定旨在根本改善工业和建筑业的计划和管理的制度以及提高国民经济中经济刺激作用的措施。”[2]这是明确宣告即将出台经济体制改革方案。一个星期以后，勃列日涅夫在授予列宁格勒市金星奖章大会上讲话时又说到即将出台的经济改革方案。他说：“中央委员会认为现在自己最重要的任务就是逐步完善经济建设的形式和方法。我们管理经济必须充分考虑到社会主义生产发展的客观经济规律。”[3]从这几次讲话中可以看出，勃列日涅夫对经济体制改革的目标定位是改善计划和管理制度，完善经济建设的形式和方法。

1965 年苏共中央九月全会

1965 年 9 月 27—29 日，苏共中央举行全体会议，这是为讨论经济体制改革而召开的中央全会。苏共中央主席团委员、苏联部长会议主席柯西金在 27 日的会议上作了《关于改进工业管理、完善计划工作和加强工业生产的经济刺激》的报告。

柯西金在报告中首先指出：工业中现行的管理、计划和刺激的形式已经不能适应现代的经济技术条件和生产力的发展水平；在目前条件下，要求在生产管理和计划工作上有巨大的机动性和灵活性。因此，柯西金建议：一是完善计划工作、加强企业的经营主动性和经济刺激；二是改进管理工业的组织。

关于完善计划工作，柯西金的建议是围绕如何扩大企业的经营独立性和主动性而提出的，即取消对企业经营活动的多余规定，拨给企业发展生产的必要资金，用价格、利润、资金、贷款这些手段加强对生产的经济刺激。为此，柯西金“建议在企业计划中规定企业的产品销售量的任务，以代替总产值指

---

[1] Ф. 维什尔科夫著：“经济核算和发展生产的经济杠杆”。Вопросы экономики. 1966. № 2。

[2] 《勃列日涅夫言论》，第 1 集，第 206 页。

[3] 同上书，第 231 页。

标。”[1]这样，国家计划机关只给企业规定产品销售额、产品的基本品种、工资基金、利润额和赢利率、预算缴款和预算拨款、集中的投资额、生产能力和固定基金的交付使用额、物资技术供应指标。企业经营活动的其他指标，如劳动生产率、工作人员数、平均工资数、企业的机构和编制、行政管理费用预算，等等，都将由企业独立计划，不再需要经过企业的上级机关批准。国家计划机关下达给企业的计划指标，由原来的30项减少为8项。

显然，柯西金的建议意在改变以行政命令来领导经济工作的方法。因为以行政命令来领导经济工作，往往是采用超经济的强制手段，迫使企业违背自身的利益去从事国家所需要的经营活动；企业则同样以命令的方式迫使生产者去从事企业所需要的生产劳动。结果是无论企业或者生产者个人，都丧失了经营和劳动的主动性和积极性，变成执行命令的工具，导致生产效率低落。

为了使企业更关心本企业产品的生产量和所得的利润额，使职工更关心自己所完成的任务和所在企业的总成果，柯西金建议：每家企业都要靠企业所得利润的提成来建立本企业的生产发展基金；每家企业要依靠从所得的利润中提成的办法来建立职工的物质鼓励基金。今后，企业所得到的基本建设基金也将由国家的无偿预算拨款改为长期贷款。

关于改进工业管理，柯西金在报告中说：“从1957年起，工业管理开始通过国民经济委员会来进行。取消各个工业部，它们所属的企业交给国民经济委员会来领导。但是随着时间的推移，工业管理开始出现巨大的缺点。”[2]柯西金提出：在社会主义经营管理制度的条件下，只有应用部门的管理原则才能使工业领导的力量达到应有的集中，“必须建立按部门原则设置的机关。”柯西金强调：这样做不是打算简单地回到原来的部；即将建立的部将在完全不同的新条件下工作。在经济领导机关与企业的关系上，要改变“前者只有权利，后者只尽义务”的习惯观念，要规定彼此相互的权利和义务，既提高企业的责任心，也要提高经济领导机关的责任心。

在讨论中，一些中央委员举出很多事例来说明目前生产上的种种不合理

[1] 柯西金：《关于改进工业管理、完善计划工作和加强工业生产的经济刺激》。Правда. 1965. 28 сентября。

[2] Правда. 1965. 28 сентября.

情况。哈尔科夫拖拉机厂生产ДТ—74型拖拉机，伏尔加格勒拖拉机厂生产ДТ—75型拖拉机，两家工厂生产设备相同，任务也一样，但是两种拖拉机的结构却各异。利哈乔夫汽车厂生产吉尔—130型载重汽车，高尔基汽车厂生产嘎斯—53型汽车，两种汽车载重量相同，但是发动机、后桥、变速器和其他主要零件都不统一，不能相互替换。10个不同主管部门的设计机构都在设计航海和内河拖船，于是载重量相同的拖船就按9种不同的设计图纸制造。伏尔加河岸的石油工人创造出一套新的设备和工具，能大大提高油井的钻井速度，但是，花了一年时间还没有商定，制造这套设备的图纸，因为它需要各国家委员会和国民经济委员会的15名代表签字，还要经4个国家委员会主席、2个共和国国民经济委员会主席批准。诸如此类事例，举不胜举。苏联国民经济和生产工作，被它自己设计的种种机构和形式主义手续死死地绑住。

9月29日，勃列日涅夫在中央全会上讲话。他首先强调：党中央委员会主席团提出改善工业管理、完善计划工作问题，"不是因为我们的工业工作有什么失败。""大家知道，在工业品产量方面，苏联现在在世界上占第二位，而在许多重要的产品方面则占第一位。"[1] 勃列日涅夫说，提出这个问题是为了"充分地挖掘和利用我国社会制度的一切优越性来为人民服务。"他把改善工业管理、完善计划工作归结为："我们是在重新部署我们的力量，重新考虑我们的潜力，以便以更高的速度前进，更加顺利地发展我们国家的经济。"[2]

9月29日，苏共中央全会通过《关于改进工业管理、完善计划工作和加强工业生产的经济刺激的决议》。决议的基本内容是按照柯西金报告的精神，由领导经济的行政方法向经济方法过渡，从三个方面采取措施：一、提高国家计划工作的科学水平；二、扩大企业经营的独立性和主动性，取消对企业经营活动的过多规定；三、完善经济核算，用价格、利润、奖金、信贷等手段，加强对生产的经济刺激。关于工业生产的管理也作了调整，决议说："中央全会认为必须按部门原则组织工业管理，按工业部门成立联盟兼共和国部、全联盟

[1] 《勃列日涅夫言论》，第1集，第301页。

[2] 同上书，第305页。

部。认为取消对企业活动的多余规定，减少上面给企业规定的计划指标的数目，给予它们发展和完善生产的必要资金，改善对利润、价格、奖金、贷款这样一些极重要的经济杠杆的利用状况，是适宜的。”[1] 但是决议规定：“对于发展生产、技术进步、投资、价格、劳动报酬和财政的主要方面，今后仍将奉行统一的计划政策。”

1965 年 10 月 4 日，苏共中央和苏联部长会议公布了《关于改进工业管理、完善计划工作和加强工业生产的经济刺激的决议》。决议规定：“根据产品销售额、所获利润（生产赢利）和完成各种重要产品的供应任务的情况评价企业活动结果；使工业工作者的劳动报酬不仅直接取决于他们个人劳动结果，而且也取决于企业工作总成果。”[2] 企业利用利润和其他自有资金建立物质鼓励基金、社会文化措施和住宅建设基金、生产发展基金，这些基金统归企业自行支配。决议对物质鼓励基金的提取也作了详细的规定，同时决议也规定：“每季度用于奖励企业工作人员的金额，不得超过物质鼓励基金进款的 90%。”但是决议最终规定：总产值、劳动生产率、工作人员数、平均工资、产品成本、采用新技术，以及其他分析和评价工业工作经济成果所必需的指标，仍由国家统一计划。

1965 年 10 月 2 日，《真理报》发表题为《全党和全民的事业》的社论，称新经济体制改革是“把统一的国家计划工作和企业完全的经济核算结合起来，把部门的集中管理和共和国及地方的广泛主动性结合起来，把一长制原则同提高全体员工的作用结合起来。”社论还称：苏共中央九月全会“可把整个经营制度提高到质的新阶段，为工业全体工作人员最充分地发挥创造性、主动性、才能和天才，开辟了最广泛的可能性。”新经济体制改革刚刚由苏共中央全会通过，实际推行中的困难和问题尚不知道；实际效果究竟如何，更需等待实践的回答，却先大吹特吹它的伟大意义，这是苏共的一贯做法。

1965 年 10 月 4 日，苏联部长会议还批准了《社会主义国营生产企业条例》。条例的第 1 条就明确宣布：“社会主义国营生产企业是苏联国民经济的基本环节。它的活动建立在集中领导同企业的经营自主性和主动性相结合的基础

[1] 《勃列日涅夫时期苏共中央全会文件汇编》，第 63—64 页。

[2] 《苏联共产党和政府经济问题决议汇编》，第 5 卷，第 685 页。

上。”[1]这个条例适用于国营工业企业、建筑业企业、农业企业、运输和邮电企业。条例赋予企业的新权力是：独立自主地为车间、科室、工段、生产单位和其他下属机构确定数量和质量计划指标；在完成国家生产计划和合同义务的情况下，有权在计划以外用订货单位的原材料或者自己的材料和生产废料，接受其他企业和组织的生产工作和产品订货。企业有权决定各类工人的计件工资、计时工资或包工劳动报酬，允许工人兼职并根据规定的制度付酬。企业从获得的利润中提成、用于大修的折旧提成，构成企业基金，上级机关不得收回和再分配企业基金。企业基金用于更新设备、建造住宅、奖励个人、改善工作人员的文化服务和医疗设施等。按照该条例的规定，企业在财产、计划、财务、产品销售、生产工艺、劳动工资等各方面，都扩大了独立性，并获得法律上的保障。

这样，在赫鲁晓夫改革的基础上，经过一段时间的试验，由苏共中央全会讨论和作出决议，苏共中央和苏联部长会议联合公布，再由苏联部长会议制定和批准具有法律效力的实施条例，“计划和经济刺激新体制”，通称新经济体制，就正式出台了。

新经济体制的实施

根据苏联部长会议 1965 年 10 月 4 日批准的条例规定，新经济体制适用于国营工业、建筑业、农业、运输和邮电等企业。1966 年 1 月，苏联部长会议批准，试行计划和经济刺激新体制的有苏联黑色冶金工业部、苏联轻工业部、苏联肉品和奶品工业部等 15 个部的 43 家工业大企业，从业人员超过 30 万。上述试行新经济体制的企业，应于 1966 年 4 月 25 日以前，将 1966 年第一季度的工作成果上报苏联部长会议。1966 年 5 月 13 日，苏联部长会议批准苏联石油开采工业部、苏联有色冶金工业部、苏联拖拉机和农业机器制造部等 35 个部的 150 多家企业，改行新经济体制。苏联部长会议要求这些企业在 1966 年 10 月 25 日之前将所取得的工作成果和保证提高劳动生产率方面所采取的措施上报苏联部长会议。第三季度，实行新经济体制的企业增加到 430

[1] Экономическая газета. 1965. № 42.

家。至1966年底，全国共有704家企业实行新经济体制。1966年12月4日，柯西金在法国外交记者协会举行的宴会上说：新经济体制已经在运行，效果很好。"为什么我们还不把所有企业都改行新体制呢？因为必须相应地培养干部。应当使企业的所有员工都明白什么是新计划体制。为了向新体制过渡，每个人都需要一定的时间，以便使自己适应这种新体制。此外还要具备为充分运用新计划体制所必须建立的经济制度的条件。我指的是对批发价格体制作某些修改的必要性，而不涉及对市民的零售价格。"[1]1967年1月13日，勃列日涅夫在授予高尔基州列宁勋章的大会上也说："1966年按新体制工作的大约有700家工业企业。这好比是实现经济改革的先锋队。"经济改革很可能涉及整个生产部门。[2]

此后，新经济体制在各个生产领域的企业中推开，包括像斯维尔德洛夫铁路局及所属铁路分局和线路企业、高尔基铁路局及所属分局和线路企业、拉脱维亚远洋运油船队（包括运输船队、船舶修理厂、苏联海港货运和外国船舶服务所、武装卫队和海员之家）、里加湾商业海港、拉脱维亚民航管理局、莫斯科市中央电报局、雅尔塔市邮电总站、"伏尔加油船"航运公司等大型企业。苏联仪表制造、自动化工具和控制系统部则在整个部及所属企业推行新经济体制，这是苏联在部一级推行新体制的唯一的部。

为了推行新经济体制改革，苏联部长会议在苏联国家计划委员会下设立了"关于经济改革问题主管部门联合委员会"的专门机构，由苏联国家计委副主席巴楚林任该委员会主席。这个委员会的职责是："有计划地领导在国民经济中实行经济改革的工作；批准苏联各部、各主管部门和各加盟共和国部长会议提出的国民经济各部门建立经济刺激基金的起码标准和定额，监督其执行情况；研究和总结各部门实行新经济体制的经验，研究如何进一步完善新经济体制的问题，等等。"从新经济体制改革开始推行时的情况来看，苏联部长会议是希望在经济体制改革方面有所作为的。

[1] 邢广程：《苏联高层决策70年》，第4分册，第91—92页。引用时根据原文对译文的个别字句作了订正。

[2] 《勃列日涅夫言论》，第3集，第10页。

工业企业推行新经济体制一览表[1]

年　份	实行新体制企业数	占全部工业企业数的 %	占工业总产值的 %
1966	704	1.5	12
1967	7248	15	37
1968	26850	54	72
1969	36049	72	84
1970	41014	83	93
1972	43000	87	94

至 1972 年，工业企业的改革基本完成。未实行新经济体制的主要是地方企业和实验工厂。此外，实行新经济体制的还有 9000 多个国营农业企业，占全部农业企业的 50% 左右。实行新经济体制的建筑安装组织有 562 个，占工程总量的 25%。在商业和饮食业中，实行新经济体制的企业有 45000 多个，占企业总数的 18%，占商业流转总额的 35%。[2]

新经济体制和赫鲁晓夫时期的经济改革相比，又前进了一步。新经济体制的“新”，表现在以下几个方面：

一、扩大了企业经营和管理的权限。根据苏共中央决议和苏联部长会议批准的企业条例，企业在由国家计划规定的归它经营管理和使用的资产范围内，有权占有、使用和支配属于它的财产方面的经营权力，实际上就是赋予企业以自主地使用本企业流动资金的权力。企业的流动资金总额由国家计划规定，但是按项目的分配则由企业自主地决定，而且上级经济机关也不能收回固定给企业的定额范围内的流动资金。这样，就使企业有可能根据自身的需要来配置资金。

二、扩大了企业在利用设备大修折旧提成方面的权力。以往，企业只能在与设备大修同时进行设备改装的情况下，企业才能将折旧资金用于设备改装。实行新经济体制后，设备大修折旧只上交 10%，90% 转作生产基金，由企业自主地决定，或用于改装设备，或用于安装新设备，或留作以后技术革新

[1] 统计数字参见周尚文等：《苏联兴亡史》，第 712 页。

[2] 参见上书，第 713 页。

费用。上级机关利用各企业上交的10%的折旧费用，建立生产发展基金，用于对需要支援的企业进行设备改装，或者安装新设备的资助。

三、实行新经济体制的企业都建立了归企业自行处置的企业基金。在赫鲁晓夫当政时期，从1958年开始，企业也都各自建立了企业基金。1958年，企业提取利润的6.8%作为企业基金和其他奖励基金，1962年提取的比例下降为4.5%。1959—1963年，工业利润总额增长84%，按每个工作人员平均计算增长44%。同期，按每个工作人员平均计算的企业基金只增长10%，而企业基金中用于支付各种奖金的只增长2%。利润总额的增长与工作人员奖金的增长之间不成比例。企业基金不仅数额十分有限，而且使用的范围也规定得很严，因此对企业以及工作人员的刺激作用已微乎其微了。实行新经济体制后，企业从计划利润中提取1%—6%，从超计划利润中提取30%—60%，从设备折旧中提取90%，作为企业基金。每个企业的企业基金包括三种独立基金：生产发展基金；社会文化措施和住宅建设基金；物质鼓励基金。苏共中央和苏联部长会议设置企业基金的意图除着眼于提高企业经营的主动性和积极性之外，也着意于企业员工不仅从物质上更加关心自己的工作成果，而且使每个人都关心本企业的总成果；把每个人的工作成果、企业的总成果都同每个人的利益直接挂钩。新的刺激制度在于借助价格、利润、信贷等等的经济刺激，同通过工资制度使员工从物质上关心企业的工作成果结合起来。

四、更具体地落实经济核算，在新经济体制中称做“完全经济核算”。早在20世纪20年代，苏联的国营企业就实行经济核算制。30年代，斯大林也曾多次强调严格实行经济核算制。实际上直到60年代中期，苏联的经济核算都是建立在以收抵支的基础上，也即企业必须以收入来抵补生产费用和销售费用；只要做到这点，也只需做到这点，就算是实现了经济核算。现实的情况是，绝大部分企业的收入总是多于生产和销售费用，而且多少总能以利润和周转税的形式为社会提供货币积累。但是，由于这样的经济核算并没有将企业、部门的财务活动结果同它们的费用支出（包括日常生产支出、扩大再生产追加投资）进行比较，因此经济核算不能刺激企业经常地、不断地关心生产效率的提高。所以，苏联虽然自20年代以来不停地强调经济核算，而对企业的生产和经营活动来说，并无实际意义，经济核算也只是一种形式而已。

新经济体制实行的经济核算称做“完全经济核算”，它的内容包括：一、全部生产费用和销售费用，包括劳动力培养及其再生产，发现和利用天然矿藏及天然资源，技术情报，铺设和养护道路等一切费用；二、企业和经济组织之间互负物质责任，赔偿造成的全部亏损；三、扩大再生产的投资靠自有资金拨款，企业扩大再生产的可能和规模将取决于企业当前的经营管理效果；四、获利企业除对本企业职工外，对于帮助它获利的其他企业和组织（科研机构、运输和供应单位等），也应以利润的形式进行一定的物质鼓励。

实行完全经济核算也是对以往关于经济核算问题长期争论不休的一种实践总结。关于经济核算是一个经济范畴问题，还是一种管理方法？这个问题在苏联经济学界已争论了几十年。完全经济核算的要点在于：一、国家同企业不仅建立行政关系，而且建立经济关系；二、企业有权以最有成效的方式安排生产，企业与企业之间按市场关系建立彼此之间的关系；三、企业在国家拨给的法定基金范围内，自主地制定费用开支，享用银行信贷，用结算账户上的存款领取银行利息，用物质奖励优良的工作成果，对合同签订单位互负物质责任；四、在企业内部，各车间、工段、科室以及下属单位，一律实行企业内经济核算。

因此，新经济体制的完全经济核算，可以看作是苏联经济核算的一种阶段性完善。

实行新经济体制，明显地提高了工业生产的效果。1966 年实行新经济体制的 704 家企业，在劳动生产率、产品销售额、利润等方面的增长明显高于全行业的平均增长数，1966 年工业生产比上一年增长 8.6%。这一增长率超过了计划规定的 6.7% 的增长率。

实行新经济体制企业的生产效果与全行业比较表 [1]

	实行新经济体制的 704 家企业			全行业		
	劳动生产率	产品销售额	利　润	劳动生产率	产品销售额	利　润
1966 年比 1965 年增长 %	8	11	23.3	5.2	8.6	10.6
1967 年比 1966 年增长 %	7.5	10.3	22.4	7	10	21

[1]　统计数据参见 Вопросы экономики.1968. № 6.

但是，新经济体制并没有从根本上解决斯大林经济体制的矛盾，从一开始推行就带来种种问题。即使是奖励办法的改革，也立即带来新的问题。

首先，企业奖励基金的多少是与当年的工资基金直接相连的。为了做大奖励基金的总盘，企业经理们就尽量想办法提高工资基金，根本不顾节约劳动力，造成人员膨胀。

其次，奖金在企业内部的分配是很不平衡的。

实行新经济体制，相对来说得益更多的是工程技术人员和经理们。1966年实行新经济体制的704家企业，来自利润提成的物质鼓励基金，奖励工程技术人员和职员占总额的81.7%，用于奖励工人的只占18.1%。工程技术人员每月获得的奖金平均为30.5卢布，占工资额的4.3%；职员每月奖金平均14.5卢布，占工资额的20.3%；工人每月奖金平均1.3卢布，占工资额的1.5%。20世纪60年代中期工程技术人员工资比工人的平均工资高40%—50%左右。实行新经济体制后，工程技术人员的得益，明显超出工人。至于企业领导层的得益，更高出工程技术人员。

再次，企业为了超额完成计划，往往有意隐瞒生产能力，尽可能压低计划产量。而且，企业在超额完成计划时也不愿超额太多，而把精力花在寻找一个“最佳超额度”上，因为计划部门将根据当年达到的实际生产水平作为明年计划的起点。因此，企业从自身的利益考虑都不愿多超额。如果已经超额完成计划，就不管订货单位多么急需，也要把超额的产品藏在仓库里。一位企业经理曾经坦言：“超额完成计划是危险的、冒险的事情。如果去年总产值超额10%，今年超额5%，那么你就将遭到痛斥，因为增长速度下降了。”[1]出现这样的情况，当然，奖金也泡汤了。

此外，即使以产品销售量来代替总产值指标，也没有能解决企业产品质量低劣、满足不了社会对商品需求的痼疾。因为苏联的经济体制是计划供应经济，即使产品质量低劣，根本不适应人们的消费需求，消费者也只能无可奈何地接受，因为别无选择。因此，以产品销售量来代替总产值指标，也不能起到改善产品质量的功效。

---

[1] [苏]《文学报》1976年7月6日，参见《苏联问题译丛》，第9辑，三联书店1981年版，第263页。

谢基诺试验

谢基诺试验是在新经济体制刚开始推行的情况下出台的，其目的是为填补新经济体制一些明显表露出来的漏洞。

位于图拉州的谢基诺化学联合工厂是在一家规模不大的煤气厂的基础上建立起来的化学工业企业，1961 年 10 月第一个生产单位制氨厂投产。在随后的 6 年里，陆续建成制造尿素、甲醇、卡普隆单体、甲醛液、尿素树脂等工厂。1968 年，生产规模比 1962 年扩大 11 倍，成为利用高温、高压，生产过程由仪表操纵的高度自动化企业。

1967 年 1 月，该厂开始实行新经济体制。在实行新经济体制之前，该厂每个工人的平均产量，在苏联制氨行业中排在第三位，而工人的平均工资是每月 108 卢布，排在最末位。1966 年，全厂的劳动生产率提高 39.2%，而平均工资只增长 2.3%。在该厂内部，各工种的工资也很不合理。1966 年，该厂 6 级钳工的月工资是 136 卢布，6 级仪表工的月工资是 148 卢布，而在实际工作中，钳工需要更高的专业技能和更长的培训时间，日常工作也更复杂和费力。这种不合理的工资制度使该厂每年都有大约 15%—20% 的熟练钳工离厂而去，或者改行做别的工资更高些的工作。此外，管理人员、工程技术人员、工人的配额编制也极不合理。所有这些都制约了员工的劳动积极性和企业经营管理的主动性。

1967 年根据新经济体制的相关条例，核定了工厂员工的工资基金，对于在试验时已有的工厂和车间，直到 1970 年都不变。新开工的工厂，将根据设计资料另行追加工资基金。于是，联合工厂的经济科、劳动科等各科室，对本厂的劳动指标与同类企业的相应指标与设计资料进行对比，对产品的劳动消耗量、员工人数、工种配置、平均工资水平、生产设备利用率等各项数据进行分析，提出新的管理结构方案，从 1967 年年底开始试验。新管理结构方案的主要内容是：一、重新调整劳动组织，实行兼职，操作工扩大看管区；二、精简重复的工作和业务，裁减多余的人员；三、实行新的劳动定额，充分利用工作日；四、由减员而节约下来的工资基金用于奖励兼职和扩大了看管区的员工，但奖金数额不得超过工资的 30%，积余的工资基金则在年终时转为物质鼓励基金，另行奖励工作优秀的员工。

根据这一试验方案，从 1968 年 1 月至 1969 年 6 月 1 日的一年半时间里，全厂共裁减了 853 人，每月节省下的工资基金为 70600 卢布。有 1386 名员工由于兼职和扩大了看管区而获得补加工资，有 2225 名钳工和各类检修工提高了工资水平，节余工资中用作补加工资的为 41000 卢布。全厂员工的工资平均提高 5%，其中工程技术人员平均每月增加 17.8 卢布，职员每月平均增加 13 卢布，工人每月平均增加 12.5 卢布。由于提高了劳动生产率，尽管员工的工资提高了，但产品的商品价格中的工资支出却下降了。1966 年，每卢布商品中的工资支出是 13.9 戈比，1967 年下降为 9.2 戈比，1968 年再下降为 8 戈比。1969 年第一季度，产量指标比制氮工业总局 4 个最大的企业的平均指标高 16.9%，而平均工资只比这 4 个最大企业的平均工资高 9.8%。[1]

精简下来的人员的重新安置，是谢基诺试验的突出问题。谢基诺化学联合工厂是通过停止招收新员工，向新建的工厂和车间输送人员等办法解决，实际上还是“就地消化”。

1969 年 10 月 9 日，苏共中央通过关于谢基诺化学联合工厂工作经验的决议。决议指出谢基诺联合工厂在提高劳动生产率方面的主要方向是：“制定并推行先进的劳动定额，兼任工种，扩大看管范围，使繁重操作机械化，精简和完善企业与生产的管理结构，使厂内勤务集中化和专业化。联合工厂内建立了物质刺激制度，用减少人员而获得的工资节余额规定了补加工资。”[2]1970 年 12 月，苏联部长会议国家劳动工资问题委员会、苏联国家计划委员会、苏联财政部、全苏工会中央理事会等部门通过共有 13 条规定的《条款》，其中第 1 条规定：“具备下列条件的企业方可过渡到谢基诺试验：一、有业经批准的人员定额、看管定额和其他劳动消耗定额，以及设定的职工人数指标；二、有业经批准的本年度生产和财务计划，以及 1971—1975 年企业生产活动最重要指标的计划任务。”从苏共中央和苏联部长会议的有关规定来看，苏共中央和苏联政府的有关职能部门，已把谢基诺试验看作是新经济体制的演化，或者说是新经济体制关于经济刺激办法的修正。1971 年 11 月，由于创造了谢基诺试验，苏共中央和苏联最高苏维埃授予谢基诺化学联合企业列宁勋章；苏联化学工业

[1] 统计数据参见 B. 斯列佩赫：“谢基诺试验”。Плановое хозяйство. 1969. № 8.

[2] 《苏联共产党和苏联政府经济问题决议汇编》，第 7 卷，第 550 页。

部副部长、有关副司长、谢基诺化学联合企业的经理、党委书记、总经济师等人，均获得1971年度的苏联国家奖金。

谢基诺试验从1967年底开始实行，以后逐步推广。到1971年底，全国仅107家企业进行或部分进行这一试验。1973年6月30日，《真理报》报道：全国有700家企业和联合组织在进行这项试验。至1978年，全国约有1200家企业在进行谢基诺试验，约占苏联全国企业总数的6%。谢基诺试验推广不开的关键是它的刺激方法是建立在裁减员工、绝对节约工资基金的基础上。因此，谢基诺试验在全国的影响并不大，作用也很有限。谢基诺试验实际上已脱离了新经济体制的一些基本精神。

1971年6月21日，苏联部长会议通过《关于改进工业生产的计划工作和经济刺激的若干措施的决议》。决议规定，从1972年开始，给企业和组织规定年度计划的产品销售总额时，“应当把按其技术经济指标符合国内外最高技术成就的新产品的销售额分出来，并提高这类产品在总产量中的比重。还应当把这类产品纳入以实物表现的重要品种产品的生产计划中，作为形成鼓励基金时必须参照的指标。”决议还规定，各部和各主管部门，“应当在其所属的企业和单位的1971—1975年的五年计划中规定劳动生产率增长的任务。”这一决议的意图在于希望堵塞由于推行新经济体制而出现的漏洞。对工人的奖励指标，增加了降低产品的劳动消耗、提高产品等级、遵守技术规章和工作制度、降低原材料消耗等具体条件。工人完成和超额完成计划任务的奖金，从工资基金中提取；集体劳动结果的奖金，从物质鼓励基金中提取。

1971年3月30日，勃列日涅夫在苏共二十四大的总结报告中，赞扬谢基诺试验，说“经营管理活动，在相当程度上决定着生产效率，它的一个重要方面就是完善劳动报酬。强度大、生产效率高的劳动应该加以鼓励并给予较高的报酬。正如谢基诺化学联合企业的经验所表明的，使企业具有更广泛的条件来刺激对发展生产作出重大贡献的、身兼数职的、以主人翁的态度爱护社会财富的工作人员和集体，是适宜的。”[1]相比之下，勃列日涅夫在总结报告中对新经济体制却没有提及，表明勃列日涅夫要让新经济体制转向谢基诺试验，或者说是以谢基诺试验来取代新经济体制。谢基诺试验的基本精神不是别的，而是

[1] 《勃列日涅夫言论》，第7集，第87页。

20 世纪 30 年代斯达汉诺夫运动的突破旧定额、创造新纪录的劳动竞赛运动。只不过谢基诺试验是在苏联社会新形势、新的生产条件下，以兼职、扩大看管区、绝对节约劳动基金为奖励条件的“新斯达汉诺夫运动”。斯达汉诺夫运动在特定的历史条件下，曾经对提高劳动生产率发挥过一定作用，而作为“新斯达汉诺夫运动”的谢基诺试验，只是勃列日涅夫结束新经济体制的一种方式，也是勃列日涅夫在苏联经济体制上坚守斯大林模式的一种方式。

勃列日涅夫对新经济体制改革的态度的转变，同 1968 年捷克斯洛伐克改革对他的刺激关系极大。勃列日涅夫决定出兵占领捷克斯洛伐克，以武力镇压那里的改革，也决定了苏联自身改革的命运。因为如同压迫其他民族的民族，它自身也没有自由一样，镇压其他国家改革的国家，也是不允许本国实行改革的。这样，尽管柯西金在苏共二十四大作关于 1971—1975 年苏联发展国民经济五年计划指示报告时，仍然说：“第八个五年计划的结果证明，计划工作和刺激的新体制对生产效率起了巨大的积极作用。”“经济改革不是一时的行动，这是一个为了最大限度地利用社会主义生产方式的全部优越性而完善经济管理的过程。”[1] 但是，不管怎样，1971 年 3 月底、4 月初举行的苏共二十四大，已为新经济体制改革唱了挽歌。

第二节　新经济体制改革的无声消亡

新经济体制改革的重重阻力

柯西金主持的新经济体制改革的目标定位是完善计划工作，改进工业管理的组织。无论是柯西金或者勃列日涅夫，都把计划工作看做是苏联经济的根本。柯西金只是认为在目前的条件下，总产值指标不能引导企业去生产国民经济和居民真正需要的产品。此外，给企业规定总产值指标，还使企业丧失了对开发新产品、采用新技术的兴趣。况且奖金与完成总产值计划指标联系在一起，也造成企业对总产值指标的其他部分，如物资消耗、品种计划等指标的漠视。因此，新经济体制以规定企业的产品销售量的任务来代替总产值指标。按

[1] 《苏联共产党第二十四次代表大会主要文件汇编》，三联书店 1976 年版，第 211、212 页。

柯西金的设想，如果企业的产品不能适销对路，或者质量低劣，就不可能完成产品销售任务。而为了引导企业提高生产效率，就必须采用利润和赢利率指标，以刺激企业和每个员工关心本企业和自己的工作成果。从工业管理层面上说，柯西金认为自1957年开始的通过国民经济委员会来实施的“条状”管理，使技术进步、工业生产的发展、专业化、位于不同经济区的企业间的合理经济联系遭受了损失。[1] 因此必须建立按部门原则设置的机关，实行部门管理，也即实行“块状”管理。新实行的“块状”部门管理和1957年以前的“部门”管理的不同在于，现在企业的经营权限和主动性都大大地增强了，部门对企业的管理将愈来愈建立在经济核算的基础上，管理机关和企业的关系是，彼此都规定相应的权利和义务，彼此都提高责任心。

新经济体制的实施，一定程度上缓解了工业生产上某些尖锐的矛盾，但是并没有触及斯大林模式以计划取代市场这一根本矛盾，而是想使计划考虑到一些市场因素，然后间接地传递给企业。这样，新经济体制实施之初就矛盾重重。

新经济体制虽然加大了对企业员工物质奖励的力度，奖金在职工工资中的比重从改革前1965年的8.7%提高到80年代初的16%左右，[2] 但是如前文已提及的，奖金在企业员工中的分配是很不平衡的，工人得益很少，对工人的刺激不大。而且日子一久，奖金也演化成附加工资，丧失了刺激作用。新经济体制实施以后，那些技术含量高而利润低的产品，也没有哪家企业愿意生产了。总之，新经济体制没有解决苏联社会经济的根本矛盾，又产生了一些新的问题。1966年8月3日，柯西金在苏联最高苏维埃七届一次会议上作关于苏联政府内外政策一些基本问题的报告时，谈到经济改革问题时说：“有时候，在解决一系列有关进行经济改革问题的过程中，出现某种保守主义和惰性。”“应当坚决制止对事情采取狭隘本位主义态度的做法、形式主义的命令主义和从上面对企业活动加以琐碎规定的做法。”这次讲话反映了推行新经济体制的困难。

勃列日涅夫虽然也同意柯西金的新经济体制改革，但是对于苏联经济体

---

[1] 参见柯西金：《关于改进工业管理、完善计划工作和加强工业生产的经济刺激》。

[2] 参见《苏联兴亡史论》，第608页。

制的问题和为什么要进行新经济体制改革，认识是不同的。勃列日涅夫认为苏联的工业工作没有什么不好，提出新经济体制是为了充分挖掘和利用苏联社会制度的优越性。勃列日涅夫在 1965 年 9 月 29 日苏共中央全会上的讲话强调的是统一和计划，强调苏联经济是统一的经济，全国所有企业都由全国统一直接管辖，是苏联社会主义经济的原则；现行的通过国民经济委员会管理工业的制度，使统一管理经济的这些重要要求，实际上没有得到应有的保证。勃列日涅夫更重视计划，认为“我们的计划机关应该成为对经济建设实行科学领导的真正司令部……必须通过计划来解决所有有关加速技术进步的问题，必须使国家拥有足够的后备以防意外，并完成新的、计划所没有规定的任务。”[1]

勃列日涅夫在这次中央全会的讲话中，几乎没有谈及物质刺激问题，而是强调：“我想特别强调指出物质利益同广泛地使用精神刺激，同加强共产主义教育的因素正确结合的重要性。”[2]

从新经济体制提出到实施，勃列日涅夫都是有所保留的。

实施新经济体制，更遭到一些人包括苏联高层党政要人的反对。苏联国家计划委员会副主席 A. 拉拉扬茨不赞成新经济体制中重视发挥价值规律的调节作用；反对允许企业在完成国家计划和合同义务的条件下，有权买卖生产资料。拉拉扬茨忧心忡忡地说：“苏联国家计委用来制定物资平衡表和年度分配计划的产品品名表被蚕食。几年前它约有 3500 个品名，现在大约剩 1900 个。”拉拉扬茨认为：“按照国家计划把物资分配给基本消费单位（部、主管部门和加盟共和国），是社会主义经营管理的必要因素……要国家停止执行这项任务的任何企图，不管以什么形式出现，必将严重破坏经济发展。”[3] 苏共中央政治局候补委员、苏共中央书记、苏联部长会议国家安全委员会主席安德罗波夫认为柯西金的改革“不仅会导致危险后果，还可能摧毁我们的社会主义制度。”[4]

[1] 《勃列日涅夫言论》，第 1 集，第 309—310 页。

[2] 同上书，第 312 页。

[3] ［俄］A. 拉拉扬茨：“经济改革条件下的物资计划”。Плановое хозяйство. 1969. № 7.

[4] ［俄］弗・亚・克留奇科夫著：《个人档案 1941—1994》，何希泉等译，东方出版社 2000 年版，第 69 页。

新经济体制强调要用经济方法来领导经济工作，也遭到一些人的反对。A．维盖捷夫还认为，经济方法也不仅仅是价值方法，新经济体制所实行的一切经济刺激的形式，“一切物质刺激的形式，包括目前苏联经济改革所规定的物质刺激形式，都是计划的形式。”[1]用经济方法领导经济是新经济体制改革的初衷，维盖捷夫认为行政方法也是经济方法，经济方法也不能排除行政方法，这是从根本意义上反对新经济体制改革。

实际上，从新经济体制实施以来，各部机关都按老一套办法对企业进行管理，有时甚至是明显地违反1965年10月4日苏联部长会议批准的《社会主义国营生产企业条例》。造成行政方法依旧盛行的原因之一，是关于加强企业独立性和自主权力的规定十分抽象。1972年，有45000多家企业实行新经济体制，其中有全国最大的冶金工厂、汽车制造厂，也有员工不足百人的服饰品厂、区级砖瓦厂，这些不同规模、不同行业的企业，对于市场情况的了解，对技术发展情报的了解，都是不能相提并论的，因而它们对独立性和自主权力的要求和范围也是极不相同的。20世纪60年代中期，苏联全国企业从业员工在500人以下的占企业总数的77.6%，不足百人的企业占企业总数的1/3。不根据各企业的具体条件来确定独立性的合理界限，关于独立性的规定和条文，最终都流于空话。

一批企业经理哀叹：新经济体制已经实施几年了，上级领导依然将旧的领导方法施之于已经改行新经济体制的企业。这种旧领导方法的经常表现是：第一，各总管理局、各部不根据企业的核算或申请单，而是按照已达到的水平，加上指令性的增长百分比，给企业下达计划指标。这是明显的行政命令在计划领导上的表现。第二，各总管理局、各部随意改变下达给企业的计划。1966年，苏联轻工业部、食品工业部、日用器械机器制造部对它们在列宁格勒一半以上的企业，都变更了计划。1967年，苏联冶金工业部给克里沃罗格冶金工厂的产品成本计划，每个季度都不一样，而且也根本不和该厂打招呼。有的总管理局就是不执行《条例》中的有关规定。如《条例》第68条规定：“企业有权向其他国营和合作社企业、组织，包括集体农庄在内，不经调拨出售按凭

[1]　[俄] A．维盖捷夫：“论经济改革条件下计划和管理的方法”。Вопросы экономики. 1969. № 8.

单推销不出去的产品。”[1]1967 年上半年，莫斯科钢筋混凝土制品六厂有 11950 立方米盖板得不到销售凭单，周边城市却急需这种产品，而莫斯科工业建筑材料总管理局却禁止该厂在没有销售凭单的情况下，向周边城市出售这些产品。该厂只好将成品堆在仓库里。第三，稀缺物资、原材料的分配是原封不动地由上级机关指令性计划分配。逐步把物质技术供应转向有计划的批发贸易尚未实施，就被批判为“恢复资本主义自由贸易”。第四，企业基金也徒有其名，而无其实，因为建造职工住宅、幼儿园和其他社会文化设施，都需要有建筑材料、设计文件，以及找到短期计划不饱满的建筑施工单位，只要其中缺一，就什么也做不成，何况企业基金的数额也很有限。

更为严重的是，厂长、企业经理虽然都欢迎扩大企业的独立自主权，但是谁也不敢顶撞上级机关限制、阻挠新经济体制施行的种种行为。因为厂长、企业领导人员的奖金、迁升都由上级领导人决定；上级领导人随时都能找出合适的理由，取消下属企业领导人员、厂长的奖励，给予行政处分。

新经济体制改革之所以出现如此困难的局面，经济体制改革的步履之所以如此艰难，正如毕尔曼在 1967 年第 2 期《文学报》上发表的《不可避免性》一文中所指出的：“国家计委的工作人员为什么要这样做？……他们为什么能够这样做？”毕尔曼说：所有这些，“不取决于某个主管部门工作人员的觉悟和良心”，而是苏联经济体制决定的。“这种国民经济最可恼的祸根，唯意志主义在经济中的活跃，根源不是某些工作人员的习惯，也不是因为他们的头脑死板和保守主义，而是因为苏联社会创造了适应于它的经济体制。”毕尔曼可以说是触及新经济体制改革之所以如此艰难的深层：因为新经济体制改革仍然是就计划经济来改革计划经济，就斯大林模式改革斯大林模式。新经济体制改革已经走到了斯大林模式的极限，已经到了必须冲出从军事共产主义脱胎、发育起来的斯大林模式，改变把由官僚寡头们层层控制和管理的国家所有制说成是全民财产，改变把服役式劳动的亿万群众说成是国家的主人等等之类的陈腐说教，走向市场经济，实现社会转型。

但是，这个过程对于苏联来说是过于艰难了。源于军事共产主义，经过近半个世纪运行的斯大林模式，已经编织了从上到下，密如蛛网的斯大林模式

---

[1] Экономическая газета. 1965. № 42.

的官僚机构，以及彼此之间交叉联系的权力关系。斯大林模式的官僚机构是适应模式的需要而构建起来的，并且已习惯于斯大林模式的运作。因此，新经济体制的改革，除了僵化的理论和观念上的反对之外，更强烈的是遭到这个庞大的官僚机构从上到下的抵制和反对。这正是毕尔曼在《不可避免性》一文中所点到的问题。

“市场社会主义”成为批判的靶子

直到20世纪六七十年代，苏联很大一部分经济学家仍然遵循列宁在1918年提出的、斯大林后来予以发挥并付诸实践的理论，即认为建立在国家所有制基础上的社会主义，整个社会就是一个大工厂，在经济形式上应以产品经济取代市场经济，在管理方式上应以全面的计划化取代无序状态。唯有如此，才能消灭失业、通货膨胀和经济危机。他们的结论是：经济危机是市场经济的影子；只有实行计划经济的苏联，才能不知经济危机为何物。苏联的这部分经济学家视市场经济为资本主义社会所特有，计划经济则是社会主义经济的同义语。把市场经济和计划经济置于20世纪社会经济生活对立的两端，是苏联经济学领域占统治地位的思想，也被苏共中央视为马克思主义的基本思想。

实际上自十月革命以来，计划经济运行中的种种矛盾和弊端，到20世纪六七十年代已是非改不可了。斯大林模式的计划经济仅仅是用行政手段来平衡社会生产和社会需求，也即用行政手段抑制社会需求。这实际上是无视制约社会生产、交换、分配和消费的多元因素，用行政手段主观地予以单一化。这种计划必然脱离实际，对于社会需求来说是无计划。

斯大林模式的计划经济造成这种局面，是因为它扭曲了马克思关于计划经济的构想。计划经济在马克思那里是针对全社会生产的无政府状态的，在斯大林这里变成针对各个具体的生产单位，针对各个企业；计划经济在马克思那里是排斥剩余价值规律的，在斯大林这里变成了排斥价值规律。马克思构想的计划经济是针对资本主义社会整个社会生产的无政府状态的，斯大林模式的计划经济变成取代各个单个企业的计划性和组织性。在斯大林模式下，形成了计划经济和市场经济决然对立的理论和实践。于是，苏联社会经济生活形成一种奇特的现象：已经确立的社会化大生产需要面对市场，蕴含着无限扩大的可能和潜力；而各个企业却被束缚在国家行政机关制定的计划框框内，和市场隔离，丧失作为社会化大生产实体的主动性和积极性。这样，在斯大林模式下，社会经济生活一方面是“商品荒”，也即短缺性危机；另一方面是有些产品堆积如山，直至霉烂、损坏，也即不适应市场需求的滞销性危机。短缺性危机和滞销性危机并存，是斯大林模式的特有危机。斯大林模式的这种危机和资本主义经济危机不同的是：资本主义生产过剩危机导致社会生产和再生产环节的断裂，当危机发生时，除工人失业之外，产业主也丧失了获得剩余价值的条件，损失了利润，甚至破产；在斯大林模式下尽管始终存在短缺性危机和滞销性危机，由于企业和需求都面对国家计划，和市场隔离，因而不会导致社会生产和再生产环节的断裂。国家对短缺性危机和滞销性危机分别通过商品限量配售和国家银行无偿贷款，疏通生产和流通渠道。应当说明的是，发生“商品荒”的商品基本上是普通居民的日用消费品，至于国家所需要的各种产品，则由国家计划来保障，也即以法律的形式来保障生产和供应，不存在“商品荒”的问题。因此，短缺性危机只涉及普通居民的生活，因为当权阶层可以通过特殊渠道获得特殊供应。这样，斯大林模式所造成的短缺性危机和滞销性危机，既不会导致社会生产和再生产环节的断裂，也不影响当权阶层的生活，这使得改革斯大林模式缺少内在的驱动因素。

世界现实的发展愈来愈表明，经济活力的源泉是市场，社会主义世界有些面对现实的经济学家也看到了这点。早在苏联经济学家利西奇金之前，50年代捷克斯洛伐克的经济学家奥托·希克就把市场和计划联结起来。希克认为，任何一个中央计划机关都只能提出一个总的生产增长计划，至于微观发展和技术变革的具体决策，只能由企业根据市场的需求来制定。社会经济生活中的种种矛盾，也只能依靠市场来解决。希克说：“国民经济的社会主义计划性，就是在整个国民经济的范围内，在考虑到一切基本的、内在的经济联系的条件下，对各种经济活动的发展作出某种全社会的、有目的的规定，并且要做到使计划中的经济活动同这种活动的未来的实际发展始终保持一致。”[1]希克终于说

---

[1] 参见于潜等编著：《东欧经济理论——东欧著名经济学家、经济改革思想介评》，中国经济出版社 1989 年版，第 33 页。

出，把市场仅仅和资本主义联系在一起是错误的。希克既肯定了计划的合理性，也肯定了市场的必要性；社会主义也应当是市场经济。苏联少数有政治敏锐性的经济学家也感觉到不能拒绝市场。柯西金的新经济体制改革，虽然距市场社会主义还十分遥远，但已意识到要引进某些市场机制。1968 年 8 月，勃列日涅夫出兵占领捷克斯洛伐克，镇压“布拉格之春”，国内也开始了对市场社会主义的集中批判。

柯西金本人也退缩了。1970 年 6 月 10 日，柯西金在一次讲话中说：“认为改革意味着放弃社会主义的经营方法，放弃对国民经济的计划领导，这些都是完全没有根据的。”这表明富有政治经验的柯西金已经敏感到了什么，因而举起防身的盾牌。1971 年 4 月 6 日，柯西金在苏共二十四大上作苏联发展国民经济第九个五年计划指示报告时，强调“重工业过去是、现在仍然是国家经济力量和进一步提高人民福利的基础。”[1] 同时又批判市场调节，说：“党中央委员会和苏联政府的出发点是：指示计划是主要的和有决定意义的，商品货币关系能够、而且应当用来加强对国民经济的计划领导并按照经济核算的原则发挥企业和联合公司的首创精神。商品货币关系在我国具有新的、社会主义所特有的内容。当然，我们要批驳主张用市场调节作用来取代国家集中计划的主导作用的各种错误观点。”[2]

1970 年 10 月 30 日，索洛维耶夫在《真理报》上发表《论社会主义经济中的商品货币关系》一文，称“近期以来，右倾修正主义者过分夸大商品货币关系的作用，否认集中的计划管理，导致市场社会主义。”文章说：有人把国家有计划地调节生产同行政命令混为一谈，仿佛只有同利用价值形式和价值范畴有联系的方法才是经济方法，这是极其错误的。文章严正地宣称：“国家担负着经济中心的职能，而有些经济学家却提出在‘自由选择伙伴’的基础上建立社会主义企业间的经济联系，发展部门内竞争，在价格形成上放弃集中化原则，实行商业信贷，等等。所有这些，都是贬低社会主义国家在经济上的作用。”这篇文章，已经散发出呛人的火药味。1970 年，经济出版社出版了利别

[1] 辛华编译：《苏联共产党第二十四次代表大会主要文件汇编》，三联书店 1976 年版，第 187 页。

[2] 同上书，第 214 页。

尔曼的新著《提高社会生产效果的经济方法》，显著地有了批判市场社会主义的内容。该书称：中央集中制订计划是社会主义社会不容争辩的特点。市场社会主义是同社会主义不相容的，以市场为方向的观点是反动观点。利别尔曼对市场社会主义的批判虽然十分生硬，但是南斯拉夫的南通社在一篇评论中敏锐地说：利别尔曼的观点变了！

苏联国家计划委员会副主席巴秋林对市场社会主义作了集中的批判。他把市场社会主义归结为：一、给企业以生产上和商业上的完全独立，把国家所有制变为各个集体的所有制；二、把市场联系看做是商品生产者之间的基本联系形式，认为只有它才能最充分地表现社会主义的经济实质；三、放弃集中计划，国家不干涉企业的经济活动，计划服从市场；四、以价值规律作为经济发展的基本调节者，使竞争成为经济发展的主要动力；五、取消对外贸易垄断。巴秋林批判市场社会主义是：以自发作用的市场来决定生产过程的主要比例、经济发展速度和经济效果的提高，计划的作用仅仅被归结为消极地反映市场行情，使经济随市场的变化而变化。巴秋林揭示："主张市场社会主义的人用各个企业的互相作用来代替社会主义国家在发展经济上的领导作用。按照这种改良主义的观点，企业应当同国家分离，而经济发展应当完全由市场机制来调节。"[1] 巴秋林称市场社会主义是"改良主义"、"修正主义"，说市场社会主义者"修正了社会主义的基本的社会经济关系，即所有制关系。"市场社会主义者"提出三种人为的所有制形式的构想：国家所有制（运输业、邮电业、动力、林业）、企业所有制（大型企业和部分中型企业）、私有制（小型的和中型的私营企业、'合营'企业。）这是对全民所有制的'侵蚀'，它孕育着资本主义因素的复活，以及由此产生的一切后果。"[2]

苏联国家计委另一位副主席拉拉扬茨认为市场社会主义是否定国家计划的必要性，让价值规律来调节经济。他说："个别经济学家对社会主义制度下商品货币关系的本质作了不正确的解释。他们认为通过社会主义市场（在流通领域）调节价格，再通过国家预算分配利润，就能保证各部门有必要的比例。在他们看来，国家只是在制订长远计划时要正确地规定经济杠杆和经济定

[1] 参见陆南泉等主编：《苏联兴亡史论》，人民出版社 2004 年第 2 版，第 611 页。

[2] 参见上书。

额（特别是预算提成）。至于发挥调节作用的应是价值规律。”[1] 他还批判市场社会主义“主张在目前就取消按国家计划分配物资的制度，改为生产资料自由买卖。”

苏共中央委员、苏联科学院副院长鲁缅采夫院士，苏联科学院经济学部院士秘书长哈恰图洛夫于 1968 年 3 月 4 日《真理报》上发表《社会主义条件下的计划和商品生产》一文，说“赋予价值规律以主要调节者作用，意味着转向与马克思列宁主义格格不入的市场社会主义立场上去，意味着放弃民主集中制，放弃众所周知的社会主义国民经济管理的基本原则。”[2] 他们重复已经重复了半个世纪的老话：“在社会主义条件下，工人是平等的社会成员，生产资料是他们的共同财产。他们是生产资料的共同主人。”接着说：市场社会主义“脱离了社会主义的根本优越性，抛弃了全民所有制的集中计划。这就必然导致国家丧失对积累过程的控制，降低积累效率，造成生产和消费水平下降，社会出现无政府状态，削弱工人阶级的领导作用。”[3] 另一名经济学家果洛夫批判市场社会主义是“取消指令性的集中计划和管理，并把调节经济的职能转交给市场和市场规律。”[4]

1971 年 6 月，莫斯科大学召开一次关于新经济体制改革问题的讨论会，实际是批判市场社会主义。会上，利西奇金被点名批判。巴什科夫在发言中说：“有些经济学家，如利西奇金，在准备和实行经济改革的时候，在解释社会主义制度下的商品货币关系的时候，明显地表现出市场社会主义的倾向。”早在 1967 年，即新经济体制推行得比较积极的时候，已经有人批判利西奇金了。1967 年 9 月 13 日，苏共中央《农村生活报》发表了由叶夫列莫夫等署名的文章《违背事实》，批判利西奇金发表于《新世界》1967 年第 2 期上的《两年之后》。《违背事实》指斥利西奇金“提出荒谬的、脱离生活的建议：关于自由出售集体农庄和国营农场的产品，关于取消国家收购产品的实物表现的计

---

[1] Плановое хозяйство. 1969. № 7.

[2] Правда. 1968. 4 марта.

[3] Правда. 1968. 4 марта.

[4] 参见《苏联兴亡史论》，第 235 页。

划……蔑视社会主义计划原则。”[1]

这场对市场社会主义的批判，几乎都由苏联官方的权威人士出头。虽然新经济体制改革从未将目标定位在市场社会主义上，但是新经济体制改革如果真的步步深入进行下去，是有可能向市场社会主义靠拢的。在勃列日涅夫支持下的对市场社会主义的猛烈批判，其目标是不言自明的。因此，对市场社会主义的批判，可以看做是新经济体制改革的一纸死刑判决书。

新经济体制改革的“安乐死”

新经济体制改革仍然是以行政命令的方式来改革领导经济工作的行政方式，在已经建立了斯大林模式的苏联，这是改革斯大林模式的必由之路。新经济体制改革也已经走到了斯大林模式的边缘，也即到了改革的最困难阶段。种种反映出来的矛盾都表明：必须冲出斯大林模式的局限，走向市场。在苏联这种制度下，新经济体制改革的命运，在关键时刻就取决于苏共中央总书记勃列日涅夫了。

20 世纪 60 年代中期，勃列日涅夫对柯西金主持的新经济体制改革尽管有某种保留，也不赞成柯西金那样大幅度的改革，而主张平稳的、慢慢来的改革，但对柯西金的改革基本上是赞同的、支持的。勃列日涅夫本人也希望有所改革。60 年代初曾任《真理报》副主编、勃列日涅夫上台后进入为苏共中央和勃列日涅夫讲话准备材料班子的伊诺泽姆采夫说：勃列日涅夫赞成在党内和社会上进行认真的改革。勃列日涅夫曾对陪同他散步的伊诺泽姆采夫说：“尼古拉(伊诺泽姆采夫)，我和你都是久经沙场的军人，难道我们还不够勇敢吗?”接着，勃列日涅夫就谈起，必须在国内、党内和干部中间进行彻底的改革。[2]是什么促使勃列日涅夫转变了对新经济体制改革的态度呢？是 1968 年“布拉格之春”的捷克斯洛伐克改革。这一事件对勃列日涅夫的刺激很大，是勃列日

[1] 转引自［俄］米·谢·戈尔巴乔夫著：《戈尔巴乔夫回忆录（全译本）》，述弢等译，社会科学文献出版社 2003 年版，第 127 页。

[2] 参见［俄］叶·普里马科夫著：《大政治年代》，焦广田等译，东方出版社 2001 年版，第 10 页。

涅夫对新经济体制改革从赞同转为阻挠的重要因素。60年代末，在苏共中央机关内开始盛传勃列日涅夫对柯西金新经济体制改革的评价："看他想出什么来了？改革、改革，谁需要这个改革？谁又懂得这个改革？更好地工作，这就是问题的一切！"[1]对市场社会主义的批判，就是在勃列日涅夫支持下开展的，是对包括新经济体制改革在内的改革潮的理论讨伐。

1971年3月30日，勃列日涅夫在苏共二十四大上作总结报告时已经不谈新经济体制改革了，而是强调"完善国民经济的计划管理"，把"计划管理"提到经济工作的首要位置。他说："计划工作是社会主义条件下国民经济领导的中心环节和核心。""我国社会主义经济的所有成就都是同经济的计划经营紧密联系的。未来的经济成就也将在很大程度上取决于计划工作的质量。"[2]

勃列日涅夫在重申把集中计划管理放在国民经济工作的首位的前提下，把苏联的国民经济发展归纳为"两个特点，三个中心"。他说："现阶段我国国民经济发展的最重要特点，就是它的全新规模。建立了巨大的经济实力，它的基础就是部门的工业和大规模的社会主义农业，先进的科学，以及技术熟练的工人、专家和经济领导人的队伍。"[3]另一特点是："迅速开展的科学技术革命，也是现阶段我国经济发展的重要特点。"勃列日涅夫提出的经济工作的"三个中心"是：一、提高人民福利；二、加速科技进步；三、完善经济管理体制。

关于提高人民福利，勃列日涅夫说："提高人民福利是党的经济政策的最高目的。中央委员会把此作为第九个五年计划的主要任务。"[4]如何提高人民的福利呢？勃列日涅夫认为关键是必须坚持优先发展重工业；重工业是国家经济实力和进一步提高人民福利的基础。勃列日涅夫郑重地宣布："在现阶段，重工业的作用不仅没有削弱，反而增强了，这是因为它所解决的直接的实际问题的范围扩大了。"[5]关于加速科技进步，勃列日涅夫说："在科学作为一种直接

[1] История России. Советское Общество. 1917–1991. Под ред. *В.В.Журавлева.* М., Терра. 1997. С. 392.

[2] 《勃列日涅夫言论》，第7集，第84页。

[3] 同上书，第48页。

[4] 同上书，第51页。

[5] 同上书，第58页。

的生产力，其作用越来越明显地表现出来的时代，主要的已是整个生产的高度科学技术水平。”如何提高苏联的整个生产的科学技术水平呢？勃列日涅夫又落实到计划经济。他说：“国民经济计划应该成为科学技术进步的强有力的杠杆。”[1]关于完善经济管理体制，勃列日涅夫认为关键是完善国民经济的计划管理，全部工作在于计划。从勃列日涅夫在苏共二十四大上的总结报告来看，关于苏联的经济发展工作，实际上只归结为两条：一是坚持优先发展重工业的传统；二是坚守集中计划经济的核心。

从苏联的实际情况来看，由于推出新经济体制改革，第八个五年计划执行得比较顺利，经济发展的总体成果超过了以往任何一个五年计划；但是新经济体制改革在推行中又出现了诸多问题，并且遭遇严重的阻力。根据这一实际情况，苏共二十四大关于苏联国民经济发展问题应当重点解决如何排除新经济体制改革的阻力，解决新经济体制实施中所碰到的问题，把新经济体制改革更推进一步。可是，勃列日涅夫根本不顾苏联所面临的实际情况，认不清苏联国民经济发展的方向，害怕改革，背转脑袋，回归到斯大林模式的传统：优先发展重工业；坚持集中的计划经济。因此，苏共二十四大是新经济体制改革的根本性转向。

1973 年 12 月 7 至 12 日，苏共中央召开全会，听取苏联国家计委主席巴伊巴科夫关于 1974 年苏联发展国民经济计划的报告。勃列日涅夫在会上讲话。据《真理报》事后陆续透露，勃列日涅夫曾“尖锐地提出了改进国民经济和计划工作的各个环节的工作问题，提高产品质量和整个社会生产的效率问题。”勃列日涅夫还提出：“现在的任务是急剧改变工作重点，把重点转到管理经济的集约化方法上去，从而确保大大提高经济的效率。”《真理报》在评述这次苏共中央全会的精神时说：“苏联已经进到一个转折阶段，质量、提高效率和加速技术进步成为首位问题。”

到 20 世纪 70 年代中期，新经济体制改革已经无声无息了。1973 年 11 月 12 日，阿赫别基扬在《真理报》上发表题为《依靠集约方法》的文章中谈到，对西伯利亚和远东地区的 1064 名企业经理的调查中，80% 的人诉说：上级机关像从前一样照旧干预企业的经营和生产活动，违反《社会主义国营生产企业

[1] 《勃列日涅夫言论》，第 7 集，第 70 页。

条例》，给企业规定理应由企业自行制定的指标。一部分企业的计划在一年内竟被修订了1500多次，而财务指标没有丝毫改动。文章指出："这种侵犯企业经济核算权的事例不是个别现象，而是普遍存在。"

新经济体制改革将国家下达给企业的计划指标限定在产品销售指标等8项之内，但实际上并未切实贯彻。时隔不久，国家下达的指标就越来越多，而且远远超过1965年新经济体制改革前的30项。1977年11月11日，瓦洛沃伊在《真理报》上一篇题为《完善经济机制》的文章中披露：我们的经济体制是"倒立的金字塔"。按理，企业自身应当决定成千上万种产品的品名、品种和产量，国家计委给企业的限定指标范围应当缩小。现在的情况却倒过来，最高国家经济机关管理成千上万种产品的品名、品种、产量，而企业却只能管少数的产品。上级计划部门还任意给企业下达新指标，如基金产值率、设备轮班系数等指标，即使在新经济体制改革之前，也是没有的。

国家计划机关还不断扩大"产品销售指标"的内涵。从1974年7月1日开始，国家计划机关规定：企业只有按全部合同完成订货计划，才算完成产品销售计划；企业奖励基金的提成应考虑产品销售计划的执行情况。至于生产资料批发贸易、基建投资改行银行长期贷款等改革，一开始实行就遭遇重重阻力和种种反对。1978年，银行长期贷款在基本建设投资总额中只占13%；新建项目中的贷款只占拨款总额的4%—5%。基建投资改行由银行长期贷款，基本上没有实行就无声无息了。

新经济体制改革的结局，不像新经济政策那样，由斯大林于20世纪20年代末开展你死我活的阶级斗争，清除党内有不同意见的反对派，宣布"大转变的一年"来结束。新经济体制改革到70年代中期，实际上是无声地消失，不了了之，是一种"勃列日涅夫式"的安乐死！

无望、无奈的数字经济游戏

20世纪70年代以后，苏联经济在斯大林模式的僵化体制下停滞，从勃列日涅夫起的苏联领导层愈来愈陶醉于传统的经济统计数字游戏。

1971年3月30日，勃列日涅夫在苏共二十四大上作总结报告时说，1970年苏联社会总产值达到6370亿卢布，国民收入比1965年实际增长41%，

“八五”期间工业生产实际增长50%，社会劳动生产率增长37%，职工的月平均工资增加到146—149卢布，集体农庄庄员的劳动报酬增加到98卢布，等等，共报出近100项各类数据，表明苏联社会经济的巨大发展。

1976年2月24日，勃列日涅夫在苏共二十五大上作总结报告时说：“如果从这些年来我国经济实力的增长速度和绝对增长额的大小来评价五年计划的成果的话，那么这个五年计划（指1971—1975的‘九五’计划——引注）的成果会给人以特别深刻的印象。在这方面，第9个五年计划是无可比拟的。”[1]于是，说：工业总产值增长43%，按人口平均计算的实际收入增加近25%，农业年平均总产量提高13%，谷物年平均总收获量增加1400万吨，等等，开列出长长的70多个数据。

1981年2月24日，勃列日涅夫在苏共二十六大的总结报告中又说：1980年苏联社会总产值达到10610亿卢布，比1970年增加167%；农业总产值比前两个五年计划增加2720亿卢布；职工的月平均工资超过168卢布，比1970年增加近40%，等等，又是列举出70多个数据。

勃列日涅夫除了在这三次党代表大会的总结报告中列举大量的经济数据之外，其他一些重要讲话，诸如在庆祝十月革命50周年大会上的报告，庆祝乌克兰、白俄罗斯等加盟共和国苏维埃政权建立50周年大会上的报告等等，几乎每年都要列举一大长串的经济数据，夸耀苏联建设的骄人成就。

对于勃列日涅夫所列举的那些数据，水分很多，既不能不信，也不可全信。就拿勃列日涅夫前后两次在党代表大会上，关于苏联职工的月平均工资的增长，就有问题。勃列日涅夫在苏共二十四大上说，1970年苏联职工的平均月工资是146—149卢布，在苏共二十六大上说，1981年苏联职工的月平均工资是168卢布，比10年前增加40%。按勃列日涅夫自己所说，1970年苏联职工的平均月工资的低数是146卢布，40%是58.4卢布，1981年苏联职工的平均月工资应当是超过204卢布了。如果1981年苏联职工的月平均工资是168卢布，那么只比10年前增加15%。也是勃列日涅夫在这两次党代表大会上关于苏联社会总产值的数据和增长的百分比，同样是对不上榫。党中央总书记在党代表大会上的总结报告尚且如此，其他就更可想而知。

[1] 《勃列日涅夫言论》，第12集，第58页。

对于这种经济数字游戏，正如苏联深谙政治内情的学者阿尔巴托夫所说，是出于在“极权主义”统治下，热衷于宣传伟大成就，抑制不住报喜不报忧的欲望。这种从上到下的经济数字游戏，“不仅是因为编造事实是从底层开始的，就是从工作面的虚报开始的。统计本身、搜集统计资料的体系、指标的选择、特别是对材料的分析，都要迎合当时的体制、当时的经济管理模式……大家最喜欢的衡量成就的一个标准就是百分之百地完成计划。但是实际上这个百分之百又能说明什么呢？在大多数场合下，这不过是一种官僚主义的花招，同社会的实际需要完全不相干。”[1]

实际情况是1966—1970年的第八个五年计划期间，由于推行新经济体制改革，经济发展势头良好，发展速度超过此前的几个五年计划。由于停止了改革，从1972年开始，经济增长率就不断递减，到20世纪80年代初已几近停顿。

勃列日涅夫时期经济增长情况

（年平均，%）[2]

年　份	1961—1965	1966—1970	1971—1975	1976—1980	1982
社会总产值	6.5	7.4	6.3	4.2	3.3
国民收入	6.5	7.8	5.7	4.3	2.6
工业总产值	8.6	8.5	7.4	4.4	2.8
农业总产值	2.2	3.9	2.5	1.7	4.0
基建投资	5.4	7.3	6.7	3.7	2.0

俄国学者作过订正，1971—1975年国民收入只增长3.2%，1976—1980年为1.0%。苏联领导人的经济数字游戏尽管可以自欺欺人，但终究满足不了社会对物质的需求。70年代的石油提价使作为世界主要石油输出国的苏联获得意外的“石油美元”，支撑了苏联日益衰落的经济。

1973年10月第四次中东战争爆发后，石油输出国组织（简称O.P.C.）以

[1] 《苏联政治内幕——知情者的见证》，第297页。

[2] 参见《苏联兴亡史论》，第631页。

石油为武器和西方对抗。阿拉伯产油国将每桶原油的标价从1973年的3.01美元，提高到1980年12月的32美元以上。苏联乘石油提价之机，大量开采和出口石油，赚取外汇。勃列日涅夫在苏共二十六大总结报告中说到，仅西伯利亚西北部的秋明油田，石油开采量从1970年的3100万吨猛增到1980年的31200余万吨，同期的天然气开采量从95亿立方米提高到1560亿立方米。据统计，1974—1984年的10年间，苏联仅出卖石油和石油产品获得的收入，最保守的估计也达1760亿外汇卢布。[1]苏联靠这笔意外的"石油美元"，支撑经济的虚幻繁荣，掩盖了日益深重的危机。

但是，石油是非再生资源，并不是取之不尽，用之不竭的。而且开采石油还要受到技术条件、设备条件，以及其他自然条件的限制，开采量也不是凭主观愿望所能实现的。实际上，苏联的石油开采量从70年代后期开始，增长率就在逐年下降。1976年，石油产量的增长率为5.9%，1978年增长率下降为4.7%，1975年12月，苏联国家计划机关制定的1978年石油日产量应达到1160万桶，而1978年实际石油的日产量只有1143万桶，比原计划少17万桶。

20世纪六七十年代苏联石油产量的提高主要是靠开发西西伯利亚的新油田，而原来的大型老产油区，如伏尔加—乌拉尔产油区增长的速度很慢，从1975年开始，产量逐年下降。西西伯利亚地区从1964年开始产油，日产量约4000桶，1977年，日产量达到74万桶左右。70年代末，石油产量的提高已十分困难。容易开采的油层已基本采完，要开采更多的石油，钻井越来越深，有的甚至深达3000米以下。钻探设备的要求也越来越高，这使得开采成本越来越大。80年代以后，"石油美元"的因素消失了，使苏联被掩盖着的经济危机突发起来。

第三节　苏联与第三次科技革命

苏联科技研究的一般状况

从一般意义上说，苏联对于发展科学技术是重视的。20世纪六七十年代，

[1] 参见《勃列日涅夫时期的苏联》，第195—196页。

苏联科学技术的发展水平，仍处于世界的先进行列，特别是某些尖端领域，甚至领先于世界。

苏联科学技术发展的基础比较扎实，也即它的教育事业发展较快。20世纪70年代，苏联已在全国普及了中等义务教育。1970年，全国有3548个科研机关，从事科研和直接为科研服务的有3238000余人。1971年，专业科研人数为927709人，其中从事自然科学研究的为703476人，占专业科研人员的75%以上。在科研队伍中，248000余人具有博士学位，359000余人具有副博士学位。[1]

苏联向来比较重视基础理论和基础科学研究。在数学和理论物理学的研究方面，自18世纪、19世纪以来就有良好的研究传统。20世纪70年代，苏联用于基础科学研究的费用，约占整个科研预算费用的12%—13%。

苏联的科研活动大致是在三个方面进行：直接生产单位，如工矿企业、集体农庄、国营农场；高等学校；科学研究所。直接生产单位一般都有实验室、试验车间，研究的课题大都是生产和实际工作中碰到的问题，以及技术革新之类问题。高等学校里的科学研究，大多偏向理论研究。分布于全国各地，主要集中在莫斯科和列宁格勒的科学研究所，是科研的主阵地，研究的课题从失重对人机体影响、中子弹到普希金晚年等等自然科学和人文科学的各种问题。

苏联的科研人员，基本上可分为三种类型。

第一种是有学术造诣、忠于科学事业并在科学研究中体现人生价值的学者。他们之中有的人出于种种原因而担任所长、副所长、实验室主任之类的行政职务，但一般不管党务和其他社会工作。他们的月薪在300—500卢布之间，另加职务补贴。如果有副博士、博士学位，则再加学位补贴。如果是共和国科学院、苏联科学院的院士、通讯院士，那就另有院士补贴。所以在苏联，教授，尤其是科学院院士，在科研和生活方面是有充分的物质保障的。他们是科研队伍的骨干，也是苏联社会的精英。不过他们的生活虽然相对优裕，但也常因科学真理与政治现实之间的裂痕而心情郁闷。

第二种是政治型科研人员。这类人与其说是科研人员，不如说是学术领域里的政治、社会工作者更为贴切，因为他们大多是以权力来表现自己能力的

[1] 不同机构公布的统计数据略有上下，本书采用苏联国家统计局公布的统计数据，参见《苏联问题译丛》，第1辑，第244页。

人。他们之中多数人也拥有副博士学位，从事科研机构的党、政领导工作。这类人在苏联具有特殊的地位，他们是上级党机关、部、国家委员会的依靠和基础。他们的月收入除月薪以外还有各种补贴，大约在300—1000卢布之间，是苏联社会凭权力而得益的群体之一。他们虽然不能在科学研究上做出什么成绩，但却能因别人做出成绩而得益。

第三种是科技队伍的绝大多数，其中有初级研究人员、好提意见的、被认作“政治上不可靠”的，以及性格执拗、强调个性、无力自卫的人。他们之中也不乏有才能的，有的也具有副博士、博士学位。他们做的是大量的、必需的、基础性的工作，但月薪只有100—150卢布之间，连工人都不如。收入和实际付出之间的差距，使得这部分人在心理上更增添不平衡感。他们是苏联科研队伍的底座。

许多科研机关根据1968年9月24日苏共中央和苏联部长会议通过的决议，实行经济刺激和物质鼓励工资制度。科研工作者的工资不仅取决于本人的学位、学衔、工作经历，同时还取决于由鉴定委员会对该人员的实际工作效果的鉴定。实行这项工资制度改革的意图在于促进科研工作者的创造性，从物质利益上增强他们对科研成果的责任心。苏联科学院卡尔波夫化学研究所实行新的工资制度的结果是：近60%的人维持原工资水平；25%的人略有提高；15%的人略有下降，对实际科研工作无明显影响。由于苏联的整个科研体制是严密的计划经济，新的工资制度并无多少实际作用，以后也就不了了之。知识阶层待遇的低下，也是阻碍科技革命的原因之一。

苏联科技研究的特点

苏联科技研究的一些特点都源于斯大林模式，因此在整个苏联历史时期里都基本存在。当然，在勃列日涅夫当政时期又增添了一些时代性特征。关于哪些是斯大林模式在科技研究方面的共性，哪些是勃列日涅夫当政时期的时代性特征，就不作细分。

特点之一是国家机关通过行政命令手段，统一管理和指挥全国的科研工作。

全国的科研选题基本上半数是由国家行政机关根据各部门的需要，下达给基层科研单位的。通常是由国家委员会、各部根据某些中央机关的决议和任务，以及苏共中央和苏联政府某些领导人想到的问题，下达给基层科研单位。还有半数选题由科研单位自选。但是，这样的自选也并不意味着所有科研人员都可以根据自己的思想、思维方式去进行研究，它基本上是由高级研究人员、部门或者试验室负责人提出课题设计，其他人被分派进不同项目进行研究工作。

平行重复法是计划经济在科研工作上的表现之一，即国家机关将某一科研任务同时下达给几个科研单位。这样做的意图是国家机关可以从中选择最快、最好的成果。这种不惜人力、物力的平行重复法，经常在军事科学技术研究中使用，它也确实在发展军事科学技术上收到一定成效，但它最终对发展国民经济是不利的。

在苏联科研选题中，基本上约有 35% 的课题对科技事业无论在理论上或实践上都没有意义。在科技界把这类课题研究称做“为筐子而工作”，意即只能扔进垃圾筐。约有 40% 的研究著作是摆在书架上的。这类著作不能说没有理论和实践意义，因为可能某人在某一时候要使用这类著作，但总的说来，这类研究的理论和实践意义都不大，这也是计划经济在科技研究工作上的又一消极后果。

特点之二是投入大、产出少，科研成本高昂。统计表明，苏联的全部科研著作，只有 25% 左右既在理论上有所发展，又能在实践中得到应用，其余 75% 的科研著作就像静负荷那样躺着，或者毫无价值。[1]

苏联官方也强调科研要和生产实际相结合，而且在这方面也采取了一些措施。1976 年，乌克兰科学院和“吉尔”（ЗИЛ）联合公司实行综合科技合作开发，在 18 项提高整体生产技术水平上得到体现。全苏 15 个加盟共和国的 26 个部都在乌克兰科学院建立了合作实验室。乌克兰还成立了全苏第一家理论科学技术联合公司，使按照通常计划工作的科研、设计、施工成为综合体。

苏联科学院西伯利亚分院在开展理论科学研究与生产单位的联系方面也进行过努力。西伯利亚分院建立了 10 个大型设计局和部门研究所，它们

[1] 参见《苏联问题译丛》，第 10 辑，第 252 页。

将制成的样品，连同编制好并适合于批量生产的工艺规程，一起交给工业部门，缩短了从立项、设计、试制到投产的周期。20 世纪 70 年代，这类生产联合公司和科研生产联合公司，全苏约有 4000 家，通常可使科研—生产周期缩短一半。

但是就总体而言，这些并不能改变苏联的科研投入大、产出少的局面。第二次世界大战后至20世纪80年代，苏联的科研队伍人数几乎是美国的两倍，同期苏联科学家获得诺贝尔奖金的只有美国的 1/14。

投入大、产出少的重要原因是苏联的科学研究项目是由行政计划炮制出来的，规定科研项目和费用拨款，要改变原来的计划是十分困难的。科研系统也被组织在一个僵化的、等级森严的体系之中，由层层的领导人和老资格的科学家决定科研方针和资金分配。年轻的科学家在选择课题和申请资金方面很少有发言权。这种体制造成科学家经常在从事谁也不需要的课题研究。

投入大、产出少的另一重要原因是科研和生产脱节：一方面是工农业生产没有向科技研究直接提出要求；另一方面是科学家也因自己的“产品”没有需求而空转。即使建立了一些科研生产联合公司，由于各方面的掣肘，也没有解决科研和生产脱节的问题。各科研生产联合公司的科技部门，大都人员残缺、实验设备简陋、资金缺乏，以致难有作为。苏联中央统计局统计：属于某家企业的实验室或者设计室平均不到两个；主管科研与设计、试验的科室工作人员 5—6 人。而专家认为，这样的科室工作人员需 15—20 人。于是，实验室或设计室只能零敲碎打，干些修修补补之类事情。再者，有些有实力的科研机关即使研究、设计出新工艺，也因各种原因而无法投入生产。1973 年，塑料聚合物科研生产联合公司研制成新的生产高强度聚乙烯工艺程序，1975 年通过鉴定，并经国家正式批准。但是因为无事先计划预算拨款，缺少基建投资，1976 年只好撤销在古比雪夫合成酒精厂建造上述生产项目的决定。

苏联科技研究特点之三是把主要人力、物力都集中于国防与军事科学技术研究，对国民经济的发展产生不利影响。

勃列日涅夫上台之后，为了保持对美国的核优势，投入更大的人力、物力，研制先进的核弹头、新式武器系统，以及服务于军事的宇航技术。美国军备控制和裁军署估计：1976 年美国的军费开支为 910 亿美元，苏联折合为

1210 亿美元；在军费支出中，美国人的人员费用较高，而苏联则是人员费用相对较低，技术方面的费用更高。[1] 更应考虑的是，苏联的国防和军事科学技术研究，由国家行政计划保证，配备最优秀的科学家、受过专业训练的技术力量、优先提供原材料和设备。而国防和军事科学研究享有的优越权过大，对民用经济就会产生不利影响。1978 年，已任苏共中央书记的戈尔巴乔夫就曾感叹："每次去既生产武器又生产农用产品的工厂，眼前的情景总是让我感到震惊。只要到比方说生产最现代化坦克的装有最新式设备的车间走一走，然后再到另外一个在老掉牙的传送带上装配旧型号拖拉机的车间，你就会明白农机制造业在军工综合体中处在不受重视的地位，是所谓'后娘养的'。至于那些加工农业原料的落伍小厂就更不用说了。其中许多小厂论年代久远早已打破了世界纪录。" [2]

苏联与第三次科技革命

20 世纪六七十年代，人类社会的第三次科技革命方兴未艾。第三次科技革命比起以往的两次来，已经不是某些科学理论和技术上的变革，而是在一系列科学和高新技术领域同时展开。像生物技术、信息技术、航天技术、新材料技术、新能源技术和海洋技术等等领域，都发生了革命性的突破，出现了划时代的飞跃。

第三次科技革命中，对人类社会生活，乃至思想观念、思维方式都产生重大影响的，应数原子能、计算机、半导体、激光器等四大发明。原子能的开发和利用开辟了人类利用能源的新纪元，把人类社会推进到原子能时代。电子计算机的问世，则成为人类智力解放的里程碑。集成电路的出现，更引起了计算机技术的巨大变革。激光器的制造成功成了人工制造光源的新里程碑。

科学技术的成果属于全人类，科学技术革命对人类社会进步所产生的影响也是普遍性的。正是在这样的意义上，马克思才极端重视科学技术的革命性

[1] 参见《苏联问题译丛》，第 8 辑，第 286—287 页。

[2] 《戈尔巴乔夫回忆录（全译本）》，第 234 页。

成果。1883 年 3 月 17 日，恩格斯在马克思墓前的讲话中说道："在马克思看来，科学是一种在历史上起推动作用的、革命的力量。任何一门理论科学中的每一个新发现——它的实际应用也许还根本无法预见——都使马克思感到衷心喜悦，而当他看到那种对工业、对一般历史发展立即产生革命性影响的发现的时候，他的喜悦就非同寻常了。"[1] 因此，对科学技术革命的态度，成了检验一个人尤其是政治家对历史进步的步伐是否敏感的试金石。

一般说来，苏联的领导人包括勃列日涅夫在内，对发展科学技术是重视的。1970 年 4 月 13 日，勃列日涅夫在哈尔科夫拖拉机厂讲话中说："科学技术革命、加速科学技术发展的根本问题，今后仍将是党和政府注意的中心。这不仅是今年，而是在国家发展可以预见到的整个时期中我们经济战略上一项极其重要的任务。"[2]1971 年，勃列日涅夫在苏共二十四大作总结报告时，专门谈了科学技术进步问题。他说："在科学作为一种直接的生产力，其作用越来越明显地表现出来的时代，主要的已不是科学的个别成就——不管这些成就如何辉煌，——而是整个生产的高度科学技术水平。"[3] 并说："无论从当前任务，还是从长远利益来看，必须把加速科学技术进步提到首位。""我们面临的具有重大历史意义的任务是：把科学技术革命的成就同社会主义经济制度的优越性有机地结合起来，更广泛地发展我们自己的、社会主义所固有的科学与生产相结合的各种形式。"[4]

尽管勃列日涅夫从苏联工业生产向集约化过渡问题出发，提出了"科学是一种直接的生产力"，但是，他仍然没有摆脱加速科学技术进步、追求强国地位与美国争霸这种狭隘的观念与目标定位。因此，对于最先在西方突起的第三次科技革命，既没有科学的敏感，也缺少宽广的胸怀。勃列日涅夫对第三次科技革命的感觉是迟钝的，态度和情绪是消极，甚至抵触的。直至 20 世纪 70 年代初，苏联甚至不准使用"科学技术革命"这一概念。凡是苏联官方文件，乃至报刊、书籍，都不允许出现"科学技术革命"的提法。只是由于有远见的

[1] 《马克思恩格斯选集》，第 3 卷，人民出版社 1995 年版，第 777 页。

[2] 《勃列日涅夫言论》，第 6 集，第 21 页。

[3] 《勃列日涅夫言论》，第 7 集，第 69—70 页。

[4] 《苏联共产党第二十四次代表大会主要文件汇编》，第 82 页。

科学家们的一再提议和坚持，勃列日涅夫的态度才有所松动。

苏共二十四大闭幕后，苏共中央政治局作出决定，准备就科学技术革命问题专门召开一次中央全会。为了准备这次非同寻常的中央全会，由苏共中央政治局委员、苏共中央书记基里连科牵头，组成一个委员会，负责全会的准备工作。参加这个委员会的苏共中央书记还有多尔基赫、索洛缅采夫。在委员会下面又成立了一个工作组，为全会准备材料，包括为勃列日涅夫起草将在全会上所作的报告文稿。经过一段日子的紧张工作，工作组拟就了一份长达 130 页的总结性文件，这实际上是一份在第三次科技革命时代背景下，苏联经济改革的纲领性建议。文件于 1973 年 5 月送交委员会负责人、苏共中央政治局委员、苏共中央书记基里连科。基里连科也及时将文件送交勃列日涅夫。但是，文件到了勃列日涅夫手里以后，就如泥牛入海，召开关于科技革命问题的中央全会也始终没有下文。委员会的成员之一阿尔巴托夫甚至几次向基里连科提起过此事，还问过勃列日涅夫本人，但没有任何结果。[1] 实际上真正的原因是新经济体制改革“安乐死”之后，勃列日涅夫一心企求的是凝固式的稳定，对于任何可能危及这种稳定的改革，包括科技革命，都敬而远之。于是，关于召开科技革命问题的中央全会，也就不了了之。直至 1982 年 11 月勃列日涅夫死后，一个专门委员会打开勃列日涅夫的保险柜，才找到了这份文件的第 1 号文本。勃列日涅夫和苏共领导层对第三次科技革命的真实态度是言行不一：口头上空话、大话连篇，实际行动却没有。

重视科技革命，真正把科学技术看做是第一生产力，理所当然是要尊重、重视知识分子。而 1971 年 3 月勃列日涅夫在苏共二十四大的总报告中还说“工人阶级过去是、现在仍然是社会的主要生产力。”[2] 至于说到知识分子，勃列日涅夫说：“我国社会中的一个重大变化就是工人阶级、农民和知识分子持续不断的接近。这一过程变得越来越明显。我们苏联的知识分子认识到自己的使命是把创作力贡献给人民的事业，建立共产主义社会的事业。”[3] 勃列日涅夫的观念还是：知识分子劳动化，劳动人民知识化；还是要改造、融化知识分子。联

---

[1] 参见［俄］格·阿·阿尔巴托夫著：《苏联政治内幕：知情者的见证》，第 216—218 页。

[2] 《苏联共产党第二十四次代表大会主要文件汇编》，第 100 页。

[3] 同上书，第 102 页。

系到勃列日涅夫时期，高级知识分子的一般工薪是工人的一至两倍，而大多数基层知识分子的工薪是相当于，甚至低于工人，勃列日涅夫对科技革命文件的处置，苏联在第三次科技革命中的落伍，也就合乎逻辑了。

苏联在计算机技术开发和利用方面的落伍，可以作为勃列日涅夫对第三次科技革命的冷漠、消极的印证，也是苏联在第三次科技革命中无所作为和落伍的指示器。

1944 年，美国国防部门组织了计算机研究小组，并于 1946 年制成了世界上第一台电子数字计算机。这台用 18000 只电子管组成的计算机，尽管体积庞大，耗电惊人，却开辟了计算机科学技术的新纪元。微电子技术的发展和集成电路的出现，导致计算机巨大变革。计算机中央处理器的集成化，产生了微型计算机，并在 20 世纪 70 年代得到大发展。大规模集成电路电子计算机不仅成几何级数扩大了计算机的容量，而且价格低廉，使计算机迅速进入普通的办公室和家庭。计算机应用领域的拓宽，又反过来推动微电子技术和电子产品的发展，促进现代社会生活的巨大变化。

苏联 1966 年开始将电子计算机应用于管理系统。20 世纪 70 年代，苏联制造的计算机的容量比西方世界使用的计算机容量小得多，而且对计算机来说必不可少的服务机构也很不发达。1973 年，基辅大学除了一些小计算机之外，还在使用一台苏制 M—220M 型计算机。这台计算机每秒钟可作 2 万次运算，核心储存量为 4096 个至 16384 个字，检字时间为 1/100 秒。当然，苏联也有少量新式计算机，但那是在国家和军事计划部门使用。基辅大学的计算机业务还有如下规定：星期五以前申请下一周的使用时间；5 个卡片以上的修改应在 3 小时之前提出；70 个卡片的计算程序必须在三天之前交到。照此推测，200 个卡片的中等计算程序，要几个星期才能完成。同等量的计算，在西方一般都只需一天时间。苏联的计算机技术的开发和使用，比西方落后 5—10 年。

人类社会的第一次、第二次科技革命，是在社会主义制度国家建立以前，或者刚刚建立时发生的，而第三次科技革命是在两种社会制度并存和竞赛的时代发生的。作为第一个社会主义国家的苏联，建立已历半个世纪。苏联不仅已经建立起雄厚的工业基础，普及了全民中等义务教育，培育了较高的全民文化素养，而且在某些尖端科学技术领域处于世界的领先地位。苏联应当、也有条件在第三次科技革命中做出成绩，以体现苏联社会制度的优越性。可是在第三次科技革命中，苏联不仅无所作为，甚至游离于人类社会科学技术发展的大潮之外，被西方拉大了距离。科学没有国界，科学的思想不受意识形态的限制。苏联在第三次科技革命中的落伍，是斯大林模式缺乏竞争力、丧失生命力的表现之一。

第四章　党政一体的苏共及其危机

本章阐述勃列日涅夫当政时期的苏联共产党。

苏联共产党在苏联建立了党政一体的政治体制。苏联共产党是一党专政的苏联国家的执政党，苏联共产党同时也包揽了苏联国家政权的全部职能。虽然从行政机构设置和宪政程序上说，苏联最高苏维埃是苏联国家的最高立法机关和权力机关，苏联部长会议是苏联国家的最高行政机关，可是，实际上是苏联共产党一向凌驾于苏联最高苏维埃和苏联部长会议之上，监督机关形同虚设。

“黄金世纪”的执政者

勃列日涅夫当政以后，就党内生活来说，和斯大林时期相比，比较遵循党章的规定，而且也相对尊重宪法作为国家根本法的权威。可以说，赫鲁晓夫以激烈的言辞批评的斯大林破坏党的集体领导原则、破坏社会主义法制等问题，有了较大的改进。但是，对于苏联党政一体的政治体制，勃列日涅夫则竭力加以维护、加固。因此，勃列日涅夫当政时期的党内政治生活和斯大林时期相比，要民主许多，但是就党政一体的政治体制来说，却不可逆转地出现种种危机的迹象。

危机的表现之一是苏共的理论资源枯竭。

勃列日涅夫当政以后，距十月革命已半个世纪了，青年一代基本上是第二次世界大战以后出生的。就全社会来说，革命激情基本上已燃烧完了，面对的是第三次科技革命和进入和平与发展年代的世界。可是，勃列日涅夫和苏共中央却一成不变地向马克思主义书本讨生活。他们愈是坚持本本主义，就愈是将马克思主义宗教教义化；愈是将马克思主义宗教教义化，就愈是钻进马克思主义的书堆中讨生活，愈是靠权杖来维护这种政治体制。这样，苏联社会不可逆转地从意识形态疲软滑向意识形态迷茫。

危机的表现之二是苏联建立已半个世纪了，却没有建立起一套适合苏联社会发展需要的干部选拔制度，使苏共的人才资源枯竭。

苏共选拔干部的渠道一般是通过各级党校的培训和实际工作考察，而实际工作考察和党校培训往往是交叉进行的。这种选拔干部的方式，最大的问题在于由谁来考察和制定考察的标准，以及根据什么条件选送进党校培训。实际上所有这些都取决于领导人的个人意志。即由处于关键领导岗位的人决定干部的选拔。这样，干部的选拔就取决于领导人所接触的有限圈子、领导人的好恶情感、领导人在特定时间里的情绪，以及领导人自身的素质等个人因素。苏联有2亿多人口，仅俄罗斯民族就是一个伟大的民族，各类优秀人才辈出。可是，到勃列日涅夫当政时期，却明显地表现出干部人才枯竭。干部领导职务终身制的凝固化和干部人才资源枯竭，相辅相成，形成干部队伍老化、因循守旧、唯命是从的恶性循环。

危机的表现之三是社会形成特权阶层。特权是20世纪20年代开始出现的，但是从干部享有某些特权到形成稳定的社会特权阶层——“在册权贵”，却是在勃列日涅夫当政时期。

“在册权贵”在俄语里称作Номенклатура。Номенклатура一词有两义：本义是名录、上级任命的官职名册，它在沙皇时代就有。二义指按此职务名册任命的官员，包括群体和个人，本书译作“在册权贵”。这是目前俄国非常流行的词组，实际上指的就是享受特权的高级官僚。这是苏联社会现实生活中的一种独特现象，这是因为：一、苏联共产党中央通过各级党的人事机关管理着全党、全国的所有干部，这是一个庞大而又严密的干部网；二、不同的级别意味着不同的等级特权和不同的享受，不可逾越；三、苏共是以公平作为苏联社会主义的普世性宣传的，而苏联社会到勃列日涅夫当政时期终于形成了一个以权力为标志的特权阶层。苏联到勃列日涅夫当政时期形成的特权阶层的基本特点在于：它不是由苏联共产党或苏联政府内的某些人来反映它们的利益和声音；它本身就是党政一体的苏联共产党自身的各级官员。因此，正如马克思所说的，法国在路易·波拿巴时代形成的有庞大的官僚机构和军事机构，有复杂而巧妙的国家行政权，是一个“俨如密网一般缠住法国社会全身并阻塞其一切毛孔的可怕的寄生机体。"[1]勃列日涅夫当政时期形成的特权阶层，也正是这么一个俨如密网一般缠住苏联社会全身并阻塞其一切毛孔的可怕的寄生机体。

第一节　勃列日涅夫当政期间的几次党代表大会

苏共第二十三次代表大会

勃列日涅夫在他当政的18年里，共主持、召开过4次苏共代表大会。1966年2月19日，苏共中央举行全会，讨论了苏共二十三大对1966—1970年苏联发展国民经济五年计划的指示草案。2月24日，苏共中央致信中共中央，"邀请中国共产党代表团作为客人参加苏共第二十三次代表大会。"3月22日，中共中央复信苏共中央说，"中国共产党不能派代表团参加你们这一次的大会"，拒绝了苏共中央的邀请。

1966年3月29日至4月8日，苏联共产党召开第二十三次代表大会，这是勃列日涅夫当政后召开的第一次苏共代表大会。苏共二十三大的主要议程有：苏共中央第一书记勃列日涅夫作苏联共产党中央委员会总结报告；苏共中央检查委员会主席穆拉维耶娃作苏共中央检查委员会总结报告；苏联部长会议主席柯西金作关于1966—1970年苏联发展国民经济五年计划（第八个五年计划）的指示报告；选举党的中央机关。出席苏共二十三大的代表名额：每2500名党员选出有表决权的代表1名；每2500名预备党员选出有发言权的代表1名。出席二十三大的共有4942名代表（1人因病未出席大会），其中有表决权的代表4620名，有发言权的代表323名，代表全党12471000余名党员和预备党员。全党工人成分占37.8%，集体农民占16.2%，职员及其他占46%。"职员及其他"中，有2/3以上是工程技术界知识分子、国民经济各部门的专家。全党平均每两名党员中，有1名受过中等教育、在高等学校肄业或毕业。出席苏共二十三大的还有来自世界86个国家的共产党、工人党、民族民主党和左翼社会党的代表团。中国共产党未派代表团出席苏共二十三大，这是自中华人民共和国成

---

[1] 《路易·波拿巴的雾月十八日》，《马克思恩格斯选集》，第1卷，人民出版社1995年版，第675页。

立后，中国共产党第一次没有派代表团出席苏共代表大会，这也成为苏、中两个世界最大的共产党彻底决裂的标志。

苏共二十三大于4月8日通过三个决议：关于中央委员会总结报告的决议；关于《1966—1970年苏联发展国民经济五年计划指示》草案的决议；关于部分修改苏共章程的决议。本次大会对苏共二十二大通过的苏共章程的重大修改是："考虑到党内选举时根据各地的具体情况及工作人员的业务能力和政治品质经常会更换党委会的成员，并且考虑到在这些问题上所作的规定经实践证明是不正确的，在苏共章程中继续保留那些规定更新和更换党的机关的成员和党组织书记的比率的条款是不合适的。因此，取消党章第25条。"[1] 关于部分修改苏共章程的决议还规定：设中央政治局代替原来的中央主席团；设中央总书记代替原来的中央第一书记。

4月8日，苏共二十三大选出195名中央委员会委员、165名中央委员会候补委员、79名中央检查委员会委员。在接着举行的中央委员会全体会议上，选出以勃列日涅夫为首的11名中央政治局委员、8名政治局候补委员、11名中央书记处书记。勃列日涅夫当选苏共中央总书记，原拉脱维亚共和国党中央第一书记佩尔谢当选中央监察委员会主席，西佐夫当选中央检查委员会主席。

由于1964年10月发生的苏共中央权力中心转移，从苏共二十二大到二十三大期间，中央领导机构的成员有了较大的变化。原主席团委员中，库西宁于1964年5月17日病逝，科兹洛夫已于1964年11月被解除职务，赫鲁晓夫已被废黜，米高扬已急流勇退。基里连科已于1962年4月当选苏共中央主席团委员，谢列斯特、谢列平于1964年11月当选苏共中央主席团委员。新成为政治局委员的是白俄罗斯共和国党中央第一书记马祖罗夫和佩尔谢2人，离开政治局的是什维尔尼克。

尼古拉·米哈依洛维奇·什维尔尼克，生于1888年，1905年加入社会民主工党，参加过创建苏维埃政权的斗争。20世纪20年代，历任列宁格勒州委书记、乌拉尔州委书记、冶金工会中央理事会主席。1930年任全苏工会中央理事会第一书记。1946年任苏联最高苏维埃主席团主席。1953年任全苏工会

[1] 《苏联共产党第二十三次代表大会主要文件汇编》，第329页。党章第25条是关于各级党的领导人任期制和各级党委员会委员更新制的规定。

中央理事会主席。1925 年成为苏共中央委员，1939 年又升为苏共中央政治局候补委员。自此以后，什维尔尼克在苏共中央主席团委员和候补委员之间升升降降，但总是在主席团的圈子里转悠。什维尔尼克是列宁时期的“老近卫军”，自进入中央领导层以后，没有担任过什么实权性的职务。他不仅躲过斯大林时期的政治劫难，而且在斯大林死后的历次政局变动中，都安然若素。什维尔尼克的一生，算是功德圆满了，1970 年病逝。

原 5 名主席团候补委员中，1964 年 11 月增补杰米契夫为主席团候补委员，马祖罗夫升为政治局委员，新选为政治局候补委员的是库纳耶夫、马谢罗夫和乌斯季诺夫。二十二大产生的中央书记中，斯皮里多诺夫已于 1962 年 4 月被解除职务，波利雅科夫已于 1964 年 11 月被解除职务，伊利切夫于 1965 年 3 月被解除职务，任命为外交部副部长，科兹洛夫、库西宁病逝，赫鲁晓夫被废黜。鲁达科夫、安德罗波夫于 1962 年 11 月当选苏共中央书记，勃列日涅夫、波德戈尔内于 1963 年 6 月当选为苏共中央书记。书记处的原成员杰米契夫(政治局候补委员)、苏斯洛夫（政治局委员)、谢列平（政治局委员)、波诺马廖夫等照旧。新当选为苏共中央书记的是：基里连科（政治局委员)、乌斯季诺夫（政治局候补委员)、卡皮托诺夫、库拉科夫。被赶出书记处的是 1962 年 11 月成为苏共中央书记的季托夫和 1963 年 6 月成为苏共中央书记的波德戈尔内。

经过苏共二十三大，勃列日涅夫将波德戈尔内，以及波德戈尔内的亲密伙伴、曾任乌克兰哈尔科夫州委第一书记的季托夫剔出苏共中央书记处。季托夫被派往远离俄罗斯心脏地带的哈萨克斯坦，任该共和国党中央第二书记。波德戈尔内刚刚于 1965 年 12 月接任苏联最高苏维埃主席团主席的职务，而且还是把勃列日涅夫推上台的功臣。可是勃列日涅夫对波德戈尔内权力的增强，如芒刺背，终于以“已担任最高苏维埃主席团主席”为由，将他逐出书记处。

经过二十三大，勃列日涅夫的领袖地位得到加强。第聂伯罗彼得罗夫斯克帮的骨干成员、卫国战争期间曾任第 18 集团军军事委员的基里连科，迅速上升为政治局委员、苏共中央书记、苏共中央干部部部长，主宰着 50 万党的干部的前程。而且，当勃列日涅夫缺席时，也由他主持苏共中央政治局会议。其他忠于勃列日涅夫的新人，像安德罗波夫、乌斯季诺夫，被作为新的政治明星而迅速提升。

苏共第二十四次代表大会

苏共二十三大闭幕不久，1967年3月31日，苏联国防部长马利诺夫斯基病逝。以柯西金为首的一批经济技术官员希望由一名文职官员来接任苏联国防部长，他们还以美国为例，来增强己方意见的说服力。从卫国战争爆发前夕就领导军火工业生产的政治局候补委员乌斯季诺夫就成为他们的考虑人选。但是，勃列日涅夫倾向于由国防部第一副部长、华沙条约联合武装部队总司令、卫国战争期间曾任第18集团军司令的格列奇科来接任国防部长。1967年4月12日，格列奇科被任命为苏联国防部长。由此开始了勃列日涅夫对军队高级将领的一系列新任命：雅库鲍夫斯基被任命为国防部第一副部长，并接任华沙条约联合武装部队总司令职务；远东军区司令帕夫洛夫斯基，卫国战争期间也曾在第18集团军任职，升任苏联陆军总司令、国防部副部长。卫国战争时期，南方方面军的一批年轻将领也都得到提升。通过这些新任命，勃列日涅夫加强了自己在军队中的地位。一个星期以后，苏联国家安全委员会主席谢米恰斯内被撤换。

就苏联国内外总的形势来看，虽然由于入侵捷克斯洛伐克而受到国际舆论的谴责，但毕竟使华沙条约组织得到暂时的稳定。由于实行新经济体制改革，较圆满地完成了第8个五年计划，经济形势是苏联建国以来最好的一段时期。这一阶段，既是勃列日涅夫当政的“黄金岁月”，也把苏联的历史推到鼎盛。

1971年3月30日至4月9日，苏共举行第二十四次代表大会。苏共二十四大的主要议程有：苏共中央总书记勃列日涅夫作苏共中央委员会总结报告；苏联部长会议主席柯西金作关于1971—1975年苏联发展国民经济五年计划的指示（第9个五年计划）；苏共中央检查委员会主席西佐夫作苏共中央检查委员会总结报告；选举党的领导机构。出席苏共二十四大的代表共4963名，包括有表决权的代表4740名，有发言权的代表223名。实际出席二十四大的代表为4949名，14名代表因故缺席。二十四大召开前夕，苏共已拥有14455321名党员，其中正式党员13810089名，预备党员645232名。党员中工人占40.1%，比二十三大时的比率上升近3个百分点；集体农民占15.1%，比二十三大时的比率下降1个百分点；职员和其他占44.8%，比二十三大时的比率下降 1 个百分点以上。在“职员和其他”中,2/3 以上是科技工作者、教师、医生、文艺工作者。出席苏共二十四大的还有世界 90 个国家的 101 个共产党、民族民主党和左翼社会党的代表团。

4 月 9 日，苏共二十四大选出 242 名中央委员、155 名中央候补委员、81 名中央检查委员。当天，中央委员会举行全体会议，选出 15 名中央政治局委员、6 名政治局候补委员、10 名中央书记。勃列日涅夫当选党中央总书记、佩尔谢当选党中央监察委员会主席、西佐夫当选党中央检查委员会主席。新产生的苏共中央领导机构，政治局委员从原来的 11 名扩大为 15 名。原 11 名政治局委员全部当选；原政治局候补委员格里申、库纳耶夫、谢尔比茨基，原苏共中央书记库拉科夫，都提升为政治局委员，政治局做的是纯加法。政治局候补委员从原来的8名减为6名。安德罗波夫已于1967年6月成为政治局候补委员，解除他中央书记职务。原政治局候补委员中 3 名已升为政治局委员，其余 6 名全部继续当选。苏共中央书记从原来的 11 名减为 10 名。在此之前，苏共中央书记、党中央重工业部部长鲁达科夫已于 1966 年 7 月 10 日去世，并于同年 12 月 13 日委任索洛缅采夫接替。谢列平已于 1967 年 9 月被逐出书记处；安德罗波夫已提升为政治局候补委员，不再担任苏共中央书记；卡图谢夫已于 1968 年 4 月当选为苏共中央书记。所以原 11 名苏共中央书记中，其实也是全部照旧。苏共二十四大所产生的党中央领导机构，可以说是做加法的结果。经过苏共二十四大，勃列日涅夫削弱了作为有竞争威胁的谢列平，进一步确立了自己的领袖地位。

如果说苏共二十三大是一次平淡无奇的代表大会的话，那么苏共二十四大就有它的特色了，它在苏联的历史上有着重要的地位。此时，第 8 个五年计划以优于以往的五年计划而圆满完成，国内经济形势光明。经过几个回合的较量，勃列日涅夫成功地挫败了竞争对手，坐稳了苏共新领袖的位置，并且开始树立自己的马克思列宁主义理论大师的新形象。出兵占领捷克斯洛伐克，镇压了“布拉格之春”，抑制了东欧各国进行改革、要求自主的独立意识，强化了苏联作为社会主义大家庭盟主的地位。

1969 年 1 月 14 日，苏联成功地将载人宇宙飞船“联盟 4 号”送上预定轨道。1 月 15 日，又把载人宇宙飞船“联盟 5 号”送上了预定轨道。1 月 16 日，“联盟 4 号”和“联盟 5 号”在轨道上实现了硬对接。“联盟 5 号”的乘员、宇航员赫鲁诺夫和叶利谢耶夫，穿着密闭太空服离开宇宙飞船，进入太空，并进入“联盟4号”。他们和“联盟4号”的乘员、宇航员沙塔洛夫和沃雷诺夫一起，在协同飞行4个半小时之后，又分开各自单独飞行。1月17日、18日，“联盟4号”和“联盟5号”分别返回地球，在苏联境内的预定地区安全软着陆。两艘载有4名乘员、4个隔离舱的宇宙飞船在轨道上对接，宇航员离开宇宙飞船进入太空，又进入另一艘宇宙飞船。在经过协作飞行之后又回到原来的宇宙飞船，并各自安全返回地面。这一人类历史和科学技术的创举表明，苏联在宇宙空间技术的研制方面仍处于世界的领先地位。

这一阶段，苏联的综合国力有了较大的增强。所有这些，使得勃列日涅夫踌躇满志，变得不可一世起来。

这样，苏共二十四大就成为最具有勃列日涅夫时期特色的党代表大会。在苏共二十四大上，勃列日涅夫还比较明确而具体地论述了“发达社会主义”，提出“社会主义国家经济一体化”的目标。勃列日涅夫在二十四大的总结报告中说：“苏联人民以忘我的劳动建成了发达的社会主义社会……这就使得我们有可能着手于实际完成党的纲领和最近几次党代表大会所提出的伟大任务——建设共产主义的物质技术基础。”[1] 勃列日涅夫将“发达社会主义”阶段苏联国民经济发展的特点归纳为：全新的规模；迅速开展的科学技术革命；社会主义国家的经济一体化。

苏共第二十五次代表大会

20世纪70年代中期，新经济体制改革已经无声无息地“安乐死”了；苏联的经济实际上是借着国际市场石油提价、大规模出口石油在支撑。苏共二十五大就是在苏联历史从顶峰上滑落、江河日下的形势下召开的。

1975年12月1日，苏共中央召开全体会议，听取苏共中央总书记勃列日涅夫关于举行苏共第二十五次代表大会问题的报告，并通过相应的决议。全会决议规定苏共二十五大的议程为：苏共中央总书记勃列日涅夫作苏共中央总结报告和阐述党在内外政策方面的当前任务；苏共中央检查委员会主席西佐夫作

[1] 《苏联共产党第二十四次代表大会主要文件汇编》，第59页。

苏共中央检查委员会总结报告；苏联部长会议主席柯西金作1976—1980年苏联发展国民经济的基本方针报告；选举党的中央机关。

苏共二十五大的筹备工作，主要是在勃列日涅夫的远郊别墅、一个狩猎场扎维多沃进行的。为勃列日涅夫起草中央委员会总结报告的主要人员有：总书记国际问题助理亚历山德罗夫—阿根托夫、苏联科学院院士伊诺泽姆采夫、阿尔巴托夫、苏共中央国际部第一副主任扎格拉金、副主任切尔尼亚耶夫、顾问布鲁坚茨、苏共中央宣传部顾问希什林，以及布拉托夫、鲍文等人。起草工作由勃列日涅夫亲自主持和监管。

相对来说，更让起草人员犯难的是关于经济问题的内容。好在起草经济部分的内容时，“大家都能相互体谅，因为任务太艰巨了：五年计划很糟糕，但是总得说点鼓舞人心的话，对未来持乐观态度”。当这部分内容的起草工作基本完成以后，勃列日涅夫进来，听亚历山德罗夫介绍了起草人员所达成的“共识”，并听了这部分内容之后，一言不发地站起来，转身走出了会议室。会议室里的人，面面相觑，不知所措。大约过了半个小时，勃列日涅夫返回会议室，郑重地说：“我绝对不同意你们的意见（指经济部分）。”但是勃列日涅夫也提不出比其他起草人员更高明的看法，只是多了几句“更严格的要求”；删掉一些溢美之词。勃列日涅夫向苏共二十五大所作的报告称作“中央委员会总结报告”，实际上只是形式而已。因为“中央委员会甚至没有看到这个报告的文本。勃列日涅夫是在代表大会召开的4天前在全体会议上‘通报了’要作这个报告。通报共有30页，报告本身有130页。”政治局委员和书记处书记们读过这个报告，不过也不是所有的政治局委员和书记处书记把报告的文本都读完，不少人只读过其中的一部分。所以，这个“中央委员会总结报告”，实际上不是中央委员会的总结报告，甚至“不是政治局的报告，完全是勃列日涅夫的报告。”[1]

1976年2月24日至3月5日，苏联共产党第二十五次代表大会在克里姆林宫举行。出席二十五大的代表共4998名，15名因故缺席，实际出席大会的代表4983名。苏共召开二十五大时，已拥有15694000余名党员，其中工人占

[1] ［俄］阿·谢·切尔尼亚耶夫：《鲜为人知的勃列日涅夫》，转引自《马克思恩格斯列宁斯大林研究》，2006年第4期，第38、45页。

41.6%，比二十四大时又上升 1.5 个百分点；集体农民占 13.9%，比二十四大时再下降 1.2 个百分点；职员和其他占 44.5%，和二十四大时基本持平。在“职员和其他”的 44.5% 中，20% 是技术知识分子，24% 以上是科技、文学、艺术、教育、卫生、机关等方面的管理人员和军人。

苏共二十五大由苏斯洛夫致开幕词。这样安排也是勃列日涅夫的主意：“让苏斯洛夫去宣读那些兄弟党的名单”；“花上半个小时向外国客人致欢迎辞，读出那些拗口的名字”。苏斯洛夫在致词中说：来自世界 96 个国家的 103 个共产党、工人党、民族民主党和社会党的代表团出席了苏共二十五大。按照惯例，出席大会的、来自世界各国的 103 个兄弟党代表团，都要向大会致贺词。但是，很大一部分“兄弟党”不要说对马克思列宁主义理论，即使是有关国际共运的知识也太贫乏了。他们都是空着双手，来莫斯科乘坐“带警灯的‘海鸥’牌汽车的。”因此，担任总结报告起草任务的工作人员又多了额外的任务：在大会期间，待在后台，在半地下室和演员更衣室里，“‘炮制’兄弟党代表团的发言和贺词”。[1]

2 月 24 日，勃列日涅夫向大会作总结报告。总结报告中关于国际形势和苏联的对外方针，勃列日涅夫的主调是缓和、裁军。勃列日涅夫说：“为停止军备竞赛、为裁军而斗争，过去是、现在仍然是苏共和苏联政府对外政策活动的主要方针之一。”[2]

勃列日涅夫在苏共二十五大

[1] [俄] 阿·谢·切尔尼亚耶夫：《鲜为人知的勃列日涅夫》，转引自《马克思恩格斯列宁斯大林研究》，2006 年第 4 期，第 38、45 页。

[2] 《勃列日涅夫言论》，第 12 集，第 41 页。

勃列日涅夫将自从苏共二十四大以来的5年里的国际基本局势，概括为："争取实现国际关系发展中的转折，从'冷战'转向不同社会制度国家和平共处，从具有爆炸性危险的紧张局势转向缓和，转向正常的互利合作。"[1]勃列日涅夫特别提到在这段时间里，"德意志民主共和国的主权得到普遍承认，它进入联合国，以及德意志民主共和国、波兰和捷克斯洛伐克的西部边界的不可侵犯性在国际范围内得到确认，这些都是社会主义国家共同努力的卓越成果。"[2]勃列日涅夫赞许：德意志联邦共和国已经成为苏联同西方进行实业互利合作的巨大伙伴之一；"西柏林从一个争吵的根源变为和平与缓和的建设性因素的条件已经形成"[3]。勃列日涅夫还高度评价5年来与美国历届总统的会谈和签署的各项协议，说："这些文件加在一起就为苏美之间根据和平共处原则发展互利合作奠定了牢靠的政治法律基础。这些文件在一定程度上减少了爆发核战争的危险。"[4]对于1975年8月签署的赫尔辛基欧安会最后文件，勃列日涅夫在报告中也是赞不绝口。

3月5日，苏共二十五大选出288名中央委员、135名中央候补委员、86名中央检查委员。中央委员会于当天举行全体会议，选出16名政治局委员、6名政治局候补委员、11名中央书记。勃列日涅夫仍当选党中央总书记，佩尔谢当选中央监察委员会主席，西佐夫当选中央检查委员会主席。和苏共二十四大相比，政治局委员增加了1名，中央书记也增加1名。在此之前，1973年4月苏共中央全会已将谢列斯特和沃罗诺夫逐出了政治局，安德罗波夫从政治局候补委员提升为政治局委员，葛罗米柯和格列奇科被增选为政治局委员。1975年4月，谢列平被逐出政治局。新成为政治局委员的是罗曼诺夫和乌斯季诺夫。政治局候补委员和二十四大相同，都是6名。人员的变动是安德罗波夫于1973年4月提升为政治局委员，罗曼诺夫提升为政治局候补委员，填补安德罗波夫上升后的空缺。这次选举，罗曼诺夫、乌斯季诺夫又提升为政治局委员。被逐出政治局的是苏联部长会议第一副主席波利扬斯基，他被任命

[1] 《勃列日涅夫言论》，第12集，第17页。

[2] 同上书，第21页。

[3] 同上书，第35页。

[4] 同上书，第38页。

为苏联农业部部长，不久又被改派任苏联驻日本国大使。退出政治局候补委员的只有姆日阿瓦纳泽一人，他于 1972 年 12 月被解除苏共中央政治局候补委员职务。

政治局候补委员姆日阿瓦纳泽是格鲁吉亚共和国党中央第一书记。1972 年 9 月 28 日，格鲁吉亚共和国党中央举行全会，宣布姆日阿瓦纳泽退休，由 5 个月前刚从格鲁吉亚共和国内务部部长升为第比利斯市委第一书记的谢瓦尔德纳泽接任格鲁吉亚共和国党中央第一书记。这样，姆日阿瓦纳泽自然不能保留苏共中央政治局候补委员的职务，于同年 12 月被解除苏共中央政治局候补委员职务。新成为政治局候补委员的是阿利耶夫、波诺马廖夫，以及俄罗斯联邦部长会议主席索洛缅采夫。在中央书记中，杰米契夫已成为政治局候补委员，1974 年 12 月被解除中央书记职务。索洛缅采夫新提升为政治局候补委员。1972 年 12 月苏共中央全会增选多尔基赫为中央书记。这次新增加的中央书记是齐米亚宁和契尔年科。

苏共第二十六次代表大会

1980 年 6 月 23 日，苏共中央举行全体会议，通过苏共中央总书记勃列日涅夫关于召开例行苏共第二十六次代表大会问题的报告，决定在 1981 年 1 月 25 日召开苏共二十六大。

1981 年 2 月 23 日至 3 月 3 日，苏共召开第二十六次代表大会，这是勃列日涅夫主持召开的第四次党代表大会，也是他生前召开的最后一次党代表大会。大会的议程有：苏共中央总书记勃列日涅夫作苏共中央委员会总结报告和当前党在对内对外政策方面的任务；苏共中央检查委员会主席西佐夫作苏共中央检查委员会总结报告；苏联部长会议主席吉洪诺夫报告苏联 1981 至 1985 年和 1990 年前经济和社会发展基本方针；选举党的领导机构。此时，苏共已拥有 1748 万余名党员，其中工人成分占 43.4%，比二十五大时又上升 1.8 个百分比；集体农民占 12.8%，比二十五大再下降 1 个百分点；知识分子、职员和军人占 43.8%，比二十五大时略有下降。二十六大的代表共 5002 名，8 名缺席，出席大会的代表为 4994 名。出席大会的还有来自世界 109 个国家的 123 个共产党、工人党、民族民主党以及其他政党和组织的代表团。

20世纪70年代中期以来，勃列日涅夫的健康状况不断地、严重地恶化。因此，二十五大以后，苏共高层领导人员的细微变动，都带有权力如何交接的倾向，在表面平静的背后，隐藏着激烈的争夺。期间，有4件事情特别突出。

一是勃列日涅夫当政初期“三驾马车”之一的波德戈尔内被解除苏联最高苏维埃主席团主席职务，并被逐出苏共中央政治局，迫其退休，以及苏联新宪法的颁布。

尼古拉·维克多罗维奇·波德戈尔内生于1903年，1930年加入苏共，1956年当选苏共中央委员，1957年任乌克兰共和国党中央第一书记。1958年波德戈尔内成为苏共中央主席团候补委员，1960年升为主席团委员，1963年又成为苏共中央书记。波德戈尔内是得到赫鲁晓夫的提拔而步步登高的乌克兰干部，可是他又成为倒赫鲁晓夫的重要策划者之一。勃列日涅夫上台后，波德戈尔内的地位显著加强，1965年12月9日米高扬引退，即由波德戈尔内接任苏联最高苏维埃主席团主席的职务。这个职务虽然并无多大实权，但波德戈尔内毕竟成为苏联的国家元首。苏共二十三大后，波德戈尔内被赶出苏共中央书记处，权力大为削弱，已构不成对勃列日涅夫的地位的威胁，但仍被勃列日涅夫视为异己，而且是勃列日涅夫渴望兼任苏联国家元首职务的严重障碍。

在处理苏美两国关系问题上，勃列日涅夫的措施又遭到波德戈尔内的反对。波德戈尔内不赞成勃列日涅夫1973年6月的美国之行，认为访美无助于解决苏联对裁军、削减核武器等的要求。波德戈尔内还不满勃列日涅夫统揽国际事务，认为像苏美两国首脑谈判之类大事，不应当撇开苏联最高苏维埃主席团主席。1973年9月24日，勃列日涅夫在塔什干艺术宫向乌兹别克共和国颁发人民友谊勋章，并由他来宣读苏联最高苏维埃主席团的嘉奖令。波德戈尔内认为按苏联宪法程序，应由苏联最高苏维埃主席团主席授勋。勃列日涅夫的越俎代庖，显然是连波德戈尔内作为“橡皮图章”的权力也剥夺了。更令波德戈尔内难堪的是，勃列日涅夫在授勋大会的讲话中，不指名地谴责波德戈尔内在处理国际事务中“不去利用现有的一切可能持续不断地向前推进，却等待甘脂美味自天而降”，“这种态度天真得只能令人惊讶”[1]。波德戈尔内也不示弱。1974年11月29日，即在勃列日涅夫与美国总统福特在符拉迪沃斯托克（海

[1] 《勃列日涅夫言论》，第9集，第244页。

参崴）"工作会谈"的 5 天之后，在塔吉克发表讲话，抨击美国干涉苏联内政，警告："如果不充分估计到某些集团力图撕毁已达成的协议，加紧军备竞赛和重新采用加剧紧张局势策略的行动，那将是不能容忍的目光短浅的表现。"[1] 波德戈尔内的讲话，着实使勃列日涅夫听着刺耳。在 1974 年 12 月举行的苏共中央全会上，波德戈尔内则直言勃列日涅夫为了换取美国给予最惠国待遇和贷款，在犹太人问题上向美国作了过头的许诺。全会又一次提出"集体领导"问题，强调不能一个人说了算。[2]

波德戈尔内和勃列日涅夫在修改宪法问题上再次发生冲突，最终导致波德戈尔内被逐出政治舞台。

1972 年 12 月 21 日，勃列日涅夫在庆祝苏联成立 50 周年大会的报告中说道："我们在不久的将来需要解决的使苏联进一步发展的一个重大问题，就是苏联宪法问题。"[3] 勃列日涅夫说，现行的 1936 年宪法反映了我国剥削阶级被消灭这个事实，确认了社会主义的胜利。但是在这部宪法通过后的 35 年里，苏联社会和世界形势都发生了根本的变化。勃列日涅夫认为这些变化是：苏联不仅具备了社会主义的经济基础，而且在城乡都拥有成熟的、技术装备良好的经济体系，这一经济体系是在 1936 年宪法通过以后建立起来的；在保持工人阶级领导作用的情况下，出现了各阶级、各社会集团接近的显著过程，社会主义社会的社会单一性越来越明确，体力劳动和脑力劳动之间、城市和乡村之间劳动条件与生活条件的本质差别正在大力消除；苏联已是没有文盲的国家，就业人口的 2/3 具有中等和高等教育水平；法律秩序得到巩固，法制得到发展。勃列日涅夫总结说："所有这一切根本变化使我们党得出了一个重要的理论和政治结论，即在列宁的党的领导下，通过苏联人的忘我劳动在苏联建成了发达的社会主义社会。"[4] 苏联已从"一个无产阶级专政的国家逐渐成长为劳动者的全民社会主义国家。""有根据认为，我们祖国生活中的所有这一切变化和我国社会在新条件下面临的任务，应当在苏维埃社会主义共和国联盟的宪法中得到

[1] 参见邢广程：《苏联高层决策 70 年》，第 4 分册，第 301 页。

[2] 同上。

[3] 《勃列日涅夫言论》，第 8 集，第 145 页。

[4] 同上书，第 146 页。

反映。”[1]

为了修改宪法，勃列日涅夫于1964年12月11日自任宪法委员会主席，明显地表示出将兼任苏联最高苏维埃主席团主席的意向；任命波德戈尔内为“苏联最高苏维埃主席团第一副主席”，一个为波德戈尔内专设的新职务，这是波德戈尔内所不能接受的。1977年5月24日，苏共中央举行全体会议，听取勃列日涅夫作《关于苏联宪法草案》的报告。在报告中，勃列日涅夫强调苏联“已经建成了发达的成熟的社会主义社会。”在苏联社会里，工人阶级、农民、知识分子已联成一体，逐步消灭了差别，渐渐形成了“人的新的历史共同体——苏联人民”。勃列日涅夫说：“苏联宪法是一部发达社会主义的宪法，是共产主义建设中的宪法。”显然，勃列日涅夫是要树自己的历史里程碑，塑造“发达社会主义社会”旗手的历史形象。苏共中央全会通过了勃列日涅夫所作的报告，并决定召开苏联最高苏维埃特别会议，正式通过新宪法。全会还作出决定，由苏共中央总书记兼任苏联最高苏维埃主席团主席职务。这一决定遭到波德戈尔内的反对。于是，全会决定，解除波德戈尔内苏共中央政治局委员职务。6月16日，苏联最高苏维埃会议解除了波德戈尔内苏联最高苏维埃主席团主席职务，并宣布他退休，同时选举勃列日涅夫为苏联最高苏维埃主席团主席。6月17日，勃列日涅夫就兼任苏联最高苏维埃主席团主席一事发表讲话，说：“绝不是一项徒具形式的决定。全会（指5月24日的苏共中央全会——引注）的决议是有着深远的政治意义的。”“这首先是作为我们整个政治体制、所有劳动人民组织、国家机关和社会团体的核心的共产党领导作用不断增长的表现。苏共是一个执政党，它在解决国家生活中的一切关键问题方面，过去和今后都是依据苏联宪法来制定政治路线的。”[2]勃列日涅夫也表白了他为什么一定要兼任苏联最高苏维埃主席团主席的职务，就是可以名正言顺地和外国的国家首脑交往。他说：“五月全会的决议还反映了我们日常工作的实际情况。中央政治局的许多委员在日常工作中要直接处理国内外的事务。例如我这个党中央总书记，你们都知道，曾多次（有时是受你们的委托）代表我国进行国际交往活动，参加有关加强和平、保障各国人民安全的一些重大问题的会谈。现在，

[1] 《勃列日涅夫言论》，第8集，第146页。

[2] 参见邢广程：《苏联高层决策70年》，第4分册，第302—303页。

这些活动将得到理所当然的明文规定。”[1]

从此，波德戈尔内从苏联政治舞台上消失了。关于自己的被解职，波德戈尔内后来写道：“旁边是廖尼亚（勃列日涅夫——引注），一切正常，突然来自顿涅茨克的州委书记卡丘拉发言并建议总书记兼任最高苏维埃主席。我懵了，问道：‘廖尼亚，这是怎么回事？’他说：‘我自己也不懂，不过看来是人民想要这样，人民。’”

1977年10月4—7日，苏联最高苏维埃非常会议通过了《苏维埃社会主义共和国联盟宪法（根本法）》，并宣布从10月7日开始实施。“苏联新宪法在法律上固定了一个事实，即随着社会在经济基础和社会结构中发生的深刻变化，随着成熟社会主义的建成，随着所有社会阶层的人向工人阶级的思想政治立场转变，反映我国工人、农民和知识分子以及各个民族所有劳动人民意志和利益的社会主义全民国家在我国产生并得到了巩固。”[2] 苏共把1977年通过的宪法称作“发达社会主义的真正的宣言书。”[3] 这样，勃列日涅夫的“发达社会主义社会建设者和旗手”的地位，也获得了宪法的保障。安德罗波夫称：“新宪法理所当然地同列昂尼德·伊里奇·勃列日涅夫的名字联系在一起。”[4]

影响政局的第二件大事是苏共中央政治局委员、中央书记库拉科夫于1978年7月16—17日的夜里猝死，从而为戈尔巴乔夫的崛起提供了政治机遇。

费德尔·达维多维奇·库拉科夫生于1918年，1940年加入苏共。1955年，库拉科夫任俄罗斯联邦农业部副部长，1960年任苏共斯塔夫罗波尔边疆区委第一书记，1965年9月当选苏共中央书记，1971年又升任苏共中央政治局委员。库拉科夫1968年做过胃部切除手术，但身体仍然健壮，1978年7月16日夜晚，在身边无人的情况下，17日上午发现已死亡。苏共中央的讣告称库拉科夫“因心脏衰竭”而突然去世。库拉科夫在苏共中央书记处里主管农业。此时，勃列日涅夫已病入膏肓；必须很快物色一位苏共中央书记，顶替因库拉科夫死亡而

[1] 参见邢广程：《苏联高层决策70年》，第4分册，第303页。

[2] 《发达社会主义》，苏共中央马列主义研究院科学共产主义部编写，中国人民大学苏联东欧研究所译，中国人民大学出版社1982年版，第46页。

[3] 同上书，第1页。

[4] 参见《苏联共产党93年》，第778页。

出现的空缺。安德罗波夫竭力推荐时任苏共斯塔夫罗波尔边疆区委书记的戈尔巴乔夫。11 月 25 日，戈尔巴乔夫被突然召到莫斯科，经勃列日涅夫亲自约见被选中。这样，戈尔巴乔夫就击败契尔年科推荐的波尔塔瓦州委第一书记莫尔贡，成为新的政治明星。

1978 年 11 月 27 日，苏共中央举行全会，“根据健康状况和个人请求”，解除马祖罗夫苏共中央政治局委员职务；契尔年科由政治局候补委员升为政治局委员；苏联部长会议第一副主席吉洪诺夫、格鲁吉亚共和国党中央第一书记谢瓦尔德纳泽当选政治局候补委员；戈尔巴乔夫当选苏共中央书记。1979 年 11 月 27 日召开中央全会，吉洪诺夫又升为政治局委员，戈尔巴乔夫被选为政治局候补委员。1980 年 10 月 21 日，中央全会选举戈尔巴乔夫为中央政治局委员，选举白俄罗斯共和国党中央第一书记基谢廖夫为中央政治局候补委员。吉洪诺夫和戈尔巴乔夫在三年里实现了“三级跳”。

第三件事情是马谢罗夫死于意外的交通事故。

1980 年 10 月 4 日，苏共中央政治局候补委员、白俄罗斯共和国党中央第一书记马谢罗夫死于车祸。苏共中央参加葬礼的是苏共中央书记卡皮托诺夫，政治局委员中无一人参加，为此曾引起苏联国内外的一些猜测。经过多年的调查和一些当时参与处理事故和知情者的回忆，目前已排除了政治因素，认定这是一起意外的交通事故。

彼得·米罗诺维奇·马谢罗夫生于 1918 年，卫国战争期间是白俄罗斯游击队的著名指挥员，1943 年参加苏共后，任游击大队政委。1955 年任布列斯特州委书记，1959 年任白俄罗斯共产党中央书记，1965 年 3 月出任白俄罗斯共产党中央第一书记，1966 年 4 月苏共二十三大后，当选苏共中央政治局候补委员，20 世纪 70 年代后期，也成为勃列日涅夫接班人的考察人选之一。

1980 年 10 月 4 日下午，马谢罗夫决定去看看集体农庄。因为事情是马谢罗夫自己临时决定的，他的专用车、每位政治局委员拥有的“吉尔”牌装甲汽车正在检修，马谢罗夫又坚持要走，于是就用“海鸥”车代替。坐在马谢罗夫身旁的是警卫员，前面有一辆“伏尔加”开道，后面跟着一辆“伏尔加”。车行到莫斯科—布列斯特公路干线 659 公里路段时，迎面飞驰开来一辆“马兹”卡车。在“马兹”卡车后面，还跟着一辆“嘎斯”翻斗车，车上装着 3500 公斤土豆，这是白俄罗斯农业部农作研究所实验基地的车。“马兹”的驾驶员按照迎面护行车发出的命令，向右侧靠，并减速、准备停靠。可是，跟在后面的“嘎斯”驾驶员大概被迎面三辆飞驰的车队所吸引，一时走了神。眼看即将撞上“马兹”，“嘎斯”的驾驶员突然猛打方向盘，几乎是横着从左侧冲向公路的逆行车道。“海鸥”车全速撞上“嘎斯”，随着轰然一声巨响，顿时燃烧起来。在前面开道的“伏尔加”立即折返，“海鸥”车的驾驶员叶甫盖尼·费多罗维奇·扎依采夫，一位优秀的、经验丰富的老驾驶员和警卫员当场丧命，马谢罗夫的心脏还在跳动，在送往医院的途中停止了呼吸。

此案经由白俄罗斯检察院特别重大案件侦查处进行侦查，由最有名的交通事故调查专家对涉案的车辆、有关人员进行细致的侦查，结论是：“马兹”驾驶员在事故中无过失；“海鸥”驾驶员采取的行动符合交通规则的要求（留在公路右侧的刹车印迹可以证明）；“嘎斯”驾驶员因贪看路景，未减低车速，而且向左打方向盘，侵走逆向车道，违反了交通规则。侦查的结论是：恶性交通事故。

这起致 3 人死亡的恶性交通事故的责任人、“嘎斯”驾驶员尼古拉·普斯托维特，时年 33 岁，是个有 3 个孩子的父亲。普斯托维特为人厚道，性情温顺，在 16 年的驾驶历史上从未违反过交通规则，因而得到过 47 次表彰。法医对普斯托维特的鉴定结论是：无精神病，无不正常举止，能控制自己的行为，性格平静、稳重。以苏联总检察长高级助理卡拉科佐夫为首的侦查组经仔细侦查，没有发现普斯托维特有任何可疑的地方。1980 年 12 月下旬，白俄罗斯共和国最高法院以交通肇事罪判处普斯托维特 15 年监禁，在普通劳改队服刑，剥夺驾驶交通工具的权利 5 年。马谢罗夫的遗孀和女儿多次写信给各级机关，请求给予普斯托维特宽大。普斯托维特对自己所犯罪行的严重后果，更是悔恨交加。1985 年 6 月 20 日，普斯托维特被提前释放，并准予重当驾驶员。

第四件事情是柯西金被解除苏共中央政治局委员和苏联部长会议主席职务。

20 世纪 70 年代中期，新经济体制改革“安乐死”时，柯西金即萌生退意，但是勃列日涅夫不准他辞职。柯西金和勃列日涅夫的私交也很坏，除了政治局会议和工作上的必要接触之外，他们几乎从不交谈。勃列日涅夫说起柯西金时，曾经鄙夷地摇摇头说："这也算政治家!""愚蠢"。[1] 勃列日涅夫经常把苏联经济出现的困难，归罪于苏联部长会议的工作。1973 年 8 月 28 日，《真理报》刊登苏共中央《关于轻工业部工作》的决议，严厉批评轻工业部工作的严重缺点：许多工厂中生产纪律很差，工艺水平很低；产品不合规格；品种不符合市场要求，产品没有销路，等等。苏联轻工业部部长，化学工业部部长，食品工业、机器和日用器械制造部部长，都被点名批评。1978 年 11 月 7 日，积极支持、协助柯西金开展经济体制改革的马祖罗夫被逐出政治局，已经预示着柯西金的个人结局了。1980 年 10 月 21 日，勃列日涅夫在苏共中央全会上谈到苏联国民经济的困难时，又批评"除了客观原因之外，阻碍发展速度的还有工作中的缺点。应当公开承认：管理和计划机制、经营管理方法和行政纪律还都没有提高到当前要求的水平。"[2] 这是在中央全会上不指名地公开指责柯西金。10 月 24 日，苏联最高苏维埃会议通过柯西金由于身体状况辞去苏联部长会议主席职务的决议，任命第聂伯罗彼得罗夫斯克帮的重要成员、被勃列日涅夫长期安排在柯西金身边的吉洪诺夫为苏联部长会议主席。勃列日涅夫在会上说："柯西金同志身体恶化，需要休养和摆脱频繁的活动，他自己提出解除苏共中央政治局委员和苏联部长会议主席的职务。"[3]

这样，在苏共二十六大召开之前，苏共中央领导机构早已安排妥当了。

1981 年 3 月 3 日，苏共二十六大选出 319 名中央委员会委员，151 名中央委员会候补委员，75 名中央检查委员会委员。当天，中央委员会举行全体会议，根据事先的安排，选举勃列日涅夫为苏共中央总书记，选出以勃列日涅夫为首的 14 名政治局委员、8 名政治局候补委员、10 名中央书记。

勃列日涅夫在苏共二十六大上提出要修改党纲。他说：二十五大以后，党在理论领域的成就"首先要指出的，是制定了发达社会主义的概念。""发达社会主义是共产主义形态形成过程中一个相当长的、必要的、合乎规律的历史阶段。"勃列日涅夫说：现行的这个党纲通过已有 20 年了。"这段时间里在苏联

---

[1] ［俄］阿·谢·切尔尼亚耶夫：《鲜为人知的勃列日涅夫》，转引自《马克思恩格斯列宁斯大林研究》，2006 年第 4 期，第 37 页。

[2] 《勃列日涅夫言论》，第 16 集，第 269 页。

[3] 参见邢广程：《苏联高层决策 70 年》，第 4 分册，第 316 页。

已积累了丰富的社会主义和共产主义建设经验，这就是通过发达社会主义阶段进入共产主义。”“这个结论是党在最近几年所得出并经过研究的，无疑要以应有的方式反映在党纲中。”[1] 勃列日涅夫要把“发达社会主义”作为他的独创，并据此在修订“勃列日涅夫宪法”之后，再修订一部“勃列日涅夫党纲”，一并载入苏联和国际共运的史册。只是党纲还来不及修订他就死了。随着勃列日涅夫的死，“发达社会主义”也烟消云散。

第二节 赫鲁晓夫逝世

赫鲁晓夫与《赫鲁晓夫回忆录》

“退休”以后，赫鲁晓夫被安排住在莫斯科郊外彼得罗沃达利涅耶镇的一座别墅里。在这里，赫鲁晓夫走完他人生的最后 7 年历程。

从 1966 年 8 月开始赫鲁晓夫口授回忆录，主要由他的儿子谢尔盖・赫鲁晓夫录音并整理。赫鲁晓夫当政时，克格勃的工作人员向他报告：朱可夫在写回忆录，并建议把回忆录偷出来，使他写不下去。赫鲁晓夫听后，不以为然地说：“这有什么？让他写去好了。现在他无事可干。别采取任何措施，他认为需要干什么就让他干去吧。这一切对于我国的历史说来十分重要。朱可夫因为犯有过失解除了职务，但这既同他从前的活动无关，也同今天写回忆录无关。”[2] 然而赫鲁晓夫写回忆录就没有那么顺当了。

赫鲁晓夫口授回忆录，开始时没有什么提纲，也没有任何书面文件可以借助，而是完全凭他的记忆，想说什么就说什么，想到哪里说到哪里。他是从加勒比海古巴导弹危机开始说的，他认为这件事不仅在当时，即使到现在仍然是世人关切的。后来，赫鲁晓夫得知取他而代之的苏共新领导，不仅将他实行的种种改革措施统统铲平，一切都回到原来的轨道上去，而且为斯大林平反，

[1] 辛华编译：《苏联共产党第二十六次代表大会主要文件汇编》，三联书店 1982 年版，第 105 页。

[2] ［俄］谢・赫鲁晓夫著：《赫鲁晓夫下台内幕》，述弢译，中央编译出版社 2000 年版，第 210 页。

努力恢复斯大林的“好名声”。赫鲁晓夫又激动起来了，把口授回忆录当作自己晚年生活的轴心来做。于是，有了口授提纲，每天上、下午，大约口授3—4小时，口授的“高峰”是在1967—1968年之交的那个冬季。他认为应当讲的是：“我曾亲自目睹我国历史中最富有戏剧性的时刻。首先讲斯大林，讲他的错误和罪行。因为我看到，又有人想洗刷掉他手上的鲜血，把他捧得很高。我想讲讲战争的真相。广播和电视上向人民灌输的那些陈词滥调实在让人厌倦了。应当讲真话。”[1] 赫鲁晓夫自认为还应当“阐明当代生活中所有主要的问题”，像战争回忆录、垦荒和农业问题、发展工业、改组国民经济、苏共二十大、部队整编和国防工业、社会民主化的方式、和知识界的关系、国际事务和日内瓦会谈、裁军和禁止核武器、同中国关系的思考，等等，内容非常庞杂。4年里，赫鲁晓夫用于口授的总时数累计超过180小时。

当口授有了几千米的录音带之后，赫鲁晓夫开始为回忆录的“命运”问题而犯愁了。他曾不止一次地重复说：“这一切都是白费。无效劳动。全都保不住。我人一死，他们会把什么全都拿走销毁，或者掩埋得不留一点痕迹。”[2] 于是，他们采取了多种“预防”措施：复制多份录音带；分散保存；整理成文字保存；寻找途径，将录音带和整理好的文字稿转移到国外去。

果然，勃列日涅夫得知赫鲁晓夫在口授回忆录之后，既不安、又恼怒。1968年4月，苏共中央政治局委员、苏共中央书记、苏共中央干部部部长基里连科，苏共中央政治局委员、苏共中央监察委员会主席佩尔谢，苏共中央政治局候补委员杰米契夫等三人，将赫鲁晓夫召到克里姆林宫“谈话”。基里连科开门见山说，中央委员会了解到，赫鲁晓夫同志一直在写自己的回忆录。“回忆录中讲到我党和我国历史上的各种大事。实际上这是在改写党的历史。而阐明党的历史、我们苏维埃国家的历史乃是中央委员会的事情。因此中央政治局要求你停止回忆录的写作。至于已经口授的部分，应立即交给中央。”基里连科并且说：我是转达党中央政治局的决定，你身为共产党员必须服从，不然的话……赫鲁晓夫回答说：“世界上写回忆录的人很多，在我国也不例外，这是正常现象。回忆录不是历史教科书，而是每个人对自己一生的看法。回忆录可

[1] ［俄］谢·赫鲁晓夫著：《赫鲁晓夫下台内幕》，第224页。

[2] 同上。

以对历史起补充作用，可以成为我国未来历史学家（研究历史）的好素材。既然如此，我认为你们所提的要求是同宪法相抵触的，是对一个苏联人的人身侵犯。因此，我拒绝接受你们的要求。”说着说着，赫鲁晓夫就激动起来，补充说：“你们可以动用武力把我送进监狱，或者动用武力没收这些材料。今天你们可以对我采取这一切措施，但是我坚决抗议。”[1]

这次“谈话”以后，赫鲁晓夫的情绪很不好，并认为他们(勃列日涅夫们)是不会就此罢休的，因而加紧进行将材料，包括录音带副本和经过整理的部分文字稿，转移到国外的工作，并且终于成功地完成。这些工作当然逃不过克格勃的视线。1970 年 3 月 25 日，安德罗波夫向苏共中央政治局提交了一份绝密报告，内称：“赫鲁晓夫正在加紧撰写关于其一生中担任党和国家重要职务时期的回忆录。在业已口授的回忆录中，详细披露了属于党和国家重要机密的情况，所涉及的至关重要的问题有苏维埃国家的防御能力、工农业和整个经济的发展、科技成果、国家安全机构的工作、对外政策、苏联共产党与社会主义各国和资本主义各国的兄弟党之间的关系。披露了苏共中央政治局秘密会议上讨论问题的做法。”[2] 安德罗波夫建议：亟须采取紧急而有效的措施，对赫鲁晓夫的回忆录写作进行监督，并防止十分可能的党和国家机密向外泄露。此后，对赫鲁晓夫的“监督”是加强了，不过谢尔盖已经将材料转移到国外去了。

苏共中央得知国外即将出版赫鲁晓夫的回忆录，1970 年 11 月 10 日，赫鲁晓夫在“退休”之后，第二次被召到克里姆林宫。苏共中央监察委员会主席佩尔谢等人与之进行了长时间的“谈话”。佩尔谢说：我受政治局的委托请您对一个外交问题作出解释。“据我国驻美大使多勃雷宁报告，11 月 6 日美国时代新闻出版集团代表在纽约宣布他们掌握了‘尼·谢·赫鲁晓夫回忆录’。回忆录自 11 月 23 日起在《时代》杂志上连载，然后再出版名为《赫鲁晓夫回忆录》的单行本。”“我们想听听您对这个问题的解释和您对这个问题的态度。”赫鲁晓夫表示抗议，说“我没有把材料交给任何人。我比您还共产党员呢。”赫鲁晓夫表示：至于作过口授那是每个公民和每个共产党员的权利。后来，“谈话”

[1] ［俄］谢·赫鲁晓夫著：《赫鲁晓夫下台内幕》，第 232 页。

[2] 同上书，第 261 页。

变成了粗鲁地拍桌子争吵。“我准备上十字架，你们拿着钉子和斧头吧。”[1]最后，赫鲁晓夫被迫在一份声明上签字：“我从未将回忆录或回忆录性质的材料交给任何人——并未交给时代公司或其他国外出版社。我也未将此类材料交给苏联的出版社。因此我声明，这一切纯属捏造，卖身投靠的资产阶级报刊的此类谎言曾一再被人揭穿。”起先，佩尔谢拿出一份事先草拟好的“声明”，要赫鲁晓夫签字，内容是“赫鲁晓夫从未写过回忆录，也从未交给任何人，所出版的书系伪造品。”赫鲁晓夫拒绝签字，并说：“这是假话，说假话是罪过，在我这样的年纪更是罪过。”于是有了上述的声明。[2]1970年11月16日，塔斯社发表了赫鲁晓夫的《声明》。

1970年底和1971年初，美国时代出版公司和英国安德烈·多伊奇出版公司分别出版了《赫鲁晓夫回忆录》。很快，这本书被译成世界上15种文字出版（1971年的俄文本是从英文本转译过来的）。1974年，美国利特尔—布朗出版公司和英国安德烈·多伊奇出版公司，又分别出版了《赫鲁晓夫回忆录续集——最后的遗言》。1990年2月，苏联《星火》、《历史问题》等杂志开始陆续发表赫鲁晓夫回忆录。苏联剧变以后，1997年，莫斯科瓦格里乌斯出版社出版了一卷本的赫鲁晓夫回忆录选集。1999年，“莫斯科新闻”出版集团出版社出齐了4卷本的赫鲁晓夫回忆录。[3]

赫鲁晓夫逝世

1970年5月29日，赫鲁晓夫曾突发心肌梗塞，住进莫斯科格拉诺夫斯基大街的一家医院，不久即出院。

1971年9月5日，赫鲁晓夫再次心肌梗塞。因为是星期日，不便去医院，只是在家里服药、休息，病情加重了。赫鲁晓夫像是预感到什么，对妻子说：

---

[1] 在党的监察委员会与尼·谢·赫鲁晓夫的谈话。总统档案馆。特别档案袋。尼·谢·赫鲁晓夫文献，1970年，《赫鲁晓夫下台内幕。附录》。

[2] ［俄］谢·赫鲁晓夫著：《赫鲁晓夫下台内幕》，第287—288页。

[3] *Хрущев Н.С.* Время. Люди. Власть.（Воспоминания）. В 4-х кн.-М.: Информ. издат. компания “Московские новости”. 1999.

"看来我是活不过今年秋天了。"[1] 第二天，赫鲁晓夫被送进孔策沃医院，夜间又发生心肌梗塞。9 月 11 日，赫鲁晓夫病逝。9 月 13 日在莫斯科新圣母公墓举行葬礼。葬礼是非官方的、家庭性质的，不过费用由苏共中央承担。赫鲁晓夫死后，苏共中央立即指派相关部门搜查了他的住所，拿走了所有的录音磁带和文件。9 月 13 日，《真理报》在第一版的下方，用小号字登了一则带黑框的消息："苏共中央委员会和苏联部长会议沉痛宣告，原苏共中央第一书记、苏联部长会议主席、特种养老金领取者尼基塔·谢尔盖耶维奇·赫鲁晓夫因患重病医治无效，于 1971 年 9 月 11 日逝世。终年 78 岁。"许多国家的元首和政府首脑、社会名流、共产党领导，还是发来唁电。不过，这些唁电送到赫鲁晓夫家属手中时，都已经是肮脏的、破损的，离发出的日子很久了。

1975 年 8 月，在赫鲁晓夫的墓上安放了由雕塑家涅伊兹韦斯特内创作的墓碑。

第三节　苏共一党执政体制的僵化

终身制与勃列日涅夫遇刺事件

勃列日涅夫上台之后，以稳定为由，在苏共二十三大上取消了苏共二十二大通过的党章第 25 条，即取消了关于各级党的领导人任期制和各级党委员会委员更新比率的规定。此后，连选连任也制度化了："选"是一种形式，连任才是实际。在整个赫鲁晓夫当政时期，党中央委员连选连任的占 49.6%。勃列日涅夫取消了领导职务定期轮换制后，1976 年苏共二十五大时，党中央委员连选连任的比率上升为 83.4%，1981 年苏共二十六大这个比率更上升为 90% 以上。党中央政治局、书记处成员的变动更小。在勃列日涅夫当政的 18 年里，被从苏共中央政治局和书记处撤换下来的有：米高扬、什维尔尼克、谢列斯特、沃罗诺夫、马祖罗夫、波利扬斯基、卡图谢夫、里亚鲍夫等人；其中里亚鲍夫 1976 年 10 月 25 日当选苏共中央书记，1979 年 4 月 18 日被解除苏共中央书记职务，是苏共中央领导圈里任期最短的一人。病逝的有：鲁达科夫

[1] ［俄］谢·赫鲁晓夫著：《赫鲁晓夫下台内幕》，第 326 页。

死于1966年7月，格列奇科死于1976年，库拉科夫死于1978年7月，马谢罗夫于1980年10月4日死于车祸。在勃列日涅夫当政的年代里，苏共中央政治局和书记处的成员，除了政治原因和死亡之外，几乎都是连选连任和做加法。1976至1981年两届加盟共和国的党代表大会选举，共和国党中央第一书记除自然病逝和任命新工作而调动之外，也是无一人被更换。

1969年1月勃列日涅夫遭遇有预谋的暗杀，却十分幸运地毫发未损，成为勃列日涅夫终身制历史上的一个小插曲。

暗杀勃列日涅夫的刺客维克多·依万诺维奇·伊里因，1947年出生于列宁格勒，俄罗斯人，毕业于列宁格勒测绘学院，1968年3月入伍，在列宁格勒附近的罗曼诺夫市[1]服役，少尉军衔。伊里因平时行事古怪，政治上有主见。他曾反对苏军入侵捷克斯洛伐克，对领导职务终身制也表示不满，在政治学习会上还明知故问："那为什么我们国家是一党专制呢？""非洲国家的军官能搞政变，我们国家行吗？"[2]在部队里，伊里因被认为是一个"自由主义者"。

1969年1月20日，伊里因从部队的保险柜里偷了2支马卡洛夫式手枪和4夹子弹，悄悄地溜出营区，乘飞机来到莫斯科，准备暗杀勃列日涅夫。伊里因已经探明：1月22日，勃列日涅夫必将出席克里姆林宫欢迎"联盟4号"和"联盟5号"宇航员大会；勃列日涅夫的车队、座车也必将经过博罗维察门，进入克里姆林宫。伊里因到莫斯科后，在当民警上尉的朋友家里住了一夜，还偷了朋友的一套民警服装，因为他准备化装成民警，混进克里姆林宫。

列宁格勒罗曼诺夫市驻军在1月20日上午就发现伊里因神秘地失踪，而且还偷了2支手枪。当地驻军还从飞机场查到依里因已乘飞机去了莫斯科。罗曼诺夫市驻军首长感到蹊跷、严重，立即向上级报告，并通报国家安全部门。

---

[1] 罗曼诺夫市是古罗斯的城市名称。19世纪20年代与鲍里索格列布斯克市合并，称罗曼诺夫–鲍里索格列布斯克市。1918年改名为图塔耶夫市。苏联人在习惯上仍称罗曼诺夫市。

[2] 参见［俄］尼·津科维奇著：《极端政治：前苏联首脑遇刺秘闻》，成都科技翻译研究会译，中央编译出版社1998年版，第196页。

1月21日，苏联国家安全委员会副主席茨维贡已经收到有关伊里因将刺杀勃列日涅夫的情报，但有意不向安德罗波夫报告，企图借此制造事端，整安德罗波夫。安德罗波夫获悉这一危险局势后，立即加强对克里姆林宫以及通往博罗维察门和斯帕斯基门的警卫。安德罗波夫指示电视不断报道车队次序的消息，强调勃列日涅夫乘坐在第二辆车上。1月22日上午临出发时，安德罗波紧急安排勃列日涅夫改乘最后一辆——第五辆车。

1月22日上午，伊里因装扮成民警，混入克里姆林宫，假装在珍宝馆前维持秩序。当车队驶经克里姆林宫博罗维察门时，伊里因疯狂地扑上去，放过第一辆轿车，抵近第二辆轿车的挡风玻璃，左右手用两支手枪同时连射，顷刻之间射出16发子弹。驾驶员被击中，当即瘫伏在方向盘上。克格勃9处的军官雅戈德金扑向暗杀者，并将他摔倒在地。回过神来的警卫人员也一齐上前，将暗杀者的双手反扭到背后。受伤的驾驶员扎尔科夫被急送医院，第二天早晨去世。

其实，勃列日涅夫并未按常规乘坐这辆车，这辆车上乘坐的是宇航员。宇航员虽然吃惊不小，并被碎玻璃击伤，却都并无大碍。原来克格勃的特别保安人员在得知一名军官携带两支手枪由列宁格勒飞抵莫斯科的情报后，为防万一，让勃列日涅夫改乘车队的最后一辆汽车并临时改道，从另一座门进入克里姆林宫。因此，这次暗杀事件只是使电视实况转播中断了一小时，欢迎宇航员的大会照常举行。

伊里因被指控触犯了五条刑法而被提起公诉：制造并散布诋毁苏维埃制度的诽谤言论罪；恐怖活动未遂罪；故意杀人罪；盗窃武器罪；开小差罪。经过几次审问，精神病科鉴定，证明伊里因患有精神分裂症。1970年5月，伊里因被强制送往喀山精神病院治疗。由于他母亲的努力，1988年，伊里因被转到列宁格勒第三精神病院疗养。1990年，军事法庭解除了对伊里因的强制治疗，允许他回家。在这20年里，伊里因并没有退役；他仍然是现役军人，他的名字被作为病号列在原来所在的部队的花名册上。这样，伊里因还有权要求按病假获得工资。1990年，伊里因被强迫退役。

苏联剧变以后，据俄罗斯《红星报》1992年5月16日报道：圣彼得堡法院裁定，向在1969年1月试图枪杀勃列日涅夫的前少尉维克多·伊里因支付2.4万卢布赔偿金。伊里因本人曾要求赔偿6万卢布，因为“他以行刺勃列日涅夫的壮举加速了苏联改革时代的到来”[1]。法院未予支持。

在这一事件中，伊里因本人所受的惩罚应该说是很轻的，但别人却因他而受连累了：列宁格勒军区一批将、校军官被撤职；伊里因所在部队首长统统被撤职，部队被整训；将伊里因征召入伍的区兵役局主任也被撤职；伊里因的两位同在部队服役的好朋友以“知情不报”罪，分别被判处 5 年监禁。据为伊里因治疗的医生说：伊里因为打死驾驶员而十分后悔，也为因他而受牵累的朋友们难过。[2]

由于终身制，勃列日涅夫时期的苏联成了名副其实的老人政治。1981 年苏共二十六大产生的政治局委员，平均年龄超过 70 岁；书记处成员平均年龄超过 68 岁；核心成员平均年龄超过 75 岁。一些重要岗位的领导干部，都由勃列日涅夫任命老人来担任。国防部长格列奇科 1976 年去世时 73 岁，勃列日涅夫任命已经 69 岁的乌斯季诺夫来接替；苏联交通部部长科热夫 1975 年去世时 70 岁，接替这一职务的索斯诺夫已经 67 岁；苏联造船工业部部长托马 1976 年去世时 69 岁，接替这一职务的叶戈罗夫也已 69 岁。1977 年，勃列日涅夫兼任苏联最高苏维埃主席团主席时 72 岁，任命比他年长 5 岁的库兹涅佐夫担任苏联最高苏维埃主席团第一副主席，作为自己的助手。1976 年，吉洪诺夫担任苏联部长会议副主席时已 72 岁，1980 年被任命为苏联部长会议主席时已是 76 岁了。[3]

一党执政与政党领袖

勃列日涅夫在他当政的 18 年里，像数学公式一样每隔 5 年召开例行的党代表大会，完成例行的议程。在党代表大会闭会期间，也是按例召开中央委员会全体会议、中央政治局会议、中央书记处会议。勃列日涅夫在苏共二十四大与二十五大之间的 5 年里，召开过 11 次中央委员会全体会议，215 次中央政治局会议，205 次中央书记处会议；在二十五大与二十六大之间的 5 年里，召

[1] 参见《苏联共产党 93 年》，第 669 页。

[2] 参见［俄］尼·津科维奇著：《极端政治：前苏联首脑遇刺秘闻》，第 206 页。

[3] 参见《苏联兴亡史论》，第 601 页。

开过 11 次中央委员会全体会议，236 次中央政治局会议，250 次中央书记处会议。举行这些会议，按勃列日涅夫的说法是："定期研究、解决党和国家生活中各种极其重要的内外问题。"但是，不管是斯大林当政时期 13 年不开党代表大会、几乎不开中央全会、极少召开政治局会议，或者如勃列日涅夫当政时期，按例定期召开党代表大会，每半年召开一次中央全会，几乎每星期举行一次政治局、书记处会议，都不改变勃列日涅夫沿袭斯大林时期的政治体制这一事实，使以党代政、党政一体这种政治体制更趋完备，直至僵化。就连党章规定每 5 年举行一次党代表大会来说，也是出于党政一体的考虑。勃列日涅夫在苏共二十四大的总结报告中说："每 5 年举行一次苏共代表大会，就能使党作出总结，并根据我们已确定的国民经济计划实行办法制定下一个 5 年的任务。建议各加盟共和国共产党代表大会也每 5 年举行一次。"[1] 勃列日涅夫要求苏共每 5 年举行一次代表大会，是和苏联发展国民经济的五年计划相对应，并且合为一体。

以党代政、党政一体的政治体制，追根溯源，起始于建立苏维埃政权的特殊道路和苏维埃政权在初创时的特点。这种特殊道路和特点使得苏联社会里政党和政权之间的特殊关系逐渐演变成僵化的特殊政治体制。

苏共成立于 1898 年，当时称俄国社会民主工党。成立党的目的在列宁看来就是夺取政权。因此，布尔什维克党的指导思想、组织原则、活动策略，完全集中到夺取政权上来，并且实现了这一目标。用列宁的话来说就是："权力的来源不是预先讨论和通过的法律，而是来自下面地方上人民群众的直接的创举，用流行的话来说，就是直接的'夺取'。"[2] 当共产党成为国家的执政党，唯一的、一党执政的执政党以后，党的目标就是巩固和保持政权。按列宁的说法是："无产阶级的革命专政是由无产阶级对资产阶级采用暴力手段来获得和维持的政权，是不受任何法律约束的政权。"[3]

苏维埃国家建立以后，共产党成为国家的唯一执政党，国家也成为无产阶级专政的国家。创建苏联国家的历史确实是：有苏共尔后才有苏维埃国家，

[1] 《勃列日涅夫言论》，第 7 集，第 123 页。

[2] 《列宁选集》，第 3 卷，人民出版社 1995 年版，第 19—20 页。

[3] 同上书，第 594—595 页。

党权即政权。问题在于布尔什维克党并没有随着自身地位的转变而转变对党和国家政权关系的一般认识。所以，共产党以暴力夺取政权实现一党执政的措施和现实，无论在理论上或实践上，都成为日后以党代政、党政一体的观念氛围和客观环境。自此，苏共始终以国家和宪法的缔造者自居，凌驾于国家和宪法之上。这种观念和实际，被斯大林认为是马克思主义的、天经地义的、最最合理的。

赫鲁晓夫担任苏共中央第一书记后，提出“全民国家”、“全民民主”、“全体人民的党”等概念和思想。此外，赫鲁晓夫又提出按生产原则自上而下地建立党机关，取消现有的区党委，建立分管农业和工业的两个平行党委。尽管赫鲁晓夫关于党的改革的思想和观念既模糊，又不科学，采取的措施也甚为草率，但它表明赫鲁晓夫希望变革苏共作为国家执政党虽已有45年，而指导思想、组织原则、活动策略却丝毫不变的那种状况，希望在进行经济改革的同时，在政治改革方面也有所动作。此外，也表明赫鲁晓夫考虑到苏共作为长期实行一党执政的国家执政党的合法性问题。只是赫鲁晓夫没有从体制层面上去思考和探索苏联党政关系的新道路，他的思考始终没有跨越作为以党代政、党政一体的苏共中央第一书记的个人界限。因此，随着勃列日涅夫取代赫鲁晓夫，刚刚开始触及、尚未有明朗思想、更谈不上具体措施的关于变革党政关系问题，也被闷死了。

勃列日涅夫当政期间在党政一体的体制方面，使一些实际已经存在的做法成为苏联的不成文法，成为凌驾于宪法之上的法中之法。这些做法有：党内政治生活家长制；领导职务终身制；干部选拔任命制；全党组织等级制。这些不成文做法的制度化、凝固化，使苏共彻底地走向其创建时的初衷的悖论。

勃列日涅夫当政时期的党内政治生活，从某些现象上看确实比斯大林时期要民主一些、正常一些，包括定期召开党代表大会，每半年召开一次中央全会，几乎每星期举行一次政治局会议和书记处会议，也没有进行像斯大林时期那样连绵不绝的大清洗。但是，党内政治生活的家长制却制度化了。

勃列日涅夫当政的18年里，苏共党员从1247万余名发展到1748万余名，是世界上数一、数二的大党。勃列日涅夫把每隔5年举行的代表大会看作是为苏联历史树立一座座里程碑。勃列日涅夫在苏共二十四大闭幕式讲话中说：“苏联人民有权把党的历次代表大会看成是自己历史中的重要里程碑，看成是自己向共产主义顶峰前进中的重要里程碑。”[1]1980 年 6 月 23 日，勃列日涅夫说到将于 1981 年春召开苏共二十六大时又说：“每一次代表大会都为我们党和国家开创了新的前景。”[2] 勃列日涅夫所说的“苏联历史的重要里程碑”，实际上是为自己树立“历史里程碑”。

为了把勃列日涅夫作为一座“历史里程碑”，苏共中央强调苏共党内的服从必须是无条件的。1969 年，苏斯洛夫在《列宁主义和世界的革命改造》一文中说：“民主集中制是党的思想原则、策略原则和组织原则的统一，这些原则体现在党纲和党章中，遵守党纲和党章是每个共产党员和每个党组织的义务……党还有统一的纪律，党把自己的全部活动建立在少数无条件服从多数、下级组织无条件服从上级组织的基础之上。”[3]在宣布苏联共产党已成为全体苏联人民的党的同时，却强调苏共的民主集中制是：“少数无条件服从多数、下级组织无条件服从上级组织”，实际是要求全党、全国无条件服从勃列日涅夫。

新的造神运动也大规模地展开。

1966年12月19日是勃列日涅夫60岁生日，苏联举行隆重的祝寿活动。“为了表彰他在共产主义建设和巩固国家防御力量方面对共产党和苏维埃国家作出的卓越贡献；为了表彰他在伟大卫国战争前线，在反对德国法西斯占领者斗争中建立的丰功伟绩”，苏联最高苏维埃和苏联部长会议特授予勃列日涅夫苏联英雄称号和最高军功章金星奖章，同时授予他第 4 枚列宁勋章。

为了树立勃列日涅夫的马克思列宁主义理论大师的地位，苏联政治书籍出版社于 1971 年 2 月出版了两卷集的勃列日涅夫文集《遵循列宁主义的方针》。该文集收入勃列日涅夫 1964 年 10 月 19 日《在劳动人民代表欢迎宇宙航行员大会上的讲话》等 1964 年的 4 篇讲话；1965 年《在克里姆林宫庆祝苏联卫国战争胜利 20 周年大会上的报告》等 13 篇讲话；1966 年《在第比利斯体育宫授予格鲁吉亚列宁勋章庆祝大会上的讲话》等 10 篇讲话；1967 年《在授予高尔基州列宁勋章大会上的讲话》等 8 篇讲话；1968 年《在苏联共青团中央庆祝共

[1] 《苏联共产党第二十四次代表大会主要文件汇编》，第 243 页。

[2] 《勃列日涅夫言论》，第 16 集，第 153 页。

[3] 《苏斯洛夫言论选》，上海师范大学历史系世界史教研室译，上海人民出版社 1976 年版，第 825—826 页。

青团成立50周年全体会议上的讲话》等11篇讲话；1969年《在克里姆林宫欢迎"联盟4号"和"联盟5号"宇宙航行员大会上的讲话》等14篇讲话，以及1970年4月底前《在纪念列宁诞生100周年大会上的报告》等5篇讲话，共65篇讲话。此外，文集还收入勃列日涅夫为《和平和社会主义问题》杂志刊发的两篇文章《走向共产主义胜利》、《共产主义运动进入了新的高涨阶段》；勃列日涅夫在苏共二十三大上的总结报告，以及庆祝保加利亚1944年9月武装起义胜利25周年的一篇短文《朋友、同盟者、兄弟》[1]。勃列日涅夫的"讲话集"，枯燥、干巴，味同嚼蜡，而且没有一篇、哪怕是最短的一篇是他自己动手写的，如果不是为了研究，恐怕没有人会看。但是苏联却大量印刷，大肆吹捧，直到戈尔巴乔夫上台，这些书还堆满仓库。

1976年12月19日是勃列日涅夫的70岁生日，苏共中央在全党和全国开展祝寿活动。

还在1976年5月10日，苏联最高苏维埃授予勃列日涅夫苏联元帅军衔。同时，在勃列日涅夫的家乡第聂伯罗捷尔任斯克市树立勃列日涅夫的半身铜像。1976年10月14日，勃列日涅夫以苏共中央政治局、书记处，苏联最高苏维埃主席团的名义，举行基里连科的70寿辰祝寿大会，授予基里连科列宁勋章和社会主义劳动英雄称号。基里连科在致答词中对勃列日涅夫作了无以复加的吹捧，称："列昂尼德·伊里奇，你通情达理，诚恳热情，睿智英明，无限忠于马克思列宁主义，党和人民都热爱你。你的整个生活道路、你的聪明才智，使你具备只有当代的伟大人物，我党和我国各族人民领袖才具备的那种党和国家领导人的高贵品质。"[2]勃列日涅夫当政时期盛行的党和国家领导人相互祝寿、相互授勋，归根结底还是为勃列日涅夫祝寿。苏共各级组织和苏联各地政府竞相向勃列日涅夫表示祝贺，各种各样的贺信、贺电，刊满苏联从中央到地方的各类报刊；而勃列日涅夫又要对漫天飞舞的贺信、贺电表示感谢。祝寿活动实际上早就开始了。

1976年11月30日，苏共中央书记处特别作出《关于勃列日涅夫70寿辰庆祝活动的决议》。决议规定的庆祝活动有：12月19日上午在克里姆林宫叶

[1] 刊于《和平和社会主义问题》，1969年第8期。

[2] Правда. 1976. 15 окт.

卡捷琳娜大厅举行授勋仪式，授予勃列日涅夫列宁勋章（第5枚）；12月19日晚，在克里姆林宫格奥尔基耶夫大厅，以苏共中央、苏联最高苏维埃、苏联部长会议的名义，举行600多人出席的大型招待会；12月18日晚，苏联电视台、广播电台播出苏共中央、苏联最高苏维埃、苏联部长会议致勃列日涅夫的祝词及嘉奖令，所有文件在第二天的中央及地方报纸上同时刊登；此外，刊登15个加盟共和国、莫斯科、列宁格勒、苏联武装力量、全苏工会中央理事会、苏联列宁共青团中央，以及各兄弟国家的祝词；安排发表有代表性的边疆区委、州委的贺词。[1] 在这几天里，苏联电视台要直播各种授奖仪式和招待会。至此，勃列日涅夫已获得5枚列宁勋章、2枚红旗勋章、1枚金星奖章、1枚二级波格丹·赫梅里尼茨基勋章[2]、1枚一级伟大卫国战争胜利勋章；并获苏联英雄、社会主义劳动英雄等最高荣誉称号；获苏联元帅军衔。东欧各社会主义国家授予勃列日涅夫的勋章、荣誉称号，就更多了。

勃列日涅夫——打猎爱好者

以勃列日涅夫为主人公的大型传记纪录片也于1976年11月开始公映。这

[1] 参见《苏联历史档案选编》，第30卷，第364—366页。

[2] 波格丹·米哈依洛维奇·赫梅里尼茨基（约1595—1657），乌克兰反抗波兰统治的领导人之一。1654年1月8日，赫梅里尼茨基在佩列亚斯拉夫大会上宣布乌克兰与俄罗斯合并。1943年10月10日，苏联最高苏维埃设立波格丹·赫梅里尼茨基1、2、3级勋章，表彰在卫国战争中建立军功的英雄模范人物。

部题为《一个共产党员的故事》的传记纪录片，从卫国战争前勃列日涅夫在第聂伯罗彼得罗夫斯克生活时期开始，一直拍到勃列日涅夫 1976 年 2 月在苏共二十五大上作总结报告为止。拍摄的内容除政治活动、国务活动外，还包括勃列日涅夫的打猎、驾车、看体育竞赛、与孙子散步等日常生活。苏共这一别出心裁的创造，在 20 世纪影视文化中也属少见。对勃列日涅夫的吹捧也越来越厉害。1977 年 10 月 6 日，谢瓦尔德纳泽在《真理报》上撰文说，"今天，我不能不谈到一位当代人所景仰的、把亲爱的人民与亲爱的党有机地结合起来的人。昨天，他在苏联最高苏维埃讲坛上，以他那亲切的、充满人情味的声音，以深刻的、感人肺腑的语言向全世界宣告，苏联已经建成了发达的社会主义社会。""列宁式的纯朴和博大精深、布尔什维克式的坚忍不拔、深刻的国际主义、高度的人道主义、博爱精神、集体主义者、民主主义者、职业革命家、随时随地准备对党和人民承担最重大的责任、坚定的性格和充满仁爱之心，所有这些的糅合，就是我们敬爱的列昂尼德·伊里奇·勃列日涅夫的高贵品质。"[1]

为了把勃列日涅夫包装成天生的领袖，还炮制、发表了勃列日涅夫的 3 篇回忆录。

勃列日涅夫在 1974 年中风之前，记忆力较强，也比较爱说话。他总喜欢跟周围的人说说自己的往事：年轻时的生活；卫国战争年代的经历；战后初期在扎波罗热和第聂伯罗彼得罗夫斯克担任州委第一书记时的工作情况；担任摩尔达维亚共和国党中央第一书记和哈萨克共和国党中央第一书记的工作情景。即使作为苏共中央总书记，喜欢和周围的人说说自己的往事，也没有什么不好。问题是一些阿谀奉承之徒不止一次地出主意，怂恿勃列日涅夫把这些都写出来；当然也不是由勃列日涅夫自己写，因为他从不曾写过一篇文章，而是由别人帮他写，勃列日涅夫也同意这样做。于是，召集了为数不多的、有文学专长的笔杆子，专门向他们提供各种文件，以及由女速记员根据勃列日涅夫本人

[1] 1977 年 10 月 4 日，勃列日涅夫在苏联最高苏维埃会议上作《关于苏联宪法草案及全民讨论的总结》的报告。谢瓦尔德纳泽在苏联最高苏维埃会议关于苏联宪法草案的发言。Правда. 1977. 6 окт.

口述录下的“童话”和故事。[1] 然后，这个写作班子的成员再去采访与“故事”有关的人；被采访者当然又会添枝加叶，使勃列日涅夫的形象更加高大。写作班子成员把所有这些“素材”，按照需要加以穿插编排。这样，勃列日涅夫的三篇回忆录：《小地》、《复兴》、《荒地》就出来了，相继刊登在《新世界》杂志 1978 年第 2、5、11 期上。在炮制勃列日涅夫这 3 篇回忆录中，起积极地推波助澜作用的是契尔年科、乌斯季诺夫、扎米亚京和伊格纳坚科，他们的步步高升也得益于此。[2]

所谓“小地”是克拉斯诺达尔边疆区诺沃罗西斯克市近郊的一个村落，是一块面积不足 30 平方公里、伸向海湾的岬地。1943 年初，已经占领了诺沃罗西斯克的德军企图将在该地区以南集结的苏军第 18 集团军赶下大海，巩固德军在北高加索的战略态势。时任第 18 集团军总司令的科罗捷耶夫少将（1943 年 3 月由列谢利泽中将接替），在黑海舰队的支援下，于 1943 年 2 月初决定在“小地”登陆，建立向德军侧翼进攻的基地。于是，苏德双方为争夺“小地”，展开了一场登陆战和争夺战，构成收复诺沃罗西斯克—塔曼战役的一部分。整个战役以苏军解放诺沃罗西斯克和塔曼半

勃列日涅夫的著作《小地》封面

[1] 参见［俄］格·阿·阿尔巴托夫著：《苏联政治内幕：知情者的见证》，第 345 页。

[2] 同上。

岛而胜利结束。时任第 18 集团军政治部主任的勃列日涅夫参加了这一战役，撰写相关的回忆录是理所当然的，问题是“回忆录”任意篡改事实，成为吹捧勃列日涅夫的童话。

在真实的那次战役中，是同行的士兵救起了因巡逻艇触雷爆炸而落水的勃列日涅夫；在勃列日涅夫的回忆录《小地》中，写成勃列日涅夫救起了士兵。更为荒唐的是《小地》中居然说在战争期间，联共（布）中央曾经要把勃列日涅夫召回莫斯科，担任党的领导工作；上级指挥部要为勃列日涅夫晋级，这些都被勃列日涅夫拒绝，坚决要求留在前线。

《小地》在《新世界》杂志 1978 年第 2 期发表之后，苏联掀起了一股宣传勃列日涅夫的新高潮。1978 年 2 月 20 日，苏联最高苏维埃特授予勃列日涅夫胜利勋章，表彰他在卫国战争中所作出的杰出贡献。胜利勋章是苏联的最高军事勋章，于 1943 年 8 月 11 日颁布。勋章在白金上镶嵌钻石，总重 16 克拉，受勋者的名字载入克里姆林宫一块特制的榜上。根据胜利勋章颁发条例，只有“在几个或一个方面军规模内胜利地指挥战役，并使局势发生有利于苏军的根本变化的统帅方能荣膺这种勋章。”在整个卫国战争期间，共给 12 人颁发过 14 枚胜利勋章（其中有 2 人获得 2 枚），他们都是方面军司令、苏军总参谋长、作为最高统帅的斯大林本人，以及 5 名外国人：艾森豪威尔、蒙哥马利、铁托、罗马尼亚国王米哈依尔一世和波兰元帅罗拉·日米耶尔斯基。可见连战时的方面军军事委员，如日丹诺夫、赫鲁晓夫、贝利亚等人都没有资格获得胜利勋章。[1] 勃列日涅夫，只是一名集团军政治部主任，根本不是胜利勋章考虑的范围。在 35 年之后，将胜利勋章颁发给勃列日涅夫——杜撰战争回忆录的苏共中央总书记。这是勃列日涅夫自己给自己授勋的典型事例之一。

接着，《真理报》为《小地》的发表而刊出编辑部文章，《消息报》、《红星报》、《文学报》等中央报刊以及各共和国的报刊，都连篇累牍地发表文章和书评，吹捧勃列日涅夫的英雄主义和《小地》这篇“伟大作品”。莫斯科、列宁格勒以及各加盟共和国的党组织，纷纷组织报告会，苏共中央政治局委员，像乌斯季诺夫、格里申等都亲自主持报告会，并向勃列日涅夫发致敬电和致敬信。美术家们也纷纷创作勃列日涅夫在《小地》上的美术作品，举办画展。

---

[1] 参见阿·阿夫托尔哈诺夫著：《勃列日涅夫的力量和弱点》，第 188 页。

《复兴》是勃列日涅夫对战后初期任扎波罗热州委第一书记和第聂伯罗彼得罗夫斯克州委第一书记时工作的回忆。《复兴》在《新世界》杂志的1978年第5期发表后，1978年5月6日《真理报》发表评论文章，说：扎波罗热州和第聂伯罗彼得罗夫斯克州，乌克兰的两个从战争的废墟中恢复起来的州，岂止是把勃列日涅夫作为恢复者，而是看作神奇的恢复者；《复兴》是"政治谋略的教科书"。[1] 苏共中央候补委员、《文学报》主编、作家亚历山大·鲍里索维奇·恰科夫斯基在《真理报》上发表署名文章，说："我一口气读完这部共37页的作品。我给自己提出一个问题：《复兴》非同寻常的感染力究竟何在？"恰科夫斯基极具感染力地自问自答："诗！""这首创造性诗篇气势磅礴，犹如奔腾的激流，从这部回忆录中直泻而下。诗篇引人入胜，使人爱不释手。"[2]

《垦荒》发表在《新世界》杂志1978年第11期上，是勃列日涅夫对任哈萨克共和国党中央领导工作时的回忆。《垦荒》也同样不顾历史事实，把勃列日涅夫写成是垦荒运动的创导者、组织者和完成者。作家米哈依尔·尼古拉耶维奇·阿列克谢耶夫在1978年11月12日《真理报》上撰文，说："回忆录《垦荒》和作者的前两部回忆录一起，构成了三部曲和有独特风格的三幅画卷。对我们来说，珍贵而重要的不仅是使我们回忆起不久前的英雄历史，而且（可能在更大程度上）是苏联人代代相传的生活教科书。"[3]

三篇回忆录都是从某些真实的历史事实出发，以编造童话故事的手法，把整个事情搞得面目全非，目的在于向读者显示：勃列日涅夫在卫国战争年代是天才的统帅和战略家；在恢复战争创伤的岁月里是神奇的恢复者；在解决苏联社会经济发展的揪心问题上，在发展农业生产问题上，是垦荒运动的创导者和实践者。总之，勃列日涅夫在担任苏共中央总书记之前，已经表明他是天才的领袖了！

---

[1] Правда.1978. 6 мая.

[2] Правда. 1978.10 мая.

[3] Правда. 1978. 12 ноября.

勃列日涅夫与“发达社会主义”

将党的领袖塑造成历史里程碑式的天才，就需要由党的领袖提出一个新概念或理论，国家就以这种概念或理论为中心，设定目标，制定方针，开展各项工作，这是苏联党政一体、以党代政的政治模式的重要表现。勃列日涅夫在担任苏共中央总书记之后，提出“发达社会主义”的概念，作为苏联国家工作的出发点和基础。勃列日涅夫说：“完善社会主义的国家体制，进一步发扬社会主义民主，加强国家与社会生活的法律基础，活跃社会团体的活动。我党及其中央委员会进行这项工作的出发点过去是、现在仍然是：我国已经建成发达的社会主义社会，并在逐渐发展为共产主义社会。”[1]勃列日涅夫在他当政的18年里，在各种重要场合的讲话中，都要反反复复地说“苏联已经建成发达的社会主义社会，正在建设共产主义的物质技术基础”，其真正的意义在于表明苏共具有完备的一党执政、一个领袖、一种理论、一座里程碑这种党政一体的政治模式。

1967年11月3至4日，勃列日涅夫在克里姆林宫庆祝十月革命50周年大会的报告中，首次提出苏联已建成发达的社会主义社会。他说：“在我国建成的发达的社会主义社会，是‘各尽所能，按劳付酬’的原则占统治地位的社会。”[2]

1970年4月21日，勃列日涅夫在苏共中央、苏联最高苏维埃、俄罗斯联邦最高苏维埃联合召开的纪念列宁诞生100周年大会上，对“发达社会主义”作了进一步的阐述。他说：发达的社会主义社会就是“社会主义取得了完全和彻底的胜利，并且为顺利地建设共产主义创造了条件。”[3]在发达社会主义社会里，“共产主义成了全民的目标”；“马克思列宁主义成了占统治地位的思想体系”；“共产党成了全体人民的政党”。[4]1971年3月30日，勃列日涅夫在苏共二十四大的总结报告中，又对发达社会主义社会作了较为全面的说明：“苏联人民以忘我劳动建成了发达的社会主义社会，列宁在1918年曾把这种社会作

[1] 《勃列日涅夫言论》，第12集，第118页。

[2] 同上书，第3集，第190页。

[3] 同上书，第6集，第75页。

[4] 同上书，第6集，第76—77页。

为我国的未来而论述过。这就使我们有可能着手切实完成党的纲领和最近几次党代表大会所提出的伟大任务——建立共产主义的物质技术基础。”[1]1972 年 12 月 21 日，勃列日涅夫在庆祝苏联成立 50 周年的报告中提出，为苏联制定一部将发达的社会主义社会固定下来的新宪法。1976 年 2 月 24 日，勃列日涅夫在苏共二十五大的总结报告中，关于苏共的工作，专门列出标题为“发达社会主义条件下的党”，说“我国已经建成了发达的社会主义社会，并在逐渐发展为共产主义社会，是苏共及其中央委员会完善国家体制的基础。”[2]

1977 年 11 月 22 日，《和平和社会主义问题》杂志发表由勃列日涅夫署名的《通往共产主义道路上的历史里程碑》一文，可以看作是勃列日涅夫对发达社会主义社会的较为系统的阐述。勃列日涅夫说：“发达社会主义社会是新制度在共产主义社会形态第一阶段范围内社会经济成熟的一个合乎规律的时期。”按勃列日涅夫的解释，在发达社会主义社会阶段，社会意识中已牢牢地树立了科学的唯物主义世界观；经济社会化水平大大提高，社会主义的国家所有制形式和集体所有制形式不断接近；工人阶级已经知识化，新型生产者正在成长，体力劳动与脑力劳动越来越和谐地结合在一起；形成了历史上崭新的社会和国际共同体苏联人民。“由于多种形式的社会主义所有制接近了；城乡之间、脑力劳动和体力劳动之间的质的差别逐渐消失了；全体劳动者都转到了工人阶级的思想、政治立场上；各阶层居民的实际利益和目标、理想和心理，比以往任何时候都更为接近了。在这样的基础上，社会政治制度也发生了质的变化，也即无产阶级专政国家长入了全民的社会主义国家。”[3]

1981 年 2 月 24 日，勃列日涅夫在苏共二十六大总结报告中关于发达社会主义社会的阐述，是他有关发达社会主义社会的最后一次正式讲话。他总括苏共在整个发达社会主义社会时期的经济政策，都是在为苏联社会顺利地向共产主义迈进创造必要的前提；解决发达社会主义社会的社会经济问题的主要途径是“经济增长的集约化；党的政策的出发点是‘一切为了人，一切为了人的福利。’”[4]

---

[1] 《勃列日涅夫言论》，第 7 集，第 48 页。

[2] 同上书，第 12 集，第 118 页。

[3] Правда.1977. 23 ноября.

[4] 《勃列日涅夫言论》，第 17 集，第 84 页。

综观勃列日涅夫所有关于“发达社会主义社会”的论述，不过就是套用马克思关于从资本主义向共产主义过渡的论述，以及列宁关于无产阶级国家在过渡时期是“半国家”的论述；进一步发挥赫鲁晓夫关于苏联社会“三大差别”正在消失，无产阶级专政国家变成了全民国家，苏联共产党变成苏联社会的全民党的思想；抛开了赫鲁晓夫关于“1980年达到共产主义”的时间表，提出从建成社会主义社会到共产主义之间要有一个“发达社会主义社会”的历史阶段，而不能“直接”进入共产主义；只有“发达社会主义社会”才具备进入共产主义的条件。勃列日涅夫无非是把“发达社会主义社会”作为从社会主义社会向共产主义社会过渡的“一个合乎规律的历史阶段”。

勃列日涅夫的“发达社会主义社会”论，说到底是看到苏联的综合国力虽然有了长足的发展，但是苏共自身、苏联社会问题与矛盾、苏联社会的思想观念和意识形态，距离苏共在苏联建国初期所设计和追求的共产主义目标，不是越来越近，而是越来越远，越来越变得不可捉摸。勃列日涅夫和苏共领导核心圈已经意识到：“早日进入共产主义”已经难以自圆其说了。所以，“发达社会主义社会”是勃列日涅夫拒绝改革、坚持维护斯大林模式的一种陈腐之说，也是适应苏共在20世纪70年代维护党政一体、以党代政这种政治体制的需要。

勃列日涅夫提出“发达社会主义”这一概念以后，苏共中央和苏联理论界立即把“发达社会主义”说成是对马克思列宁主义的伟大创造，把勃列日涅夫奉为“创造性地发展马克思列宁主义理论的大师”，是苏联历史前进的伟大旗手。

苏斯洛夫在《共产党人》杂志1971年第14期上发表《苏联共产党是创造性的马克思主义政党》一文，以苏共中央理论权威的口吻说：勃列日涅夫在苏共二十四大总结报告中“阐述了完善发达的社会主义社会和在苏联建立共产主义物质技术基础的根本问题”，“清楚地、令人信服地表明，我们党在自己全部活动中依据列宁的思想遗产，坚定地遵循列宁主义方针，创造性地解决着社会进步中业已成熟的问题。”[1]苏斯洛夫完全根据勃列日涅夫的意思，把发达社会主义社会的特点归纳为：成熟的社会关系；体现最深刻的民主的全民国家；国民教育的广泛发展；马克思列宁主义世界观的全面普及和树立。[2]

[1] 《苏斯洛夫言论选》，第934页。

[2] 参见同上书，第939页。

苏斯洛夫要求苏联理论界都转向研究“发达社会主义”。1971 年 12 月 21 日，苏斯洛夫在全苏高等学校社会科学教研室主任会议上号召：“苏共给我们社会科学工作者规定的主要任务是：从理论上研究发达的社会主义社会的根本问题，科学地论证发达的社会主义社会逐步长入共产主义的途径和方法。”[1] 苏斯洛夫更要求“社会科学来一个更彻底的转变，转向研究共产主义建设实践中的迫切问题以及我国目前和未来的现实问题。”[2]

在苏共中央的号召和规定下，苏联理论界就围绕“发达社会主义”问题，举行一次又一次的讨论会、报告会；出版的“理论著作”和发表的文章，汗牛充栋。一些著名的哲学家、经济学家、历史学家、理论工作者，都以研究和发表“发达社会主义社会”问题的著作为学术时尚，竞相抛出这类“成果”。苏联科学院通讯院士、苏联科学院世界经济与国际关系研究所所长、经济学家列昂捷夫在《世界经济与国际关系》杂志 1972 年第 6 期上撰文称：“当前，成熟的或发达的社会主义问题具有特殊的现实意义。成熟的或发达的社会主义社会是新社会向着共产主义前进中的这样一个阶段：在这个阶段上，社会主义的创造性潜力，它在社会政治、经济、文化思想等一切领域胜过资本主义的那些具有决定性意义的优越性，日益充分、日益全面地显示出来。”[3] 苏共中央委员、苏联科学院副院长、苏联科学院院士、哲学家费多谢耶夫在《共产党人》1974 年第 2 期上撰文说：苏联从 20 世纪 50 和 20 世纪 60 年代之交就达到了社会主义的完全、彻底的胜利，“从彻底胜利和巩固的社会主义过渡到完全的共产主义是在发达社会主义阶段完成的”。

苏共中央马克思列宁主义研究院科学共产主义部专门编撰了一部论述发达社会主义的专著《发达社会主义》，可算是这方面的代表作。此书于 1978 年由苏联政治书籍出版社出版，并大量发行。全书共分 14 章，对发达社会主义条件下的党、全民民主、经济、计划管理、社会福利、生活方式、社会阶级结构、文化思想、民族关系、培育新人等各个方面，都作了详尽而富有想象力的

[1] 《苏斯洛夫言论选》，第 952 页。

[2] 同上书，第 964 页。

[3] 《苏联“发达社会主义”理论资料选编》，中共中央党校科学社会主义教研室国外社会主义问题教研组编，第 153—154 页。

阐述，可以说是20世纪“《理想国》”式的著作。参与此书撰稿的大都是苏联理论界的知名人士，因而此书较之柏拉图的《理想国》有较浓的理论色彩；但是，厚厚的30万言一本书，全是空话、大话、废话，枯燥、干巴、味同嚼蜡，又可看作是20世纪苏联新经院哲学的代表作之一。该书称：“必须把成熟的社会主义社会作为一个完整的社会制度，作为它的各个要素的统一体进行综合研究。”[1]1980年，哲学博士、苏联科学院世界社会主义体系经济研究所政治意识形态研究室主任布坚科也主编了《发达社会主义建设的共同点和特点》一书。该书着重论述：所有社会主义国家进入共产主义都将经历一个“发达社会主义”的历史阶段；勃列日涅夫是继列宁开创了从资本主义到社会主义的“十月革命道路”之后，又开创了“经过发达社会主义社会进入共产主义”的“勃列日涅夫道路”。作者怀着无限崇敬的心情，称勃列日涅夫所创造的“发达社会主义”理论，不仅是对马克思列宁主义理论的伟大贡献，同时也是对人类社会发展的伟大贡献。[2]

一党执政、党政一体、一个领袖、一种理论，全国的理论界都围着这种既没有理论意义，更没有实践意义的“理论”诠释、讴歌，不仅迷糊了苏联社会发展的方向，也使苏联理论界走向20世纪苏联新经院哲学的歧途。

第四节　迈向死胡同的苏共

苏共与苏联社会的特权阶层

苏联社会存在着森严的等级制。形成等级制的基础是不同的等级有着不同的权和利。等级制的上阶是“特权阶层”，即苏联社会中拥有特权的群体——“在册权贵”。关于“特权”这一概念，并无明确的、统一的界定。本书认为：所谓苏联社会的“特权”是指拥有超出苏联宪法以及其他一些专门法以外的特殊权利，是凭借超经济的行政权力所获取的特殊权利。

---

[1] 苏共中央马克思列宁主义研究院科学共产主义部编、中国人民大学苏联东欧研究所译：《发达社会主义》，中国人民大学出版社1982年版，第1页。

[2] 参见《苏联“发达社会主义”理论资料选编》，第239—259页。

苏联社会中一部分人拥有特权的现象，作为一种非常现象，产生于苏维埃政权建立之初。当时，产生这种现象甚至含有某种历史的合理性。随着苏维埃政权的巩固，这种非常现象被逐渐常态化、制度化了。不过，从社会上一部分人拥有特权到形成特权阶层，仍然有一个历史过程。

特权是多方面的，从给党政领导人分配特殊的别墅、专用汽车、配备驾驶员，到设立供不同级别干部专用的不同标准餐厅、门诊部、医院、休养所、疗养院，以及特供商店，可以说是涉及社会生活的各个方面，包括衣、食、住、行的一切所需。早在斯大林当政时期，当时的联共（布）中央政治局委员、政治局候补委员、中央书记、中央委员；苏联人民委员会各委员部委员、各总局局长；各加盟共和国中央的主要领导人，都按不同的级别拥有不同的一整套特权。他们的生活条件和当时的普通公民相比，有着天壤之别。第二次世界大战后，特权越来越多，享有特权的队伍越来越庞大；除原有的一整套特权之外，还有了按不同级别从几百到几千不等的领导干部附加工资。这种领导干部附加工资，装在信封内，由党委办公室悄悄地发放，被通称为“红包”；信封上没有落款，既不交税，也不交党费。“红包”的数额大体是受益者月薪的50% 至 100%，按不同干部级别而有差异。1955 年，一名部长的“红包”是6000 卢布。[1]

领导干部的额外工资还有一种对全年工作的总补贴，被称作“第 13 个月工资”。“第 13 个月工资”享受者的范围，上起苏共中央领导层、苏共中央机关干部，下至各加盟共和国党中央领导层、党中央机关干部，以及部一级的党组书记和地方的州委书记。

最先向特权发难的是赫鲁晓夫。赫鲁晓夫不顾来自各方面的压力和阻挠，废除了“红包”、免费早餐，以及一些专用别墅、专用汽车等。赫鲁晓夫的这些措施，在苏共中央机关里私下被称作“赫鲁晓夫的 10 次打击”。[2] 但是，赫

[1] 参见《苏联问题译丛》，第 3 辑，第 19 页。由于币制改革，20 世纪 50 年代的 6000 卢布等于 20 世纪 70 年代的 600 卢布。

[2] 卫国战争期间，1943—1944 年，苏军向入侵的德军发起 10 次大规模战役，将德军赶出苏联领土。这里是套用对德军的 10 次打击，隐喻赫鲁晓夫这一措施对苏共和苏联社会中拥有特权者的严重的打击，以及拥有特权者所受的惨重损失。

鲁晓夫并没有认识到苏联社会的特权是斯大林模式的体制性产物，因而不可能从制度层面上去反对和取消特权，相反，尽管废除了一些特权，却又保留了许多特权。而且，由于机关数量和人员的扩充，享有特权的队伍还愈来愈庞大。

勃列日涅夫上台后，废除了赫鲁晓夫规定的领导职务任期制和轮换制，实行领导职务终身制，使拥有特权的群体逐步定格，并且形成相互依存的社会网络。勃列日涅夫时期，由他本人带头，授勋、送礼成风，崇尚侈靡。在所有这些的基础上，形成了相对稳定的这方面的社会意识。这样，到勃列日涅夫当政时期，苏联社会终于形成一个相对稳定的特权阶层。特权阶层大致由以下人群构成。

上层党、政官员，这是构成特权阶层的主体部分。苏联官员的队伍极其庞大。勃列日涅夫时期，仅农业管理机关的人数就达300万，[1]他们都是"吃皇粮"的。1971年，拥有1445万余名党员的苏共，除苏联共产党中央委员会外，还有14个加盟共和国党中央委员会[2]、6个边疆区党委员会、142个州党委员会、10个专区党委员会、760个市党委员会、448个城市区党委员会、2810个农村区党委员会。此外还有各部委、各大企业，以及文教、科研单位的党委。各级党的机关都建有和各级政府相应的、甚至更多的职能部门，仅就苏共的组织机构，就是俄国历史上空前庞大的官僚机构。高层专业党务官员约有40万。企业的专职管理人员，包括工业、建筑业和交通运输业，约30万。这些官员并非都能进入特权阶层，而是其中的相当一部分能进入特权阶层。

农业专职管理官员，包括集体农庄和国营农场的管理官员在内，20世纪70年代约有5万人。他们之中，即使是大型集体农庄主席，月薪也只有300卢布，加上奖金，月收入大约是350卢布。再说，他们也没有多少特权。因此，在这5万名农业官员中，大约只有1/10的加盟共和国级、州级以上的农业高级官员能进入特权阶层。

国防部门、军队、国家安全委员会、民警系统，具有上校以上军衔的军

[1] 参见［俄］格·阿·阿尔巴托夫著：《苏联政治内幕：知情者的见证》，第301页。

[2] 苏联自1956年6月至解体共有15个加盟共和国，各加盟共和国都设有共产党中央委员会，唯独俄罗斯苏维埃联邦社会主义共和国不设共产党中央委员会。因而苏联除苏共中央外，还设有14个加盟共和国党中央。

官，也是特权阶层中的重要人群。

这样，苏联社会特权阶层的人数约 25 万左右。连同他们的家属约 100 万人，占苏联总人口的 0.5% 左右。[1] 这个阶层共同的赖以存在的基础就是超经济的行政权力，并按权力的大小构建成相互交叉、相互依存的金字塔式的权力和地位网络。

有的学者以 20 世纪 70 年代的月收入在 450 卢布以上作为界限，划分特权阶层的范围，其实这样界定是不准确的。特权阶层的质的认定是拥有超经济的政治权力，不能离开这一质的规定性来界定特权阶层。20 世纪 70 年代初，苏联有 2521 名科学院院士，他们每月除工资收入外，还有 350 至 500 卢布不等的学术津贴。[2] 不能说每一个科学院院士都是推动科学技术进步的学术精英，但是他们所得的学术津贴，绝不能和 1517 名苏联最高苏维埃代表的每月 100 卢布津贴、每年几次免费旅行、休假等享受相提并论，因为前者是复杂脑力劳动的应得，后者是凭超经济的权力对社会财富的瓜分、占有。1968 年，苏共中央委员、敖德萨州委第一书记西尼查的女儿结婚，当天，竟把有 100 万人口的敖德萨市全市花店的花全买光：这既是特权的表现，也是特权的炫耀。1968 年 11 月 5 日，苏联国家安全委员会给苏共中央的报告中说："'州委'这个词在大学生的头脑中跟买到紧俏商品等联系在一起。所有这些事实只会使大学生对党的看法更加巩固。他们说，保卫州委和第一书记的家是很荒唐的——'谁需要他呀？'大学生们总是以不友好的态度去听党的、高级干部的工资和生活方式。" [3]

特权阶层凭借权力，在短缺性危机常态化的苏联社会，始终过着相对的贵族式生活。20 世纪 70 年代初，有 80 万人口的顿河畔罗斯托夫市一连几个月没有肉类供应。有 47 万人口的图拉市长期没有黄油和食用脂肪应市。而特权阶层却能从内部商店，以比市场价格低得多的"特价"买到各种各样短缺

---

[1] [俄] A.H. 萨哈罗夫主编的《俄国史。从古代至 20 世纪末》一书中，用"新阶级"一词，"新阶级"人数约 50 万—70 万，连同他们的家属，总数约 300 万人。参见该书第 570 页。

[2] 参见《苏联问题译丛》，第 3 辑，第 10 页。

[3] 《国家安全委员会就青年学生的情绪呈苏共中央的报告（1968 年 11 月 5 日）》，《苏联历史档案选编》，第 31 卷，第 151 页。

食品和商品；除能买到苏联本国商品之外，还能买到精美的来自西方国家的商品。在莫斯科就有五六家像格兰诺夫斯基大街特供商店那样限制非常严格的供应点，供特权阶层选购食品和杂货。红场上的百货商店和加里宁大街上的军人商店，也都设有“特别服务部”，供特权阶层凭证选购商品。苏联国家安全委员会第9局的职责之一，是负责苏共中央政治局委员及其家属的食品保障。出售西方国家商品的外汇商店，也是特权阶层才能光顾的场所。苏共中央委员会机关的高级人员，每月可以领到16至32不等的“证券卢布”，可以当外汇使用。

1978年9月，一位敖德萨工人列昂尼德·米哈依洛维奇·谢雷给美国工会负责人写信，诉说苏联普通工人的生活，与特权阶层恰成鲜明的对照。该信写道：

“尊敬的乔治·米尼先生，您好！我的劳动兄弟——美国工人们，你们好！我是乌克兰工人、7个孩子的父亲。”信中说：我是伊利切夫渔港的旋工，每月工资180—200卢布。公司为让我多干活、少拿钱，常常改变劳动定额。食品和日用品不足。许多工人，特别是多子女工人，经常一连几个月见不到肉、奶、油，甚至红菜汤，更不用说水果、蔬菜和其他营养品了。人们穿得破旧，因为买一件大衣、外套、一双鞋，即使不花整月工资，也得花半个月工资。许多人缺少住房。有的人等了10年还盼不到一套房子。信的最后写道：“这便是我们这里的真情。你的全家在挨饿，但是不能吭声；让你无代价地工作，你不能埋怨；让你超定额地工作，你得响应。否则，你就得蹲监狱。”[1]

特权阶层还能享受相对豪华的住宅，配备专车，享受特殊的医疗待遇、度假和出国旅游。

“在册权贵”不仅在物质经济领域享受种种特权，更为重要的是在政治上享受规定和没有规定的各种特权，他们可以长期担任高级职务，这些职务不是人民而是上级授予的，只要上级认可，就可以长期保留自己的宝座，即使犯了错误甚至罪行，也会得到本特权阶层的保护和庇护。他们的子女可以进入最好的高等学府，例如莫斯科国际关系学院，受到良好的贵族教育，成为他们的接班人。他们的亲友可以优先得到提拔，被拉进“在册权贵”的行列。他们运用

[1] 参见［苏］阿·阿夫托尔哈诺夫著：《勃列日涅夫的力量和弱点》，第39页。

自己手中的权力，控制着大量的国有资产，为自己以及自己的亲友谋利。苏联解体后冒出的大量亿万富翁多数出身于“在册权贵”及其子女。在这里，权力向资本的转换可以看得清清楚楚。在苏联，一切经济上的特权盖出于政治权力！

苏联社会的特权阶层是苏共在夺取政权、建立苏维埃国家以后逐渐形成的。苏联社会之所以由最初的少数拥有特权的人群，演变成特权阶层，则是苏共始终实行以党代政、党政一体的体制的结果。因此，可以说：特权阶层是苏共所建立的体制的产物，某种程度上是苏共在苏联社会政治生活中的特殊地位的体现；特权阶层也依赖苏共所实行的体制而存在。自然，特权阶层也成为苏共所实行的体制的坚决维护者，任何触动这一体制的经济、政治改革，都会危及特权阶层的权和利，都会遭到这一阶层的抵制和反对。

苏联社会特权阶层形成的过程，也是苏共自身蜕变的过程。

政党总是代表社会某一群体的利益和意志。苏共作为俄国无产阶级的政党，它在夺取政权以前是俄国社会弱势群体的利益和意志的体现者。苏维埃政权建立以后，苏共成为苏联国家的唯一的执政党，并始终不改以党代政、党政一体的政治体制。由于苏共在苏联社会和政治生活中的特权地位，当苏共宣布苏联已经消灭了剥削阶级、消灭了阶级对立；工人阶级、农民阶级、知识分子已经越来越接近，形成了一体化的苏联人民的时候，无论是赫鲁晓夫或者勃列日涅夫，宣布苏共已经成为代表全体苏联人民的“全民党”，从逻辑上说是合理的。但是，这样的宣布，毕竟只能是苏共为自己的以党代政、党政一体寻找合法性的一种“自封”。实际上，苏共不可能是全体苏联人民的全民代表，而是苏联社会特权阶层的代表；苏共已成为尚深受俄国专制主义传统影响的苏联国家官僚特权阶层的政党。

社会精英地位的丧失

苏共夺取政权以后，以行政权力实行生产资料国有化，苏共也从原来作为社会弱势群体的代表转化为作为以权力控制全国生产资料的当权者的代表。在实现共产主义的总目标下，在具体实践上，在 20 世纪 30 年代苏共是以赶超西方先进国家，实现强国追求为目标，很大程度上体现了俄国自近代以来的历史追求。卫国战争期间是以打败德国法西斯，保卫苏联社会主义国家为目标，体现了苏联全民的意志。“冷战”初期，是以建立社会主义阵营，使苏联成为世界性强国，反对美国独霸全球为目标。当这些目标一步步实现以后，到赫鲁晓夫当政时期，自然就把早日实现共产主义当成现实目标提了出来。勃列日涅夫当政以后，眼看实现共产主义已成海市蜃楼，于是就提出“苏联已经建成发达的社会主义社会，正在建设共产主义的物质技术基础”。

勃列日涅夫这样宣布是一回事，能否有现实的动员效应却是另一回事。因此，勃列日涅夫当政以后，特别强调对全体苏联人，尤其是对青年人“加强政治思想教育”。

勃列日涅夫上台之初，1965 年 3 月 3 日，勃列日涅夫、基里连科、沃罗诺夫、米高扬、波利扬斯基、谢列平、伊利切夫等苏共中央主席团委员和中央书记们出席俄罗斯联邦作家协会第二次代表大会，基里连科代表苏共中央致祝词。基里连科号召：“对思想动摇现象和资产阶级意识形态、虚无主义情绪、（给苏联社会）抹黑等种种表现要毫不妥协。坚决反对艺术中的自然主义、形式主义和抽象的做法。坚决反对在意识形态领域中搞和平共处。”[1]

1966 年 3 月 29 日，勃列日涅夫在苏共二十三大的总结报告中对政治思想工作也毫不松懈。他说：“共产党活动的最重要组成部分是理论工作，是对共产党员和全体劳动人民的思想政治教育。我们党一直高举马克思列宁主义革命理论的战无不胜的旗帜。忠于这一革命学说，在同这一学说的敌人的斗争中毫不妥协，是党的全部多方面活动的不可动摇的原则。”[2]

苏共二十三大以后，在勃列日涅夫的地位相对稳定、研究和部署了经济工作之后，1966 年 11 月 10 日，勃列日涅夫召开苏共中央政治局会议，着重研究和部署意识形态方面的工作。勃列日涅夫宣布政治局会议开始后，首先就意识形态斗争的形势和意义作了长篇讲话。勃列日涅夫指出：党中央已在国家生活的许多方面制定了明确的发展前景，尽管时间还很短，但已明显地感觉到了这些措施的成效。“但是在我们党和国家的工作中，有一个领域我们做得还很少，这就是我们党和国家的意识形态工作。这方面的缺点，而在有些地方则

---

[1] 参见《苏联共产党 93 年》，第 613 页。

[2] 《勃列日涅夫言论》，第 2 集，第 134 页。

甚至是严重的错误，已经开始让人越来越明显地感受到了。这不能不令我们忐忑不安，不能不引起我们的认真警惕。”[1] 勃列日涅夫严肃地正告：“我们应当清醒地意识到对于我们党和国家总的工作中这一重要方面应负的责任。讲到责任，其意义在于：意识形态工作中的缺点和错误可能给我们带来无法克服的危害。”[2]

讲话中，勃列日涅夫还严厉地批评了文学、艺术、电影、报刊以及某些学术著作中出现的“污蔑党和人民历史”的现象，要求“对之采取相应的措施”。勃列日涅夫还建议：苏共中央应当得到有关职能部门报送的关于意识形态方面“周详而系统的情况通报”，说“我们拥有关于国际政治和实际问题、关于国内经济建设问题的情况通报。而关于意识形态工作问题方面，我们却没有这样的通报。”[3] 勃列日涅夫还要求编写一本苏共党史，作为全党和全国进行思想政治教育方面的“中心轴”，说“我们有过党史简明教程（指《联共（布）党史简明教程》——引者注），但已被批得体无完肤”。

政治局会议就勃列日涅夫的讲话进行了讨论。政治局委员和中央书记们一致认为勃列日涅夫的讲话十分重要、十分及时、十分紧迫。讨论中，苏联部长会议电影事业委员会主席罗马诺夫、《新世界》杂志主编特瓦尔多夫斯基，成了众矢之的。基里连科提出：要严格书报检查制度，“书报检查是一直存在的……我们也有检查制度，但如果让乱七八糟的东西发表出来，那么检查制度也形同虚设。”[4] 这次政治局会议，导致罗马诺夫和特瓦尔多夫斯基被撤职。

关于编写新的苏共党史，大家一致认为十分必要。苏斯洛夫说：“我们的一个十分薄弱的领域是亟须编写真正马克思列宁主义的历史。而且不仅仅是党史，还有人文历史。这不仅是为了大量的普通读者，也是为了中小学生学习历史之用。”安德罗波夫说：“确实需要那样一本书，一部真正马克思列宁主义的

---

[1] 《苏共中央政治局会议关于国内意识形态问题讨论的记录摘抄（1966年11月10日）》，《苏联历史档案选编》，第31卷，第114页。

[2] 同上书，第115页。

[3] 《苏联历史档案选编》，第31卷，第116页。

[4] 同上书，第127页。

著作，一部能阐明我们时代的多样性和丰富多彩的著作。这本教科书必须经过政治局批准。”“我国年轻一代头脑中出现一片混乱的原因，就是没有这样一本教科书。”[1] 波诺马廖夫也说：“没有什么问题比编写出一本马克思列宁主义的、论述我们党的历史的教科书更为重要的了。我们应当在这本教科书中全力展现列宁和列宁主义。这本教科书将具有国际意义。”[2]

经过认真的讨论，勃列日涅夫最后作总结性讲话：“你们如此广泛而细致地讨论了这个问题，令我十分满意……同志们，我坦率地告诉你们，这个问题近来一直使我极为不安。”[3] 勃列日涅夫还提醒全体政治局委员和中央书记们：“对于意识形态工作，对于宣传工作，我们不能吝惜钱财……在这些场合，我们不应吝惜钱财，也不应吝惜时间和其他手段。”[4]勃列日涅夫责成苏共中央书记处：充分考虑今天政治局会议上交换的意见，然后拟定一份旨在从根本上改变我们全部意识形态工作的具体计划，并规定完成期限和负责人员。关于上报意识形态方面的情况通报，当然由苏联国家安全委员会负责；编写“真正马克思列宁主义的苏共党史”，落到波诺马廖夫的头上。

会后，苏共中央宣传部、科学和学校部、文化部联合拟定了执行、贯彻苏共中央政治局此次会议精神的具体措施，上报苏共中央政治局。根据此次会议的精神，苏共中央书记波诺马廖夫挂帅，立即着手编写“真正马克思列宁主义的苏共党史，以便围绕着它开展全部党的（思想教育）工作”。

勃列日涅夫在重视意识形态工作的同时，更特别注意对青年一代的政治思想教育工作。勃列日涅夫在苏共二十三大的总结报告中说：“青年是我们的未来。”“党有权自豪的是，它用对共产主义伟大理想无限忠忱的精神培养出一代又一代的人。”[5]1966 年 5 月 17 日，勃列日涅夫出席苏联列宁共青团第十五次代表大会，并作重要讲话。勃列日涅夫说：“载入史册的十月革命的伟大日子离我们越久远，没有经历过严峻的生活考验的男女青年加入我们党的队伍越

[1] 《苏联历史档案选编》，第 31 卷，第 122 页。

[2] 同上书，第 124 页。

[3] 同上书，第 130 页。

[4] 同上书，第 132 页。

[5] 《勃列日涅夫言论》，第 2 集，第 127 页。

多，思想教育的任务就越重要。我们应该使每个青年人理解我们革命的总目标，帮助每个青年人明确在世界的革命发展中自己的具体地位。”[1]勃列日涅夫的话，既严肃，也语重心长。此后，勃列日涅夫每看到苏联国家安全委员会报送的关于意识形态方面的情况通报，都要强调加强对青年一代的政治思想教育工作。

编写新的苏共党史的工作，更是加紧进行。《共产党人》杂志 1969 年第 3 期发表《阐述苏共历史要坚持列宁的党性》一文，可以看作是编写新的苏共党史的主导思想。文章批评一些历史学家在研究党史时，“把全部注意力集中于错误和缺点上”，“企图修改经过生活检验的真理，修改党对历史事件所作的原则性批评”。[2] 文章归纳这类的主要表现有：贬低党反对托洛茨基、布哈林、资产阶级民族主义集团的意义，某种程度上为他们的头目恢复名誉；借批判斯大林个人崇拜，把那些年代描绘成全部是错误和挫折；以坚持创造性的马克思列宁主义为名，宣扬与马克思列宁主义格格不入的不正确论点；把机会主义分子的分裂活动同列宁开展反机会主义分子的斗争混为一谈；歪曲国家工业化和农业集体化运动；无视卫国战争前夕和初期，党为反对法西斯侵略而采取的重大措施，等等。可以想见，以这样的指导思想来编写苏共党史，只能是在 20 世纪 70 年代撰编新版《联共(布) 党史简明教程》；只能是“勃列日涅夫续编《联共（布）党史简明教程》”。

1970 年 2 月，由苏共中央书记波诺马廖夫主编、由苏共中央政治局批准的《苏联共产党历史》增订本第 3 版出版了。《真理报》就这本“真正马克思列宁主义教科书”的出版发表书评，说这本书“反映了苏共同当代共产主义运动中来自右的和‘左’的修正主义进行的原则斗争。”新版苏共党史的特色除向斯大林回归之外，还为勃列日涅夫树碑立传。书评说：“1964 年苏共中央十月全会是党史上一个重要的里程碑。它使领导作风和领导方法上的主观主义错误得到克服，结束了党、苏维埃和经济机构中不正确的改组。”[3]

勃列日涅夫和苏共中央关于加强政治思想教育，“不吝惜钱财”的种种

[1] 参见《苏联共产党 93 年》，第 670 页。

[2] Коммунист. 1969. № 3.

[3] 参见《苏联共产党 93 年》，第 681—682 页。

努力，不仅无助于挽回苏共的形象，反而使苏共更快地跌落为“说大话、空话”、“享受特权”、“背离时代”、“僵化和不可救药”、“不学无术”等的代名词。1966年的一年中，有17244名苏共党员自动退党。[1] 苏联国家安全委员会调查和汇总大学生的思想情绪，向苏共中央报告说：“在青年一代的心目中，苏共是脱离群众、背离时代发展方向的官僚集团。大学生认为：想在党政方面飞黄腾达的人才入党；称马克思主义经典作家的著作是《塔木德》；党史、哲学、科学共产主义全是废话；马克思主义哲学原理没有根据，这是一个教条式僵硬的科学，它不能解释、也不能预见事件的过程。”[2]

这份报告还指出：“高等学校党委常常只限于对学生采取这种或那种思想措施和扮演不招人喜欢的角色的监督人的职能。在大学生的眼里，党委成员都是一些不学无术、落后于现代需求、不可救药的人，党委书记甚至被认作愚蠢的化身。”[3] 有万名学生的敖德萨工学院的大学生，给该校党委书记叶·亚·萨姆科夫编了一则政治寓言：“从前有个老头有三个儿子，两个很聪明，第三个叫萨姆科夫。”学生们这样说笑的时候，都用手指敲桌子，因为萨姆科夫有说话时用手指敲桌子的习惯动作。大学生们被问到为什么没有入党时，回答是：“我想有自己的信念和意见”；“入党后就不得不让自己的良心作出让步。”该报告总结说：“多数大学生在许多方面把自己看作和党是对立的。”报告还不无担忧地说：列宁作为个人，作为行为的标准是青年人所敬仰的。但是，当大学生将公开供人瞻仰的朴素的列宁居室和有机会看到的人数不多的党的干部的生活方式相比较时，就把苏共看得一钱不值。党的领导人的演说，只能加剧大学生对党的工作者的藐视：因为这些演说总是照本宣科，而且读得结结巴巴，听众的情绪一落千丈。

大学生们也拒绝参加节日游行。不少学校为了组织学生参加游行，就采取种种惩罚措施。敖德萨邮电学院规定：取消不参加游行的大学生的奖学金。于是，大学生就想出种种恶作剧来对抗：拒绝举领导人肖像；在路上乱扔肖像；

[1] 参见《苏联共产党93年》，第642页。

[2] 引文参见《苏联历史档案选编》，第31卷，第144页。《塔木德》是犹太教经典。这里是大学生们挖苦马克思主义经典著作是读不懂的“天书”。

[3] 同上书，第146页。

还没通过主席台，一半人已离散了，等等。

勃列日涅夫和苏共中央非常重视苏联国家安全委员会所反映的情况，并采取了很多对策。勃列日涅夫要求：对待共产主义教育事业就像对待自己的整个革命改造工作一样。“人的思想教育问题、造就新人——当之无愧的共产主义建设者——的问题，在我们的整个工作中占了很大的位置。”[1] 苏共二十四大以后，苏共中央多次研究、通过一系列决议，来“总结意识形态工作的经验，确定改进这一工作的主要方针。”勃列日涅夫说：“在两种世界观的斗争中，不可能有中立和折衷。在这方面要有高度的政治警惕性，要积极有效而又有说服力的宣传工作，要及时反击敌对意识形态的破坏活动。”[2] 为了贯彻勃列日涅夫的指示，增强向青年一代宣传教育的力度，1969—1970 年，出版的列宁著作和论述列宁与列宁主义的书籍就超过 7600 万册。20 世纪 70 年代上半期，全国增办了 400 多种新报纸、113 种新杂志，约 2000 万人在各级党的教育系统学习过。[3] 但是所有这些工作，都没有挽救苏共在年轻一代心目中的颓势。

1976 年 12 月 12 日，苏联国家安全委员会就青年学生的思想行为给苏共中央的报告中列举：文科大学生中，34% 的人有“发表政治上有害言论、书写和散发诽谤性文件、口头或书面威胁党的积极分子、向国外传递诽谤性材料、制定和悬挂民族主义旗帜、参与破坏社会秩序的团伙行动”等“不良表现”；所有“不良表现”中的 32.4% 是“从敌视社会主义的思想观点出发的”。[4] 从苏联国家安全委员会给苏共中央关于青年学生的思想行为情况通报来看，苏共在青年人的心目中的地位确是江河日下了。

如果说苏联国家安全委员会 1968 年 11 月 5 日、1976 年 12 月 12 日给苏共中央的报告，反映的是青年一代对苏共的看法和情绪的话，那么“格里高连科事件”所反映的就是老一代布尔什维克和创作知识分子对苏共的看法和情绪了。

“格里高连科事件”是围绕格里高连科移居美国所发生的一系列事情。

1968 年 1 月，作家斯维尔斯基在莫斯科党员作家会议上批评了书报检查

[1] 《勃列日涅夫言论》，第 12 集，第 105—106 页。

[2] 同上书，第 109 页。

[3] 统计数据参见勃列日涅夫在苏共二十五大的总结报告。

[4] 《苏联历史档案选编》，第 31 卷，第 197 页。

制度；卡里亚金在中央文艺工作者之家纪念作家普拉托诺夫[1]的晚会上也有相似的言论，因而都被开除出苏共。他们不服这样的惩罚，向苏共中央监察委员会提出申诉。有20多位党员作家写信，联名为卡里亚金辩护；苏共中央委员、苏联科学院副院长鲁缅采夫也为卡里亚金申辩。在这样的情况下，卡里亚金恢复了党籍，改为严重警告处分；斯维尔斯基维持原决定：开除出苏共。此事在莫斯科作家中引起很大震惊。

斯维尔斯基和卡里亚金“风波”尚未完全平息，1968年10月，作家柯斯捷林因抗议苏军入侵捷克斯洛伐克，被苏共莫斯科作家协会党组开除出党。柯斯捷林生于1896年，少年时代就投身革命运动，1916年入党。国内战争时期，参加过创建北高加索苏维埃政权的斗争。20世纪30年代的大清洗，柯斯捷林也无端受屈，在集中营里度过17年。斯大林死后，柯斯捷林方始恢复了名誉，并从事文学创作。60年代中期，柯斯捷林发表了一系列政论文章，针砭时弊，呼吁尽快为屈死在斯大林集中营和监狱中的无辜的人们恢复名誉。柯斯捷林的文章还批评了肖洛霍夫的作品。所有这些早已被勃列日涅夫所忌恨。柯斯捷林反对苏军入侵捷克斯洛伐克，就更为瞩目。1968年10月17日，莫斯科作协党组在本人缺席和没有基层党组织参与的情况下，宣布开除柯斯捷林出党。柯斯捷林一面抗议莫斯科作协党组的决定“违反党章的有关条款”；一面写信给苏共中央政治局，声明退出苏联共产党。柯斯捷林在给苏共中央政治局的信中说：“今天，在我们党内已容不得不同意见，不允许思考问题。谁要是按照自己的看法，而不是按照上级的意志提出建议，就会被开除出党。只有一言一行紧跟上级批示和把党籍当作个人飞黄腾达护身符的人，才能在党内站住脚……为了抗议对党章的粗暴破坏，为了摆脱束缚思想自由的党纪这根绳索，我声明退出苏联共产党，并交回我的党证：08293698号……但是，无论是否持有党证，我过去、现在和将来都是一名马克思列宁主义者、共产主义者、布尔什维克。从青年时代到死，我生命的内容也在于此。”[2]此时，柯斯捷林已经病得奄

---

[1] 安德烈·普拉托诺维奇·普拉托诺夫（1899—1951），苏联作家，以创作抒情叙事散文和讽刺散文见长。主要作品有《叶皮凡水闸》、《大师的出身》、《皮图丹河》等。

[2] Выход писателя А. Костерина из рядов КПСС. Политический дневник. 1965–1970 . Под ред. Р. Медведева. Фонд имени Герцена. Амстердам. 1975. Т.2. С.368–369.

奄一息了。对已经垂死的柯斯捷林采取这种极端手段；而柯斯捷林自知不久人世，也采取了极端手段，这是苏共和柯斯捷林的悲剧。

1968年十月革命节前夕，柯斯捷林病逝。苏军前少将格里高连科参加了柯斯捷林的葬礼，并发表了言辞尖刻的演说。第二天，苏联国家安全委员会把格里高连科的家翻了个底朝天。彼·格·格里高连科1907年生于乌克兰，青年时代在乌克兰共青团中央机关工作。1931年当选乌克兰共青团中央委员，并被选送到军事学院学习。1939年进入军队服役。卫国战争期间，在第18集团军服役，和勃列日涅夫相识。卫国战争后，在伏龙芝军事学院从事教学工作，担任教研室主任，1959年授少将军衔。勃列日涅夫上台后，格里高连科因参与持不同政见者运动而被开除出党，并免去少将军衔。

格里高连科反对为斯大林恢复名誉，也获罪于苏共中央。

《苏共党史问题》杂志1967年第9期，刊登杰鲍林教授和捷利普霍夫斯基少将合写的《历史伪造者的思想俘虏》一文，批判著名苏联二战史研究专家涅克里奇的《1941年6月22日》一书。该书于1965年出版，因对卫国战争初期苏军的失利作了较为真实的阐述而名噪一时。杰鲍林和捷利普霍夫斯基当时也曾十分称道这本符合历史真实的学术著作。可是，时隔一年，为了适应苏共中央为斯大林恢复名誉的政治需要，又批判起此书来。格里高连科于1967年10月，给《苏共党史问题》杂志编辑部写了一篇题为《掩盖历史真相就是对人民的犯罪》的长文，以凿凿的历史事实，说明斯大林在卫国战争初期苏军失利中所应承担的责任，反诘杰鲍林和捷利普霍夫斯基。文章当然也批评了《苏共党史问题》杂志编辑部在为斯大林恢复名誉问题上的做法。

苏联国家安全委员会搜查格里高连科的家，不仅是因为格里高连科在柯斯捷林的葬礼上发表不满苏共的演说，更因为格里高连科曾写信给外国共产党领导人，指责苏共在实践上违背马克思列宁主义的基本原理。

事情牵涉到格里高连科给卡达尔等人的信。

苏共中央提出：1968年2月下旬在布达佩斯召开各国共产党和工人党协商会议。[1]1968年2月13日，格里高连科致信匈牙利社会主义工人党中央第一书记卡达尔、法国共产党中央委员会书记罗歇、意大利共产党中央委员会主

[1]　会议于2月26日至3月5日在布达佩斯举行。

席隆哥，认为苏共在实践上违反了马克思列宁主义的基本原理，将党凌驾于国家之上，违反了政治民主化的基本原则，"给共产主义运动造成了真正的危机。"格里高连科在信中说："斯大林统治时期的暴行"所造成的后果，"更可怕的是，苏联的全部实践完全脱离了马列主义。以下事实可以为证。1. 斯大林领导下建立的社会制度不能比资本主义更大地提高社会生产率。根据马克思学说，这恰好是衡量一种新社会制度生存权的主要标准。2. 苏维埃国家不仅没有达到无产阶级革命通过废除政治化的道路消灭国家的主要目标，甚至也未开辟出接近这一目标的实际可行的通道。事实上，十月革命后的实践仍是沿着过去历次革命的道路进行的，只不过它建立了比十月革命前更加完善的镇压机器。3. 没有按马列主义学说预言的那样去极大地发扬民主，而是完全、彻底地消灭了民主，创建了一个前所未有的高度极权主义的国家。整个苏联社会生活的中央集权化达到了骇人听闻的程度。"[1] 格里高连科认为：苏共二十大上，"关于斯大林统治时期的暴行"只是"说出了一丁点儿真话"。而"苏共二十三次代表大会后，斯大林主义彻底复辟的路线已经特别明显地形成。现在，新闻检查机构绝不允许报纸、电台和电视台来揭露斯大林执政时期的实质，甚至连'个人崇拜'这一字眼都被暗暗地禁止使用。"[2] 格里高连科在信的最后提出："在苏联，已经完成了具有社会主义性质的改革，只是国内根深蒂固的官僚政治阻碍它成为社会主义国家。只有最广泛地发扬民主，才能克服这种官僚制度。"[3] 格里高连科将此信的副本抄送勃列日涅夫。

这一连串的事情，使格里高连科被诬为"精神病"。按照安德罗波夫的秘密批示，1969 年 5 月 7 日，格里高连科在塔什干被捕，并两度被送往精神病院强迫治疗。1977 年 11 月，备受折磨的格里高连科以探亲为由（儿子已在美国定居），申请因私赴美。苏联国家安全委员会主席安德罗波夫为此致信苏共中央，说："近年来，在进行反社会活动的人中间，前苏军将军格里高连科起了积极的作用。""格里高连科曾经两次因进行反苏活动而被追究刑事责任，这

---

[1] 《格里高连科就社会主义民主化问题致卡达尔、罗歇、隆哥的信（1968 年 2 月 13 日）》，《苏联历史档案选编》，第 30 卷，第 184 页。

[2] 同上书，第 184—185 页。

[3] 同上书，第 189 页。

两次皆以法律的程序送去强制医疗。因为经专家鉴定，他患有精神病（精神分裂症）。”安德罗波夫在致苏共中央的信中说：10月，格里高连科申请赴美国治病。考虑到格里高连科身体已极度虚弱，苏联医生已难以为其进行前列腺手术，建议批准他出国。[1]这样，格里高连科遂得以移居美国，但是被剥夺了苏联国籍。

苏共在苏联社会中精英地位的陨落，不仅在青年一代、老布尔什维克和知识阶层中愈来愈快，即使在苏军部队中也表现得愈来愈明显。如果说伊里因暗杀勃列日涅夫还是一种个人恐怖行为的话，那么“‘护卫’号反潜舰兵变”就反映了苏军部队的某种一般情绪了。

大型反潜舰“护卫”号于1973年下水，1974年3月进入苏联海军波罗的海舰队服役。全舰官兵194人，武器和储备一直保持齐装满员。“护卫”号进入波罗的海舰队序列后，曾在地中海执行战斗勤务，完成横渡大西洋、驶往古巴的远航，并多次访问外国军港；在代号“海洋—75”及其他战斗演习中表现出色。1975年，该舰的战斗训练、政治教育计划完成状况等综合考评成绩良好。

舰长是1936年出生的俄罗斯人A.B.波图利内，海军中校，1954年入海军服役，毕业于伏龙芝高等海军学校，1958年加入苏共。政治副舰长是1939年出生的俄罗斯人B.M.萨布林，海军少校，1956年入海军服役，1959年加入苏共，毕业于伏龙芝高等海军学校和列宁政治学院。

1975年11月6日，“护卫”号停泊在里加。11月7日，“护卫”号在里加的达乌加夫深水港参加了海军检阅。11月8日19时，政治副舰长萨布林将“护卫”号引出检阅编队，驶向波罗的海，按事先准备好的计划，将舰长波图利内锁进水声部，然后召集26名准尉以上军官开会。会上，萨布林揭露了苏联社会的种种违法和破坏公正的现象：社会商品短缺、营私舞弊、大学生招生开后门、官员以权谋私、层出不穷的欺上瞒下、虚报成绩、官僚主义，等等。萨布林说：“所有这一切都是党和政府背离了列宁主义在建设社会主义方面的原则所造成的。”[2]最后，萨布林提出：将“护卫”号驶往喀琅施塔得；宣布军舰为“独

[1] 《安德罗波夫同意格里高连科因私赴美致苏共中央（1977年11月14日）》，同上书，第202页。

[2] 参见《苏联历史档案选编》，第30卷，第354页。

立领地”。经过表决，15 名不同意萨布林计划的军官被隔离起来。

晚上 23 时，萨布林集合全舰官兵晚点名，宣布了自己的观点和计划。一名海军上尉乘人不备，悄悄用缆绳坠下海，游向就近的基地，报告“护卫”号兵变了！

9 日凌晨，萨布林以“护卫舰革命委员会”的名义，通过舰上的通讯器材向苏联海军总司令部提出：要求苏共中央承认“护卫”舰为“独立而自由的领地”；为“护卫”舰提供发表电视广播的权利；为军舰提供给养和邮政通讯，允许军舰在任何基地锚泊；保证不对乘员及其亲属采取暴力措施。萨布林计划将“护卫”号驶往瑞典。苏联海军总司令严辞拒绝萨布林的要求，并严令“护卫”号立即返回指定锚地，警告如不执行命令，将以武力镇压。此时，“护卫”号周围已遍布监视的军舰，上空有飞机监控，气氛已极度紧张。在飞机发出投弹警告之后，9 日 10 时 20 分，舰上一批水兵和军官起来释放了舰长和被隔离的军官；按舰长波图利内的命令，制服并逮捕了萨布林及 11 名积极参与兵变的军官。军舰按命令驶回里加指定的锚地。

此时，基地上早已戒备森严。萨布林及 11 名兵变积极支持者被押送军事法庭，全舰官兵统统被更换。由苏联海军总司令戈尔什科夫海军元帅任主席，成员包括苏军总政治部主任叶皮谢夫大将在内的 7 人组成的特别委员会，对兵变进行缜密的调查。1975 年 11 月 17 日，特别委员会向苏联国防部长格列奇科报告调查结果，结论是：“萨布林是单独行动的，并得到某些人的支持。并未发现有组织的反苏集团和所谓的舰上‘革命委员会’。”[1]报告还说：已采取“改善对各类军人政治教育工作”等 4 条措施；“舰队已采取了杜绝走漏信息的措施”。波罗的海舰队领导、有关责任人，均受到严厉处罚。

1976 年 2 月 8 日，萨布林被军事法庭判处死刑，执行枪决；积极参与的其他人被处刑期不等的监禁。萨布林在给亲人写的最后一封信中附了一张画，画的是堂・吉诃德和风车作战。这位骑士说：“我的意图始终是想实现良好的目的——为大家做好事，不做任何坏事。”这场海军兵变，虽然只 16 个小时即被扑灭，但它某种程度上反映了军队对苏共的情绪。

---

[1] 参见《苏联历史档案选编》，第 30 卷，第 359 页。

各地工人的罢工、抗议事件也接连发生。1968 年 5 月 6 日，国家安全委员会呈送苏共中央的一份报告说，1967 年苏联全国共发生了 90 起工人班组集体不出工的事件：其中乌克兰 29 起，乌兹别克斯坦 11 起，爱沙尼亚 8 起，立陶宛 5 起，塔吉克斯坦 4 起，斯维尔德洛夫斯克州 9 起，科斯特罗马州 8 起，彼尔姆州 7 起，卡累利阿自治共和国 5 起，克拉斯诺雅尔斯克边疆区 4 起。哈萨克共和国在 1967、1968 年的两年里发生了 49 起这类事件。此外还有 40 来起类似事件被事先制止。这份报告指出：发生这类事件的主要原因是劳动定额有严重缺点，各级组织和有些领导者对劳动者的痛痒漠不关心。1968 年 3 月 14、15 日，库尔干机械厂的两个班 70 名工人拒绝出工，抗议该厂采用浮动工时表取代每周 5 天工作制。当厂长下令取消新的浮动工时表之后，事态平息。

面对全国各地、各阶层接二连三地发生的愤懑和不满情绪，勃列日涅夫不是科学地审视他所说的“苏联人民牢不可破的思想政治上的一致”[1]，而是提出“社会主义和资本主义意识形态斗争越来越尖锐”的主张，把所有意识形态方面的问题归之于来自外部帝国主义的破坏。

1968 年 4 月 22 日，《真理报》就列宁诞生 98 周年发表的社论说：“当前，资本主义与社会主义在意识形态领域的斗争急剧尖锐化。”[2]1968 年 5 月 5 日，苏斯洛夫在莫斯科纪念马克思诞生 150 周年的报告中说：“历史发展现阶段的特点是资本主义与社会主义之间的意识形态斗争急剧尖锐化。”[3]1971 年 12 月 21 日，苏斯洛夫在全苏高等学校社会科学教研室主任会议讲话时再次强调：“在当前社会主义和资本主义两大世界体系对立的时代里，包括科学在内的社会生活各个方面普遍存在的意识形态斗争必然会不断加剧。”[4]1977 年，安德罗波夫在庆祝苏联国家安全机关建立 60 周年大会上也说：“我国国内不存在会产生旨在反对苏联社会制度和国家制度的颠覆活动的阶级基础。”“现在，威胁苏联安全的根源在外部。阶级敌人试图从那里，从外部将颠覆活动

[1] 《勃列日涅夫言论》，第 7 集，第 115 页。

[2] Правда.1968. 22 апр.

[3] 《苏斯洛夫言论选》，第 788 页。

[4] 同上书，第 962—963 页。

移到我国境内来，试图大搞意识形态破坏活动，把希望寄托在某些不坚定的人身上。”[1]

勃列日涅夫和苏共中央沉醉于说假话、大话、空话，拒绝反思自身的工作，和社会现实、和人民的距离也就越来越远。

勃列日涅夫一家与茨维贡之死

20 世纪 70 年代，在苏共的高级机关和高层官员中，贪污受贿、营私舞弊等腐败现象，已屡见不鲜，震惊全党和全国的像格鲁吉亚共产党的集体犯罪事件，也不是个别现象。

1973 年 2 月，格鲁吉亚共和国党中央书记恰努克瓦泽因贪污腐化被撤职。新任格鲁吉亚共和国党中央第一书记谢瓦尔德纳泽在 2 月 20 日的共和国党中央全会上，严厉谴责一些高级干部“利用手中的权力过着花天酒地的生活”，5 名区委书记以及一些企业领导人，或被撤职，或被开除出党。4 月，又有一批市委书记、州委书记、区委书记因贪污腐化而被撤职。10 月，格鲁吉亚共和国共产党又召开中央全会，一名苏共中央委员、一名苏共中央候补委员因贪污和出卖毕业文凭，被开除出党、逮捕法办。

苏共高级机关和高层官员中发生种种腐败现象，只要依法惩治，是可以解决的。苏共的真正悲哀在于身为苏共中央总书记的勃列日涅夫本人无视法律，将自己凌驾于法律之上。苏共所培育的特权阶层，除了享有物质待遇上的种种特权之外，还有法律不能约束的特殊权力，这种特殊权力是从勃列日涅夫开始的。

勃列日涅夫本人酷爱豪华轿车。他除了拥有最豪华的“罗尔斯—罗伊斯”、“梅塞德斯”等西方世界的名牌轿车之外，在高峰会晤时还总是一辆接一辆地接受作为“礼品”赠送给他的轿车。

勃列日涅夫及其一班人热衷于送礼和接受礼品。送礼成风是勃列日涅夫当政时期政坛的一大特色。勃列日涅夫及其一班人每逢出行，必带从手表、香烟、名酒、各种器皿到金银饰品等大批礼品。上行下效，全国送礼成风。1976

[1] 参见《苏联共产党 93 年》，第 782—783 页。

年底是勃列日涅夫70岁生日，全国上下掀起了送礼的高潮。关于勃列日涅夫及全国上下的送礼风，无须详细开列相互赠与以及各国领导人赠送的礼品清单，仅举苏共雅库特州委第一书记契里亚耶夫[1]赠送给勃列日涅夫的巧伦杯一例，已足见其奢华靡费和挥霍国库的严重程度了。

巧伦杯由俄罗斯联邦人民艺术家阿莫索夫主持，综合多种工艺制作而成。阿莫索夫匠心独具，用一块象牙磨制成一只杯子。用5块纯度极高、总重12克拉的天然钻石，由莫斯科首饰厂磨成6块。再用细碎钻石镶嵌成12朵玫瑰花。用白银制作了一个6边形、三脚底座和精致的保护箍。底座的6个边框，每边镶一枚钻石和两朵玫瑰花，上面边框镶两枚红宝石——石榴石。这件生日礼品确让勃列日涅夫爱不释手。契里亚耶夫当然也得到回报。勃列日涅夫的一枚价值连城的金刚钻石戒指是苏共中央政治局候补委员、阿塞拜疆共和国党中央第一书记阿利耶夫送的；勃列日涅夫常在公众场合观赏性地展示，到处炫耀。

勃列日涅夫还喜欢打猎。作为个人的一种爱好，喜欢狩猎本无可厚非，问题是勃列日涅夫以他的地位和特权，实际上有了特殊的狩猎场以及多处“狩猎小屋”——一座座带有冬季花园、游泳池以及其他附属设施的超大型豪华、有自然情趣的别墅。

勃列日涅夫自己在这方面的作为不仅起到了上行下效的作用，还为恣意妄为的人开了绿灯。

勃列日涅夫还肆意安插亲信，包括和他沾亲带故的人。勃列日涅夫提拔晓洛科夫为苏联内务部部长，授大将军衔、社会主义劳动英雄、经济学博士，还选为苏共中央委员。晓洛科夫把持的苏联内务部，贪污犯罪层出不穷，一些正直的干部被驱逐出内务部，有的人被迫自杀。晓洛科夫还野心勃勃地想当苏共中央政治局委员、苏联国家安全委员会主席。晓洛科夫的斑斑劣迹，连安德罗波夫、苏斯洛夫、佩尔谢等人都感到不安，多次向勃列日涅夫提出：管住晓洛科夫；最好是撤职查办。但是，晓洛科夫最大的特长是忠实于勃列日涅夫，

---

[1] 格夫里尔·依奥西福维奇·契里亚耶夫（1925—1982），1944年加入苏共，1965年任苏共雅库特州委第一书记，1971年当选苏共中央委员。雅库特州在雅库特自治共和国境内。

是"第聂伯罗彼得罗夫斯克帮"的骨干成员，因此事情都是不了了之。[1] 直到勃列日涅夫死后，晓洛科夫才被撤职，剥夺大将军衔；晓洛科夫和其妻先后畏罪自杀。

勃列日涅夫对自己一家人的百般庇护，也是苏共自行蜕变的表象之一。

勃列日涅夫的弟弟不学无术，经常酗酒滋事，居然当上副部长。勃列日涅夫的儿子因经常酗酒和生活不检点，双眼浮肿。为了遮掩过于明显的病态，只好常常戴墨镜，居然也当上苏联外贸部第一副部长。他不止一次在酒态中进行责任重大的商务谈判，还带一名懂业务的异性"同事"为这类谈判"把关"。[2] 一些正直的官员都敢怒不敢言。

勃列日涅夫的女儿参与走私案，成为勃列日涅夫时期政坛的一大丑闻。

勃列日涅夫的女儿加琳娜·列昂尼德芙娜·勃列日涅娃是个生活放荡的女性。她的最后一任丈夫丘尔巴诺夫仅仅因为是勃列日涅夫的女婿，才从一名基层民警政治工作者，一跃而成为苏联内务部第一副部长，授中将军衔。

勃列日涅娃如果仅仅限于生活放荡，毕竟还是个人的私事，但她却屡屡凭借特殊的权力，作奸犯科。1981 年，苏联国家马戏团出国演出时在机场被海关查获大量走私钻石，其中在青年歌唱演员鲍里斯·布里亚采身上就搜出私藏的钻石，而且这些稀世的钻石，有的还牵涉盗窃案。布里亚采涉嫌重大走私和盗窃案，被司法机关拘留。此案被移交苏联国家安全委员会立案侦查。青年歌手布里亚采是勃列日涅娃的当红情人，主管此案的苏联国家安全委员会副主席茨维贡因此案牵涉太大，不敢擅自作主，而去请示苏斯洛夫。苏斯洛夫不仅不从维护法律尊严出发，支持茨维贡查清案情，反而训斥茨维贡：不许干涉勃列日涅夫家的"私事"。1982 年 1 月 19 日，茨维贡在极度矛

---

[1] 安德罗波夫与晓洛科夫的矛盾还在于如何处置索尔仁尼琴的分歧。1971 年秋，根据苏共中央政治局讨论的决定，安德罗波夫起草了剥夺索尔仁尼琴的苏联公民权、驱逐出境的命令草案，送苏共中央政治局。在这同时，晓洛科夫向勃列日涅夫呈送一份关于处置索尔仁尼琴的备忘录，内中说："索尔仁尼琴问题是那些管理文学界的人造成的。在这个案件中，我们需要做的不是公开处死我们的敌人，而应该靠拥抱令他们窒息。"勃列日涅夫在这段话下面划了线，流露出令人难以捉摸的意思。

[2] 参见［俄］格·阿·阿尔巴托夫著：《苏联政治内幕：知情者的见证》，第 342 页。

盾中举枪自戕。[1]不久，苏联国家马戏团经理科列瓦托尔被逮捕，并被判处15年徒刑。不管茨维贡之死出于什么原因，勃列日涅夫纵容女儿，以致她有恃无恐地胆大妄为都是事实。虽然勃列日涅夫也曾不止一次痛心疾首地责骂女儿的行为，但最终还是“舐犊之情”淹没了国家的法律。有人向勃列日涅夫反映，工资收入低的人生活十分艰难。勃列日涅夫这样回答：“您不了解生活。谁也不靠工资生活。我记得年轻时，在中等技术学校读书时去装卸货车挣额外收入。我们是怎么干的呢？把三袋或三箱东西扛到那里去时，给自己留下一袋或一箱。在我们国家大家都是这么干的。”[2]这段话活脱地表明了勃列日涅夫的意识，也托出了苏联体制的不可救药。

种种迹象表明，勃列日涅夫当政时期的苏共，在愈来愈快地滑向毁灭的悬崖。

[1] 关于茨维贡是因为在维护法律尊严与受权力控制的极度矛盾中自杀，还是因健康恶化，难以忍受病痛的折磨而自杀，苏联学者及一些回忆录作者有不同的说法。参见［俄］尼·津科维奇著：《权力与争斗》，第350—360页；［俄］列·姆列欣著：《历届克格勃主席的命运》，第658—659页。

[2] 参见费多尔·布尔拉茨基：《勃列日涅夫和解冻的失败》。Литературная газета. 1988. № 37.

第五章　苏联社会的人本主义潜流

本章阐述苏联社会的人本主义潜流问题。

人本主义催唤了17世纪、18世纪西方市民社会的发育和成熟，是西方民主、法治社会秩序赖以确立的意识观念基础。人本主义意识的成熟程度，几乎也是社会的人的现代化的标杆。

18世纪以来，俄国的先进知识分子曾为宣传人本主义作出重大的努力，产生了一批人本主义的杰出思想家。由于沙皇专制政府镇压以及其他多方面原因，俄国终于未能发育成属于俄国的、适合俄国的俄国人本主义。十月革命前，列宁把俄国资产阶级民主革命的任务规定为政治上推翻沙皇专制制度统治，经济上解决农民土地问题，为资本主义发展扫清障碍。在意识形态方面，列宁虽然没有明确的表述，实际上是要确立马克思主义的绝对权威，把人本主义作为资产阶级的陈腐思想，列入“旧社会灭亡死尸的臭气”之内。

随着科学技术的进步和物质生活水平的提高，人本主义思想也在发育，不是行政力量所能抑制的。勃列日涅夫当政后，人本主义思潮涌动，成为苏联社会生活中的重大事件。勃列日涅夫和苏共中央不仅把人本主义看作是和马克思主义截然对立的意识形态，更把人本主义当作是动摇和倾覆斯大林社会主义制度的“思想核弹”，因而把表现、宣传人本主义的人和活动，定为“颠覆苏联社会主义制度”的刑事犯罪，制定新的刑法条文，动员一切司法手段，镇压人本主义思潮。这实在是苏共和苏联的悲哀！

19世纪中叶，马克思、恩格斯在他们的著作中，确实有对人本主义的局限性的批判，但是马克思、恩格斯并没有把自己的学说看作是人本主义的替代学说。勃列日涅夫和苏共中央对人本主义思潮的态度和做法，也是他们将马克思主义宗教教义化的表现之一。

在西方以及有关苏联问题的研究著作中，经常会出现dissident，Диссидент一词，中文通常译作“持不同政见者”及“持不同政见者运动”，不大确切，因为有的分歧并不一定是政见的分歧。俄语Диссидент一词的原意是“持异议者”、“背离国教的人”，西方舆论界直接以此来泛指苏联社会中、尤其是知识分子阶层中不满苏共政治、经济、意识形态控制，追求自由、民主、人道、个性解放的人及其运动。因此译作“持异议者”也许较为准确。后来，Диссидент这一称呼也被苏联社会所接受。但是苏联官方始终不接受这一称呼，而使用“反社会分子”、“反社会主义分子”的称呼。[1]

罗伊·梅德维杰夫认为：“所谓持异议者是这样的一些人，他们对于任何社会（包括苏联在内）所赖以存在的意识形态、政治、经济或道德基础都多少持有不同的见解。不仅如此，他们还公开表明自己的观点，并以这样或那样的方式将这些观点表达出来。换句话说，他们不光是私下对自己的妻子或挚友发发牢骚而已。”“持异议者运动”“是对为斯大林和斯大林主义恢复名誉和重新极力限制公民的合法权利和宗教、民族团体的合法权利的企图的回答。这个运动是由于广大人民群众对国内状况、供应短缺和生产组织中的缺点的普遍不满，是由于苏联的党政等级制中许多环节上和各个级别中还存在着的专横和腐败而产生的。”据1977年10月举家迁居国外的苏联天体物理学家柳巴尔斯基估计，积极活动的持异议者不下1万人。

本书没有像我国学术界关于这个问题的众多研究和论述那样，使用“持不同政见者”、“持不同政见者运动”或“持异议者”、“持异议者运动”的说法。不过本书绝没有把Диссидент解释成“人本主义者”的意思。本书只是认为，苏共中央和苏联政府到勃列日涅夫当政时期，把马克思主义宗教教义化了，奉作“苏联的国教”。在勃列日涅夫和苏共中央的眼里，除了被他们宗教教义化的“马克思主义”之外，其他一切思想观念都是“异端”；凡是表现、宣传“异端”的，就是刑事罪犯。这是对马克思主义的亵渎！

在当代世界，政治民主化、经济市场化、人的法律地位主体化，是支撑现代文明社会的三要素。尤其是发轫于文艺复兴运动的人本主义，是现代法制社会意识形态的立足点。斯大林模式在意识形态上是以国家主义取代了人本主义，原来就先天不足的俄国人本主义意识也成为苏联意识形态领域革命和专政的对象，具有人本主义思想的人，肉体上也遭残酷迫害和杀戮。但是，在苏联存在的整个历史时期里，人本主义意识始终存在，并不时顽强地表现出来。人本主义思潮并不等同于“持不同政见者运动”。人本主义思潮是秉承以人为本的思想，对斯大林模式、对俄国历史选择更为理性的思

[1]　参见郭永胜：《苏联持不同政见者运动研究》，内蒙古人民出版社2005年版。

考。[1] 基于此，本书认为勃列日涅夫当政时期，苏联各界对苏共执政方方面面的诘难，对斯大林社会主义模式的种种批评，从思想观念上说，都是人本主义的呼声和表现。这样，本书把本章所阐述的内容都归为人本主义潜流的涌动。

已有的关于苏联持异议者的研究成果，大多将持异议者分为以梅德维杰夫为代表的民主社会主义派，以萨哈罗夫为代表的西方派，以及以索尔仁尼琴为代表的斯拉夫派。本书认为，在呼喊和表现人本主义意识的潮流中，人们的思想观念由于各自的经历和观察社会的角度不同，他们的思想观念难免各有侧重，但是从总体上说是共通的。而且，即使各有侧重，侧重面也是交叉的。因此，本书只是将梅德维杰夫、萨哈罗夫、索尔仁尼琴，看作是勃列日涅夫当政时期人本主义的三名代表。

第一节　人本主义潜流的涌动

人本主义新凸显的社会背景

俄国没有发生过文艺复兴运动，但是在西欧启蒙思想家的影响和早期资产阶级革命运动的感召下，19 世纪初沙皇专制统治下的俄国社会，也产生了以十二月党人为代表的人本主义思潮。十二月党人起义的失败，沙皇政府的严厉镇压，不仅未能扑灭俄国的人本主义思潮，反而催生了像赫尔岑、别林斯基、车尔尼雪夫斯基等一批俄国早期人本主义的杰出代表。20 世纪前后，俄国兴起了社会主义革命运动。而先天不足的俄国人本主义者一般都主张从人性、道德等方面去克服社会矛盾和危机，政治上倾向改良，反对暴力革命。在1917 年的革命浪潮中，他们基本上选择了二月革命和临时政府。列宁把人本主义者列为敌对营垒，人本主义也被作为社会主义革命的对立面。苏维埃政权建立后，具有人本主义思想的文学家、诗人、艺术家、政论家，纷纷移居

---

[1] 参见［俄］罗·梅德维杰夫著:《论苏联的持不同政见者》，刘明等译，群众出版社1984 年版，第 1 页；[俄] 罗·梅德维杰夫著:《人们所不知道的安德罗波夫》，徐葵等译，新华出版社 2001 年版，第 129 页。

国外，留在国内的也先后遭到残酷迫害和镇压，人本主义思潮一度几近销声匿迹。

但是，人本主义作为现代法治社会的基本意识形态，也如地球上的野草一样生存。苏联国内的诗人、作家，如曼德尔斯坦姆、帕斯捷纳克、兹维塔耶娃、阿赫玛托娃、叶赛宁等，都在各自的作品中，倔强地表现出人本主义气息。斯大林当政时代，对人本主义采取了更为严酷的剿灭措施。即使这样，像联共（布）中央高层领导中的布哈林、卢那察尔斯基等人的思想，也有人本主义的闪光。第二次世界大战后，阿赫玛托娃、左琴科等人的作品，又发出对人性的呼唤。而肖斯塔科维奇则通过他的音符，不时弹奏出赞美人本主义的乐章。

斯大林死后，赫鲁晓夫当政时期，文学领域出现了“解冻”现象。所谓“解冻”，说到底无非是对人本主义禁锢的某种松动，出现了人本主义气息的某种复苏。

勃列日涅夫当政期间，人本主义思潮的活跃又有了新的社会环境。

世界科学技术的进步，第三次科技革命的到来，通讯技术器材的进步和大众传媒的发达，使得苏共领导和苏联政府要想像以往那样把苏联社会作为全封闭状态的铁桶，已经不可能了。勃列日涅夫当政的前期，据西方有关专家估计，大约有 1/4 的成年人收听西方广播。西方的这一估计可能过于夸大，但是，把收听者的再传播的因素估计在内，收听西方广播应是相当普遍的了。1968 年 11 月 5 日，苏联国家安全委员会呈送苏共中央的报告中说：“大学生都定时收听广播，但他们偏爱西方广播电台，因为西方电台对新闻的报道比我们及时，节目编排得比我们有趣，包含许多引人入胜的细节。此外，朋友之间总是津津有味地叙述刚刚收听到的最新消息。”[1] 这份报告不无担忧地说：学生宿舍里每个房间都有收音机。“晶体管收音机的普及通过广播很容易收听到敌对势力的信息，因为大多数学生甚至在约会时都随身携带着‘斯皮多拉’或者‘子午线’收音机。”苏联社会和西方世界在思想观念上的日渐沟通，成为人本主义思潮新凸显的国际大背景。对于这一国际大背景的变化，连安德罗波夫也

[1] 《苏联国家安全委员会就青年学生的情绪呈苏共中央的报告（1968 年 11 月 5 日）》，《苏联历史档案选编》，第 31 卷，第 148 页。

说："边界在军事意义上是不可侵犯的，而在所有其他方面由于接触的扩大和信息的流动，边界正在变为透明的。"[1]

1964年10月，勃列日涅夫以宫廷政变的方式，取赫鲁晓夫的职位而代之，并且批判赫鲁晓夫的种种"反列宁主义的严重错误"。这种领导权更迭的方式和做法，以及苏联官场黑幕和种种丑闻的不时透露，使苏联人民感到无所适从，加剧了已经出现的信仰危机。苏共与苏联政府愈来愈丧失人民的信任。关于信仰危机，苏联国家安全委员会向苏共中央报告说："学生们对列宁和马克思的著作都不感兴趣。反对强制的心理效应导致马克思主义经典作家的书籍没有人去翻阅……一个大学生在《共青团真理报》上号召读《资本论》就引起我的许多朋友的讥笑。"[2]苏联国家安全委员会对莫斯科和基辅一些高等学校共青团积极分子的询问资料显示：在调查过程中，被征询过意见的一些文科院校的学生公然说："马克思列宁主义理论已经过时，而材料的内容落后于思想斗争不断变化的形式和方法。"[3]苏联社会普遍出现的信仰危机、口是心非，表明苏共用强制灌输的方式构建起来的意识形态堤坝开始倒塌，这是人本主义思潮新凸显的社会思想基础。

勃列日涅夫上台后，苏共中央顺应苏共党内一股顽固、僵化势力的要求，企图为斯大林恢复名誉，重树斯大林的偶像，这种回潮、倒退的趋势，成为人本主义思潮新凸显的催生因素。赫鲁晓夫从批判斯大林个人崇拜开始，刚刚掀开斯大林模式黑幕的一角。随着赫鲁晓夫的下台，苏共党内依靠斯大林模式而生存的僵化势力，竭力把黑幕重新捂紧，维护斯大林模式一成不变地延续下去。刚刚呼吸到由于批判斯大林个人崇拜而透露进来的一丝新鲜空气的人，也担心因此而被重新窒息。勃列日涅夫取代赫鲁晓夫后所出现的这种政治意识形态局势，激发了人本主义思潮的新凸显。

1965年是世界反法西斯战争胜利20周年，苏共党内一部分人想借庆祝反

---

[1] 参见［俄］罗·梅德维杰夫著：《人们所不知道的安德罗波夫》，第155页。

[2] 《苏联国家安全委员会就青年学生的情绪呈苏共中央的报告（1968年11月5日）》，《苏联历史档案选编》，第31卷，第145页。

[3] 《苏联国家安全委员会关于大中学生中不良表现的性质和原因（1976年12月28日）》，同上书，第204页。

法西斯战争胜利之机，为斯大林恢复名誉。这样，围绕斯大林问题，实际上是关系苏联社会的走向问题，激起了一场不平静的风波。

1965 年 4 月 7 日，取代伊利切夫主管意识形态问题的苏共中央书记杰米契夫在编辑人员会议的讲话中，批评苏联的各种报刊和大众宣传媒体："纠缠不休地谈论斯大林的个人崇拜。二十大的决议是正确的，但是不能把一切过错都归咎于九泉之下的斯大林。"说到这里，听讲的人高喊"对，对!"[1] 杰米契夫和苏共中央委员、苏共中央科学和学校部部长特拉佩兹尼科夫还在一系列指示性讲话中提到："赫鲁晓夫错误地、片面地否定斯大林在我党历史上的作用。已经到了'纠正'赫鲁晓夫在这方面的主观主义的时候了。"[2]

1965 年 4 月 13 日，苏共中央候补委员、《共产党人》杂志主编斯捷潘诺夫在杂志社党员会议上的讲话中谈到斯大林时说："我们时常表现出片面性，而忽略了他的功勋。"斯捷播诺夫接着说：《共产党人》杂志曾经确定过如何评价斯大林的正确方针。于是他援引 1959 年发表的《约·维·斯大林——纪念斯大林诞生 80 周年》一文的开头部分念道："约·维·斯大林从青年时代起就将自己的生命与为争取工人阶级摆脱资本主义奴役、建立新的社会主义社会而斗争的伟大事业联系在一起。约·维·斯大林是杰出的马克思主义理论家、组织家，是为共产主义而奋斗的坚定的战士。他忠于马克思列宁主义和劳动人民的利益，执行了党的崇高托付，担任中央委员会总书记达 30 多年。他对党、苏维埃祖国和人民，对国际共产主义运动和工人运动作出了巨大的贡献。"斯捷潘诺夫念完《共产党人》杂志 1959 年第 18 期文章的这一大段之后，有人问："这篇文章的作者是谁?"斯捷潘诺夫不无得意地回答："是我"。[3]

应当指出的是，《共产党人》杂志 1959 年第 18 期发表的编辑部文章对斯大林的评价，是在当时苏联所处的环境、国际共产主义运动的形势下，以赫鲁晓夫为首的苏共中央对斯大林认识的起伏的认识。况且，就是这篇文章，在作

---

[1] 《彼·尼·杰米契夫和瓦·伊·斯纳斯金在编辑人员会议上的讲话》。Политический дневник. 1965–1970 . Под ред. *Р. Медведева.* Фонд имени Герцена. Амстердам. 1972.Т.2. С.11.

[2] Политический дневник. .Т.2. С.15.

[3] Политический дневник. .Т.2. С.17.

了文章开头的一大段对斯大林的肯定之后，接着是谈斯大林的错误。斯捷潘诺夫捡起 6 年前的这篇文章，而且不谈斯大林的错误，只念肯定的文字，其用心是十分清楚的。

1965 年 4 月 14 日，在苏共莫斯科市委讲解员讲习班上，军事委员会政治部雷勃尼科夫上校作纪念战胜德国法西斯 20 周年的报告。雷勃尼科夫批评："在我们不久前出版的历史著作中，把战争头几个月的失利归罪于斯大林的失算……把一切罪过都推到斯大林身上有什么意义呢？要知道在这场战争中我们不是输了，而是赢了。为什么要给苏联人民的伟大功勋抹黑？……斯大林投身于战争，赢得了胜利。为了保证战争的胜利，我们党需要斯大林的伟大气魄和领导全国的雄才大略。"[1]

鲍尔金中将在列宁格勒举行的共和国历史学家讲习班上也说："苏联历史学家过分地强调斯大林的失算。赫鲁晓夫错误地把斯大林说成是军事外行。然而，斯大林在领导战争中的作用毫不比罗斯福和丘吉尔逊色。"季莫费耶夫斯基教授在同一次讲习班上说："应当推翻赫鲁晓夫对斯大林活动的毫无根据、不分青红皂白的批评，同时揭露赫鲁晓夫对斯大林的矛盾看法。"[2]

4 月底，波斯别洛夫领导的马克思列宁主义研究院草拟了一份纪念战胜德国法西斯 20 周年的专门提纲。这份提纲部分地修正了苏共二十大和二十二大对斯大林的评价。这份提纲由于在为斯大林平反上表现得过于明显，在苏共中央审查时遭到有些人的反对，苏共中央主席团最终不敢采纳。但是，迫害诚实的历史学家的工作却执行得毫不含糊：苏联科学院历史研究所所长沃洛布耶夫因为在学术上坚持原则性立场而被撤职；著名的第二次世界大战史研究专家涅克里奇，因坚持实事求是写历史的原则，最终不堪无端迫害而移居国外；梅德维杰夫因为略微写了一点真实的历史而被开除出党。

苏共中央内部力图为斯大林恢复名誉、使苏联原封不动地保持在斯大林模式内的势力都明白：为斯大林平反的最有效、最简便的做法莫过于借纪念战胜德国法西斯来歌颂斯大林，因为卫国战争的胜利永远是苏联人民留在心中的最受鼓舞的历史篇章。这样，1965 年就掀起了一个为斯大林平反的不小的高潮。

[1] Политический дневник. .T.2. C.16.

[2] Политический дневник. .T.2. C.16.

1966年3月23日，著名作家西蒙诺夫致信勃列日涅夫说："目前，已是第二十三次代表大会召开的前夕，最使我们大家关心的是我们面临的巨大而吸引人的、为继续向共产主义迈进必须进行的经济改革问题。依我看来，在这场重大的、已经展开并继续摆在我们面前的新与旧的斗争中，一切保守的、不会按照新方法工作的势力，将会不止一次地从斯大林的经典著作中和恢复他的工作方法的反历史的企图中，为自己寻找政治依据。我在对待斯大林的态度上，多年以来一直被人称为'斯大林分子'。我作为共产党员作家，我将对此承担自己的一份责任。但是，我现在承担更加重大的责任是为了正确评价斯大林和他的所谓绝对正确的、我们每个人都与之有关的崇拜，讲明全部的历史真相。"[1] 西蒙诺夫还提出：不能借讴歌卫国战争的伟大胜利而重树斯大林的偶像。他说："斯大林在战争进程中表现了巨大的政治智慧，巨大的坚强性和意志，并以此为我们国家战胜敌人作出了极大的个人贡献。关于这一点，既不应该忘记，也不应该避而不说。但是必须有一个条件，那就是除此以外，在任何时候和任何情况下都不应该忘记和不应该避而不说斯大林在战前把国家置于灭亡边缘的罪行。还有一件事也不能忘记，那就是斯大林在为我们的胜利作出贡献的同时，他在战后又重新着手滥杀干部（列宁格勒案件和其他案件），直到他逝世之前，重演1937年镇压干部的危险在国内越来越明显地增长。"西蒙诺夫认为：我们大量的报刊中不知道为什么越来越多地只提斯大林的历史功勋，

[1] 《西蒙诺夫关于对斯大林的评价问题致勃列日涅夫的信（1966年3月23日）》，《苏联历史档案选编》，第30卷，第144页。西蒙诺夫之所以"多年来一直被人称为'斯大林分子'"，主要是因为《旗帜》杂志1953年10月发表了爱伦堡的论文《谈作家的工作》，呼喊"解冻了！作家的春天来到了！"1954年5月，《旗帜》杂志又发表了爱伦堡创作的中篇小说《解冻》。由此，围绕"社会主义现实主义"文艺创作原则问题，苏联文坛发生了激烈争论。时任苏联作家协会书记的西蒙诺夫，于1954年7月17、18日的《文学报》上，连载他的长篇论文《爱伦堡的新中篇小说》，激烈批评爱伦堡的"解冻"思想、理论、实践。说："这篇小说（指《解冻》），在我看来，比起爱伦堡最近15年来所创作的一切文学作品都要坏。"并说，在《解冻》发表以前，"我们的艺术也决不是一个完全冻结了的冰娃娃。"显然，西蒙诺夫是在维护斯大林时代的文艺创作原则。当然，也并不完全排除其间有门户之见。

回避他在党和人民面前所犯有的罪行，这样，“关于他的实际功勋的所有提法将被认为是为这个重大的历史人物全面恢复名誉，其中包括为他的直接罪行恢复名誉”。为此，西蒙诺夫希望“一个由党的活动家和党员历史学家组成的委员会，始终不渝地和客观地研究斯大林在所有工作时期工作的所有基本事实，并把自己的初步结论在确定的时间内提交中央委员会全会审议”。[1] 西蒙诺夫实际上是以一名作家所具有的社会洞察力来考问：为斯大林全面恢复名誉，是不是为全面恢复旧的一切“为自己寻找政治依据”？[2] 当然，勃列日涅夫是绝对不会、也不能让历史学家去研究和写出真实的斯大林的。所以，西蒙诺夫的信也毫无下文。不过半年后举行的全苏思想工作者讨论会，可以看作是对西蒙诺夫的信的某种间接回答。

1966 年 10 月 12—17 日，在莫斯科举行全苏思想工作者讨论会。出席讨论会的有各加盟共和国、各州、各边疆区的苏共机关主管思想工作的书记，各意识形态机关和出版社的领导人，各大杂志社的主编，约一千人，但讨论会的组织者有意不邀请《新世界》和《军事历史》两杂志的主编。

会议第一天，在苏共中央宣传鼓动部部长斯捷帕科夫的报告之后，格鲁吉亚第比利斯鲁斯塔维利话剧院导演斯图鲁阿发言。斯图鲁阿发言中有如下的话：“我们有时被称作斯大林分子，但我们并不感到有什么可耻而是为自己是斯大林分子而自豪。我是斯大林分子，因为在集体化和工业化的年代里，我国人民的胜利是同斯大林的名字联系在一起的；我是斯大林分子，因为在卫国战争的岁月里，我国人民的胜利是同斯大林的名字联系在一起的；我是斯大林分子，因为在战后恢复国民经济阶段，我国人民的胜利是同斯大林的名字联系在一起的。”[3] 对于斯图鲁阿的发言，大约 70% 的与会者报以热烈的掌声；但也有人表示抗议，有人表示沉默。

在这次会上，《新世界》、《青春》两杂志再次受到猛烈抨击。苏联陆海军

---

[1] 《苏联历史档案选编》，第 30 卷，第 145—146 页。

[2] 《西蒙诺夫关于对斯大林的评价问题致勃列日涅夫的信（1966 年 3 月 23 日）》，同上书，第 144 页。

[3] 《全苏思想工作者讨论会——为斯大林恢复名誉的新尝试》。Политический дневник. C.122.

总政治部主任叶皮谢夫大将在会上宣称：革命军事委员会政治部禁止军事机关和武装部队订阅《新世界》和《青春》杂志。白俄罗斯共产党中央书记比洛托维奇、苏共中央科学和学校部部长特拉佩兹尼科夫、共青团中央第一书记帕夫洛夫等在讨论会上发言，都支持斯图鲁阿。讨论会上，还有许多发言者转弯抹角地批评苏共中央政治局对《新世界》杂志和特瓦尔多夫斯基采取“绥靖政策”。比洛托维奇甚至说：“应当要求政治局把特瓦尔多夫斯基召到中央来，问问他执行哪个党的路线？我们党、还是别的什么党的路线？”[1]

这次讨论会表明，在苏共党内确实形成一股为斯大林恢复名誉的强劲势力，这股势力的代表就是格鲁吉亚共产党。苏共中央政治局、尤其是勃列日涅夫本人，对这股势力实际上是支持的。苏共中央书记杰米契夫代表苏共中央对这次讨论会作总结发言时，并没有批评斯图鲁阿等的发言，只是不痛不痒地重申：1956 年 6 月 30 日苏共中央《关于克服个人崇拜及其后果》的决议，仍然应当是评价斯大林问题的基本文件。

1967 年 11 月 3—4 日，勃列日涅夫在庆祝十月革命 50 周年大会上的报告清楚地表明了勃列日涅夫对斯大林问题的态度。勃列日涅夫在这个长篇报告中百分之百地肯定斯大林当政的全部政策、措施。他说：“头几个五年计划的岁月离开得越远，这段困难的然而是光荣的时间在我们面前也就显得越加宏伟。”勃列日涅夫就是这样肯定“在不到三个五年计划的期间就解决了联共（布）第十四次代表大会决议中所提出的国家工业化的根本问题。”关于农业集体化，勃列日涅夫说：为了建设社会主义，必须实现农村的社会主义改造。“这是一项极为艰巨的任务。需要克服小私有者多少世纪以来的习惯势力，克服他们利益和人生观的狭隘性，改变他们的心理状态。需要把个体农民变成集体劳动和社会生活的积极参加者。”勃列日涅夫在肯定农业集体化时，甚至还不忘记肯定向农村派遣集体化工作队这种做法。他说：“在谈到农村社会主义改造时，不能不想到那些献出自己的劳动、意志和精力来完成这一巨大任务的人。莫斯科、列宁格勒、乌拉尔和顿巴斯的工人响应党的号召去农村帮助建立新的集体经济，历史把他们叫作‘25000 名特派员’，其实他们的人数要多得多。”[2] 勃

---

[1] Политический дневник. С.122.

[2] 《勃列日涅夫言论》，第 3 集，第 182—184 页。

列日涅夫就这样公开地、正式地肯定斯大林时期的一切。在勃列日涅夫的通篇报告里连抽象的“教训”之类词都没有。勃列日涅夫的报告好像根本就没有过苏共二十大、二十二大以及苏共中央其他有关斯大林问题的决议。难怪格里高连科1968年2月13日致卡达尔等人的信中说：勃列日涅夫的报告“不仅把战前、战后镇压活动的整个时期，而且把揭露斯大林专制暴行的第二十和二十二次党代表大会都‘忘’得一干二净。但是他却不失时机，尽可能不被人察觉地把斯大林同列宁相提并论。”[1]

1969年是斯大林诞生90周年，围绕斯大林问题又出现一个小高潮。

《共产党人》杂志1969年第2、3期刊登了两篇瞩目的文章：其一是历史学博士鲍尔金的《伟大卫国战争史上激动人心的几页》；其二是由戈利科夫等5人署名的《阐述苏共历史要坚持列宁的党性》。两篇文章的基本倾向是借肯定苏联人民的革命英雄主义来讴歌斯大林，从而把几年来一直存在的为斯大林平反的意识流推向新高潮。

原苏军正集团军级干部、曾任基辅军区司令的伊·埃·亚基尔的儿子，彼得·亚基尔于1969年3月2日给《共产党人》杂志写了一封信，该信的抄件寄给苏共中央委员会。亚基尔在信中说：《共产党人》杂志刊登这样的文章，“由于苏共中央机关刊物的威望，使持续了几年的亲斯大林运动达到高峰。”亚基尔在信中摘录波德戈尔内、谢列平、杰米契夫等苏共领导人在苏共二十二大上对斯大林的批判；列出19条足以对斯大林提起公诉的犯罪事实。信的最后说：“我认为自己有权邀请辩论会的参加者联名向苏联检察院就上述罪行对约·维·斯大林（朱加施维里）提出公诉。我相信，既然死后可以恢复名誉，那么死后的判决也应是合法的。”[2] 结果是1972年6月，亚基尔被逮捕，罪名是“系统地向西方宣传机构提供反苏情报”。

亚基尔是私下出版物《时事纪事》的主要成员、苏联“保卫人权行动小组”的核心人物之一，在西方世界也有一定影响。苏联国家安全机关非常重视对亚基尔的审讯。在残酷的审讯面前，亚基尔在开始阶段还顽强地反抗，但在长期

---

[1] 《格里高连科就社会主义国家民主化问题致卡达尔、罗歇、隆哥的信（1968年2月13日）》，《苏联历史档案选编》，第30卷，第185页。

[2] 《彼·亚基尔致〈共产党人〉杂志的信》。Политический дневник. Т.2. С. 595.

的压力下最终精神崩溃，在一份国家安全机关准备好的认罪书上签字。这份认罪书说："在调查的过程中，我终于明白自己犯下了一系列非常严重的罪行：我曾经在声称在我们的国家里人民因为信仰而被判刑的诽谤信上签过字；我曾多次接受西方记者的采访，发表诽谤性的言论；我还保留、复制并散发有类似内容的文件；我还经常向西方记者传递有偏见的信息，让他们用于宣传目的。"[1]

苏联国家安全机关在做了这一系列准备之后，于 1973 年 8 月 27 日在莫斯科公开审讯亚基尔，判处其在梁赞强制性居留（行政流放）3 年。9 月，苏联官方在加里宁大街的"十月"电影院大厅特意安排了一场有外国记者参加的记者招待会。会上，亚基尔承认自己有罪，表示要"真心悔过，将来也不会重蹈覆辙"。苏联国家安全机关为这一杰作而洋洋自得。亚基尔的身心遭此严重摧残，精神失落、空虚，1974 年获赦免后返回莫斯科，不久即去世。

苏共中央还竭力利用卫国战争胜利在苏联人民中留下的民族自豪心理，把赢得反法西斯战争胜利的决定性作用归功于斯大林，为斯大林恢复名誉。20 世纪 60 年代后期至 80 年代初，在苏军的高级将领中，形成了一股"写回忆录热"。"写回忆录热"的真正意图是把斯大林所确立的苏军建军体制和社会军国主义化体制奉为军事秩序的最高体现和完美成就，并将这一套奉为苏联社会体制的永恒范本。在这些数不胜数、足够装满一个图书馆的"战争回忆录"中，不是说没有诚实的、在资料和结论上有价值的著作，但绝大多数存在伪造战史、吹捧斯大林并自我吹捧，甚至还有盗用一些著名将领的名义的伪作。

在汗牛充栋的"战争回忆录"中，有较深远影响的当数朱可夫元帅的《回忆与思考》。该书的责任编辑、出版此书的新闻通讯社出版社社长科莫洛夫曾对深谙苏联政治内幕的阿尔巴托夫说："因为忙于改写这本书（《回忆与思考》——引注）中的一些重要的章节，所以简直累得筋疲力竭。"阿尔巴托夫问："你手不发抖吗？这可是历史哟，是我国经历的最大悲剧的重要当事人之一的回忆录呀。而你竟利用他生病的机会，也许还利用他的弱点，拿起笔来就随心所欲地写，用他的名义写。"科莫洛夫解释说："一切都由我在中央委员会协调好了。"科莫洛夫在出版此书时还有意砍掉关于 1937 年对红军高级指挥人

[1] 参见［俄］瓦·米特罗欣、安·克里斯托弗著：《克格勃绝密档案》，下册，王振西主译，当代世界出版社 2002 年版，第 501 页。

员大清洗的一章。[1] 对朱可夫的回忆录尚且如此，其他回忆录更可想而知。所有这些回忆录的共同结论是：斯大林是天才的军事家；是对伟大卫国战争胜利作出不可估量贡献的统帅。至于斯大林带给苏联人民、苏联军队、苏联历史的种种苦难的过错呢？统统没有了。什捷缅科的回忆录还说：斯大林也反对个人崇拜，只不过是不够坚决！

尽管勃列日涅夫也支持为斯大林恢复名誉，但是真要公开为斯大林平反，勃列日涅夫仍有所顾忌。因为这样做就要正式修改苏共二十大、二十二大的决议，以及苏共中央其他一些相关的文献。而且，苏共中央政治局委员中的谢列斯特、谢列平、波德戈尔内、苏斯洛夫和杰米契夫等人，不久前还揭发过斯大林的严重罪行，马上改口，就有朝秦暮楚之嫌。此外，欧洲共产党，尤其是意大利共产党的隆哥、波兰的哥穆尔卡、匈牙利的卡达尔，都反对为斯大林公开恢复名誉。1969 年 12 月中旬，他们访问莫斯科时表示：如果苏共中央坚持为斯大林公开恢复名誉，他们只好对苏共“敬而远之”。由于多方面的掣肘，勃列日涅夫没有公开为斯大林恢复名誉。苏共中央曾准备举行的斯大林诞生 90 周年的纪念大会也没有召开。

形势迫使苏共中央必须就斯大林问题作出正式的表态。

还在 1969 年 12 月 13 日，苏共中央政治局就起草了一篇关于斯大林诞生 90 周年的纪念文章，打印、分发给政治局委员及少数相关人员，征求意见。12 月 17 日，在苏联最高苏维埃会议休会期间，苏共中央政治局召开会议，讨论关于斯大林诞生 90 周年报刊如何发表文章的问题。出席会议的除政治局委员外，还有苏共中央书记。

勃列日涅夫主持会议，讲了几句开场白之后，苏斯洛夫说：现在全国都在期待中央的文章，格鲁吉亚更是迫不及待。“看来，我们不应当大规模地庆祝，并且除了发表文章之外也不必安排其他活动。”苏斯洛夫认为，根据目前的形势，“我们不必为斯大林洗刷，现在没有任何必要这样做。但是，客观据实地、根据已为众所周知的中央决议来讲一讲，还是需要的。”[2]

---

[1] 参见［俄］格·阿·阿尔巴托夫著：《苏联政治内幕：知情者的见证》，第 204—205 页。

[2] 《苏共中央政治局就斯大林诞生 90 周年报刊如何发表文章问题的会议纪录（1969 年 12 月 17 日）》，《苏联历史档案选编》，第 31 卷，第 175 页。

基里连科比较明确地表示，不能为斯大林平反。他说："人们没有任何理由为斯大林洗刷和废除原先就这个问题通过的决议，特别是不能废除我们在1956年中央决议中写的内容，不应当现在就改变这个决议。所以，我以为没有必要发表文章……总之，我认为欧洲没有一个党会为这样的文章鼓掌。我们应当想一想。"[1]谢列斯特、谢列平、波德戈尔内、苏斯洛夫等，虽然都曾言辞激烈地批判过斯大林，但是他们从没有触及过斯大林体制。等到苏联社会中具有人本主义意识的人从批判斯大林的错误而触及斯大林模式的合理性问题时，他们几乎都一致地转向维护斯大林的基本立场上去了。谢列斯特说："我以为应当发表一篇不长的、正确的文章，既讲优点，又讲缺点。"

经过较长时间的讨论，多数人认为应当发一篇文章，只是：一、不要写得太长；二、应当和1956年的党中央决议相衔接。最后，勃列日涅夫作总结，实际上是作为政治局会议的结论："要以平静的语气发表一篇文章，并且是按照苏共中央对这个问题的理解水平，按照代表大会通过的决议和中央相应决议的精神发表这篇文章。"[2]1969年12月21日，《真理报》根据勃列日涅夫的指示和政治局会议的精神，发表了一篇简短的编辑部文章，基调是遵循1956年6月30日苏共中央《关于克服个人崇拜及其后果》决议的提法。但是，明眼人都看清了，在苏共中央内部存在着一股强劲的、得到勃列日涅夫支持的为斯大林恢复名誉的势力。如同让新经济体制改革"安乐死"一样，为斯大林恢复名誉也没有发表什么文章、通过什么决议，而是悄悄地、渐进式地滑行。

在这样的社会背景下，人本主义像不灭的地火涌动起来。

人本主义思潮的涌动

声援西尼亚夫斯基和达尼埃尔，开始了人本主义思潮的新涌动。

供职于苏联科学院高尔基文学研究所的作家西尼亚夫斯基从1959年开始，就以阿勃拉姆·捷尔茨（Абрам Терц）的笔名，在西方发表作品。另一位作家达尼埃尔，从1961年开始以尼古拉·阿尔扎克（Николай Аржак）的笔名，

[1] 《苏联历史档案选编》，第31卷，第177页。

[2] 同上书，第181页。

在西方发表讽刺斯大林主义的文学作品。由于西尼亚夫斯基所用的“阿勃拉姆·捷尔茨”的笔名是个犹太名字，苏联国家安全委员会的情报人员误认为作者是犹太人。有位作家在《消息报》上抨击说：“西尼亚夫斯基使用阿勃拉姆·捷尔茨这个名字在国外出版反苏作品，企图使人们产生一种印象，即我国存在着反犹主义。而且一个用阿勃拉姆·捷尔茨这样笔名的作家，要想‘坦率’地写一些关于苏联生活的文章，他就只能选择西方的出版商。”[1]

1965 年 9 月，西尼亚夫斯基和达尼埃尔被捕。

1965 年 12 月 5 日（苏联宪法日），为了抗议苏联当局逮捕西尼亚夫斯基和达尼埃尔，诗人亚·叶赛宁·沃尔平牵头在莫斯科的普希金广场举行示威集会。

1965 年 12 月初，莫斯科流传一张题为《告公民宣言书》的传单，抗议逮捕西尼亚夫斯基和达尼埃尔，要求对他们“公开审判”。《告公民宣言书》说：“这种情况破坏了宪法上规定的公民有基本写作权利的条文……不可思议的是，作家竟然因为写作而成了国家的罪犯。”《告公民宣言书》最后说：“我们公民有向专横的法律斗争的手段——公开集会，或者(打出）适当的公开标语和口号。集会时所有参加者的唯一口号是：‘要求公开审判’；要一字一顿地、清晰地高喊。”[2]《告公民宣言书》相约：1965 年 12 月 5 日晚 6 时，在普希金广场诗人纪念碑旁的街心花园公开集会。

12 月 5 日傍晚，几百名抗议者在普希金广场公开集会。集会者打出标语：“要求法院公开审判西尼亚夫斯基和达尼埃尔”；“请尊重苏联宪法”。国家安全委员会的便衣很快抢走传单，抓走 20 多人；有 40 余名大学生因参加集会而被学校开除。示威者要求苏联当局“遵守宪法”，切实保障宪法所赋予公民的民主权利的要求，成为 20 世纪六七十年代苏联人本主义运动的基本要求。以后，每年的 12 月 5 日，普希金广场都有人举行要求保障宪法规定的公民民主权利的示威活动。“西尼亚夫斯基和达尼埃尔事件”成为苏联 20 世纪 60 年代人本

---

[1] 参见［俄］瓦·米特罗欣、安·克里斯托弗著：《克格勃绝密档案》下册，第 491 页。

[2] А. Гинзбург. Белая книга по делу А. Синявского и Ю. Даниэля. Франкфурт на Майне. «Посев». 1967. С.61. 参见郭永胜：《苏联“持不同政见者运动”研究》，华东师范大学 2004 年博士学位论文第 101 页。引用时对照原文略作修订。

主义涌动的新开始。

1966年2月，法庭对西尼亚夫斯基和达尼埃尔进行公开审判。西尼亚夫斯基在法庭上申辩说：这起诉讼案从一开始就是在混淆视听，把文学作品中虚构的观点与作者本人联系在一起。但是，法庭认定他们犯有“企图在意识形态领域进行颠覆活动”罪；“他们的作品，他们的所作所为所造成的社会危害在现今这个时代尤其严重。目前意识形态领域里的斗争正在加剧，国际反动势力的宣传机器和情报机构串通一气，正高速开动起来，用极端虚无主义毒害我们的年轻一代，不择手段地把它们的触角伸入我们的文学领域。”[1]

西尼亚夫斯基被判处7年强迫劳动。达尼埃尔被判处5年强迫劳动。[2]

1966年底，亚历山大·金兹伯格收集了许多有关西尼亚夫斯基和达尼埃尔诉讼案的材料，编排成“白皮书”，寄给苏共中央、苏联最高苏维埃主席团及苏联检察院。1967年初，金兹伯格与加兰斯科夫等被逮捕，罪名是“印刷和传递地下出版物”。1月21日，100多名青年在莫斯科普希金广场集会示威，抗议逮捕金兹伯格和加兰斯科夫。示威者和前来驱赶的纠察队发生冲突，又有几人被捕。

1968年8月20日，苏军入侵捷克斯洛伐克。8月25日中午，包括苏联前外交人民委员李维诺夫的孙子巴维尔·李维诺夫在内的一批人，来到莫斯科红场沙皇时代宣读诏书和行刑的宣谕台护墙旁，举行示威。他们打的标语是“不要插手捷克斯洛伐克！”“占领者可耻！”“争取我们和你们的自由！”警察立即赶来，撕毁了标语，逮捕了示威者。10月，李维诺夫、博戈拉兹、巴比茨基等此次示威的组织者，分别被判处流放边远地区5年、4年、3年。

此后，很多有成就的科学家、作家、艺术家，因为反对不顾宪法和法律程序的逮捕和审讯而屡遭迫害。政论家布科夫斯基1967年因抗议逮捕金兹伯格而被捕，出狱以后又因参与“持不同政见者”活动，于1971年再次被捕，

[1] [俄] 瓦·米特罗欣、安·克里斯托弗著：《克格勃绝密档案》下册，第495页。

[2] 西尼亚夫斯和达尼埃尔被判刑后，被关押在摩尔多瓦的集中营强迫劳动。安德罗波夫任苏联国家安全委员会主席后，1967年夏，萨哈罗夫曾向安德罗波夫反映达尼埃尔的艰难处境，请求给予关注。达尼埃尔于1970年9月获释，居住在莫斯科。西尼亚夫斯基于1971年6月获释，不久即移居巴黎。

并被处以7年徒刑加5年流放。

具有人本主义意识的人，为了传递信息、交流思想、扩大影响，曾经印制过名目繁多的材料。这些材料是被苏联官方所严厉禁止和取缔的，被通称为“私下出版物”。1970年12月21日，安德罗波夫在给苏共中央的报告中惊呼：“对在知识分子和青年学生中传播的所谓‘私下出版’的书籍的分析表明，‘私下出版物’近几年来发生了质的变化。如果说5年前传阅的主要是一些思想上有毛病的文艺作品，那么现在具有政治纲领性的文件得到了越来越广泛的传播。”[1]安德罗波夫在报告中还说：“在科学界、技术界和部分从事创作活动的知识分子中传播着一些鼓吹各种‘民主社会主义’理论的文件。”“在许多苏联‘民主化’方案中都规定要‘限制或消除苏共的垄断权力，在国内建立忠实于社会主义的反对党’。这些方案的作者和传播者认为社会主义民主目前的发展水平使得反对派观点有权存在，因而要求为表达与官方方针不同的意见提供合法的机会。他们在这个基础上宣称，惩处反苏宣传的鼓动或散布诋毁苏联国家制度的明显谬误的谣言的刑事法律，都是违反宪法的。”[2]当然，这些私下出版物均不定期，而且不断有旧的消失，又不断有新的出现。1965—1970年的5年多时间里，据苏联国家安全委员会统计，“已出现400多种研究经济、政治和哲学问题的各种学术著作和文章。”[3]这些出版物虽然内容庞杂、形式多样，但是它们的基本意识，诚如安德罗波夫在给苏共中央的报告中所说，是要使苏联国家和苏联社会从苏共的以党代政、党政一体的集权国家和集权社会，转向确立和维护以人为中心、以人为本的法治国家和法治社会。就具体内容来说，这些私下出版物基本上是围绕着评价苏联社会主义建设的历史经验，讨论苏共的内、外政策的是非曲直，揭露苏共高度集权统治的弊端，宣传多党制的民主性等等而展开的。

在不胜枚举的私下出版物中，影响较大的有：

《时事纪事》，该刊由以亚基尔等为首的莫斯科“民主运动小组”编辑。

---

[1] 《安德罗波夫关于“私下出版物”问题给苏共中央的报告（1970年12月21日）》，《苏联历史档案选编》，第30卷，第197页。

[2] 同上书，第197—198页。

[3] 同上书，第197页。

该刊的宗旨是：通过在人们中间培养民主与科学的信念，使国家民主化；反对斯大林主义，保护自己不受镇压；与任何极端主义作斗争。该刊1966年创刊，1971年“大赦国际”为其出版了英文版。《时事纪事》共出版过64期，1983年停刊。

《播种者》由具有较强的社会民主主义意识的“苏联国家劳动联盟”编辑，流传于20世纪60年代后期。此外，更多地流传于莫斯科的有《市民会议》、《社会问题》，由一些“反斯大林主义者”、“民主权利斗士”秘密编辑；更多地流传于列宁格勒地区的有《西格马》（Сигма）、《钟声》、《三七》。《乌克兰通讯》、《离境》，由一些具有较强烈的民族主义情绪者和犹太人编辑。

在各种秘密出版物中，最有影响的当数梅德维杰夫主编的《政治日记》。梅德维杰夫从1964年10月开始编《政治日记》。1965年，梅德维杰夫将自己编的《政治日记》念给一些最要好的朋友听，评价极高。在朋友们的鼓励下，1967年梅德维杰夫将《政治日记》每期印12份，分发给朋友，经常性的读者约40人，至于辗转传递的读者，就难以统计了，《政治日记》的影响越来越大。《政治日记》于1971年5月停刊，共出过70多期。1972年，在阿姆斯特丹赫尔岑基金会[1]的资助下，结集出版了《政治日记（1965—1970年）》。1975年，阿姆斯特丹赫尔岑基金会结集出版了第2册《政治日记（1965—1970年）》。这样，《政治日记》成了苏联体现人本主义意识的最有影响的秘密刊物。[2]

1978年春，列宁格勒大学历史系四年级学生斯科波夫和友人楚尔科夫创办了一份秘密杂志《展望》，刊登一些探讨苏联社会政治现实问题的文章。斯科波夫还在列宁格勒租了一套公寓，供各地来列宁格勒的志同道合者住宿。他把这个处所称作“公社”，经常在这里讨论哲学、政治、文化艺术等问题，实际上是“地下沙龙”。斯科波夫和楚尔科夫于9月被捕，“公社”被查封。1978年12月5日苏联宪法日，200来名大学生在列宁格勒示威，要求释放斯科波夫和楚尔科夫，结果是更多的人被捕。1979年4月，斯科波夫被强制送往特

[1]　“赫尔岑基金会”成立于1969年5月19日，由荷兰阿姆斯特丹大学俄国史教授詹·威廉·别泽沐（Jan Willem Bezemer）等发起，出版在苏联被禁止出版的书籍。

[2]　［苏］罗·梅德维杰夫主编：《政治日记》（选译），贾连义等译，山东人民出版社1983年版。

种精神病院“治疗”；楚尔科夫被判处强迫劳动5年，外加2年国内政治流放。

在人本主义潜流的涌动中，也先后形成了一些社团组织。

20世纪60年代后期，以奥古尔佐夫、瓦金、阿维里奇金等为首的“全俄基督教人民解放联盟”在列宁格勒出现。1967年12月，奥古尔佐夫等被列宁格勒市法院判处期限不等的监禁。1968年三四月间，该组织的17名参加者又被判处从6年至10个月不等期限的监禁。在庭审过程中，有些成员承认自己“有罪”；有些成员不承认自己有罪，坚持认为当前不合理的政治现实终究要改变。

1968年12月，弗拉基米尔市出现了一个名为“独立青年联盟”的组织，成员多数是当地的工人，领导人是鲍里索夫。该组织的宗旨是“发展苏联的社会主义民主和社会进步”，在工人中有一定影响。不久，该组织即遭镇压，鲍里索夫在狱中自杀。

1969年5月，亚基尔、克拉辛等约15名成员，宣布成立“保卫人权行动小组”，宗旨是“同侵犯人权的行为作斗争”，支持政治审讯的受害者和因政治原因而被送进精神病院的牺牲者。不久，该组织的7人被处监禁，3人被强制送往精神病院，还有几人被迫流亡国外，仅2人受到“行政处分”，算是“侥幸者”。

1970年11月，在萨哈罗夫、特维尔多赫列鲍夫、查利泽等3名物理学家的创议下，成立了“人权委员会”。该组织宣布是“国际人权联盟的集体成员”。该组织一出现即遭苏联专政机关的严厉打击。萨哈罗夫虽然没有被立即逮捕，但时刻被苏联国家安全委员会严密监控。

1973年，一个称作“七三小组”的组织在莫斯科出现。该组织宣称“声援政治犯”。在遭苏联专政机关的打击后，很快就瓦解了。金兹伯格等人又组织了“援助政治犯基金会”，也称“索尔仁尼琴基金会”，专门帮助因政治原因被关押的人及其亲属。该组织做过许多具体的物质帮助工作，但活动时间也很短。

1974年秋，“大赦国际小组”在莫斯科出现，主要成员有图尔钦、特维尔多赫列鲍夫等。该组织的宗旨是动员公众舆论，要求释放政治犯；给予在押犯人以最基本的人道待遇。该组织一出现也同样遭到严厉打击，很快也销声匿迹。

20世纪70年代后期，人本主义意识越出了知识分子的范围，在工人中间产生了相应的影响。1977 年，莫斯科工人中出现了“苏联劳动人民自由工会联合会”的组织，一个非官方的、类似后来的波兰团结工会的工人组织。该组织的宗旨是维护工人的合法权利，争取劳动保护、失业补助金、残废抚恤金，提高退休金，反对企业违背劳动管理条例，调解企业与工人之间的冲突，等等。11 月 5 日，该组织在莫斯科举行了一次外国驻莫斯科记者招待会，声称有 43 名公开成员及 110 名候补成员。1978 年初，又举行两次外国记者招待会。1978 年 2 月 7 日，该组织的领导人、前顿涅茨克的煤矿工程师克勒巴诺夫被逮捕。7 月，其他的十来名成员被强迫送往特种精神病院。1978 年 10 月，又有一些工人在莫斯科举行外国记者招待会，宣布成立“各行业劳动者自由联合会”。1979 年，该组织的积极成员基本上都被送往各地的特种精神病院，各种活动也随之消失。

总之，一些具有人本主义意识的人，试图在写作和传播私下出版物的基础上，结成某种形式的社团。但是，这些社团一露头即遭严厉打击，很快就瓦解了。人本主义意识的流传，基本上限于莫斯科、列宁格勒、基辅、高尔基市、新西伯利亚、哈尔科夫等苏联的大城市，在整个苏联社会中的影响是很有限的；甚至可以这样说：它在国外的影响大于在苏联国内的影响。

第二节 人本主义“三剑客”

萨哈罗夫与“萨哈罗夫宪章”

20 世纪苏联人本主义的代表是杰出的物理学家萨哈罗夫、历史学家梅德维杰夫和作家索尔仁尼琴，他们可以称作是人本主义“三剑客”。

安德烈·德米特里耶维奇·萨哈罗夫是 1921 年出生的俄罗斯人，苏联核物理学家，苏联科学院院士（1953 年当选），苏联中型机器制造部实验物理科学研究所科研副所长，苏联国家原子能委员会首席顾问。由于对苏联发展核武器所作出的杰出的贡献，萨哈罗夫三次获社会主义劳动英雄称号，获得苏联国家奖金和列宁奖金，被称为“苏联氢弹之父”。

自 1957 年起，萨哈罗夫开始关心社会政治问题。他知道在大气层中进行核试验将严重污染环境。当 1957 和 1960 年苏联接连发生核事故后，萨哈罗夫要求赫鲁晓夫停止核试验。1961年、1962年，萨哈罗夫又上书赫鲁晓夫，要求停止核试验。这些要求不仅被苏共中央拒绝，并招致苏共中央的忌恨。

萨哈罗夫

勃列日涅夫上台后，萨哈罗夫提出了苏联在文明方面落后于西方的问题，激烈反对或明或暗的为斯大林恢复名誉的种种做法，抗议各种形式的对“人权”的侵犯。萨哈罗夫还积极倡导“民主社会主义”，设计了苏联的“民主社会主义”政治、经济图式。他提出：苏联政治发展的道路应是“建立真正的民主制度”，为此，应当“限制和消除苏共的垄断权力，建立忠实于社会主义的反对党”。

1968年，萨哈罗夫因主张苏美合作消除世界的核威胁，被解除了苏联国家原子能委员会首席顾问的职务。5月，他写成《关于进步、和平共处和思想自由的思考》一文，阐述了他的一些基本思想。文章最初打印成5份，分寄友人，包括寄给梅德维杰夫。文章把苏联的斯大林模式社会主义，希特勒在德国建立的法西斯专政，都称为当代的“警察专制制度”，说这两种“警察专制制度”之间虽然也有区别，但在专制极权统治方面是相同的。文章还写道：“法西斯主义在德国存在了12年，斯大林主义在苏联存在的时间比之要长一倍。它们有许多共同性，但也有一定的区别。这就是对伪善和蛊惑作了多得多的巧妙的掩饰，不是像希特勒那样依靠公开的吃人的纲领，而是依靠进步的、科学的、在劳动人民中受欢迎的社会主义意识形态。这种意识形态是用来欺骗工人阶级和麻痹知识分子与争夺政权的竞争者的警惕性的最方便的幌子。”[1]

[1] 参见［俄］罗·梅德维杰夫著：《人们所不知道的安德罗波夫》，第150页。

此外，萨哈罗夫在文章中还表述了他的另一重要思想，即反对对“思想自由的威胁”，说“今天思想自由是为人的利益和对国家制度进行进步改革的关键”。梅德维杰夫在读了此文之后，肯定文章“呼吁精神生活民主化”的积极观点，但认为文章也“流于空想的性质”，同时为萨哈罗夫的命运感到担忧。果然，由于这一系列的活动，自1968年岁末，萨哈罗夫就被苏联国家安全委员会列为“重点”对象，进行监控。

1970年4月，萨哈罗夫与物理学家图尔欣以及梅德维杰夫等，联名写信给勃列日涅夫等苏联党政领导，提出15条建议，以期推进苏联社会的民主化。西方报刊很快转载了这封信，并称之为“俄国知识分子的改革宪章”。以后，这封致勃列日涅夫等的联名信，被称作“萨哈罗夫宪章”。这封信在内容上虽然没有超出萨哈罗夫《关于进步、和平共处和思想自由的思考》的范围，但由于以民主改革政纲的形式向苏共中央总书记直接地提出，在世界及苏联国内产生的影响就更为强烈。苏共中央委员、苏联科学院院长凯尔迪什，苏共中央委员、苏共中央学校和科学部部长特拉佩兹尼科夫为此而找萨哈罗夫谈话。他们告诉萨哈罗夫：“苏联非常需要民主化，但是必须先提高广大居民群众的生活水平。先得让人民吃饱!”实际上，这是代表勃列日涅夫对萨哈罗夫的回答。

1970年，萨哈罗夫与另几名物理学家一起，成立苏联“人权委员会”，遭致苏共中央更大的忌恨，曾考虑剥夺萨哈罗夫的苏联科学院院士称号。作为一种准备，报上发表了有几十名科学院院士签名的谴责萨哈罗夫的声明。不过，苏联科学院院长凯尔迪什向苏共中央表示：不能轻易地剥夺萨哈罗夫的苏联科学院院士称号，因为根据苏联科学院章程，授予或剥夺院士称号，需经科学院院士以无记名投票方式，经2/3以上多数通过。凯尔迪什说：我不能保证能做到。

苏联国家安全委员会给萨哈罗夫编了个“苦行僧”的代号，严密监视他的一举一动。1972年6月26日，苏联国家安全委员会向苏共中央报告：“萨哈罗夫发表了他的意识形态上有害的论文《关于进步、和平共处和思想自由的思考》后，在西方已成了名人。敌人的意识形态颠覆中心积极利用萨哈罗夫的名字，把他当作苏联存在的所谓‘反对派运动’的最重要的代表。”[1]1973年9月6日，苏共中央书记处还通过一个《关于萨哈罗夫院士反社会活动》的通报，

[1] 参见［俄］罗·梅德维杰夫著：《人们所不知道的安德罗波夫》，第157页。

向全党的政工干部传达，以期尽可能消除萨哈罗夫的社会影响。

1975 年，萨哈罗夫获诺贝尔和平奖。苏联在得知这一讯息时就四处活动，竭力阻挠此事，但终于没有成功。萨哈罗夫在得知自己获诺贝尔和平奖后说："我觉得我应该与我们的政治犯分享这个荣誉，——他们通过公开的、非暴力的方式捍卫别人的自由，但是却牺牲了自己最珍贵的东西——自由。"[1] 萨哈罗夫在国际上的影响也越来越大。苏联政府在寻找机会对萨哈罗夫采取刑事措施。

1976 年鄂木斯克法院在审讯鞑靼人领袖德热米列夫时，萨哈罗夫掴了一名后备役少校一记耳光。这样，萨哈罗夫以"流氓罪"被鄂木斯克地方法院拘留。虽然不久就被释放，但萨哈罗夫被苏联国家安全委员会列为"头号人民公敌"。苏联国家安全委员会制定了针对萨哈罗夫的迫害行动，包括：13 次"诋毁"行动；7 次"切断其与其他反社会的人的联系"行动；8 次"阻止其进行敌对活动"行动；4 次"分散其从事敌对活动的精力"行动，等等。苏联国家安全委员会组织和执行这些"行动"，也是无所不用其极的，如：伪造美国国务院文件，贬称萨哈罗夫不过是"三流政客"；伪造"自由广播电台"苏联工作人员的信，指责萨哈罗夫与犹太复国主义者关系密切；伪造萨哈罗夫与白俄罗斯同性恋者组织的签名信，寄给英国与北欧地区的同性恋组织，让它们去散播"萨哈罗夫是同性恋者"；向西方各国媒体驻莫斯科记者散发材料，宣扬"萨哈罗夫家族有遗传性精神病"，"萨哈罗夫本人是个疲惫而意志薄弱的人，是个无法自己拿主意的人"，等等。[2] 这些不间断的、软刀子杀人的迫害，极大地伤害了萨哈罗夫的身心。

1977 年 1 月 8 日，有人在莫斯科地铁车厢里引爆了一个自制的爆炸装置，使许多无辜的人遇难和受伤。就在当天，位于莫斯科鲍曼区的第 15 食品商店的营业厅，以及第 5 食品商店附近的一个垃圾箱，也发生爆炸事故，殃及多名无辜市民。不久，库尔斯克火车站的候车厅又排除了一个自制的定时爆炸装置，由于及时发现和处理，才未造成人员的伤亡。苏共中央对这些事件极为震惊，责令苏联国家安全委员会尽快侦查。萨哈罗夫针对这些事件发表声明：

---

[1] 参见［俄］瓦·米特罗欣、安·克里斯托弗著：《克格勃绝密档案》，下册，第 516 页。

[2] 见上书，第 520 页。

"我不能摆脱一个感觉，即莫斯科地铁中的爆炸和一些人的悲剧性的死亡，是镇压机关最近几年来做出的新的、最危险的挑衅。做出这种罪行可能是为了对持不同政见者进行大规模迫害和改变国家内部气氛制造借口。"[1]萨哈罗夫的声明立即被西方各大媒体迅速转载，并冠以种种赞赏性的评论。此事严重地刺激了苏共领导。苏联总检察长鲁坚科就此警告萨哈罗夫：诽谤是要负法律责任的！安德罗波夫和鲁坚科在致苏共中央的报告中提出：必须对萨哈罗夫采取进一步的措施，因为"所谓的持不同政见者的头头们（萨哈罗夫就不用提了）越来越发热了，已成为对其他人的极其不良和危险的榜样。"[2]

苏联国家安全部门在莫斯科逮捕了地下的亚美尼亚民族团结党的3名极端民族主义分子扎季克扬、斯捷潘尼扬和巴格达萨良，他们被指控在莫斯科准备和进行一系列恐怖活动。1979年1月24日，3人被苏联最高法院判处死刑，并于1月30日核准执行。萨哈罗夫对这次秘密审讯和判决也表示抗议。苏联报纸虽然没有报道萨哈罗夫的态度，但是却刊出一连串谴责萨哈罗夫的声音，已经预示着苏联国家安全部门将要对萨哈罗夫采取进一步措施。

1980年1月8日，勃列日涅夫签署了《关于剥夺萨哈罗夫苏联国家奖》的命令。1月22日，萨哈罗夫在上班的路上被逮捕。法庭向萨哈罗夫宣读了将萨哈罗夫从莫斯科驱逐到不能同外国记者接触的地方——高尔基市的命令；不许萨哈罗夫越出高尔基市的范围以外，禁止会见外国人或"犯罪分子"。萨哈罗夫受到高尔基市警察和苏联国家安全委员会保安人员的日夜监视。

苏联科学院院士、低温物理学和强磁场物理学的奠基人之一卡皮察数度写信给安德罗波夫，请求解除对萨哈罗夫的行政流放。卡皮察在信中说：对具有不同思想的学者采取强制的行政措施，对国家，尤其是对科学事业不会带来任何好处，而只会带来危害。卡皮察还以列宁是如何对待巴甫洛夫、季米里亚捷夫、波格丹诺夫、切尔诺夫等为例，说明必须容忍具有不同思想的学者。卡皮察说：巴甫洛夫曾毫不客气地用尖锐的方式批评，甚至责骂领导人，每经过一座教堂都要划十字，还老是戴着沙皇颁发给他的勋章，但是列宁作出一切努力保证巴甫洛夫得到进行科研工作的良好条件。卡皮察在信中写道："生活表

[1]　参见［俄］罗·梅德维杰夫著：《人们所不知道的安德罗波夫》，第160页。

[2]　同上。

明，大天才是很少的，因此需要珍惜和保护。伟大的创造也需要有伟大的激情，这会导致产生表现不满的尖锐形式，因之有天才的人往往具有通常所说的‘难对付的性格’……人类文化发展的辩证法就在于保守主义和异端思想之间的矛盾对立之中，这是在人类文化发展的任何时期和一切领域中都始终存在着的矛盾对立。”[1]

安德罗波夫仔细思考了卡皮察在来信中所提出的问题，最终还是拒绝了卡皮察的请求。安德罗波夫说卡皮察“提出了思想在社会发展中的作用这个哲学问题”，苏联国家安全委员会不承担这方面的职能，因而不讨论。安德罗波夫在复信中说：“作为共产党人，我自然只承认对待政治或文化领域中任何思想或现象的具体态度，只能从它们是进步的还是反动的这个角度来评论它们。共产党人不论在过去、现在和将来，都支持进步思想，反对阻碍社会进步的反动思想。”[2]安德罗波在信中说：“萨哈罗夫从1968

萨哈罗夫墓

[1] 参见［俄］罗·梅德维杰夫著：《人们所不知道的安德罗波夫》，第163—164页。

[2] 参见上书，第164页。

年开始，连续不断地进行反对苏维埃国家的破坏活动。他撰写并在西方散发了200多份材料，这些材料包含着对苏联内外政策的歪曲和粗暴的诽谤。他的材料被帝国主义者利用来煽起反苏主义和推行敌视我们的制度和国家的政策。你可以看到，这里已不是‘异端思想’，而是有害于苏联的安全和国防的行动。”[1]

安德罗波夫拒绝卡皮察的请求，就像1942年斯大林拒绝普里亚尼什尼科夫请求释放瓦维洛夫一样。安德罗波夫直言，思想的进步与反动，都由苏联共产党中央，实际上是由勃列日涅夫和他的“政治局”来裁定，这已把苏共中央放在中世纪宗教裁判所的位置上。进而，也是由安德罗波夫裁定：萨哈罗夫不是“异端思想”问题，“而是有害于苏联的安全和国防的行动”问题。1983年，当安德罗波夫已任苏共中央总书记的时候，仍然拒绝解除对萨哈罗夫的行政流放。

直到1985年8月29日，已任苏共中央总书记的戈尔巴乔夫在苏共中央政治局会议上宣布：收到萨哈罗夫先生的来信，他请求允许他和妻子去国外治病并探亲。苏联国家安全委员会主席切布里科夫也在会上说：萨哈罗夫在很大程度上已经失去了一个政治人物的地位，而且最近我们也没有听到关于他的任何新动向。1986年12月1日，戈尔巴乔夫在苏共中央政治局会议上再次提出萨哈罗夫问题。经政治局讨论并同意，结束萨哈罗夫的行政流放。

经过6年的准监禁之后——实际上1980年之前已早就没有自由了——萨哈罗夫终于重获自由。而当萨哈罗夫重获自由之后，苏共及其一党执政的苏联已是风雨飘摇了。

梅德维杰夫与《政治日记》

人本主义的另一代表人物是罗·亚·梅德维杰夫。

罗伊·亚历山德罗维奇·梅德维杰夫和若列斯·亚历山德罗维奇·梅德维杰夫是孪生兄弟，生于1925年，其父是红军政治学院教员，1938年在大清洗中遭镇压。梅德维杰夫的孪生哥哥若列斯·梅德维杰夫是苏联著名的生物遗传学家，1970年也因宣扬人本主义意识和在国外出版著作而被关进精神病院。在苏联国内科学界人士的一片抗议声中，若列斯终于获释。1973年，若列斯

[1] 参见［俄］罗·梅德维杰夫著：《人们所不知道的安德罗波夫》，第164—165页。

梅德维杰夫兄弟

访问英国时，被苏联当局吊销护照，只得留居英国。

梅德维杰夫的职业是教师、历史学家，曾任莫斯科教育出版社副总编辑、苏联教育学院职业教育研究所所长，苏共党员。1964年，梅德维杰夫撰成《让历史来审判》的初稿，一部离开苏联官方统一口径和体例，尽可能地根据真实史料研究斯大林时期苏联政治史的史学专著。这本书稿虽尚未正式出版，但是很快在苏联乃至在国际上引起强烈反响。1968年8月4日，苏联国家安全委员会向苏共中央建议："有必要把梅德维杰夫找到苏共中央宣传部，就他的作品问题同他进行详尽而认真的谈话，根据谈话的结果再来决定制止这部书（指《让历史来审判》——引注）问世的进一步措施问题。"[1]

1969年4月，梅德维杰夫给《共产党人》杂志编辑部写了一封公开信，反对为斯大林恢复名誉，并把信的副本分送苏共中央政治局委员及一些知识分子。不久，这封信以小册子的形式，冠以《应当为斯大林恢复名誉吗?》的标题，在巴黎出版。为此，8月间梅德维杰夫被开除出党，因为他"以批判斯大林个人崇拜为借口，对整个苏联人民、国家和社会制度都进行了恶毒的诽谤。"[2] 地方党委书记宣布：鉴于罗·梅德维杰夫既不愿承认错误，又不愿收回其错误观点，党别无选择，只能将其开除出党。

梅德维杰夫向苏共中央监察委员会提出申诉。苏共中央监察委员会派了两名监察工作人员，同梅德维杰夫进行了长达几小时的谈话。现节录其中的几段：

[1] 参见［俄］罗·梅德维杰夫著：《人们所不知道的安德罗波夫》，第171页。

[2] 参见［俄］罗·梅德维杰夫著：《论苏联的持不同政见者》，第29页。

“调查员：你凭什么认为自己有权主动地去审查和分析我们历史上的事件？谁批准你写一本评论斯大林的书的？

梅德维杰夫：谁也没有批准我。这也不是我分内的工作。但是历史，也包括党的历史，并不属于任何个人，谁也不能垄断它。因此我根本没有考虑什么有权、无权的问题。不管你高兴与否，谁也不能否认我有权就任何历史事件发表自己的看法。我根本没有必要去征得谁的许可。

调查员：但是你是一名党员，你知道我们有专门从事党史研究的机构，这些机构拥有一切必要的资料和文件。你是一名教师，你的工作就是教好学生。

梅德维杰夫：不错，当莫斯科的面包师烤出的面包又香又甜的时候，哪一家的主妇也不会硬要自己去揉面。要是我看到我们的历史研究所确实在研究斯大林主义的性质和历史，以及斯大林的罪行的话，那我也不会写这本书的。但是我知道他们对这个课题并没有从事任何研究。他们虽然掌握了大量的资料和文件，却没有对其进行审查和分析。现在他们还企图为斯大林恢复名誉。你瞧，要是莫斯科的面包师不再烤面包了，各处的私人面包房就会应运而生，或者人们就不得不自己动手来烤面包了。我们的人民要了解我国过去的真实情况，并不亚于他们对面包的需求。人们必须知道为什么会发生这样的悲剧。因此，我不得不探索真理，但是采用的却是手工业工人的方法。”[1]

罗·梅德维杰夫

这次谈话当然只是证明梅德维杰夫确实“不能继续留在苏共的队伍里”。

1971年10月，警察抄了梅德维杰夫的家，理由是“梅德维杰夫牵涉列宁图书馆图书失窃案”。警察把梅德维杰夫的家翻了个底朝

[1] 参见［俄］罗·梅德维杰夫著：《论苏联的持不同政见者》，第31—32页。

天，终于搜到一本价值为90戈比的盖有图书馆印章的书。但警察却从梅德维杰夫家搜走7大包文件和剪报资料。梅德维杰夫还因此被“开除公职”。不久，梅德维杰夫在西方出版了《让历史来审判》、《社会主义和民主》、《谁是疯子》等著作。其中《谁是疯子》是梅德维杰夫与他的孪生兄弟若列斯合作的。该书记述了若列斯1970年5月被关进精神病院，在苏联国内外知识分子的抗议和营救下，终于获释的经过。

1975年，梅德维杰夫的家再次被抄。此时，梅德维杰夫正从事《米哈伊尔·肖洛霍夫创作生涯之谜》一书的写作。这次，梅德维杰夫坚决不许警察把正在写作的书稿带走。梅德维杰夫说：“这些东西凭任何标准都不能认为是‘反苏’的。”此后，苏联国家安全委员会对梅德维杰夫的迫害也加紧了，称他为“苏联国家和社会制度的明确反对者”，“有必要制止梅德维杰夫的犯罪活动”，“要他承担刑事责任”。梅德维杰夫的行动和住所被苏联国家安全委员会严密监视，实际上丧失了自由。直到戈尔巴乔夫当政后的1985年5月，才撤销了对梅德维杰夫的监视。

索尔仁尼琴与诺贝尔文学奖

索尔仁尼琴

苏联人本主义的第三位代表人物是亚历山大·伊萨耶维奇·索尔仁尼琴。

1918年12月11日，索尔仁尼琴生于北高加索斯塔夫罗波尔边疆区的基斯洛沃茨克市。其父是沙俄军队的下级军官，第一次世界大战即将结束的前夕捐躯沙场，当中学教师的母亲将这个不幸的遗腹子抚养成人。索尔仁尼琴自幼聪明好学，1941年毕业于罗斯托夫大学物理数学系，同时还在莫斯科大学函授班攻读文学。1941年6月卫国战争爆发后，索尔仁尼琴应征入伍，成为一名炮兵。由于作战有功，他升为连长，授大尉军衔，并获得两枚奖章。1945年2月初，他服役的炮兵营在追击德军时由于前出太快而陷入重围。索尔仁尼琴凭着勇敢和机智，把他率领的侦察炮连几乎完整无损地带回。

灾难在索尔仁尼琴又建殊勋后的第 10 天突然降临。那天，旅长特拉夫金把他叫到旅司令部，两名内务部特工撕下索尔仁尼琴的红星帽徽、大尉肩章、腰带，宣布："你被捕了！"索尔仁尼琴惶惑地问："为什么？"旅长问了一句："您有个朋友在乌克兰第一方面军？"索尔仁尼琴明白了：他中学时的同学柯克在乌克兰第一方面军服役，他们一直通信。通信中，他们讨论阅读列宁和斯大林著作的体会，提出一个疑问：斯大林是否都执行列宁的政策？这封信被内务部的特工查获，柯克被捕了，索尔仁尼琴也不能幸免。索尔仁尼琴被特工人员带走的时候，平时表情冷峻的旅长无可奈何地握着他的手说："索尔仁尼琴同志，祝你幸运！"

就是这么一封普通的私人通信，仅仅在信中表达了一点思想见解，索尔仁尼琴从英雄沦为囚犯。1945 年 6 月 7 日，在反法西斯卫国战争胜利的时候，索尔仁尼琴被判处 8 年徒刑。在往后的 8 年里，索尔仁尼琴蹲过各类劳改营，熬到 1953 年 6 月刑满。此时，斯大林虽然死了，但作为偶像仍然矗立着。索尔仁尼琴因为在思想上产生过对斯大林的疑问，虽然刑满，又被永远流放哈萨克斯坦江布尔州的科克—杰列克村。1955 年，萨尔仁尼琴患了恶性肿瘤，被送往塔什干的肿瘤防治所接受治疗，居然奇迹般地治愈。苏共二十大以后，1957 年年初，索尔仁尼琴终于得到苏联司法当局"无犯罪事实"的结论，恢复名誉。索尔仁尼琴也从"鬼"重新成为人。

索尔仁尼琴从特种劳改营释放时的留影

人生的道路往往因为某些偶然的因素而改变。索尔仁尼琴本来是学习数学的，却平白无故被关进劳改营。劳改营里的人的命运和劳改营里的生活震撼了他，因而立志要把在各类劳改营里的所见所闻真实地记录下来，既为千百万蒙冤受难的人们铸一座纪念碑，也向社会昭示不为所知的、真正的人间地狱里的人是怎样的人。索尔仁尼琴可以说是被炼狱“炼”成作家的。

索尔仁尼琴在劳改营里形成的创作思想是坚实的，这种创作思想是建立在对人性、劳改营、斯大林模式三者统一的理性思考之上。

劳动创造世界，劳动也创造了人类自身。劳动本来是最神圣的。对于走上作奸犯科的邪路的人，除了那些确实不能留在社会上的罪大恶极者之外，国家就用强制手段迫使他们在劳动中改造自己，因为劳动的汗水能够冲刷蒙在天良上的积垢，恢复被泯灭了的人性。这里，劳动仍然是神圣的。但是，苏联20世纪30年代大清洗以来如雨后春笋般地建立起来的各类劳改营，却是对劳动的亵渎，是对人性的摧残。

那几百万像赶鸭子一样被关进各类劳改营的人，根本就没有过危害社会或他人的犯罪行为。他们之中，有党、政、军各个领域的老布尔什维克革命家；有十月革命后投身革命的热血青年；有造诣深厚的各学科的科学家、作家；也有世界各地向往共产主义圣殿而来的国际共产主义者；还有像索尔仁尼琴那样涉世不深、却长于理性思考的青年人。他们因为不赞成斯大林的某一说法、政策，或者仅仅有这方面的流露，甚至什么都没有，仅仅和有这类表现的人有某种联系或者关系，就几乎无一幸免。

那几百万被关进各类劳改营的人是无罪的。而把那么大批无罪的人投入监狱和各类劳改营的人，应当是有罪的。因此，在苏联那个特定的年代，劳改营是有罪者和无罪者被颠倒的处所；强迫劳动这一本来神圣的手段也完全被扭曲了。将强迫劳动施之于无罪的人，所造成的后果自然是极其悲凉的。在这种环境里，人已不再成其为“人”，连思想也成了生存的累赘。看到这些，想到这些，索尔仁尼琴的心再也不能平静。在劳改营里他就开始写作了，获得自由以后，更勤奋地写作。

1959年，索尔仁尼琴完成描写劳改营生活的小说《第一圈》和《伊凡·杰尼索维奇的一天》。接着，他又利用假期，通过熟识的难友和其他关系搜集有关劳改营的各种资料，着手创作《古拉格群岛》、《癌病房》、《马特廖娜小院》、《科切托夫卡车站风波》等反映劳改营生活和劳改营里的人的内心世界的长篇小说。索尔仁尼琴写这些小说的初衷，可以说完全是出于人的理性的驱动。他没有想使自己成为一名作家，甚至准备活着的时候根本看不到自己写的书。是苏联社会变化的客观大潮，把他推上现实生活的风口浪尖。

1961年10月，赫鲁晓夫在苏共二十二大上再次批判斯大林的个人崇拜。苏联国家安全委员会主席谢列平、苏共中央监察委员会副主席谢尔久克等人在大会发言中，都更具体地揭露了国家专政机关在大规模镇压中的破坏法制行为。一位在劳改营里苦熬过20年的幸存者德·拉祖基娜应邀在大会上发言，她以自己的亲身经历，控诉了大规模镇压和劳改营对正直的人的迫害，致使代表们听得泪流不止。赫鲁晓夫提议：应该在莫斯科建造一座纪念碑，永远纪念成为专横的牺牲者的同志们。这一建议被大会通过。苏共二十二大后，平反昭雪工作加大了力度。

在这样的形势下，1962年初，索尔仁尼琴把《伊凡·杰尼索维奇的一天》的手稿，拿给在劳改营里结识的难友、文学评论家科佩列夫看，目的是征求对小说的真实性的意见。科佩列夫认为小说写得真实、感人，就把小说的手稿转给朋友特瓦尔多夫斯基看。

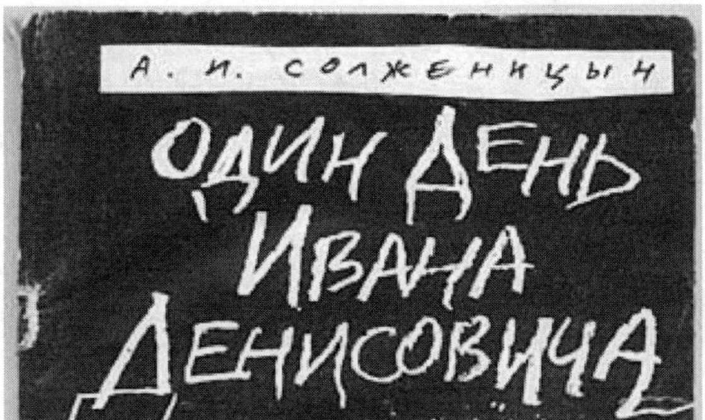

《伊万·杰尼索维奇的一天》封面

特瓦尔多夫斯基是苏联著名诗人，曾4次获苏联国家奖，还是苏共中央监察委员会委员、苏共中央候补委员，从1950年起就担任《新世界》杂志主编，不仅在苏联文坛有突出的地位，就是在政治上也有特殊的地位。特瓦尔多夫斯基读了《伊凡·杰尼索维奇的一天》

之后，仿佛是进入到另一个文学领域和精神世界，兴奋得彻夜难眠。但是特瓦尔多夫斯也不敢决定发表，因为小说所表现的生活和所体现的精神，和苏共历来所规定宣传的生活和精神，几乎是南辕北辙，便请示苏共中央宣传部。苏共中央宣传部也不敢决定，就请示苏共中央最高领导。赫鲁晓夫肯定这部小说是“从党的立场反映了那些年代真实情况的作品”。当苏共中央主席团讨论是否发表这部作品时，赫鲁晓夫问：有没有人反对？没有人反对就算通过。

《伊凡·杰尼索维奇的一天》在《新世界》杂志 1962 年第 11 期上发表。特瓦尔多夫斯基为小说写了代序，说：这部小说的发表，“意味着一个新的、独特的并且是完全成熟的巨匠进入了我们的文坛……它说明在我们今天的现实生活中，没有什么领域或现象不能给予真实的描写。”

《伊凡·杰尼索维奇的一天》的发表，立即引起苏联社会的轰动。人们奔走相告，争着购买、阅读《新世界》杂志第 11 期。在劳改营里度过 10 年的作家沙拉莫夫，1962 年 11 月写信给索尔仁尼琴说：“小说中的一切都真实可信。写得和诗一样，一切都恰如其分，一切都尽善尽美，以至于我认为自《新世界》创办以来，还未刊发过如此结构严谨，如此强劲有力的杰作。”[1] 沙拉莫夫在信中还说：“全莫斯科都在企盼着小说的发表。前天，当我买到一本《新世界》第 11 期，拿着它走到普希金广场时，在二三十分钟里，竟有三四人问我：这是第 11 期吧？是刊有描写劳改营生活的那一期吧？您是从哪里搞到的？从哪里买的？”[2]

《伊凡·杰尼索维奇的一天》的发表成了苏联文坛划时代的盛事。它的影响，它给苏联社会和苏联人的心灵的震撼，远远超过了 1954 年 5 月爱伦堡在《旗帜》杂志上发表的《解冻》。因为，如果说《解冻》是对 20 世纪 30 年代以来确立的社会主义现实主义创作原则提出了挑战的话，那么《伊凡·杰尼索维奇的一天》则是对苏共力图统一的苏联社会基本意识观念的某种否定，是为俄国社会进入现代文明重树意识观念的旗帜。这样，索尔仁尼琴就从一名默默无闻的劳改营幸存者，一跃而成为全苏社会仰慕的作家。此书很快被世界多家出

[1] 《沙拉莫夫致索尔仁尼琴的信(1962 年 11 月)》，《苏联历史档案选编》，第 31 卷，第 3 页。B.T. 沙拉莫夫，苏联作家，1964 年 5 月获平反。

[2] 同上书，第 4 页。

版社购买翻译权，被译成英、法、德等多种文字，全世界都知道了这位不寻常的作家。

1963 年，《新世界》杂志又发表了索尔仁尼琴的《马特廖娜小院》、《科切托夫卡车站风波》等描写劳改营生活的小说，从而树立了他在苏联文坛的不可动摇地位。这些成功并没有使索尔仁尼琴飘飘然；相反，他索居乡间别墅，更勤奋地写作。

在索尔仁尼琴埋头写作《癌病房》、《古拉格群岛》等长篇小说的过程中，1964 年 10 月，勃列日涅夫取代了赫鲁晓夫。1965 年 3 月，《伊凡·杰尼索维奇的一天》开始遭公开批判。1965 年 9 月，苏联国家安全委员会查抄了索尔仁尼琴的朋友杰乌什的家，没收了索尔仁尼琴存放在杰乌什家的《第一圈》、《胜利者的酒宴》等手稿。

此时，特瓦尔多夫斯基已将《伊凡·杰尼索维奇的一天》推荐为 1965 年列宁文学奖的竞奖作品。政坛形势的变化，立即反映在评奖中的政治性上。在评奖委员会全体会议上，苏联列宁共青团中央第一书记谢·巴·巴甫洛夫反对提名《伊凡·杰尼索维奇的一天》，理由是："索尔仁尼琴所在的不是一个政治营垒，而是一个刑事营垒。"评奖委员会最后以索尔仁尼琴"写过反苏诗剧《胜利者的酒宴》"为由，将《伊凡·杰尼索维奇的一天》淘汰出局。1966 年 7 月 25 日，索尔仁尼琴写信给勃列日涅夫，请求苏共中央总书记能关心一下他所遭遇的不公正对待，并请求批准出版已经完稿的《癌病房》。

1966 年 11 月 10 日，在苏共中央政治局会议上，勃列日涅夫提出："至今为止谁也没有站出来从党的立场出发批评《伊凡·杰尼索维奇的一天》这本书。"勃列日涅夫还严厉批评了特瓦尔多夫斯基和《新世界》杂志，说"该是对具体工作部门追究责任的时候了。"[1] 勃列日涅夫的话成了全苏联的一种号召，索尔仁尼琴又成了苏共批判的重点对象。索尔仁尼琴既没有屈服，也没有沉默。1967 年 5 月 16 日，索尔仁尼琴致信全苏作家代表大会，呼喊"不能容忍来自书报检查机关的政治压迫。"索尔仁尼琴在信中激动地写道："宪法中没有规定的，因而也是非法的、任何场合未公开提及的书报检查，正在'报刊保密检查

[1] 《苏共中央政治局会议关于国内意识形态问题讨论的纪录摘抄（1966 年 11 月 10 日）》，《苏联历史档案选编》，第 31 卷，第 117、121 页。

总局'这一模糊不清的名称下统治着我们的文学，使不懂文学的人对作家颐指气使。"书报检查制度作为中世纪的残余"它虽然腐朽，却想把不朽的时间的命运掌握在自己手中：把有价值的书从不成体统的书中剔出去。"[1]

1968 年 5 月，苏黎世出版了《癌病房》的俄文版，接着，在巴黎出版了《第一圈》的俄文版。《第一圈》很快被译成欧洲的各种文字，包括瑞典文。这些书的出版，在世界上引起更大的反响。苏共中央认为索尔仁尼琴已成为"帝国主义反动势力向苏联发起意识形态冷战攻势的工具"，加紧对索尔仁尼琴的迫害。1969 年 11 月，索尔仁尼琴被俄罗斯联邦作家协会梁赞分会开除。俄罗斯联邦作家协会立即"批准"了梁赞分会的决定。11 月 26 日，《文学报》公布了这个决定，同时综合报道苏联文学界对索尔仁尼琴的批判。

1970 年 7 月，艺术与进步协会的 50 多名活动家，联名向瑞典皇家学院提名索尔仁尼琴申报诺贝尔文学奖。苏共中央在得知这一情况后，立即指示各种舆论工具齐声表示：提名索尔仁尼琴"不是文学方面的问题，而是具有政治性质的问题。"苏共中央还责成苏联驻瑞典大使向瑞典政府作出非正式口头说明："如果通过索尔仁尼琴获诺贝尔文学奖，苏联公众将认为是一种不友好行为，可能影响我们两国作家之间的文化交往。"

诺贝尔奖评奖委员会排除苏联的这些干扰，于 1970 年 10 月 8 日通过授予索尔仁尼琴 1970 年诺贝尔文学奖，"以表彰他在发扬俄罗斯文学的宝贵传统方面所显示的美学力量。"10 月 9 日，苏共中央文化部和宣传部，指示苏联《消息报》、《劳动报》、《文学报》等多家报刊，刊登苏联作家协会书记处的声明，认为这是"冷战性质的挑衅"。苏共中央还就此事向全国各区以上地方党组织发出口头通报。

和苏共中央与苏联政府的态度相反，苏联很多作家公开表示为索尔仁尼琴获得诺贝尔文学奖而高兴。列宁格勒散文作家达尔说：索尔仁尼琴获诺贝尔文学奖，表明俄国文学又一次得到全世界的承认。我和妻子简直跟过节日一样。"举世承认索尔仁尼琴的写作成就和精神功勋的消息，令人欢欣鼓舞和

[1] 《索尔仁尼琴致全苏作家代表大会的一封信（1967 年 5 月 16 日）》，《苏联历史档案选编》，第 28 卷，第 118 页。

感到十分幸福。”[1] 作家纳吉宾说：“授予索尔仁尼琴诺贝尔文学奖有助于我们反对保守主义的斗争。”[2] 作家卡维林认为：授予索尔仁尼琴诺贝尔文学奖，表明评奖工作是公正的。苏联科学院院士科尔莫戈罗夫说：“索尔仁尼琴被授予1970年度诺贝尔奖，授得好。他应该得奖。令人感兴趣的是，会不会让他出国去接受这个奖？”《新世界》杂志编辑、文学评论家列维茨基说：“这是我们的伟大节日，要知道是《新世界》最先发现索尔仁尼琴并发表他的作品。”由亚基尔、布科夫斯基、斯特罗耶娃、叶菲莫夫等署名的关于支持索尔仁尼琴获诺贝尔文学奖的声明，也很快在莫斯科流传开来。这份声明说：“得悉亚·伊·索尔仁尼琴荣膺诺贝尔奖，我们对诺贝尔奖评定委员会这一决定表示欢迎。获得全世界公认的当代大作家亚·伊·索尔仁尼琴在作品中表现的高尚激情、哲学深度和精到的艺术技巧，以及他英勇地一贯努力捍卫人道主义的立场，所有这一切都完全无愧于如此荣耀而崇高的奖赏。”声明还说：“与此同时，我们也准备面对这样的现实，即授予亚·伊·索尔仁尼琴诺贝尔奖可能成为继续对他进行一直在进行着的迫害的新的借口，我们把这种迫害看作是一种民族耻辱。尽管如此，我们认为有责任再一次为亚·伊·索尔仁尼琴付出的高尚的劳动而对他表示深切的谢意。”[3] 此外，索尔仁尼琴还收到许多来自全苏各地的贺电和贺信。

此时，索尔仁尼琴正住在大提琴家罗斯特洛波维奇的别墅里。在获得这一决定的消息后，发电报给瑞典皇家学院说：“收到您的电报，表示感谢。我把授予诺贝尔奖看作是对俄国文学和我国苦难历史的尊重。我准备在传统沿用的那个日子前去斯德哥尔摩亲自领奖。”[4]

苏共中央和苏联政府密切关注着此事。关于是否允许索尔仁尼琴去斯德哥尔摩领奖，苏联国家安全委员会向苏共中央建议：“国家安全委员会认为，

[1] 《苏联国家安全委员会关于知识分子代表人物对授予索尔仁尼琴诺贝尔文学奖的反应呈苏共中央的通报（1970年10月17日）》，《苏联历史档案选编》，第31卷，第75页。

[2] 同上书，第75—76页。

[3] 《国家安全委员会关于在莫斯科有人传播支持索尔仁尼琴的声明一事呈苏共中央的通报（1970年10月17日）》，同上书，第77—78页。

[4] 同上书，第76页。

如果索尔仁尼琴正式申请去斯德哥尔摩领取诺贝尔奖，可以满足他的要求。至于他返回苏联的签证，此事应视他在国外的表现而定。如果索尔仁尼琴决定留在国外，那么按照我们的看法，采取任何措施让他回苏联未必是合适的。”[1]索尔仁尼琴申请去斯德哥尔摩亲自参加授奖仪式并领奖，但是要求苏联政府承诺，在他领奖之后能返回苏联。苏联政府拒绝作出这样的承诺。1970 年 12 月 10 日，在索尔仁尼琴缺席的情况下，瑞典皇家学院学术秘书基耶罗在颁奖大会上宣读了授予索尔仁尼琴诺贝尔文学奖的授奖词。授奖词说：“索尔仁尼琴的作品具有全球性的艺术魅力，这种魅力来自他对于贯穿于许多伟大前驱作品中无可比拟的俄罗斯传统的继承。他和他的前辈作家各以不同的艺术形式象征性地表达自己对俄罗斯苦难的沉思和对俄罗斯母亲的挚爱。”诺贝尔评奖委员会不顾苏联官方的强烈反应，通过授予索尔仁尼琴 1970 年诺贝尔文学奖的决定，除了在授奖辞中所说的表彰因素之外，在东西方冷战的背景下也不能说没有言外之意的政治意图。1974 年 7 月索尔仁尼琴被驱逐出苏联的 5 个月之后，安德罗波夫向苏共中央政治局报告说：“从掌握的资料来看，索尔仁尼琴被驱逐后，西方对他的兴趣越来越小了。”[2]这个报告也从一个侧面反映了诺贝尔评奖委员会授予索尔仁尼琴诺贝尔文学奖的两面性。

1971 年，索尔仁尼琴的又一部长篇小说《1914 年 8 月》在巴黎出版。1972 年初，瑞典皇家学院诺贝尔基金会的秘书吉罗夫、索尔仁尼琴的国外权益律师赫伯，要求于 4 月 9 日进入苏联，向索尔仁尼琴颁发获奖证书和奖金。苏共中央权衡再三，予以拒绝。

苏联国家安全委员会加紧了对索尔仁尼琴的监视，并给他编了个“蜘蛛”的代号。苏联国家安全委员会将索尔仁尼琴的一举一动，包括和第一个妻子列舍托夫斯卡娅离婚；索尔仁尼琴和另一个女人斯韦特洛娃同居、生两个孩子，等等，都一一报告苏共中央。

1973 年 12 月，以揭露十月革命以来“非人的残暴统治”为主题的《古拉格群岛》第 1 卷在巴黎出版。《古拉格群岛》是一部自传兼特写性的三卷本长

[1] ［俄］罗·梅德维杰夫著：《人们所不知道的安德罗波夫》，第 137 页。

[2] 克里斯托弗·安德鲁、瓦西里·米特罗欣著：《克格勃绝密档案》下册，王振西主译，当代世界出版社 2002 年版，第 510 页。

篇小说，影响更大。接着，美国也出版了这部小说。

1974 年 1 月 7 日，苏共中央政治局就如何处置索尔仁尼琴进行了专门的讨论。勃列日涅夫说："按照我国的法律，我们完全有根据把索尔仁尼琴关进监狱，因为他胆敢攻击最神圣的东西——攻击列宁，攻击我国社会主义制度，攻击苏维埃政权，攻击一切我们最为珍贵的东西……索尔仁尼琴这个流氓分子也太过分了。他对什么都指手画脚，对什么也不在乎。我们对他该怎么办呢？如果我们现在对他加以制裁，那么这样做对我们是否有利？要是资产阶级的宣传工具利用这一点来反对我们呢？我提出这个问题进行讨论。我只是想交换一下意见，商议一下，作出一个正确的决定。"[1]

柯西金不想让苏共中央政治局承担对处置索尔仁尼琴作出决定的责任，说"同索尔仁尼琴有关的问题，这是个人问题。索尔仁尼琴越过了可以容忍的一切界限，对这些应由安德罗波夫根据我们的法律去解决。我们可以关注一下他如何去解决问题。安德罗波夫在便函中提出了一项把索尔仁尼琴驱逐出境的建议。"[2]

安德罗波夫对这个问题讲了一长串话。他说索尔仁尼琴试图在苏联国内成立一个组织，从过去坐过牢的人中拼凑起这个组织。"《古拉格群岛》不是一部文艺作品，而是一份政治文件。这十分危险。我们国内有数以万计的弗拉索夫分子、乌克兰民族主义者联盟分子，以及其他敌对分子。总之，有成千上万的人可能支持索尔仁尼琴。"安德罗波夫提议"以行政方式将索尔仁尼琴驱逐出境。"[3]

讨论中，苏共中央政治局委员们都责骂索尔仁尼琴是"敌人"，"变得厚颜无耻"，都赞成"把他驱逐出境"。只是葛罗米柯顾虑以行政手段驱逐索尔仁尼琴，会给苏联外交工作带来被动，建议"先让欧洲会议开完"，"再等上三四个月"，先把他监控起来，"让他这几个月内处于隔离状态"。[4] 最后，苏共中

[1] 《苏共中央政治局关于处置索尔仁尼琴的会议纪录摘抄（1974 年 1 月 7 日）》，《苏联历史档案选编》，第 31 卷，第 84—85 页。

[2] 同上书，第 85 页。

[3] 同上书，第 85—86 页。

[4] 同上书，第 88 页。

央政治局形成了关于索尔仁尼琴问题的几点决议：鉴于索尔仁尼琴进行了恶毒的反苏活动，追究他的法律责任；责成安德罗波夫、鲁坚科拟定对索尔仁尼琴进行侦查和审判的程序手续，等等。

1974 年 2 月 2 日，联邦德国总理勃兰特在一次公开讲话中说道：索尔仁尼琴如果愿意，可以在联邦德国自由地、不受打扰地生活和工作，这位世界闻名的作家不会遇到他在自己国家遇到的那些困难。安德罗波夫在获悉这一信息后，于 2 月 7 日致信勃列日涅夫，提出立即将索尔仁尼琴驱逐出去。信中说："我以为继续拖延索尔仁尼琴问题，尽管我们认真希望不要损害国际事务，看来是不可能的。因为继续迟疑不决必将在国内酿成极其不利的后果。"[1]安德罗波夫在信中提议："正如我在电话中向您报告的那样，勃兰特发表声明说，索尔仁尼琴可以在联邦德国生活和自由地工作……依我看不迟于 2 月 4—10 日就应该由苏联最高苏维埃主席团通过关于褫夺索尔仁尼琴苏联国籍并驱逐出境的命令。在这种情况下，驱逐索尔仁尼琴出境的行动可以在 2 月 10—11 日进行。"[2] 安德罗波夫在信中还提出："如果由于某种原因驱逐索尔仁尼琴出境的措施未能实行，我想，那么应在 2 月 15 日之前对他进行刑事起诉(包括逮捕)。检察院已对此做好准备。"[3]

安德罗波夫之所以急于要驱逐索尔仁尼琴，是因为苏联国家安全委员会收集到的情报表明，越来越多的创作知识分子和科技知识分子，尤其是接近文学的人们，都表示同情、支持索尔仁尼琴。他们认为不管怎样，索尔仁尼琴作品中所反映的是事实，"这能迫使领导机关注意改善知识分子工作"；他们把索尔仁尼琴作为"榜样"。苏联国家安全委员会担心："如果对于追究索尔仁尼琴责任的问题继续迟疑不决，必将造成对我们不利的局面，产生不健康的情绪，并且最终，在此基础上，为敌对分子加强活动提供某些阵地。"[4]

可是，苏联内务部部长晓洛科夫对处置索尔仁尼琴提出了不同意见。晓

---

[1] 《安德罗波夫就处置索尔仁尼琴事致勃列日涅夫的信（1974 年 2 月 7 日）》，《苏联历史档案选编》，第 31 卷，第 98 页。

[2] 同上书，第 98 页。

[3] 同上书，第 98 页。

[4] 同上书，第 101 页。

洛科夫给勃列日涅夫送了一份《关于索尔仁尼琴问题》的长篇报告，其中关键的内容是："客观地说，索尔仁尼琴是有天才的。这是文学中的现象。从这一观点来看，他无疑代表着苏联政权的利益。如能使他的笔来为人民的利益服务，那是极其有利的。如能对'索尔仁尼琴问题'采取正确的解决办法，那么使他的创作兴趣转向在意识形态方面无害的题材的任务是完全可以实现的……应该立即给索尔仁尼琴住房。需要给他居住证，对他表示关心。上层领导人中应有人同他谈话，以消除他心中全部痛苦的沉渣，这种沉渣不能不影响到他的心情。应该争取索尔仁尼琴，而不是把他撵走。"[1] 勃列日涅夫欣赏这个报告，在多处关键的字句下画上道道。他给自己的助手写了个条子："此件暂时放在我处"，因此就没有给政治局中的其他委员看过。晓洛科夫不是政治局成员，所以在政治局会议上，关于索尔仁尼琴问题，意见几乎是一致的。

勃列日涅夫立即指示苏联各部门，按照安德罗波夫的意见执行，包括和联邦德国就索尔仁尼琴的离境等技术问题进行磋商。

1974 年 2 月 12 日，苏联最高苏维埃主席团通过关于褫夺索尔仁尼琴苏联国籍并将其驱逐出境的命令。当天，索尔仁尼琴即被关进"侦讯隔离室"。2 月 13 日，向索尔仁尼琴宣布了苏联最高苏维埃主席团关于对他处置的命令。几小时后，他被押上一架应联邦德国政府的要求而特意安排的"航空班机"。当飞机即将升空时，索尔仁尼琴转过身来，对着自己的祖国深深地鞠躬；他担心再也回不了故土了。飞机于当日 17 时（法兰克福时间）到达美因河畔的法兰克福。索尔仁尼琴不久就去了苏黎世。2 月 14 日，苏联《真理报》、《消息报》都刊出了塔斯社关于索尔仁尼琴"因一贯进行与苏联公民身份不符的、有害于苏联的行动"而被驱逐出苏联的消息。

1974 年 12 月 10 日，瑞典皇家学院为索尔仁尼琴举行隆重的颁奖仪式，瑞典国王和多位亲王也出席了颁奖仪式。索尔仁尼琴在颁奖仪式上讲话："在这个大厅里曾有许多获奖者在你们面前发表过领奖演说，然而，大概没有一个人像我这样给瑞典皇家学院和诺贝尔基金会带来如此之多的麻烦。"索尔仁尼琴还以他特有的隐喻，谈了"一个获奖者要把 4 分钟演说装在肚子里 4 年"的

[1] 参见［俄］罗·梅德维杰夫著：《人们所不知道的安德罗波夫》，第 138—139 页。

感受。

索尔仁尼琴在联邦德国和瑞士苏黎世住了一段时间，于1976年移居美国，住在佛蒙特州东部的盖文基什城。他尽可能躲避无孔不入的记者，仍然专心写作。可是，1977年3月18日，苏共中央选择纪念巴黎公社的日子，致信法共中央，称索尔仁尼琴“到了西方国家，立刻撕下为完善社会主义而奋斗的战士的假面具，变成公开的反动分子、君主主义者。”勃列日涅夫对已经被驱逐出境并且已经被褫夺了苏联国籍的索尔仁尼琴仍不放过，足见其对人本主义的仇恨。

索尔仁尼琴回国

苏联人民并没有遗弃索尔仁尼琴。1990年苏联恢复了索尔仁尼琴的国籍。1991年被定为“索尔仁尼琴年”，全国各地大量出版索尔仁尼琴的作品，莫斯科出版了索尔仁尼琴作品10卷集。当年12月苏联剧变。俄联邦总统叶利钦访问美国时曾与索尔仁尼琴通过电话。叶利钦告诉索尔仁尼琴：回国的障碍已经消除，国门已向他敞开，国人盼望他回国。

1994年5月27日，索尔仁尼琴终于回到俄罗斯符拉迪沃斯托克(海参崴)，7月21日抵达莫斯科定居。2008年8月3日在莫斯科逝世。

苏联人本主义的三位代表人物萨哈罗夫、梅德维杰夫、索尔仁尼琴，各有自己不同的经历、社会地位和专业研究领域。萨哈罗夫是核物理学家、苏联科学院院士，曾经拥有优越的社会地位。他通过研究自然科学而成为人本主义者。这使得萨哈罗夫表现为比较直线式地呼喊天赋人权。梅德维杰夫是历史学家，属苏联的中等知识分子层。他的家庭出身、经历和学术追求，促使他从学术良心出发去探究“革命为什么要吞噬自己的孩子?”他从揭示斯大林模式的历史真实中，转向强烈地要求建立法治社会。索尔仁尼琴的坎坷人生，他那本是人生最光辉的年龄段所遭遇的噩梦般的经历和生活圈，练就了他的深沉。因而，他能把苏联的种种苦难概括为人性的扭曲和泯灭，从而致力于呼唤被扭曲、被扼杀的人性。

萨哈罗夫、梅德维杰夫、索尔仁尼琴，把天赋人权、法治、人性，组合成苏联人本主义的主题歌。

第三节　苏共中央对人本主义潜流的认识与对策

马克思主义与人本主义

马克思主义的科学社会主义是建立在现代社会化大生产基础之上的；马克思主义关于工人阶级在解放全人类的过程中最终解放自己的思想，也是接受并发展人本主义思想精华的结果。

马克思主义社会主义的聚焦点是人，是人自身的解放。人的最终解放意味着斩断束缚人发挥聪明才智的种种羁绊，成为能自由发展的人。而人总是社会的人，不是孤立的、自然状态的人。因此若要让人能自由地发展，绝不是让人回到自然状态，而是必须建立一种能为人的自由发展创造条件的社会。所以，在标志着马克思主义诞生的《共产党宣言》中，马克思、恩格斯把人的自由发展与社会之间的关系，辩证地表述为“每个人的自由发展是一切人的自由发展的条件。”[1] 马克思称未来共产主义社会为“自由人联合体”，是“自由结合的人”。1880 年，恩格斯在《社会主义从空想到科学的发展》中，对人的自由发展与社会之间的关系，作了非常精辟的阐述。恩格斯说：“随着社会生产的无政府状态的消失，国家的政治权威也将消失。人终于成为自己的社会结合的主人，从而也就成为自然界的主人，成为自身的主人——自由的人。”[2] 恩格斯特别指出：到那时“人才成为自身的主人”。而《社会主义从空想到科学

[1] 《马克思恩格斯选集》，第 1 卷，人民出版社 1995 年版，第 294 页。

[2] 《马克思恩格斯选集》，第 3 卷，人民出版社 1995 年版，第 760 页。

的发展》这篇著作，马克思称之为“科学社会主义的入门”。[1] 其实，马克思、恩格斯在创立马克思主义的过程中就吸收了前人的种种优秀成果，包括吸收了人本主义的精华。“人的自由发展”、“自由人联合体”的思想，就是对人本主义思想的发展。

可见，以人为本是马克思主义社会主义的原则，是不容置疑的。

马克思、恩格斯是以历史唯物主义观点分析现实问题的大师。他们认为，人进入自由发展的境界，将是极为漫长而又艰巨的过程。当 19 世纪中期，资本主义制度已在世界的先进地区确立，无产阶级作为独立的政治力量登上历史舞台的时候，马克思、恩格斯认为，历史已向无产阶级提出建立无产阶级专政的新使命，这是实现人的自由发展的关键一步。这样，暴力革命和无产阶级专政学说，就在马克思主义社会主义中占有重要的地位。

马克思、恩格斯充分肯定暴力是社会运动借以为自己开辟道路并摧毁僵化的、垂死的政治形式的工具。但是，马克思、恩格斯从来没有把暴力革命和无产阶级专政当作目的，而仅仅将之作为达到人的自由发展的一种手段。1875 年 3 月，恩格斯在给倍倍尔的信中还说道：“当无产阶级还需要国家的时候，它需要国家不是为了自由，而是为了镇压自己的敌人，一到有可能谈自由的时候，国家本身就不再存在了。因此，我们建议把‘国家’一词全部改成‘共同体’，这是一个很好的古德文词，相当于法文的‘公社’。”[2] 马克思、恩格斯谈暴力革命和无产阶级专政，都是从人的自由发展这个核心问题出发的。因此，不能把马克思主义关于人的自由发展思想同暴力革命和无产阶级专政思想并列起来，更不能认为是针对不同情况的不同说法。

19 世纪末、20 世纪初，世界共产主义运动的中心从西欧转移到俄国。列宁在根据俄国的国情指导革命实践斗争中特别突出了暴力革命和无产阶级专政。

1913 年 3 月，为了纪念马克思逝世 30 周年，迎接俄国革命新高潮到来，列宁特地撰写了《马克思主义的三个来源和三个组成部分》一文，介绍马克思主义。列宁在文中谈到，马克思的学说是人类在 19 世纪所创造的优秀成果的当然继承者，“马克思的全部天才正是在于他回答了人类先进思想已经提出的

[1] 《马克思恩格斯选集》，第 3 卷，人民出版社 1995 年版，第 689 页。

[2] 同上书，第 324 页。

种种问题。"[1]不过列宁恰恰只字未提马克思主义也吸收了启蒙学者关于人本主义这一优秀成果，未提马克思主义关于人的自由发展的思想。

关于俄国革命的具体进程，列宁认为俄国无产阶级革命必须分两步走：先实现资产阶级民主革命；然后不间断地将革命推向社会主义革命。关于第一阶段革命的任务，列宁提出：革命绝不能直接越出民主革命的范围，即政治上是推翻沙皇专制统治，"必须用民主共和制来代替沙皇专制制度"。经济上是清除农奴制残余，"为资本主义的广泛而迅速的发展，即欧洲式的而不是亚洲式的发展，真正扫清基地"。[2]列宁关于俄国资产阶级民主革命的理论以及据此制定的关于实现民主主义革命的方针、政策，当然是正确的。不过，历史还同时告诉人们，资产阶级民主主义革命，还有更重要的内容和指导思想，就是观念形态上确立人本主义。甚至可以这样说：建立民主共和制度和清扫封建生产方式，都是在人本主义思想指导下实现的。1776 年北美殖民地独立战争中发表的《独立宣言》，1789 年法国大革命时由制宪议会通过的《人权宣言》，就是在人本主义思想指导下产生的法律文献，是天赋人权和社会契约学说的法律表现。人类社会的现代文明阶段，正是以以人为本为奠基的。

近代俄国历史没有发生过文艺复兴运动，更没有《独立宣言》和《人权宣言》。俄国只有 1861 年的《农民改革法令》，即废除农奴制法令。事实上，俄国即使在法律上宣布废除农奴制之后，社会上依然保留着农奴制的浓重残余。这样，从某种意义上说，俄国更需要强调人本主义。而列宁的民主主义革命理论，单注意解决当时急迫的政治、经济任务，未能涉及这一内容。列宁将俄国资产阶级民主主义革命的任务归结为政治上推翻沙皇专制统治，经济上解决农民土地问题，为俄国资本主义的发展扫除障碍。列宁在创建了苏维埃国家以后，又把社会上原有的意识形态，包括微弱的人本主义，统统看作是"旧社会死亡后死尸散发的臭气"，要加以消灭。1921 年，全国从"军事共产主义"过渡到新经济政策时期，在经济建设方针上实现了带根本性的转变，但是在观念形态上，特别在人本主义问题上并没涉及。不过，新经济政策虽然没有涉及

[1] 《列宁选集》，第 2 卷，人民出版社 1995 年版，第 309 页。

[2] 《列宁选集》，第 1 卷，人民出版社 1995 年版，第 534、554 页。

人本主义这一意识形态领域，但是新经济政策承认农民作为个体生产者的独立地位，肯定农民作为个体所有者拥有对生产资料的支配权和劳动成果的占有权；国家和农民之间的关系从超经济的政治隶属关系，转变为在很大程度上的市场交换关系。如果沿着新经济政策的道路走下去，势必将提升人本主义在社会中的地位。可是，1924 年列宁逝世，斯大林上台不久就中止了新经济政策。历史本来把人本主义问题作为尚未解决的问题，留给了列宁的后继者，而斯大林时期的强国追求，淹没了以人为本的问题。

马克思主义与人本主义的截然对立，成为斯大林模式在意识形态领域的误区之一。

苏共中央的认识与应对

勃列日涅夫当政时期，苏共中央把具有人本主义意识的人视为苏联国内意识形态领域最危险的敌人，把表达、宣扬人本主义看作是“在意识形态领域里进行颠覆活动”，是“帝国主义的帮凶”、“准间谍”。因此，苏共中央不是把人本主义潜流看作是思想观念问题，而是作为“依靠帝国主义颠覆中心对苏维埃国家政权、社会制度的颠覆活动”。为此，勃列日涅夫和苏共中央把具有人本主义意识的人及其活动定为“刑事罪犯”。勃列日涅夫说：“在我国并不禁止与众不同的观点，也不禁止对公共生活的各个领域进行批评。我们把一切从实际出发、善意地提出批评的人看作是有诚意的批评者，我们感谢他们。我们把那些批评错了的人看作是犯了错误的人民的一员。但是对于一小撮背离了我们的社会、竭力反对社会主义制度的人情况就完全不同了。他们进行反苏活动，违背了法律，因而在国内得不到支持，于是转而寻求国外的支持，乞援于帝国主义的颠覆中心——煽动和情报中心。我国人民要求把这样的活动家——如果可以用这个字眼来称呼他们的话——当作反社会主义分子，当作反对自己祖国的敌人，当作帝国主义的帮凶，即使他们不是真正的特务。很自然，我们已经并且还要继续依法采取一切手段和他们作斗争。”[1]

[1] 《勃列日涅夫在全苏工会第十六次代表大会上的讲话（1977 年 3 月）》。参见《论苏联的持不同政见者》，第 43 页。

基于这样的基本认识，苏共中央援引苏联国家的刑法典，严厉打击人本主义思潮。勃列日涅夫上台之初是根据俄罗斯联邦刑法第 70 条：“为颠覆和削弱苏维埃政权，进行危害国家的特别危险的罪行而从事的煽动和宣传，或者出于同样目的，（书面地）散布诽谤苏联的政治和社会制度的谣言，以及传播、准备或保存有这种内容的文艺作品，凡违犯者都将被判处七年以下监禁，外加五年以下国内流放。”1967 年初，根据苏联国家安全委员会的建议，经苏共中央批准，由俄罗斯联邦最高苏维埃主席团发布关于增补俄联邦刑法的命令：增补俄罗斯联邦刑法第 9 章关于反社会秩序罪第 190 条第 1 款、第 190 条第 2 款、第 190 条第 3 款如下：

第 190 条第 1 款，传播明显的虚假谣言，诽谤苏联国家和社会机构罪，处剥夺自由 2 年或强制劳动 1 年，罚款 50 卢布；

第 190 条第 2 款，侮辱苏联、俄罗斯联邦以及其他加盟共和国的国徽、国旗罪，处剥夺自由 2 年或强制劳动 1 年，罚款 100 卢布；

第 190 条第 3 款，组织或积极参加违反社会秩序的有组织活动罪，处剥夺自由 3 年或强制劳动 1 年，罚款 100 卢布。

俄罗斯联邦刑法及新增条款，全联盟各加盟共和国均相应实施。

根据上述刑法，在俄罗斯联邦的刑法典中就出现了“思想颠覆”的犯罪概念。对“思想颠覆”的司法概念，俄罗斯联邦刑法典作如下表述：“思想颠覆是指那些作用于人们的思想感情的手段，其目的在于破坏、损害和削弱共产主义思想体系的影响，在于削弱或分裂革命运动、民族解放运动和社会主义制度，并且是通过合法的或非法的途径用诽谤的、伪造的，或者有倾向性的材料去实现，以造成意识形态方面的损失。”[1] 法律的基本要求是准确，而“思想颠覆”恰恰是缺乏准确性。因此，刑法第 70 条和第 190 条各款的适用面是相当宽泛的，可以根据当政者的需要而加以解释。

打击人本主义思潮的司法实施，主要由苏联国家安全委员会执行。在执行这一特殊任务方面，苏联国家安全委员会主席安德罗波夫做到尽心尽责，甚至可以说是完成得相当出色。1967 年 7 月 3 日，安德罗波夫在呈送苏共中央的报告中说：“一部分政治上不成熟的苏联公民，尤其是在知识分子和青年中，

[1] 参见［俄］罗·梅德维杰夫著：《人们所不知道的安德罗波夫》，第 87 页。

正在形成不问政治和虚无主义情绪。这不仅有可能被明显的反苏分子所利用，也有可能被喜欢在政治方面胡说八道、煽风点火的人所利用，以促使这类人采取政治上有害的行动。”[1] 为了编织绵密的控制意识形态的网，有效地打击人本主义思潮，苏联国家安全委员会向苏共中央政治局建议：建立专门的机构来对付“境内的思想颠覆活动”；具体地说，就是在中央和地方建立一个国家安全委员会的特别部门，其任务是“组织反间谍工作去和境内的思想颠覆活动作斗争。”

苏共中央政治局立即批准了安德罗波夫的建议，1967 年 7 月，苏联国家安全委员会成立了第 5 局（保卫宪法局）。安德罗波夫对自己的这一安排很为满意。他说：“现在将由能干的、内行的新人来抓知识分子问题，免得反间谍局笼统地把他们当作潜藏的间谍。”[2] 第 5 局还承担了研究苏联国内情绪和动向的全部繁琐工作。第 5 局所从事的分析苏联社会思想演进的调研内容，成为苏共中央在意识形态领域决策的重要参考。

根据上述的两条刑法，苏联国家安全委员会认为是“严重危害社会”的，即被定为“特别危险的国事罪罪犯”。凡被安上这一罪名的将加重处罚。这类“罪犯”基本上被关押在摩尔达维亚共和国的“特别管束劳改营”，或者关押在彼尔姆的监狱里。勃列日涅夫当政期间，被指控“散布诽谤苏联的政治和社会制度的谣言”而被定为“特别危险的国事罪罪犯”的人数，列表如下：[3]

年　份	人数（单位：个）
1965	20
1966	48
1967	103
1968	129
1969	195
1970	204
1976—1980	347

[1] 参见［俄］罗·梅德维杰夫著：《人们所不知道的安德罗波夫》，第 87 页。

[2] 参见［俄］列·姆列欣著：《历届克格勃主席的命运》，第 628 页。

[3] 参见［俄］罗·梅德维杰夫著：《人们所不知道的安德罗波夫》，第 114 页。

从表中可以看到，这类“罪犯”迅速增加的是1966、1967这两年：1966年是1965年人数的240%；1967年又是1966年人数的近215%。从1968年开始，这类“罪犯”增加的速度慢下来了：1968年是1967年人数的125%；1969年是1968年人数的150%；1970年是1969年人数的105%。1975年12月底，安德罗波夫向苏共中央政治局提交了一份关于“持不同政见者”情况的报告。报告中说：近10年来，有1500余人因从事反苏活动而被捕；1976年，有850余名在押的“政治犯”，其中的261人进行了反苏活动；此外，全国还有68000余名“被警告者”，有1800多个集团和组织受到“警告”。这份报告估计：“苏联有几十万人要么是正在、要么是准备（在合适的时机）从事反对苏联当局的活动。”[1]从上述表格的统计中可以看出，安德罗波夫成为苏联国家安全委员会主席之后，增加了刑法第190条各款，增设了专门对付人本主义思潮的第5局，对于打击和遏制人本主义思潮的增长是起了作用的。实际上人本主义思潮在1968年以后走向低谷，“私下出版物”遭到极大破坏，各种社团一经发现即遭取缔，领头的立即被判刑。但是从上述统计表中同时可以看到，无论苏共中央和苏联国家安全委员会采取怎样的严厉司法措施，人本主义意识是不可能被泯灭的。

根据上述刑法，被认为“不是故意破坏和削弱苏维埃政权”的“国事罪罪犯”，一般被送往“普通管束劳改营”，或者被送往西伯利亚和哈萨克斯坦的劳改营。据不完全统计，这类“罪犯”的人数约2000人。

苏联国家安全委员会惩罚人本主义意识表达者的更为阴损的手段，是把他们作为“精神病患者”，强制关押进精神病院。

1969年4月29日，安德罗波夫向苏共中央提出，利用精神病院作为维护苏联国家和社会制度的工具；提出扩大精神病院网的计划。苏共中央和苏联部长会议研究了安德罗波夫的建议和计划，立即予以批准。苏联很快第一批建立起10座这种“精神病院”，专门“收治特殊精神病患者”。据苏联谢尔布斯基社会与法医精神病科学中心实验部主任孔德拉季耶夫医学博士在苏联剧变之后说：“在25年的工作时间里，在全苏联，国家安全机关按俄罗斯联邦刑法第70

[1] ［俄］阿·谢·切尔尼亚耶夫日记《鲜为人知的勃列日涅夫》，《马克思恩格斯列宁斯大林研究》，2006年第4期，第37页。

条和第 190 条第 1 款予以指控，并被送到谢尔布斯基精神病院进行鉴定的，共有 370 人。”[1] 实际上，并非所有的这类“精神病”例都被送到谢尔布斯基精神病中心鉴定的。因此，据苏联国内有关人士不完全统计，这类被关押过的“精神病人”，不会少于 500 人。

这类迫害的突出事例是将梅德维杰夫的孪生兄弟若列斯关进精神病院。

20 世纪 60 年代后期，若列斯撰写了《学者的国际合作》、《法律保护秘密通信》等著作，阐述限制各国学者的学术交流与合作，控制学者的通信等，都阻碍了苏联科学的发展。这些著作很快通过私下出版渠道，流传开来。1969 年，美国哥伦比亚大学出版社出版了若列斯的另一本著作《李森科沉浮录》，揭露李森科的一些伪科学阻碍了苏联遗传学的研究事业。这一连串的事情，使原本就十分关注若列斯的苏联当局更为恼怒。1970 年 5 月 29 日，苏联国家安全机关将若列斯强制关进卡卢加精神病院。苏联当局的这一行动，激起包括萨哈罗夫、卡皮察、苏联科学院院士尼·尼·谢苗诺夫、苏联科学院院士克努尼扬茨等科学界著名学者，以及特瓦尔多夫斯基、维·阿·卡维林等文化界知名人士的强烈抗议。西方一些科学家也向苏联政府发出释放若列斯的呼吁。勃列日涅夫的调研员鲍文也参与了营救若列斯的工作。在各方面舆论的压力下，勃列日涅夫亲自打电话给安德罗波夫，说：“尤拉（安德罗波夫——引注），你那里对那个梅德维杰夫作了什么？”安德罗波夫回答说：“这是我的那些聪明人搞得太起劲了。我已下命令把人放了。”勃列日涅夫听后说：“那好，我正是为此给你打电话。”[2] 这样，若列斯终于在 1970 年秋获释。

将具有人本主义意识表现的人作为“精神病患者”，是比将之关进劳改营和监狱更为残酷的折磨。苏联的这种做法不仅受到西方舆论界的同声谴责，还招致西方医学界的广泛抗议。安德罗波夫在一份呈送苏共中央的秘密报告中说：“法国精神病学者联合会大会于 1970 年 6 月讨论了‘苏联精神病学的状况’，并且通过了‘谴责苏联精神病学者的行为’的决议。它正在试图把世界卫生组织也拉入这一运动。这一行动的策划者对世界精神病学者联合会的领导也施加了压力。”这份报告还说：西方掀起了指责苏联利用精神病作为同人本主义

---

[1] 《我们不曾有过精神病恐怖》。Известия.1998. 24 июля.

[2] ［俄］罗·梅德维杰夫著：《人们所不知道的安德罗波夫》，第 174 页。

意识斗争的工具的反苏运动，英国皇家精神病学院在其中起着积极的作用。“它的组织者企图在即将于 1977 年 8 月在美国召开的第 6 届世界精神病学大会上引导社会舆论公开谴责‘苏联对精神病学的滥用’。图谋在伟大的十月社会主义革命 60 周年的前夕引起政治上的消极反响。”[1] 针对这种局势，苏联虽然进行了种种努力，但终难消除世界上对苏联滥用精神病学的谴责。苏联只得以拒绝参加世界精神病学大会，退出世界精神病学者联合会等消极做法，回到在这个领域中的蜗居状态。戈尔巴乔夫当政后，撤销了这些“特殊精神病院”。

迫使一些有影响的、但又不便关进监狱和精神病院的人本主义意识表现者离开苏联，也是苏共中央用来打击人本主义思潮的手段之一。20 世纪 70 年代，诗人布罗茨基、加利奇，作家马克西莫夫、涅克拉索夫等都离开苏联，去了西方。戈尔巴涅夫斯卡娅、阿马利里克、金兹伯格、西尼亚夫斯基移居法国。作家阿克肖诺夫、画家舍米亚金、历史学家涅克里奇移居美国。若列斯·梅德维杰夫留在英国。作家伊诺维奇 1974 年被开除出苏联作家协会，1980 年移居联邦德国。此外，物理学家图尔钦、法学家恰利泽、雕塑家涅伊兹韦斯内、文学评论家科佩列夫、哲学家亚诺夫、诗人科尔扎温、作家弗拉基莫夫等，也先后离开苏联，移居国外。

哲学家亚历山大·季诺维也夫的讽刺作品《闪光的顶峰》在西方出版之后，立即被开除出党和撤职。苏斯洛夫激烈地主张对季诺维也夫再处以 7 年的重劳改和 5 年流放。安德罗波夫认为逮捕季诺维也夫会给苏联带来不良的国际影响，最好是“让其出国，并不让再回苏联”。安德罗波夫在致苏共中央的报告中说：“季诺维也夫的所有活动都是违法的，给予刑事处分是有法律依据的。但是，我们认为，目前采取这种办法来制止季诺维也夫的反苏活动是不合适的……已经知道，西欧和美国的一些大学向季诺维也夫发了邀请，请他去参加研讨会、讲逻辑课。法国也有人向他发来了私人邀请。季诺维也夫打算申办同他的妻子和幼女一起出国的证件。安全委员会认为可以让季诺维也夫及其家属以私人身份出国去资本主义国家，并不让他再回苏联。”[2] 苏共中央决定同意安

[1] 参见［俄］罗·梅德维杰夫著：《人们所不知道的安德罗波夫》，第 117 页。

[2] 参见上书，第 130—131 页。

德罗波夫的建议，1978年季诺维也夫移居联邦德国。

迫使人本主义意识表现者出国，然后断其归路，这种做法的典型事例是对罗斯特洛波维奇的处置。

姆斯季斯拉夫·列奥波尔多维奇·罗斯特洛波维奇1927年3月27日生于巴库，莫斯科音乐学院教授、苏联人民演员、大提琴家、指挥家，先后获斯大林奖金、列宁奖金、列宁勋章。罗斯特洛波维奇因为与索尔仁尼琴交厚，并不时对其提供帮助，发表支持索尔仁尼琴的言论，招致苏联政府的忌恨。于是，罗斯特洛波维奇的创作受到限制；"钩心斗角、闹宗派、爱吵架；近乎病态的精神过敏；迫害独唱演员和首席指挥；追求个人自由和个人利益"之类流言，到处流传，使罗斯特洛波维奇难以正常工作和生活。

罗斯特洛波维奇在无奈之下，于1974年3月29日写信给勃列日涅夫，请求允许他携带两个孩子，出国两年。一个星期以后，苏联国家大剧院阿特兰托夫等7名演员，联名致信勃列日涅夫，要求驱逐罗斯特洛波维奇，不准他"再次出现在大剧院的全体人员之中"。1974年5月5日，苏联文化部部长福尔采娃约见了罗斯特洛波维奇夫妇。罗斯特洛波维奇表示：他们可以由苏联文化部派遣出国巡回演出两年，演出的部分收入汇入苏联国家音乐家协会的银行账户，以补偿他们的出国费用。罗斯特洛波维奇强调："我将远离那些企图把我卷入政治性质的阴谋。我愿意献身于音乐。"[1]谈话中，罗斯特洛波维奇不止一次地强调，他希望苏联的艺术在国外比过去更加受到称道；而他本人无论过去、现在、将来，永远是莫斯科音乐学院教授。苏共中央同意了苏联文化部的意见，批准了罗斯特洛波维奇出国演出的请求，期限为6个月。

1974年5月26日，罗斯特洛波维奇从莫斯科飞往伦敦，开始了到国外巡回演出的行程。在演出过程中，罗斯特洛波维奇在接受《晚邮报》记者采访时谈到索尔仁尼琴，说"他是个襟怀坦白的爱国者"，"他作的就像任何一个正直的人处在自己位置上所做的一样"，"他在写他所知道的和感觉到的。"在回答他和索尔仁尼琴的关系时说，"我和妻子都尊敬他（索尔仁尼琴），他也尊重我

[1] 《苏联文化部关于同罗斯特洛波维奇谈话情况致苏共中央的信（1974年5月12日）》，《苏联历史档案选编》，第30卷，第311页。

们。要知道，老朋友迟早要见面的。”[1]

1974年11月，罗斯特洛波维奇向苏联驻法国大使馆提出申请，要求将他们的苏联护照有效期延长两年。1974年11月20日，苏共中央同意了罗斯特洛波维奇的请求。1978年2月1日，罗斯特洛波维奇夫妇致信勃列日涅夫，提出“由于在国外演出业务繁忙，我们请求您指示将我们全家的出国护照延长3年。有效期至1978年3月25日。”[2]1978年3月14日。苏共中央政治局作出了关于取消罗斯特洛波维奇和维什涅夫斯卡娅苏联国籍的决议，因为“他们从1974年起在国外的整个时期从事反社会活动，诋毁苏维埃国家和社会制度，并进行有损于苏联公民称号的其他活动。”[3]3月15日，苏联最高苏维埃主席团发布了取消罗斯特洛波维奇和维什涅夫斯卡娅苏联国籍的命令。同时，还取消了罗斯特洛波维奇的苏联人民演员、苏联国家奖金获得者、列宁奖金获得者等称号；取消维什涅夫斯卡娅的列宁勋章和苏联人民演员称号。

1978年3月17日，当时正在法国巴黎的维什涅夫斯卡娅和罗斯特洛波维奇得知这一信息后，写信给勃列日涅夫说：“以您为首的苏联最高苏维埃取消了我们的苏联国籍。准确些，是您剥夺了我们在自己的土地上生与死的可能。”信中说：“我们是音乐家。我们是以音乐进行思维和生活的。我们的处世方式，我们的观点，我们的待人接物完全出于我们的职业。最高苏维埃对我们提出的责难是纯粹捏造。无论是在自己祖国，还是在国外，我们从来没有参加过任何反苏组织。您并不比其他人知道得更少些。我们唯一的‘过错’就是把我们的家提供给作家亚·索尔仁尼琴栖身。因为这件事，经您批准，使我们无法忍受的各种各样的迫害倾注到了我们身上：取消音乐会，禁止出国巡回演出，电台、电视台、报刊抵制我们，企图使我们的音乐活动瘫痪……这样一来，您迫使我们请求长期去国外，并且以苏联文化部派遣出差为由办理出国手续。但

---

[1] 《葛罗米柯和安德罗波夫关于罗斯特洛波维奇在国外行为给苏共中央的报告（1974年11月16日）》，《苏联历史档案选编》，第30卷，第317页。

[2] 《维什涅夫斯卡娅和罗斯特洛波维奇要求延长护照期限致勃列日涅夫的信（1978年2月1日）》，同上书，第336页。

[3] 《苏共中央政治局关于取消罗斯特洛波维奇和维什涅夫斯卡娅苏联国籍的决议（1978年3月14日）》，同上书，第337页。

40 年前的普京与勃列日涅夫

是看来，您不满足我们在祖国流泪，您还要在这里打击我们。”[1]他们在信中表示：“您有权迫使我们改变居住地，但是您无法改变我们的心。无论在哪里，我们将继续作为俄国人民而自豪，并热情地为他们贡献我们的艺术。”[2]

罗斯特洛波维奇从 1977 年 10 月开始，担任华盛顿国家交响乐团首席指挥和艺术指导，并和伦敦、费城、纽约的乐团保持着非常密切的联系。此后 17 年，他一直定居美国。2007 年 3 月 27 日，时值罗斯特洛波维奇 80 岁生日，俄罗斯联邦总统普京在克里姆林宫授予他“祖国功勋”奖章。

[1] 《维什涅夫斯卡娅和罗斯特洛波维奇关于被取消国籍致勃列日涅夫的信（1978 年 3 月 17 日）》，《苏联历史档案选编》，第 30 卷，第 341—342 页。

[2] 同上书，第 343 页。

第六章　积怨深重的民族关系

民族问题仍然是围绕20世纪国际社会的严重问题之一，是影响国际社会安宁的严重问题之一。苏联从斯大林到赫鲁晓夫，再到勃列日涅夫，都一个比一个更为自信地说：苏联的民族问题已经解决了，已经“一劳永逸地解决了”。苏联和苏联剧变后俄国学者的有关著作，除苏联时期的“持不同政见者”外，几乎都不涉及勃列日涅夫时期的民族问题，好像苏联真的不存在民族问题似的。

勃列日涅夫当政时期的民族问题，实际上是苏共和苏联政府面对的一个相当棘手的社会政治问题。可是，勃列日涅夫和苏共中央无视民族问题的严酷现实，继续苏共在这个问题上的一贯思想理论和政策，致使民族问题的积怨愈来愈深。

苏共关于民族问题的基本理论是列宁关于民族自决权的思想，“就是民族脱离异族集合体的国家分离，就是成立独立的民族国家”。[1]但是列宁认为，承认民族自决权并不是鼓励民族的分离，尤其是在苏联，需要的是各民族的平等联合。

列宁的民族自决权理论对于动员俄罗斯帝国境内的非俄罗斯民族支持俄国社会主义革命确实起过积极作用；对于动员世界各被压迫民族反对资本主义殖民压迫，为消灭资本主义殖民制度，也起过积极作用。但是，苏联实行的名义上的联邦制（联盟），实际上的集中制，到处存在的大俄罗斯沙文主义，以武力兼并周边独立的民族国家，迫迁众多少数民族的做法，给苏联这个联盟国家带来大量难以解决的民族问题，最后导致苏联这个多民族国家的解体。

第一节　勃列日涅夫关于民族问题的认识和苏联的现实

勃列日涅夫对民族问题的认识

勃列日涅夫上台时，苏联各民族在社会主义制度下已经生活了近半个世纪了。在这近半个世纪里，苏联各民族，尤其是居住在边远、边缘地区的少数

[1]《列宁选集》，第2卷，人民出版社1995年版，第371页。

民族都经历了政治、经济、社会生活等各方面的巨大变化，饱经了酸甜苦辣的种种煎熬。在民族关系上，勃列日涅夫继承的是斯大林遗留下来的一份沉重的历史遗产。

斯大林认为民族主义和共产主义是截然对立的，[1] 并把这一思想作为贯彻苏联民族政策的指导方针之一。斯大林当政时期，苏联在民族问题实践上的矛盾是：一方面要面对多民族国家这一现实，并在政治、经济、军事、科学技术、文化教育、医疗卫生等各方面帮助和促进非俄罗斯的各少数民族的发展和提高，这样的发展不可避免地促进民族意识的觉醒和勃兴；另一方面又像害怕瘟疫一样害怕民族主义情绪的新流露。不难理解，斯大林在 1936 年 11 月就匆忙地宣布：苏联“各族人民在经济和社会生活的一切方面已经切实实行互助，最后，苏联各族人民的民族文化，即民族形式和社会主义内容的文化已经有了蓬勃的发展”。[2] 苏联作为多民族国家在民族问题上的现实，并不是如斯大林主观所判断的那样，而当社会现实和斯大林的主观愿望不一致时，斯大林则采取极其严厉的暴力措施予以镇压，包括采取沙皇俄国时期也从未采取过的对整个民族的集体迫迁。这样，在斯大林时代，苏联尽管对发展各民族经济、科学技术、文化教育、医疗卫生等事业作出很大的努力，但是又播下了某些新的仇恨种子。赫鲁晓夫上台以后，在批判斯大林个人崇拜的同时，采取了一些纠正过去在处置民族问题上的错误、缓解民族矛盾的措施。但是由于实际操作中的简单化和命令主义，效果不佳，有的甚至旧的矛盾没有解决，反而平添一系列新的问题。在对苏联民族问题的总体认识上，赫鲁晓夫基本上继承了斯大林的思想，提出“在苏联形成了具有共同特征的不同民族人们的新的历史性共同体——苏联人民。”[3]

勃列日涅夫接受了关于“新的历史共同体”的思想，并加以发挥。

1971 年 3 月，勃列日涅夫在苏共二十四大的总结报告中，对“新的历史共同体”作了正式的阐述。勃列日涅夫说：“在我国社会主义建设的年代里，形成了人们的新的历史共同体——苏联人民。在共同劳动中，在争取社会主

[1] 《斯大林全集》，第 2 卷，第 290 页。

[2] 《关于苏联宪法草案》，《斯大林文选》上册，人民出版社 1977 年版，第 89 页。

[3] 《苏联民族问题文献选编》，社会科学文献出版社 1977 年版，第 250 页。

义的斗争中，在捍卫社会主义的战斗中，各阶级和社会阶层之间、各大小民族之间产生了新的和谐的关系——友好合作的关系。”[1]1972 年，勃列日涅夫在庆祝苏联成立 50 周年大会的报告中，更为明确地宣布：“人的新的历史共同体——苏联人民已在我国成为现实。”[2]

勃列日涅夫对“新的历史共同体——苏联人民”还作出了新的诠释。

一、勃列日涅夫认为，由于“人的新的历史共同体——苏联人民在我国的诞生”，所以“苏维埃爱国主义感情就超越了民族感情”。1971 年 5 月 14 日，勃列日涅夫在苏维埃格鲁吉亚成立 50 周年的庆祝大会上说：“没有一个人不曾体验过对于祖先的土地，对于民族文化，对于民族的语言、民族的传统和风俗习惯的根深蒂固的热爱和眷恋的感情。但是，在社会主义社会里，这种感情——爱国主义感情——超越了民族界限，充实了新的内容。”[3]其实，不仅在社会主义国家，世界上任何多民族国家，爱国主义都是各民族所一致认同的，但是爱国主义并不能取代民族感情，而民族感情也并不妨碍高扬爱国主义，爱乡土和爱祖国是一致的，勃列日涅夫实际上是以虚无主义态度，否认了民族感情的存在。

二、否认民族文化的存在，认为苏联已经形成了没有民族界限的“共产主义新文化”。1972 年 12 月 21 日，勃列日涅夫在庆祝苏联成立 50 周年大会的报告中说：“我们的文化就其内容、就其发展的主要方向来说是社会主义的，就其民族形式来说是多样化的，就其精神和性质来说是国际主义的。”[4]勃列日涅夫称苏联的文化为“共产主义新文化”，它有着“共同的国际主义特征”，“多种多样的民族形式”，“这种文化没有民族界限，一视同仁地为所有的劳动人民服务。”[5]其实，文化的内容、精神、表现形式都是有内在联系，是有机的统一。不同形式的民族文化自然也渗透着各自的民族精神；同样，社会主义的发展方

[1] 《在苏联共产党第二十四次代表大会上的总结报告》，《勃列日涅夫言论》，第 7 集，第 95 页。

[2] 《论苏维埃社会主义共和国联盟的 50 年》，同上书，第 8 集，第 102 页。

[3] 《苏维埃格鲁吉亚 50 年》，同上书，第 7 集，第 166 页。

[4] 《论苏维埃社会主义共和国联盟的 50 年》，同上书，第 8 集，第 104 页。

[5] 同上。

向是可以用不同的文化形式，包括不同的民族文化形式来表达的。勃列日涅夫的话，真正的意思是否认民族文化的存在，镇压敢于表现的不同民族文化。

三、宣扬俄罗斯民族是“新的历史共同体——苏联人民的”“老大”，“俄语成了苏联各大小民族相互交际的语言”。

勃列日涅夫在庆祝苏联成立50周年大会上的报告中，竭力宣扬“俄罗斯民族对过去受压迫的大小民族给予大量而全面的援助”，“多年来许多加盟共和国预算的支出部分主要靠全苏预算的补贴来弥补”。[1] 俄罗斯联邦“在各个平等的共和国中被我们多民族国家的全体人民恰当地称为老大。”[2] 勃列日涅夫还一再说：“俄罗斯民族的革命毅力、忘我精神、勤劳和深厚的民族友爱精神，当之无愧地博得了我们社会主义祖国各族人民衷心的尊敬。”[3] 勃列日涅夫1980年8月29日在庆祝哈萨克共和国成立60周年大会上讲话时，公然宣称：“苏维埃哈萨克从它诞生之时起，就倚仗着俄罗斯民族结实的肩膀。”其实，苏联作为多民族国家，俄罗斯民族对于推动、帮助其他各少数民族的各方面的发展作出过特殊的贡献，这是历史事实。但是，在共同的进步中，尽管相互之间推动、帮助的程度、力度有不同，也不能抹煞这种推动和帮助是相互的。勃列日涅夫在不同的场合，都只讲俄罗斯民族对其他少数民族的帮助，公然宣称俄罗斯民族是“老大”，俄语是相互交际的共同语言，实际上是宣扬俄罗斯民族是“新的历史共同体”的核心，俄语是“新的历史共同体”的共同语言，使苏维埃社会主义共和国联盟“俄罗斯化”。勃列日涅夫的这种观点，不仅伤害了各少数民族的自尊心，即使对俄罗斯民族和其他几个斯拉夫主体民族来说，也产生不良的负面影响：它们认为自己在“大家庭”里作了过多的无谓贡献！

勃列日涅夫的民族观，说到底是斯大林的民族观的原封不动的继承。勃列日涅夫宣布：“过去遗留给我们的那种状况的民族问题，已完全解决、已彻底和一劳永逸地解决了。”[4] 实际上是苏联民族关系的积怨愈来愈深，离矛盾总

[1] 《论苏维埃社会主义共和国联盟的50年》，《勃列日涅夫言论》，第8集，第95页。

[2] 同上书，第100页。

[3] 《在苏联共产党第二十四次代表大会上的总结报告》，《勃列日涅夫言论》，第7集，第94页。

[4] 《论苏维埃社会主义共和国联盟的50年》，《勃列日涅夫言论》，第8集，第93页。

爆发的日子愈来愈近。

关于民族问题，也同其他任何理论认识问题一样，勃列日涅夫一唱，苏联理论界就跟着百和，整个理论界都来诠释“新的历史共同体”。苏共中央委员、苏联科学院院士、苏联科学院副院长、哲学家费多谢耶夫著文说：“全面研究同形成苏联人民有关的问题，是当前科学上研究民族关系问题的根本出发点。”费多谢耶夫认为，“成熟的社会主义阶段，已经基本上拉平了各苏维埃共和国的经济发展水平”。苏联的民族问题理论研究的重要任务是：全面揭示苏共中央根据既考虑整个社会主义国家的需要，又照顾原民族边疆区的发展的原则，合理地配置生产力，对于拉平各共和国经济发展水平方面起的作用。“研究和正确评价拉平各共和国的经济、文化发展水平的过程，是极其重要的。”[1]苏联的政治体制以及这种体制营造的政治氛围，使得苏联的人文科学界不去、也不敢客观地、科学地研究苏联社会的民族问题。

民族关系的新状况

勃列日涅夫当政时期，苏联社会在民族关系方面发生了一些新的变化，出现了某些新状况。

一是移民愈来愈多，异族通婚常态化。

第二次世界大战后，新的工矿企业和新的城市不断涌现，吸纳了大量农村人口和来自各民族的移民。20 世纪 70 年代，移民和异族通婚的现象增多。1936 年，斯大林在《关于苏联宪法草案》中说，成立加盟共和国的条件之一是“这个民族在用它的名称命名的苏维埃共和国人口中，必须是比较聚居而占多数的。”[2]到 70 年代，在一些加盟共和国，人口结构已发生了变化。1970 年全苏人口普查的结果是，在哈萨克共和国，67.4% 的居民是非哈萨克人；在吉尔吉斯共和国，56.2% 的居民是非吉尔吉斯人。在这两个加盟共和国，冠名民族居民不再是占多数了。其他像塔吉克共和国，非塔吉克人占 43.8%；拉脱维亚共和国，非拉脱维亚人占 43.2%；土库曼共和国、摩尔达维亚共和国、格

[1] ［俄］彼·费多谢耶夫：《关于民族发展与接近的理论问题》，Коммунист. 1980. № 1.

[2] 《关于苏联宪法草案》，《斯大林文选》上册，人民出版社 1977 年版，第 105 页。

鲁吉亚共和国、乌兹别克共和国、爱沙尼亚共和国，非冠名民族的居民都占1/3。[1]

随之出现的是异族通婚的现象趋向常态化。1970年全苏人口普查表明，在全苏5900万个家庭中，有800万个家庭，占全苏家庭总数的13.5%，其成员是由不同民族组成的家庭，而且其成员还来自多个民族。卡拉卡尔帕克自治共和国作家霍·阿伊穆尔耶夫的家庭由6个民族组成；奥希市居民巴·卡迪莫娃有3子2女，大儿媳是俄罗斯人、二儿媳是日耳曼人、三儿媳是朝鲜人，大女婿是乌克兰人、小女婿是乌兹别克人。[2]苏联政府称多民族杂居和异族通婚"具有伟大的科学和政治意义"。

二是各民族生活水平和各共和国的经济发展水平出现接近的趋势。

1970年，中亚各共和国每个集体农庄庄员家庭的平均收入，高于全苏每个集体农庄庄员家庭的平均收入。以全苏集体农庄每个家庭平均收入指数为100，那么中亚各共和国，最低的吉尔吉斯为104，最高的土库曼为178。中亚各共和国农村所享受的国家服务费用也大大高于全苏农村所能享受的国家服务费用。1974年，国家用于公用事业和福利事业的费用，就全苏而言，投向农村的占该项费用的26.7%，而在中亚各共和国却占43.1%。[3]1976年2月，柯西金在苏共二十五大上作《1976—1980年苏联发展国民经济基本方针》报告提出：在我国统一的社会主义计划经济和各共和国广泛主动性相结合的基础上，在第十个五年计划期间，各共和国的发展水平将继续进一步拉平。勃列日涅夫在1976年10月苏共中央全会上称："我们的五年计划，是翻译成经济语言的列宁主义的各族人民友好政策。"

三是原来经济、科学文化等各方面相对落后的共和国，在苏联统一的国家计划、统一的国民经济综合体制下，各方面都有了长足的发展，有的加盟共和国甚至是跳跃式的发展和提高。

---

[1] 统计数据参见［苏］麦·哈尔穆哈麦多夫：《苏联各族人民友谊的创造力量》，《苏联问题译丛》，第4辑，第175页。

[2] 参见《苏联各族人民友谊的创造力量》，同上书，第177页。

[3] 统计数据参见［美］默里·费什巴奇：《80年代中亚和哈萨克向外移民的前景》，同上书，第7辑，第50页。

在苏维埃政权的年代里，高加索地区的发展是跳跃式的。

20 世纪 70 年代的格鲁吉亚共和国已经建立起化学工业、机器制造业、汽车工业、建筑工业等工业部门，成为拥有多种现代化工业的共和国。库拉河畔的鲁斯塔维冶金厂，1947 年开始投产，1950 年生产出第一批钢材，60 年代后期已是全苏钢轧材、无缝钢管、焦化产品的生产基地之一。60 年代后期，格鲁吉亚共和国一星期生产的工业品，超过沙皇俄国时期格鲁吉亚一年生产的工业品。

格鲁吉亚的葡萄、柑橘、橙子、柠檬、蔬菜等种植业和加工工业也有了沙皇俄国时代所不能比拟的发展。特别是从 20 世纪 30 年代开始，引种和发展茶树和茶叶的种植、加工工业，到 20 世纪 60 年代，格鲁吉亚的茶叶不仅供应全苏，还成批出口。1966 年，格鲁吉亚出售给国家的茶叶达 226 千吨。[1]

阿塞拜疆共和国到 20 世纪 60 年代已是现代化的工业国家了。1964 年建成投产的苏姆盖特化学联合工厂很快成为苏联生产聚乙烯、环氧树脂等化工产品的基地之一。到 20 世纪 70 年代，像基洛瓦巴德瓷器厂、基洛瓦巴德制铝厂等大型企业，都相继建成投产。至于像著名的巴库油田，虽然从 19 世纪 70 年代就开始了工业开采，但真正的发展是在苏维埃政权年代，1951 年以前石油产量始终占苏联的首位。

以居民的普遍文盲著称的阿塞拜疆，1945 年在苏联科学院阿塞拜疆分院的基础上，建立了阿塞拜疆科学院。至 20 世纪 70 年代，“文盲”已成为历史上的词汇。1980—1981 年，阿塞拜疆共有 17 所高等学校，在校大学生 105200 余人。就业于国民经济各部门的职工，每 1000 人中有 832 人受过高等和中等教育。

高加索地区的另一个共和国亚美尼亚到 20 世纪 70 年代也已建立起现代化的大型有色金属冶炼、机器制造、化工、轻工、食品等工业企业。阿拉韦尔季采矿冶金联合企业、卡贾兰铜钼联合工厂、埃里温炼铝厂等大型有色金属冶金企业，构成苏联的制铜、制铝业的重要基地。至 1970 年，亚美尼亚共和国在苏维埃政权的年代里，工业生产总值增长 180 倍以上。[2] 科学文化事业的发

[1] 数据参见《勃列日涅夫言论》，第 2 集，第 283 页。

[2] 统计数据参见《勃列日涅夫言论》，第 6 集，第 308 页。

展和提高也是神速的。1943 年建立了亚美尼亚科学院。至 70 年代末，亚美尼亚共有了 13 所高等学校，在校大学生 57600 余人。在国民经济各部门就业的职工，每 1000 人中，有 868 人受过高等和中等教育。

中亚地区不仅是苏联刚成立时的落后地区，也是世界的落后地区之一。到 20 世纪 70 年代，中亚地区最大的共和国哈萨克共和国已成为苏联有色冶金工业基地，每年生产全苏联钢产量的 30%，锌产量的 50%，铅产量的 70%。[1]

勃列日涅夫当政时期是哈萨克共和国改变面貌的时期。库纳耶夫说："从 1955 年到 1985 年，就自身的经济潜力而言，在哈萨克斯坦好像建起了 7 个哈萨克斯坦，而就工业产量来说则等于建起了 8 个哈萨克斯坦。人口增加了一倍以上……在广阔无垠的大地上近 10 年时间中出现了上千个居民点……在国民经济中从业人员数量增加了 2 倍，科研工作人员数量增加了 7 倍，工人阶级在质量和数量上都得到了提高。工人阶级在劳动者总数中的比重从 50 年代末的 60% 增加到了 70%。"[2] 民族干部在党政机关中的比例也增加了。1964 年在哈萨克共和国部长会议中哈萨克族成员占 33%，1981 年这一比例上升为 60%。

中亚地区的乌兹别克共和国也已发展成为现代化的工业国家。1934 年建成投产的塔什干纺织联合工厂，是苏联生产印花布、缎纹布的重要工厂。第十个五年计划（1976—1980 年）期间，又有 67 家大型工业企业建成投产。20 世纪 80 年代初，乌兹别克共和国的工业企业固定基金和流动资金已超过 530 亿卢布。[3]

沙皇俄国时期，整个中亚地区没有一所高等学校，居民几乎都是文盲，在苏维埃政权年代，文化教育事业的发展也是跳跃式的。1943 年，在苏联科学院乌兹别克分院的基础上，建立了乌兹别克科学院。1920 年，根据列宁签署的命令，在塔什干创办了塔什干大学（1920 年称突厥斯坦大学，1923 年称

[1] 统计数据参见《勃列日涅夫言论》，第 16 集，第 204 页。

[2] ［哈萨克斯坦］库纳耶夫：《关于我的时代》，参见［哈萨克斯坦］奥·维多娃著：《中亚铁腕纳扎尔巴耶夫》，韩霞译，新华出版社 2002 年版，第 57 页。

[3] 《会见乌兹别克党的领导人时的谈话》，《勃列日涅夫言论》，第 18 集，第 85 页。

中亚大学，1960年改称塔什干大学）。1980—1981年，乌兹别克共和国有43所高等学校，在校大学生278100余人。此外还有222所中等技术学校，在校学生237700余人。在国民经济各部门就业的职工，每1000人中有875人受过高等和中等教育。[1] 乌兹别克共和国在按人口平均计算的大学生拥有数量上已高于当时的法国、联邦德国和日本。

20世纪70年代，150多个大小民族所居住的15个加盟共和国，在国民经济发展水平、劳动生产率、人均国民收入以及医疗卫生事业、文化教育事业、公共文化事业等等的硬件设施方面，基本上已接近同等水平。70年代，不仅不再存在国家政策性的民族歧视，相反，联盟政府对民族共和国还有诸多照顾。苏联各民族各有不同的历史、文化传统，在和联盟国家之间的关系方面，除犹太人的情况比较特殊之外，其他各民族基本上有三种不同情况：格鲁吉亚是在20年代初被苏俄兼并的，波罗的海沿岸三国和摩尔达维亚是在卫国战争前夕被苏联强行吞并的；车臣人、印古什人、德意志人、鞑靼人以及其他一些人，曾经被苏联政府强行集体迁徙，烙下深深的民族伤痕；高加索地区、中亚地区各族，尽管也有这样、那样的问题，但基本上是更多地受惠的民族。这样，各加盟共和国、各民族对联盟国家的感情，对联盟国家的认同程度，以及它们的愿望和要求，自然也各不相同。担任哈萨克共和国党中央第一书记22年（1964—1986年）之久的哈萨克人库纳耶夫说："我们老一辈人都清楚地记得，哈萨克斯坦的工业中心是在何等难以置信的困难条件下诞生和建立起来的。很多建设项目是在共和国无人居住的沙漠地带和半沙漠地带从零开始建设起来的。所走过的道路对我们来说是一所无价的生活的学校，一所主要的大学。"[2]1967年11月庆祝十月革命50周年时，库纳耶夫在《真理报》上撰文说："一切成就都归功于有原则性的列宁主义的民族政策。由于历史命运的意志，哈萨克人一向认为自己是伟大俄罗斯的忠实儿子。"库纳耶夫的继任者纳扎尔巴耶夫对库纳耶夫的评价是："他真诚地认为，与苏维埃俄罗斯的联盟给他的祖国带来了巨大的益处。"[3]库纳耶夫对联盟国家的感情

---

[1] 统计数据参见《苏联百科词典》，中国大百科全书出版社1986年版，第1389页。

[2] 参见［哈萨克斯坦］奥·维多娃著：《中亚铁腕纳扎尔巴耶夫》，第54页。

[3] 同上书，第57页。

和认同，不仅在哈萨克共和国，即便是在整个中亚，也有一定的代表性。然而库纳耶夫对联盟国家的感情和认同，在波罗的海沿岸三国，包括摩尔达维亚，不仅不可能产生，甚至还是不可思议的。因此，勃列日涅夫当政时期苏联的民族关系固然有斯大林时代以及历史上遗留下来的种种伤痕和问题，但是也出现了一些新的、有可能协调发展、共同繁荣的条件。勃列日涅夫如果能平静地看待苏联在民族关系上发生的变化，历史地审视列宁、斯大林关于民族问题的理论，反思苏联半个世纪来的民族政策及实施效应，适时地对民族政策作必要的调整，对某些事情减少行政干预、顺其自然，是有可能使苏联的民族关系朝着新的、协调的方向发展，有可能推进苏联按社会主义原则解决民族问题的方式。可是，勃列日涅夫却继承斯大林的民族观，形而上学地把已出现的一些新变化作为已经形成“新的历史共同体”的依据，并且要加速“新的历史共同体”的巩固。

强制性地推广俄语，是勃列日涅夫作为巩固“新的历史共同体”的重要文化手段。

语言是人类最重要的交际工具。当经济、政治、文化发展到一定阶段的时候，当出现经济、政治、文化交流的需要的时候，学习共同的语言会成为社会的自然需要；反之，当没有达到这种阶段的时候，强制推行某种语言，实际上就成为推行民族同化的手段。甚至即使有好的愿望，也会出现相反的效果。

在苏联的各非俄罗斯加盟共和国，除乌克兰、白俄罗斯等共和国的俄语水平较高之外，其他地区居民的俄语水平都不高。虽然从赫鲁晓夫提出“新的历史共同体”这一概念之后，已注意提高各非俄罗斯共和国的俄语教学水平，但是到 20 世纪 70 年代，在中亚地区，像吉尔吉斯、塔吉克、土库曼、乌兹别克，都只有 15% 左右的人能流利地使用俄语，只有哈萨克共和国因为有大量俄罗斯人迁入，约有 40% 的人能流利地使用俄语。

为了巩固“新的历史共同体”，勃列日涅夫十分关注非俄罗斯学校的俄语教学水平；并且规定即使在高等学校，俄语也是俄语水平低的非俄罗斯学生的必修课。

1969 年 6 月，苏联建立了一个名为“苏联民族问题科学委员会”的新机构。这个机构名义上是主管一般的民族问题，实际上主要负责提高俄语作为苏联社会各方面交往的通用语言的地位。

20 世纪 70 年代后期，苏联政府对学校的教学用语又作出新的规定。1977 年苏联教育部规定：全苏的 127 种语言中，学校用语从 5 年前的 55 种减少到 45 种；所有非俄罗斯学校，从一年级开始设置俄语课，并增加每周的教学课时量。在各非俄罗斯学校，俄语大都被作为所有课程的教学用语。

全社会也不断加大对全苏统一使用俄语的宣传力度。1979 年 5 月底，全苏在塔什干召开“俄语——苏联各族友谊和合作的语言”学术研讨会。研讨会称：得出一致的结论是发展本民族语言必须与推广民族交际语言结合起来，“俄语是为苏联各大小民族政治经济生活、科学技术和文化发展的共同需要服务的。”[1] 宣扬“俄语是苏联各族人民相互联系和团结的强大工具，是吸收祖国和世界文化的宝贵财富的工具。”[2]

在一个国家内，推行共同使用一种语言，确能便于各民族之间的相互交流，有利于共同发展，但是对于使用共同语言问题，政府宜因势利导，提供各种方便条件，像苏联党和政府那样以行政命令手段行事，反而激发诸多新的、负面的效应。

第二节　民族主义的新勃起

《我们的苏维埃乌克兰》与“谢列斯特事件”

勃列日涅夫当政时期的苏联境内各民族出现了新的民族主义运动。不同的民族由于在联盟国家中所处位置以及以往经历等等的不同，民族主义运动的表现形式和手法也有不同。

民族问题是勃列日涅夫上台后就碰到的棘手问题。

1966 年底，被从克里木集体强行迁到中亚的鞑靼人，在塔什干、奇尔奇克、撒马尔罕、费尔干纳等城市，接连召开“纪念克里木苏维埃社会主义自治共和国成立 45 周年”大会，抗议撤销克里木自治共和国，要求返回克里

[1] ［俄］费多谢耶夫：《关于民族发展与接近的理论问题》，Коммунист. 1980. № 1.

[2] 《苏联问题译丛》，第 4 辑，第 177—178 页。

木。[1] 克里木鞑靼人还多次发起集体签名，向苏联最高苏维埃申诉，要求返回故里，其中一份请愿书有 13 万人签名。

1967 年 6 月 21 日，一个由 20 人组成的克里木鞑靼人请愿团来到克里姆林宫，苏联国家安全委员会主席安德罗波夫和苏共中央的其他几名领导人接见了请愿团。安德罗波夫说明：他是以苏共中央政治局候补委员的身份（安德罗波夫于当天结束的苏共中央全会上刚刚当选苏共中央政治局候补委员），而不是以苏联国家安全委员会主席的身份接见请愿团。安德罗波夫耐心地听取了请愿团的申诉，但没有对请愿团的要求表态。这次接见的直接结果是 1967 年 9 月 5 日，苏联最高苏维埃发布命令：承认所有克里木鞑靼人均遭冤屈；恢复他们的公民权利。但是，命令称他们为“从前曾在克里木居住过的鞑靼人”；“克里木鞑靼人已在新的居住地扎根”。这样，命令虽然恢复了他们的公民权，却只允许鞑靼青年可以到莫斯科、列宁格勒等城市的高等学校读书，其家庭不得迁回克里木。[2]

苏联政府之所以不准克里木鞑靼人返回故里，除了鉴于因允许车臣人、印古什人返回故乡而酿成新变乱这一因素之外，还由于乌兹别克共和国的领导人看到，鞑靼人“是乌兹别克的工业、矿山和农业所需要的劳动力”，因而反对让克里木鞑靼人离开乌兹别克。[3] 此外，克里木也已于 1954 年 2 月由俄罗斯联邦社会主义共和国转归乌克兰苏维埃社会主义共和国，而乌克兰共和国对鞑靼人返回克里木持否定态度。尽管不允许克里木鞑靼人返回故里的原因并不是出于苏联政府的政策性歧视，但不允许克里木鞑靼人返回故里这一事实本

[1] 克里木鞑靼人不同于居住在伏尔加河沿岸（鞑靼自治共和国）的鞑靼人。十月革命后，根据列宁的建议，1921 年成立了以鞑靼语和俄语两种语言为国语的克里木苏维埃社会主义自治共和国。1944 年 5 月，苏军收复克里木地区之后，在极短的几天之内，约 30 万鞑靼人被内务部的军队强行赶出家园，装上军用列车，运往乌兹别克以及中亚的其他共和国。在新居留地，鞑靼人实际上被集体圈禁，每两星期必须到内务部特设的警卫司令部登记一次。直到 1956 年苏共二十大之后，才取消登记，被允许自由外出，生活用品供应也有所改善。

[2] 参见罗・梅德维杰夫著：《人们所不知道的安德罗波夫》，第 74 页。

[3] 《克里木鞑靼人历史片断》，Политический дневник. Амстердам. 1972. С.702.

身，使得克里木鞑靼人不断以各种形式展开要求重返故里的运动。

阿布哈兹问题是勃列日涅夫当政后出现的民族问题的又一窟窿。

属于格鲁吉亚的阿布哈兹自治共和国，早就对自己的处境十分不满。1967年，第比利斯出现一篇文章，说阿布哈兹人从历史上来看是早就皈依了伊斯兰教的格鲁吉亚人。这篇旨在论证“不存在阿布哈兹族”的文章，激怒了阿布哈兹人。一批阿布哈兹作家和农村老者来到自治共和国的首府苏呼米，要求共和国的党政领导接见，以便向格鲁吉亚共和国交涉。但是，苏呼米的党政领导拒不接见。于是，苏呼米发生了群众集会和游行示威，高喊：恢复使用阿布哈兹语言文字的权利；发展阿布哈兹工业；让阿布哈兹人担任自己共和国的领导；把被格鲁吉亚达官贵人强占去的、盖成别墅的滨海土地，还给阿布哈兹人。激进者甚至喊出：阿布哈兹自治共和国由属格鲁吉亚转归俄罗斯。苏共中央对这次事变采取了冷处理的做法，阿布哈兹自治共和国的党政领导人（基本上是格鲁吉亚人），大多被撤职。这次的事态虽然平息了，但是阿布哈兹的问题仍然存在，一有机会就爆发出来。而且，格鲁吉亚对苏共中央的处理又忿忿然。在苏共中央的压力下，1972 年 4 月初格鲁吉亚共和国共产党中央和第比利斯市委接连举行会议，主题是：“当前的紧迫任务是同民族主义和沙文主义的种种表现进行坚决的斗争。”会议对格鲁吉亚民族历史研究所研究员西达莫尼泽的《1917—1921 年格鲁吉亚资产阶级民主运动和社会主义革命胜利史》一书进行了批判，说此书“是在为民族主义分子恢复名誉”。西达莫尼泽和该书编辑受处分。5 月 25 日，第比利斯市委第一书记洛拉什维利终于被撤职，由格鲁吉亚内务部部长谢瓦尔德纳泽接任。

吉尔吉斯共和国首都伏龙芝市的大规模民族骚乱，又成为盖在勃列日涅夫头上的一片愁云。

1967 年 4 月，在伏龙芝市举行一场足球比赛时，观众发生骚乱，混乱中 15 名俄罗斯人被打死，民警在平息骚乱中逮捕了一批吉尔吉斯人。5 月，伏龙芝市盛传关于民警违法乱纪的街谈巷议。5 月 17 日，部分市民涌上街头游行示威，和前来驱散游行队伍的军警发生冲突。结果，游行群众 1 人被打死，3 人受伤，18 人被捕。尽管苏联政府尽量封锁这一消息，但是敏感的中亚地区还是传遍了这一不幸，市民情绪激动。哈萨克共和国南部城市奇姆盖特接连几天发生游行示威。6 月 13 日，苏联政府出动军警前往镇压，当场打死 7 人，打伤 50 多人，逮捕了一大批人，其中的 43 人被处刑罚。

“谢列斯特事件”就是在民族纷争接二连三，勃列日涅夫大力宣扬“新的历史共同体——苏联人民”已经形成的大背景下发生的。

乌克兰的民族主义情绪一向比较强烈。

作为东斯拉夫人之一的乌克兰领土面积 60 余万平方公里，占世界陆地面积的 0.5%；人口 5000 多万，占世界人口总数的 1.4%，但是它的钢、生铁、拖拉机、糖、煤、天然气的产量却占到世界产量的 8%—10%。乌克兰也是联合国的成员国，“全世界都倾听乌克兰的声音”。[1] 乌克兰在联盟国家中，虽然领土没有俄罗斯大、人口没有俄罗斯多，但它有先进的科学、文化、艺术，有比俄罗斯更为悠久的历史。1654 年 1 月 18 日，佩列亚斯拉夫大会决定，乌克兰和俄罗斯合并。辉煌的古代文明，发达的现代工业文明，物产丰饶，所有这些，都足以让乌克兰感到自豪。对于勃列日涅夫妄称俄罗斯为全苏的“老大”，是全苏可以倚靠的“肩膀”，乌克兰自然是忿忿不平。

知识分子总是充当民族主义情绪的先锋。20 世纪 60 年代，乌克兰一些知识分子和青年学生于 5 月 22 日 [2] 在基辅的塔拉斯·舍甫琴科纪念像前举行集会、游行。勃列日涅夫上台后，加大了对乌克兰民族主义表现的镇压力度。1967 年 5 月 22 日，当局出动军警，驱散集会游行，几名被认为是“游行组织者”的人被捕，一部分参加集会游行的人被开除公职。

利沃夫记者切尔诺维尔也在这次事件中被捕。切尔诺维尔曾搜集有关发生在乌克兰的镇压事件的资料，汇编成《智慧招来痛苦》一书，私下散发，因而早就被苏联政府所不容。1967 年秋，在利沃夫对切尔诺维尔进行了审讯。切尔诺维尔在法庭上发表《最后的陈述》，内中辛辣的话是：“在革命取得胜利并开始建设新型国家的时候，列宁总是要求有尽可能多的公民参与领导国家和社会，他认为这是社会主义顺利发展的唯一保证。列宁说：‘社会主义不可能

[1] ［苏］彼·叶·谢列斯特著：《我们的苏维埃乌克兰》，原文化部咸宁干校翻译组译，三联书店 1974 年版，第 101 页。

[2] 5 月 22 日是诗人舍甫琴科的遗骨从俄罗斯葬地迁回故乡第聂伯河畔的乌克兰城市卡涅夫的日子。乌克兰人选择这一天举行集会游行，既是对舍甫琴科的纪念，更是借此显示乌克兰民族意识。

由少数人——一个政党来实行。’我尝试按照列宁的指示去行动，尝试的结果你们现在就将告诉我。”[1] 这个结果是：切尔诺维尔被法庭判处剥夺自由 3 年。

1966 年初，乌克兰青年作家伊凡·久巴写成揭露大俄罗斯沙文主义的《国际主义还是沙文主义》一书，送给乌克兰共产党中央第一书记彼·叶·谢列斯特。谢列斯特阅后，立即批示将之印发给州委书记一级的干部“征求意见”，实际上是给予肯定和支持。不久，久巴因撰写此书而获罪，被“调离文学工作岗位”，但谢列斯特不顾来自上司的压力，恢复了他的工作。1968 年，谢列斯特还撤销了乌克兰党中央负责宣传工作的书记斯卡巴的职务，因为斯卡巴大力宣扬大俄罗斯主义。

乌克兰的一些民族主义情绪的表现，确实得到谢列斯特的支持，勃列日涅夫没有从中冷静分析，得出实事求是的结论，却对谢列斯特十分忌恨；而谢列斯特又不肯屈服，顶着干。在这样的背景下，谢列斯特撰成《我们的苏维埃乌克兰》一书，呼喊：“乌克兰人民的文化是永垂不朽的，创造了这种文化的人民也是永垂不朽的！”1970 年，基辅乌克兰政治书籍出版社用乌克兰文出版了谢列斯特撰著的《我们的苏维埃乌克兰》一书，印行几十万册。

《我们的苏维埃乌克兰》以一种独特的游记体裁，叙述了乌克兰历史的各重大时期及特点；概括了乌克兰人民创造的高度物质文明和精妙的精神文明；介绍了现代乌克兰的整体面貌以及 25 个州的特色。阅读此书，仿佛让人在轻松的旅程中了解乌克兰源远流长的历史，饱览乌克兰无尽的富源和迷人的美景，领略乌克兰人民的伟大创造力。全书突出：“编年史家称基辅为‘俄罗斯诸城之母’。基辅是三个兄弟民族——俄罗斯民族、乌克兰民族和白俄罗斯民族——的国家的摇篮。”[2] 书中指出：早在卫国战争之前，乌克兰的生铁产量已超过法国和意大利；发电量是 1913 年的 34 倍。卫国战争时期，乌克兰是抗击和战胜德国法西斯的主要阵地，无数牺牲了和活着的英雄可以为此作证。谢列斯特特意称全苏 15 个加盟共和国的人为“平等的兄弟”：“只要我们回顾一下乌克兰在苏维埃政权的阳光下所走过的道路，我们就会了解它在争取共产主义的斗争中，在为实现党的政策、发展文化和提高人民物质福利的斗争中所取得

[1] 参见［俄］罗·梅德维杰夫著：《人们所不知道的安德罗波夫》，第 86 页。

[2] ［苏］彼·叶·谢列斯特著：《我们的苏维埃乌克兰》，第 152—153 页。

的无可估量的成就。"[1] 此书是给勃列日涅夫把俄罗斯称颂为"全苏联各民族的老大"的一记响亮耳光。

《我们的苏维埃乌克兰》出版之后，奥·诺先科在《虹》[2] 杂志上、斯·亚姆波利斯基在《苏维埃乌克兰经济》杂志上，刊登赞许和推荐文章，此书在全苏联产生深远影响。一本介绍乌克兰的历史、地理、文化、经济建设成就的通俗读物，之所以能产生巨大的影响，除了作者特殊的政治身份之外，更因为此书处处显露作者所饱含的民族激情，适应了苏联社会民族主义新勃兴的潮流。此书的出版，可以说是苏联社会民族主义新勃兴的讯号和标志。

勃列日涅夫不能容忍谢列斯特的民族主义情绪和做法。1970 年，勃列日涅夫出访欧洲路过基辅时，在车站月台上同乌克兰共和国国家安全委员会主席尼基琴科"散步 20 分钟"。尽管尼基琴科曾表示拒绝，最终还是被勃列日涅夫"说服"，离开乌克兰。勃列日涅夫根本不和谢列斯特打招呼，立即任命费多尔丘克为乌克兰国家安全委员会主席。维塔利·瓦西里耶维奇·费多尔丘克是苏联国家安全委员会副主席齐涅夫的挚友。谢列斯特对这一任命十分不满，但也只能服从。费多尔丘克任乌克兰国家安全委员会主席 12 年，其重要工作就是"一贯和乌克兰民族主义作斗争"。

1972年2月22日，苏共中央作出《关于筹备庆祝苏联成立50周年》的决议。决议提出：各级党组织都要拟订庆祝计划，强调民族问题是苏联建设社会主义的根本问题。决议指出，社会主义制度的命运，很大程度上取决于民族问题的正确解决；联盟国家已使苏联社会生活发生了深刻的质的变化，各民族自愿选择俄罗斯语言作为民族间交往和合作的通用语言，已经形成了苏联人民这一具有历史意义的新的共同体。决议强调，民族战线是国际范围内和意识形态领域的尖锐战线，党组织必须及时从政治上对复活民族主义情绪和观点的企图作出评价，坚决揭露民族主义和沙文主义。[3] 反对民族主义，宣传苏联已经形成新的历史共同体"苏联人民"，成为苏共中央和勃列日涅夫庆祝苏联成立 50 周年

[1]　[苏] 彼·叶·谢列斯特著：《我们的苏维埃乌克兰》，第 97 页。

[2]　《虹》——苏联乌克兰共和国用俄文出版的文艺和社会政治月刊，由乌克兰共和国作家协会主办。1927 年创刊，社址在哈尔科夫。1935 年，社址迁至基辅。发行量近 5 万份。

[3]　参见沈志华等编著：《苏联共产党 93 年》，第 710 页。

的基调。1972 年 7 月，谢列斯特被解除乌克兰共产党中央第一书记职务，调任苏联部长会议副主席。7 月 27 日，乌克兰共产党举行中央全会，新任党中央第一书记谢尔比茨基在全会上强调：必须揭露民族主义思想。自此，开始了对谢列斯特的公开批判。

《乌克兰共产党人》杂志 1973 年第 4 期刊登该杂志编辑部文章《评一本书的严重缺点和错误》，严厉批判谢列斯特。文章说，谢列斯特所写的《我们的苏维埃乌克兰》一书"违反阶级分析和党性态度，以超阶级的观点看待历史和社会，宣扬超阶级的民主和平等权利。""该书的严重缺点是，作者在一定程度上孤立地、脱离我们整个发展情况来探讨乌克兰历史上的一系列重要问题，这就绝对不可能深入全面地揭示劳动人民的友谊以及他们争取社会解放和民族解放、争取建设社会主义和共产主义的共同斗争。"[1]4 月 17、18 日，乌克兰共产党召开中央全会，谢尔比茨基再次批判谢列斯特"对民族局限性和地方主义表现采取无原则的容忍态度，从而对意识形态领域的工作产生不良影响。"谢尔比茨基表示，必须"坚决制止任何企图宣扬民族主义观点的行为。"1973 年 4 月 26 日苏共中央全会解除了谢列斯特的苏共中央政治局委员和其他所有行政职务，令其退休。从此，谢列斯特被逐出苏联政坛。受谢列斯特的牵连，50 多名干部被解除职务。

第三节　民族问题的死结

车臣问题

车臣问题是苏联民族问题中极为棘手的问题；车臣问题也是苏联自酿的民族问题的一杯苦酒。

苏共二十大以后，苏共中央和苏联政府采取了许多措施纠正苏联政府在处理民族问题上的错误政策和做法，其中包括允许被集体强迫迁徙的民族返回家园。但是这一良好的愿望和政策，并没有收到预期的效果，反而带来诸多新

[1] 《评一本书的严重缺点和错误》，《乌克兰共产党人》杂志 1973 年第 4 期，参见《我们的苏维埃乌克兰》附录。

的矛盾和冲突。

1957 年至 1963 年，约有 6389 户、28000 余车臣人从中亚返回达吉斯坦自治共和国，其中，返回哈萨夫尤尔特市 2300 户、哈萨夫尤尔特区 3736 户、卡兹别克区 163 户、新克拉斯科耶区 150 户。[1] 为了安置车臣人，苏联政府拨出 2.4 亿卢布专款，以及大批建筑材料，新建住宅和购买牲畜。为了安置返回的车臣人，苏联政府还新建了两个果品蔬菜国营农场和几个集体农庄，在新居民点建立医院、商店、学校、俱乐部和其他文化生活设施。苏共中央和苏联政府虽然投入大量人力和物力，但地方政府在安置车臣人的生活方面仍然有严重缺陷：应该完成的住宅没有完成；安置车臣人就业的工厂没有按计划完成；哈萨夫尤尔特市就有 1000 余名车臣劳动者没有安排就业，成为新的游民。

1963 年，车臣人中一部分民族主义强烈的人，组成派遣团，开展征集钱财、征集签名的运动，他们“以车臣人民的名义”发表声明，要求返回集体迫迁前的居住地，出版车臣语报纸，开办用车臣语教学的学校，建立车臣语广播电台，取消苏共中央 1958 年 7 月 16 日决议规定的、从特种移民点迁来的人员的特种身份证，等等，不断向苏共中央写信或请愿。在这同时，一些激烈的车臣民族主义者还成群结队，采取越出苏联法律范围的行动。

苏共中央指派俄罗斯联邦部长会议机关管理局局长季托夫、苏共中央俄罗斯联邦农业经济管理局书记拉普钦斯基，会同苏共达吉斯坦州委和达吉斯坦自治共和国部长会议，调查和研究解决问题的办法。调查的结果显示：让车臣人返回集体迫迁前的原居住地是不可能的，因为 19 年前苏联政府已将 9000 多名拉克人和阿瓦尔人迁入，那里的人口密度已大大地高于车臣人的现居住地；其余要求苏联政府准备研究后逐步解决。

1964 年 9 月下旬，发生了车臣歹徒强奸 16 岁的拉克族女挤奶员事件。9 月 30 日上午，新克拉斯科耶区的拉克人聚集起来，人人手持棍棒、铁铲，要赶走住在边缘地区的车臣人，铲平他们的房子。当地保安部门虽然制止了事态的扩大，仍有 2 名车臣人被打伤。10 月 2 日、3 日，400 余名车臣人手舞棍棒、大刀，袭击拉克人的居民点和集体农庄，6 名庄员被打成重伤。达吉斯坦自治

[1] 《季托夫和拉普钦斯基关于车臣人安置情况致苏共中央的报告(1963 年 10 月 2 日)》，《苏联历史档案选编》，第 30 卷，第 99 页。

共和国国家安全委员会紧急出动武装，才制止了暴乱的扩大。国家安全委员会逮捕了大批参加暴乱的车臣人，结果又招致车臣人的新一轮抗议浪潮，抗议“大规模逮捕和驱逐居住在新克拉斯科耶地区的无辜的车臣人。”[1]

进入20世纪70年代以来，车臣—印古什自治共和国境内，大大小小的动乱几乎接连不断。车臣—印古什自治共和国的2/3居民是从特居地释放后返回的。自返回后到70年代初，已有115455人曾被内务部各级机关追究过刑事责任；也就是说城市居民中，每6个人就有1人被追究过刑事责任。[2] 此外，社会上还有3万无固定职业的游民；300多个属穆斯林神秘主义教派的穆里德团体在活动。

更值得注意的是，这些动乱几乎都有新一代民族精英的参与甚至带头。像苏共党员、“裂分工厂”副厂长科斯托耶夫；苏共党员、预备役中校卡尔托耶夫；苏联作家协会会员巴佐尔金；苏共党员、区苏维埃执行委员会主席普利耶夫；苏共党员、纳兹兰市医院主治医生奥马尔哈扎耶夫；苏共格罗兹尼市监察委员会委员库什托夫等，都是动乱活动的策划者、指挥者和积极参与者。自治共和国的一些领导人则明里暗里听任动乱的发生，甚至给予某种支持。苏联国家安全委员会尽管采取了种种办法，仍不能防止动乱的发生，于是请求苏共中央在车臣—印古什自治共和国驻扎特种警察部队，在北高加索地区重新部署苏联军队和军事分队，以维持社会治安。苏共中央经过研究，“授权苏联国家安全委员会（安德罗波夫同志）采取措施，由肃反工作干部巩固车臣—印古什和北奥塞梯苏维埃社会主义自治共和国的国家安全机关和加强他们的现有技术装备。”[3]根据苏共中央这一决议的精神，安德罗波夫当即在车臣—印古什自治共和国和北奥塞梯自治共和国部长会议国家安全委员会增加25名编制，并以特种技术手段加强这两个自治共和国国家安全委员会的装备；在车臣—印古什自治共和国国家安全委员会，增设第二副主席；增加侦查人员，并以“业务熟

[1] 《车臣人小组关于制止镇压致赫鲁晓夫和鲁坚科的电报》，《苏联历史档案选编》，第30卷，第107页。

[2] 《安德罗波夫关于车臣治安问题给苏共中央的报告（1973年2月13日）》，同上书，第109页。

[3] 《苏共中央关于处理格罗兹尼民族纠纷的决议（1973年3月13日）》，同上书，第113页。

练的干部充实侦查技术人员队伍。”[1]

在加强了镇压措施之后，民族纠纷暴力事件的发生率被抑制下来，但是车臣问题始终是埋在苏联社会中的一颗定时炸弹。

民族问题的死结

勃列日涅夫当政时期，苏共中央和苏联政府虽然采取了一些化解民族矛盾的措施，但是苏联民族问题上的隐性矛盾却日益尖锐，加剧了潜在危机。

苏联的民族矛盾和危机是一种体制性的二律背反，集中地表现在以下几个方面。

第一，苏联各加盟共和国原来的经济、科学文化教育等各方面的差别很大，原来相对落后的加盟共和国的发展在很大程度上是由于实行中央集权和统一的计划经济的结果；但是当各加盟共和国的经济都有了相当的发展以后，它们的自主意识也随之增强了，成为中央集权和统一计划经济的反叛力量，而且这种反叛性还与地区经济和科学文化事业的发展成正比。当这种反叛力量发展到一定程度时，就会转变成谋求分离的独立愿望。土库曼斯坦总统尼亚佐夫的话，如实地说出了这一矛盾。尼亚佐夫说：“我不止一次地指出，我们的国家在作为苏联成员时得到许多东西，首先是在教育方面。但土库曼斯坦从来不是苏维埃社会主义共和国联盟中平等的一员。不管对我们下达什么命令，我们都必须执行。为了意识形态的需要和解决中央的问题，发生过蓄意损害民族利益的情况。土库曼斯坦不能根据自己的倡议独立地解决任何一个问题。我们开采石油、天然气，但共和国谁都不知道、也不可能知道这些产品按什么价格销往何处。棉花的情况也是这样。我们得到的是按某个地址发货的指示，甚至没有任何权利对此提出问题。这些实际上决定着土库曼斯坦经济上的部门要直接服从中央，对出口本国原料取得的原料及其分配，共和国不进行任何参与。但涉及税收，却对我们有严格的要求。这是赤裸裸的歧视，除此之外，很难对这一

[1] 《安德罗波夫关于强化车臣地区安全机构致苏共中央的报告（1973 年 5 月 25 日）》，《苏联历史档案选编》，第 30 卷，第 114 页。

制度作出其他评价。”[1]尼亚佐夫说的是实情，他说的这种情况，不仅是土库曼斯坦，其他各加盟共和国，包括乌克兰、白俄罗斯、俄罗斯联邦在内，也是如此。因此，如果说存在“歧视”，那就是联盟国家，是苏共所建立的集权制国家和计划经济在“歧视”。

第二，苏联的计划经济脱离了市场，勃列日涅夫时期经济计划的制订，基本上是苏共中央根据“发达社会主义”的政治需要和在国际上争霸的霸权主义需要，对社会资源实行主观支配，由于权力过分集中，计划经济就掺杂着个人因素，变成“感情经济”。这种“感情经济”在某种条件下就转化成民族矛盾。

自1964年开始担任哈萨克共和国共产党中央第一书记22年之久的库纳耶夫，就十分赞赏、维护计划经济，尤其是维护勃列日涅夫时期的计划经济，因为正是在勃列日涅夫当政时期，库纳耶夫说：“这一时期，可直言不讳地说，是共和国成立以来国民经济各领域取得最辉煌业绩的时期。”[2]哈萨克斯坦在勃列日涅夫当政时期的大发展，得益于库纳耶夫个人与勃列日涅夫个人之间的私交。1954年勃列日涅夫到哈萨克共和国党中央任职时，库纳耶夫是哈萨克共和国科学院院长，勃列日涅夫称他为“一个平静的、真诚的、有魅力的人，同时又具有顽强的意志和党的原则性”。[3]勃列日涅夫担任苏共中央总书记之后，曾8次到哈萨克共和国“视察”，和库纳耶夫的关系极为密切。在勃列日涅夫当政时期，哈萨克共和国的“计划”和要求，都能得到优先满足。

仅举一例就可见哈萨克共和国在满足计划方面的优势：位于托博尔河畔的库斯塔奈建有大型精梳呢绒联合企业。由于该企业员工基本上都是女性，结果出现了男女性别比例失调，发生“婚姻危机”。纳扎尔巴耶夫偶然得知国家要

[1] ［土库曼斯坦］尼亚佐夫著：《永久中立，时代安宁》，第154页，参见宫达非主编：《苏联剧变新探》，世界知识出版社1998年版，第409页。

[2] ［苏］库纳耶夫著：《关于我的时代》，参见［哈萨克斯坦］奥·维多娃著：《中亚铁腕纳扎尔巴耶夫》，新华出版社2002年版，第57页。

[3] ［苏］勃列日涅夫著：《回忆录》，参见［哈萨克斯坦］奥·维多娃著：《中亚铁腕纳扎尔巴耶夫》，第56页。

在俄罗斯联邦的某地建一座柴油发动机厂。纳扎尔巴耶夫不假思索，立即到莫斯科找政治局委员基里连科，说明情况，请求把柴油发动机厂建在哈萨克共和国。基里连科当即把党中央分管部长弗罗洛夫找来，并给汽车工业部部长波利亚科夫打电话，立即决定把柴油发动机厂建在哈萨克共和国。这样的难题，10分钟内就解决了。连纳扎尔巴耶夫都感叹："各共和国争夺预算，不是按业绩，而是凭亲戚朋友关系任命高官职位和其他很多情况。"[1]其他加盟共和国却没有这种"人情"优势，在计划经济中就处于劣势。

于是，苏联国家在制定和讨论经济计划时就往往出现这样的情况：国家计划委员会大楼里，各加盟共和国竞相举行盛大的、具有民族风味的豪华宴会，并伴以民族歌舞；这种时候，歌舞晚会和盛宴也变味了，变成了一种政治交易。

第三，历届领导人并没有真正理解和把握列宁成立苏维埃联盟的思想。

列宁主张成立苏维埃社会主义共和国联盟的本意是用自由平等的联盟来加强各民族的团结，为此多次提出要坚决反对大俄罗斯沙文主义，并且用退出联盟的自由来保证各民族的平等权利。然而列宁逝世后，其继任者，特别是斯大林，坚持大俄罗斯主义，在政治上对其他民族实行压制、迫害政策，不分青红皂白地对任何民族要求都以"资产阶级民族主义"的罪名予以镇压，甚至以莫须有的罪名惩罚、迫迁整个民族。在经济上虽然帮助一些落后民族得到发展，但在分工的名义下，使一些民族的经济畸形、片面发展。以后的领导人虽然采取了一些补救措施，但是并不彻底，而且大俄罗斯主义始终没有得到克服，反而以形成所谓"苏联民族"来抹煞事实上存在的各种民族问题，不采取积极措施去及时解决各种民族纠纷、民族矛盾。

苏联领导层处于一种两难境地，为了增强全苏的整体实力，必须使各民族在经济和文化上得到发展，需要培养各民族的干部，然而，民族的发达，又促进各民族的民族意识的觉醒，提出民族本身的特殊要求。这又是苏联领导层所不能容忍的，他们往往对此实施压制和镇压。

这样，在表面平静下，各民族间的积怨、各种矛盾越积越多，越积越深，

[1] 参见［哈萨克斯坦］奥·维多娃著：《中亚铁腕纳扎尔巴耶夫》，第64页。

犹如地火运行，总有爆发的一天。虽然勃列日涅夫当政时期的最后几年，苏联的民族问题反而平静起来，这不是如勃列日涅夫所说的“民族问题已经永远地解决了”，而是一种暴风雨来临前的沉寂。

第七章　苏联与社会主义世界各国

本章阐述苏联与社会主义世界各国的相互关系问题。

苏联与社会主义世界各国的相互关系，是苏联整个世界战略的有机组成部分。因此，研究和认识这个问题，必须与苏联在勃列日涅夫时期的世界性战略联系起来。

苏联在勃列日涅夫当政时期，综合国力达到苏联历史的鼎盛，也达到了整个俄国历史上空前的强大。苏联在第二次世界大战后形成的两极对峙的国际格局中，只有到这时，才有了真正意义上的与美国平起平坐的地位。勃列日涅夫当政时期的苏联，之所以能够在与美国展开全球范围内争霸的同时，又打出缓和的旗帜，也是其综合国力空前强大，能和美国平起平坐的表现和结果。

勃列日涅夫时期苏联的强大，以及能和美国平起平坐，又和其对社会主义世界，也即对“社会主义大家庭”的控制，追求“社会主义大家庭一体化”分不开的。甚至可以这样说：苏联在两极对峙的国际格局中争得和美国平起平坐的地位，是以“社会主义大家庭一体化”为后盾的。也由于此，勃列日涅夫提出“勃列日涅夫主义”，强化对东欧的控制。在社会主义世界中，对于任何构成对“社会主义大家庭一体化”的威胁，必欲去之而后快。“国际共产主义运动的团结”，“用社会主义国家团结的整体力量战胜资本主义”，是勃列日涅夫和苏共中央在这个时期喊得最多、最响的口号之一。

基于这样的战略考虑和与美国争霸的需要，从苏联推行霸权主义的本能出发，勃列日涅夫时期的苏联和社会主义的中国之间的关系，恶化到了极点。作者在研究过程中曾经有过困惑：苏联在勃列日涅夫当政的整个时期，除了在口头上声明坚持苏共二十大、二十一大、二十二大“集体制定的方针”之外，而实际贯彻的路线、方针、政策以及思想观念，都是向斯大林时期回归。勃列日涅夫时期，苏、中双方的意识形态争论已经淡出了。可是，两国关系何以在勃列日涅夫当政后急剧恶化，甚至准备对中国实施核打击？勃列日涅夫何以如此痛恨中国呢？当把勃列日涅夫时期苏联和社会主义世界各国的关系，同这一时期苏联的世界战略联系起来思考时，上述困惑也就冰释了。

勃列日涅夫当政时期，苏联和社会主义世界各国的关系，苏联的方针政策，典型地反映在苏、中关系和苏、捷关系上，厘清苏、中关系，苏、捷关系，就能洞悉苏联和社会主义世界各国的关系。

苏、中关系在20世纪后半期不仅影响苏、中两国的历史发展，而且对20世纪后期国际格局的变动也产生重大影响。自1956年苏共二十大以后，苏、中两党由于意识形态的分歧，引发了大论战，两国关系也开始恶化。勃列日涅夫取代赫鲁晓夫之后，苏中两党、两国，都有过改善关系的意图和试探。但是，历史的实际却是两党、两国的关系不仅没有改善，反而急剧恶化，出现了和赫鲁晓夫当政时期不同的新情况：迅速中断了两党之间的党际关系，继之是外交纠纷迭起，再则是边境的冲突愈演愈烈，多次发生激烈的边界战斗，直至苏联准备对中国实施核打击。

核武器是20世纪出现的大规模毁灭性武器。美国在第二次世界大战行将结束的时候，对日本投掷了两枚原子弹。1945年8月6日，扔在广岛的原子弹，当量为2万吨常规烈性炸药，已足见其对人类生存所造成的灾害的严重程度了。20世纪60年代，核弹的爆炸当量已是第一代原子弹的十几倍，乃至几十倍。20世纪60年代，美苏两个超级大国一直在进行核竞赛，相互进行核讹诈，但是仅仅是讹诈而已。1962年10月，美苏两国在世界舞台上，上演了一幕“加勒比海导弹危机”。双方都摆开阵势，举起导弹、核武器，实际都在寻求妥协，各自都搭好下台的台阶。1964年10月13日下午，在勃列日涅夫等人策划和安排的、撤换赫鲁晓夫的苏共中央主席团会议上，赫鲁晓夫就曾为自己从古巴撤出导弹作这样的辩解：“那怎么办？难道非得打一场世界大战不成？”可见赫鲁晓夫压根儿就没准备真打。1969年苏联对中国就不是这样了，苏共领导集团中有人是真的要对中国实施有限核打击。他们认为，乘中国的核力量尚处于起步阶段的时候，摧毁中国的核武器和核设施，是“用最小的代价获取最大的成效”，“一劳永逸地解除中国对苏联的核威胁”。20世纪核战争的现实危险，竟出现在中苏两国之间，而不是出现在一直进行相互核讹诈的美苏之间，确是值得深思的。

就“社会主义大家庭”的关系来说，1968年苏军入侵捷克斯洛伐克社会主义共和国和20世纪70年代末、80年代初的波兰问题，可以称作“社会主义大家庭”的“捷克斯洛伐克危机”和“波兰危机”。“捷克斯洛伐克危机”也好，“波兰危机”也罢，包括不在本卷撰写内容之内的、发生在20世纪50年代的

“匈牙利危机”，实际上都是苏联组合的一体化的“社会主义大家庭”危机的一连串表现。

苏联在第二次世界大战后构建“东欧”之初，即遭遇铁托和南斯拉夫共产党的严重挑战。斯大林曾经考虑过多种镇压铁托和南斯拉夫共产党的方案，最后选择了将南斯拉夫共产党开除出共产党情报局。自此以后到 20 世纪 80 年代末、90 年代初东欧剧变，华沙条约缔约国政治协商委员会 1991 年 7 月 1 日签署了废除华沙条约的议定书，“社会主义大家庭”解体，其间经历了三次危机。

东欧的第一次危机是 1956 年“匈牙利危机”。对于“匈牙利危机”，苏联采用纯军事手段，通过单独出兵，踢开原来的政府，扶植卡达尔，重建“工农革命政府”，解决危机。

东欧的第二次危机是 1968 年“捷克斯洛伐克危机”。“捷克斯洛伐克危机”发生后，苏联也想按当年解决“匈牙利危机”的老办法予以解决，但是已无法扶植新的“革命政府”。苏联虽然对捷克斯洛伐克实行军事占领，逮捕了杜布切克等党政领导人，但是只能予以释放；以屠杀捷克斯洛伐克和平居民相要挟，逼迫他们放弃独立建设社会主义的要求，停止改革的尝试。苏联通过以军事占领为后盾，采取政治谈判的方式，强迫捷克斯洛伐克签订“城下之盟”，逐步解决“捷克斯洛伐克危机”。

东欧的第三次危机是 20 世纪 70 年代末、80 年代初的“波兰危机”。“波兰危机”发生后，苏联已是力不从心，意识到已不可能采用军事手段去解决了，只能通过政治解决的途径。

东欧危机的周期为十多年，危机也是一次次地深化。1956 年匈牙利危机凸显的是民族主义精神，1968 年捷克斯洛伐克危机已反映为“复兴社会主义”的要求，20 世纪 70 年代末、80 年代初的波兰危机则发展为政治、经济、信仰等社会综合性危机。

“东欧集团”的建立，是苏联在第二次世界大战末期，以军事方式实现的。“东欧集团”是苏联以军事力量为支撑的意识形态、政治、经济、军事、外交、文化思想一体化的同盟体系，军事一体化是同盟体系一体化的杠杆。当苏联无法依靠军事手段解决危机时，“东欧集团”势将难以维持。

第一节　勃列日涅夫时期的苏中关系[1]

莫斯科三月会议和苏中两党党际关系的终结

勃列日涅夫上台后，曾把改善和中国的关系作为重要问题来抓。由于苏共坚持苏共二十大以来的路线，坚持召开兄弟党国际会议，而中共又更加坚持原有的立场，因此，苏中两党关系不仅没有改善，反而急剧恶化，并且迅速终结了两党之间的党际关系。

赫鲁晓夫下台前，1964 年 7 月 30 日，苏共中央写信给中共中央，提议当年的 12 月 25 日，在莫斯科召开世界 26 个国家的兄弟党代表会议的筹备会议，协商停止论战，起草兄弟党会议的文件等事项。中共中央认为，苏共中央不是本着协商原则，而是向各国党下命令，因而声明："坚决反对你们开分裂会议"，"决不参加你们分裂国际共产主义运动的国际会议和它的筹备会议。"[2]

---

[1] 虽说这个时期的历史距今已 30—40 年了，档案的保密已经过了国际上通行的期限，但是作者在研究的过程中能够接触到的档案，相对来说却非常、非常之少。撰写苏、中关系，主要依据《勃列日涅夫言论》、《建国以来毛泽东文稿》、《毛泽东外交文选》、中国《人民日报》所刊登的资料，参阅苏联《真理报》，以及其他的著作、相关回忆录等，如：金冲及主编《周恩来传》、邢广程著《苏联高层决策 70 年》、孔寒冰著《中苏关系及其对中国社会发展的影响》、孙其明著《中苏关系始末》、吴冷西著《十年论战》、英国彼得·琼斯等著《中苏关系内幕纪实（1949—1984）》、苏联奥·鲍·鲍里索夫等著《苏中关系（1945—1980）》、韩念龙主编《当代中国外交》，等等。有关苏、中关系的著述是比较丰富的。中国学者李丹慧对 20 世纪六七十年代的中苏关系有深湛的研究，提出不少真知灼见。她的《1969 年中苏边界冲突：缘起和结果》，尤其给人以启发。她编的《北京与莫斯科：从联盟走向对抗》，综合了从第二次世界大战后至 20 世纪 70 年代的中苏关系历史及研究状况。

沈志华主编的《中苏关系史纲（1917—1991）》使用了大量中国和苏联的档案文献，对中苏关系进行了全面、系统的阐述。特别应当提及的是，本书以档案文献为依据，澄清了以往一些不实的成说，是目前这一学术领域的权威著作，也是作者写作本节内容的重要参考书。

[2] 《建国以来毛泽东文稿》，第 11 册，中央文献出版社 1996 年版，第 191—192 页。

勃列日涅夫当政后，1964年10月17日，《真理报》发表题为《苏共不可动摇的列宁主义的总路线》的社论，文中说："马克思列宁主义思想的光辉照耀着我们的道路。这条道路是由党在它的第二十次、第二十一次和第二十二次代表大会上集体制定的总路线和苏共纲领确定的。"[1]10月19日，勃列日涅夫在欢迎宇航员大会的讲话中正式说："苏共将积极奉行召开全世界马克思列宁主义党的会议的路线，我们深信，这次会议可能而且应该有助于达到上述（指'所有兄弟党的团结'——引注）目的。"[2]关于苏共新领导执行的路线，勃列日涅夫说："我们党第二十次、第二十一次和第二十二次代表大会所制定的我们党的总路线是列宁主义的路线。它过去、现在和将来都是共产党和苏联政府整个对内对外政策的唯一的、不可动摇的路线。"[3]这样，苏共新领导对坚持苏共二十大以来的路线和召开世界各国共产党莫斯科会议等问题，均表示了断然的态度。1964年10月26日、27日，苏共中央同来访的、以法国共产党中央书记马歇率领的法共代表团在莫斯科会谈时也明确表示："苏共的政策不会因赫鲁晓夫被解职而有任何改变；苏共在赫鲁晓夫任苏共中央第一书记时所公布的一切文件和致兄弟党的信件仍然有效，都不会改变。这一切都是主席团同意的。"马歇回国后在向法共中央全会作报告时说："苏联领导人否认了这种暗示：苏共将设法同中共领导人在意识形态方面妥协。"[4]苏共新领导虽然还没有与中国共产党中央直接接触，但是基本态度已表白得很明确了。

勃列日涅夫取代赫鲁晓夫以后，毛泽东和中国共产党的其他领导人也想乘机改善中苏关系，但是估计苏共新领导还要"搞修正主义"，不过具体做法和策略会有所改变，因而采取"静观"的态度。所谓"静观"的具体做法包括：一、不再进行论战，不公开发表批判修正主义的文章。二、10月16日，中共中央主席毛泽东、中国国家主席刘少奇、中国人大常委会委员长朱德、中国政府总理周恩来，联名致电勃列日涅夫、米高扬、柯西金，祝贺勃列日涅夫当

[1] 《人民日报》，1964年11月6日，第5版。

[2] 《在劳动人民代表欢迎宇宙航行员大会上的讲话（1964年10月19日）》，《勃列日涅夫言论》，第1集，第6页。

[3] 同上书，第4页。

[4] 参见《苏联共产党93年》，第605页。

选苏共中央第一书记，祝贺柯西金被任命为苏联部长会议主席。贺电说："我们代表中国人民、中国共产党和中国政府，向你们表示热烈的祝贺。"[1]三、派遣以中共中央副主席、中国国务院总理周恩来为团长，中共中央政治局委员、国务院副总理贺龙为副团长的中国党政代表团，赴苏参加伟大十月社会主义革命47周年庆典。这一系列的"静观"，实际上是友好的示意，是等待和希望苏共采取主动行动的示意。11月5日，中国党政代表团抵达莫斯科。苏共中央主席团委员、苏联部长会议主席柯西金，苏共中央主席团委员基里连科，苏联国防部部长马利诺夫斯基等党政领导人，到机场迎接。11月6日，周恩来在拜会勃列日涅夫、柯西金、米高扬等苏联党、政新领导人时说："我们希望，我们两党两国在马列主义、无产阶级国际主义的基础上团结起来，共同对敌，为我们的共同事业而斗争。正是根据这一目的，我们这次来除参加庆祝活动之外，还希望进行接触，交换意见。我们希望，这会为今后打下一个好的基础。"[2]

但是，在表面上比较热情气氛的背后，苏、中双方仍然是思想戒备森严，形势冷峻。

11月6日，苏联举行庆祝十月革命47周年大会，勃列日涅夫在庆祝大会的报告中，当着中国代表团和世界各国代表团的面，再次正式地表示："我们党几次代表大会的决议和我们党的纲领所确定的苏联对外政策总方针是始终一贯的、不可改变的。""我们觉得，再找不到加强世界共产主义运动的更好的办法。再次召开兄弟党国际会议的必要性显然已经成熟。"[3]《真理报》的社论，勃列日涅夫的几次讲话都表明，苏共新领导在坚持苏共二十大以来的路线和召开兄弟党代表会议这两个问题上，都持毫不退让的态度。

这样，勃列日涅夫和苏共中央的态度已经很清楚了：改变苏共二十大以来的路线是不可能的；取消召开兄弟党国际会议和筹备会议的要求免谈。改善苏中关系的前景实际上已十分渺茫了。

[1] 《人民日报》，1964年10月17日，第1版。

[2] 金冲及主编：《周恩来传》，中央文献出版社1998年版，第1785页。

[3] 《在克里姆林宫庆祝十月革命47周年大会上的报告（1964年11月6日）》，《勃列日涅夫言论》，第1集，第33—34页。

“马利诺夫斯基事件”使苏中两党决裂的形势立刻明朗化起来。

11 月 7 日晚，苏联政府在克里姆林宫大会堂宴会厅举行庆祝十月革命 47 周年盛大招待会，苏联党政领导人、外国来宾，包括中国代表团，全都聚集一堂。招待会进行中，苏共中央主席团委员、苏联国防部部长马利诺夫斯基借着酒劲儿，对周恩来说：“俄国人民要幸福，中国人民也要幸福，我们不要任何毛泽东，不要任何赫鲁晓夫来妨碍我们的关系；我们俄国人搞掉了赫鲁晓夫，你们也要搞掉毛泽东。”[1] 因为当时有美国记者在场，周恩来愤而转身走开。

周恩来将此事向毛泽东汇报后，中共中央领导人、尤其是毛泽东本人认为，这是苏共干涉中国内政的极其严重的事件，指示中国代表团：一、向苏共中央提出正式的严重抗议；二、抓住此事，谴责苏共新领导破坏团结，继续执行没有赫鲁晓夫的赫鲁晓夫主义；三、绝口不谈召开兄弟党国际会议和筹备会议的问题。[2] 这样，在苏中双方会谈之前，已是乌云密布，情绪极端对立了。

11 月 9 日、11 日，苏、中双方举行会谈。中国代表团根据毛泽东的上述指示在会谈中采取了咄咄逼人的态度。周恩来首先对马利诺夫斯基的那番话提出抗议：“我们来表示友好祝贺，但是马利诺夫斯基却向我们挑衅侮辱。这不单单是对我们代表团的侮辱，也是对中国党、中国人民和毛泽东同志的侮辱，对我个人的侮辱。这种挑衅和侮辱，性质是极其严重的。”[3] 柯西金代表苏共中央向中共中央表示道歉。接着，中国代表团谴责苏共虽然把赫鲁晓夫赶下

---

[1] 按苏联招待会的礼仪安排，文官和武官分坐两边，贺龙由苏联元帅、苏联国防部副部长兼苏联陆军总司令崔可夫陪同坐席。他们早就相识，席间随意交谈。马利诺夫斯基从邻桌走过来，对贺龙说出这番话。另据苏联代表团的中文翻译里沙特·沙·库达舍夫在《回忆中苏关系》中说：在招待会进行的时候，苏联国防部部长马利诺夫斯基来到周恩来跟前，讲了几句客套话之后，突然冒出看来他早就想好的话：我们已经把我们的傻瓜撤职了，现在该轮到你们把你们的傻瓜赶下台。（参见《当代世界》1998 年第 7 期）马利诺夫斯基的话是在招待会进行中说的，没有记录可考订，都是根据中、苏双方有关人员的回忆，难免有所出入。但是，马利诺夫斯基说的意思是很明确的。此处引文参见《周恩来传》，第 1785—1786 页。

[2] 参见吴冷西：《十年论战》，下册，中央文献出版社 1999 年版，第 864—865 页。

[3] 金冲及主编：《周恩来传》，中央文献出版社 1998 年版，第 1786 页。

台，但继续推行修正主义，搞老子党，搞颠覆活动。周恩来还"劝告"苏共新领导人：不要把赫鲁晓夫这个包袱接过来，要把它扔掉，改弦更张，另起炉灶，重新搞起，这样，双方总能找到一些共同点。周恩来的"劝告"，实际上也是在干预苏共的内部事务。当苏联代表团提出停止公开论战，召开兄弟党国际会议，解决分歧时，中国代表团认为，苏共二十大以来的政治路线是赫鲁晓夫一手制定的，既然赫鲁晓夫已经下台，苏共的方针也应该修改。如果这样，公开论战自然没有必要了。对于召开兄弟党国际会议，中国代表团认为这是赫鲁晓夫所坚持的，赫鲁晓夫下台了，召开分裂会议应当取消。苏联代表团坚持认为：苏共二十大以来的路线不是赫鲁晓夫一人制定的，而是苏共中央集体制定的正确路线，要苏共中央修改二十大以来的路线是不切实际的想法；召开兄弟党国际会议解决苏中双方的分歧是不能取消的，会议的召开日期可以推迟到1965年3月。两天的会谈，实际上是争吵了两天，双方已找不到任何共同点了，会谈不欢而散，连会谈公报都没有形成。

11月14日，周恩来率中国党政代表团返回北京，毛泽东和刘少奇、朱德等亲自到机场迎接。异乎寻常的隆重，表明中国共产党把周恩来和中国代表团作为反修斗争凯旋的英雄来欢迎。对此，苏共十分恼怒，说："这次欢迎要显示中国领导和毛泽东本人完全支持代表团破坏建设性交谈和阻碍在我们党倡议下业已开始了的正常化过程的行为。"[1]

中共中央听取了中国代表团的汇报。毛泽东对中国代表团和周恩来在苏的活动及会谈十分满意。毛泽东说了两点意思：召开兄弟党国际会议和它的筹备会议要封死，就是反对召开，拒绝参加，坚决抵制，召开了我们还要加以谴责；停止公开论战也要封死，我们不受任何约束，继续公开论战，这个原则绝不让步。[2]

中国重新以很高的调子批判苏共"修正主义"。11月21日，《人民日报》发表了毛泽东主持中共中央政治局常委会讨论通过的《红旗》杂志第21、22期合刊社论《赫鲁晓夫是怎样下台的》。文章虽然没有直接点苏共新领导勃列

[1] 参见［苏］奥·鲍·鲍里索夫等著：《苏中关系1945—1980》，三联书店1982年版，第268页。

[2] 参见吴冷西：《十年论战》，下册，第880页。

日涅夫等人的名，但是说："像赫鲁晓夫这样一个人物之所以垮台，绝不是由于什么年迈和健康恶化，也不只是由于他的工作方法和领导作风的错误，而正是由于他推行修正主义总路线和对内对外一系列错误政策的结果。"[1]这样，实际上是狠打了苏共新领导人一顿板子！

即使这样，勃列日涅夫仍希望中国共产党能参加共产党和工人党莫斯科国际会议，除主动将会议召开的日期推后到1965年3月之外，还建议将26国党起草委员会会议改为协商会晤，以加强国际共产主义运动的团结，在反对帝国主义的斗争中统一行动。随之，苏共分别征求26国党的意见：大多数党表示赞成；越南劳动党、朝鲜劳动党、罗马尼亚工人党表示不参加会议。为了动员中国共产党参加这次会议，1964年12月3日，勃列日涅夫在克里姆林宫苏捷友好大会上讲话时，特地提到：中华人民共和国也提出了完全禁止和销毁核武器的倡议"是值得倾听的。"[2]1965年2月5日和10日，苏共中央主席团委员、苏联部长会议主席柯西金率苏联代表团访问越南。苏联代表团在往返越南的途中，都曾在北京停留，与周恩来举行会谈，为避免国际共产主义运动的公开分裂作最后的努力。11日，毛泽东还接见了苏联代表团。柯西金一再希望中国共产党能参加莫斯科兄弟党国际会晤。可是中国共产党坚持：一、不参加莫斯科兄弟党协商会议；二、不停止论战。因此，会谈毫无进展。

1965年3月1日，共产党和工人党代表协商会晤在莫斯科举行，应邀的26个国家的共产党和工人党中，参加会议的有苏联共产党、波兰统一工人党、匈牙利社会主义工人党、捷克斯洛伐克共产党、保加利亚共产党、德国统一社会党、蒙古人民革命党、古巴社会主义革命统一党、英国共产党、法国共产党、意大利共产党、德国共产党、芬兰共产党、叙利亚共产党、印度共产党、巴西共产党、澳大利亚共产党、美国共产党、阿根廷共产党等19个共产党代表团。中国共产党、朝鲜劳动党、越南劳动党、阿尔巴尼亚劳动党、罗马尼亚工人党、印度尼西亚共产党、日本共产党等7个国家的共产党拒绝或没有应邀参加会晤。莫斯科19国共产党和工人党协商会晤召开的当天，《人民日报》以

[1] 《人民日报》，1964年11月21日，第1版。

[2] 《在克里姆林宫苏捷友好大会上的讲话（1964年12月3日）》，《勃列日涅夫言论》，第1集，第59—60页。

《假团结真分裂的面目大暴露》为标题发表文章，称这次会议为“分裂会议”，进行批判。文章以苏共中央书记波诺马廖夫主编的《工人阶级的国际革命运动》一书为靶子，说“这本猖狂反华书籍中的一片胡说八道，都是从赫鲁晓夫的反华反马克思列宁主义的仓库中搬出来的，除了造谣诬蔑、诽谤中伤外，实在没有什么新货色。人们读了这本书，只能得出一个结论：赫鲁晓夫虽然下台了，赫鲁晓夫修正主义仍然在那里作祟。”[1]

19国共产党和工人党代表协商会晤于3月5日结束。这次“协商会晤”通过了《关于越南事件的声明》及《关于在莫斯科举行的共产党和工人党代表协商会晤公报》等两个文件。《关于越南事件的声明》表明与会的19国共产党和工人党，一致声援越南人民和越南劳动党，声援正在开展反对美帝国主义侵略斗争的越南南方人民解放阵线。《协商会晤公报》号召各国共产党人把注意力集中到反对帝国主义的迫切任务上来，支持越南反对美帝国主义，支持民族解放运动，支持各国人民革命；号召团结反帝，共同行动。《公报》赞同苏共的总路线，认为苏共二十大和二十二大制定的方针是正确的，同时也呼吁中苏两党从国际主义的团结出发，停止论战，“会晤的参加者表示确信：把各国共产党联合起来的东西比当前把它们分开的东西要强大得多。甚至存在着涉及到政治路线和许多重要理论和策略问题的意见分歧的情况下，也完全有可能并且有必要争取在反对帝国主义的斗争中、在大力支援各国人民解放运动的事业中、在争取普遍和平和不同社会制度国家——不管大国和小国——和平共处的斗争中、在为工人阶级的迫切利益和历史目标的斗争中一致行动。在争取实现这些共同目标的斗争中的共同行动，是克服现有分歧的最正确的道路。”[2]

对于莫斯科三月会议，中共先是借3月4日的“留学生事件”（详见下面），攻击苏联是“假反帝，是在迫害参加反美斗争学生的同时，奴颜婢膝地向美帝国主义赔礼道歉。”3月5日，中国国务院外事办公室又发出了对此次莫斯科会晤如何表态的通知。《通知》说：“在对外谈到这个问题时可表示：一、这个会议就是赫鲁晓夫原定召开的那个分裂会议，尽管改换了名称，它的实质丝毫没有改变。二、这个会议是非法的，中共决不承认。苏共片面召开这个会议，

---

[1]　《人民日报》，1965年3月1日，第3版。

[2]　《人民日报》，1965年3月20日，第3版。

必须承担由此产生的一切后果。”[1]

1965 年 3 月 20 日，《人民日报》以《苏共领导分裂国际共产主义运动的严重步骤》为总标题，刊登了在莫斯科举行的共产党和工人党代表协商会议的报道、会议公报，以及苏共中央在 1964 年 7 月 30 日和 11 月 24 日致中共中央的两封信。中国共产党把这次会议称作“苏共领导非法召开的分裂会议”。为了突出批判苏共以“老子党”自居，《人民日报》把苏共中央致中共中央的两封信称为“关于召开分裂会议苏共领导的第一号命令和第二号命令”。

为了加大对这次会议批判的力度，《红旗》杂志 1965 年第 3 期发表了《人民日报》编辑部、《红旗》杂志编辑部社论《评莫斯科三月会议》。这篇社论是经过毛泽东亲自修改过的。社论特别强调苏共中央改换领导人不是为了改变赫鲁晓夫修正主义，而是为了更好地推行修正主义。社论说：“现在，人们可以更清楚地看到，苏共新领导这些人，所以非要把赫鲁晓夫赶下台不可，并不是因为他们同赫鲁晓夫有任何原则性的区别，而是因为赫鲁晓夫搞得实在太臭了，有些做法太蠢了，赫鲁晓夫本人已经成为推行赫鲁晓夫修正主义的严重障碍。他们换掉了赫鲁晓夫，只不过是换一块招牌，想用更巧妙的手法，更带欺骗性的花样，来更好地贯彻和发展赫鲁晓夫主义，更好地执行赫鲁晓夫在苏共第二十次代表大会上提出的，在苏共第二十二次代表大会上系统化了的，用苏共纲领形式固定化起来的修正主义、大国沙文主义和分裂主义的总路线。”[2]

《红旗》杂志 1965 年第 3 期还同时刊登了《关于国际共产主义运动总路线的论战》一书的介绍。

《介绍》说：该书的内容包括中共中央 1963 年 6 月 14 日提出的《关于国际共产主义运动总路线的建议》，以及人民日报和红旗杂志编辑部的 10 篇重要文章。这 10 篇文章是：《苏共领导同我们分歧的由来和发展》；《关于斯大林问题》（二评）；《南斯拉夫是社会主义国家吗?》（三评）；《新殖民主义的辩护士》（四评）；《在战争与和平问题上的两条路线》（五评）；《两种根本对立的和平共处政策》（六评）；《苏共领导是当代最大的分裂主义者》（七评）；《无产阶级革

[1] 吉林省档案馆，77—11，第 1 卷，第 12 页，参见《中苏关系史纲 1917—1991》，沈志华主编，新华出版社 2007 年版，第 373 页。

[2] 《红旗》，1965 年第 3 期，第 3 页。

命和赫鲁晓夫修正主义》（八评）；《关于赫鲁晓夫的假共产主义及其在世界历史上的教训》（九评）；《赫鲁晓夫是怎样下台的》。该书还附有：苏共中央1963年3月30日给中共中央的信，以及苏共中央1963年7月14日给苏联各级党组织和全体党员的公开信。《介绍》说："《关于国际共产主义运动总路线的论战》一书在目前出版，具有特别重要的意义。读者可以从这本书中学习对赫鲁晓夫修正主义进行斗争的历史，并且把它作为武器，来识别和批判没有赫鲁晓夫的赫鲁晓夫主义，以便把反对现代修正主义的斗争进行到底。"[1]

1965年4月28日，《人民日报》在第1版发表关于《赫鲁晓夫言论》第5集出版发行的长篇文章。文章说："赫鲁晓夫完蛋了。赫鲁晓夫修正主义也破产了。赫鲁晓夫的继承者，直到今天还要死死抱住赫鲁晓夫修正主义这艘下沉的破船。这又有什么出路呢？既然这一叶孤舟已经在革命风暴冲击下支离破碎，他们添加几根木料，修修补补，又怎么能够改变它的必将覆没的命运呢！"[2]

面对中国共产党的猛烈批判攻势，苏共新领导暂时没有作出激烈的回应。1965年5月8日是苏联卫国战争胜利20周年，苏联仍邀请中国代表团参加在莫斯科举行的庆祝活动。中国派遣以国务院副总理林枫为团长的代表团，参加苏联卫国战争胜利20周年庆典。1965年7月10日，勃列日涅夫在授予列宁格勒金星奖章大会上讲话，当提到和中国共产党的关系时，隐晦地说："大家知道，遗憾的是，同国际共产主义运动中的某些党存在着一定的分歧。大家也知道，帝国主义者正在利用这种分歧为自己谋利益。"1965年9月29日，勃列日涅夫在苏共中央全会上也只是说："自从我们党执行使苏中关系正常化和恢复苏联共产党和中国共产党在原则基础上的一致这一方针以来，差不多已过去一年了。我们在这方面采取了一系列重大步骤。遗憾的是，不得不确认，苏共的这些努力没有得到中共领导人的支持。"[3]1965年10月16日，《真理报》公开发话："不能容忍中国党这样发表文章。"在这之后，苏方发表了几篇"反

[1] 《红旗》，1965年第3期，第15页。

[2] 《人民日报》，1965年4月28日，第1版。

[3] 《在授予英雄城市列宁格勒金星奖章大会上的讲话（1965年7月10日）》，《勃列日涅夫言论》，第1集，第323页。

击”文章。1966 年 2 月 24 日，勃列日涅夫以苏共中央的名义致信中共中央，邀请中国共产党派代表团出席将于 3 月 29 日举行的苏共第二十三次代表大会。3 月 22 日，中国共产党中央委员会回复苏共中央，拒绝派代表团出席苏共二十三大。回信说：“就在你们发出这次邀请的前后，你们在苏联向党内外散发反华文件，并且从上到下，直到基层单位，组织一系列反华报告，煽动反华的歇斯底里。你们还向其他国家的共产党发出反华信件，策动他们同你们一起反华。”复信还指出：“苏共新领导上台以后，沿着修正主义、分裂主义和大国沙文主义的道路越走越远。你们一上台，就宣称你们坚决执行苏共二十大、二十二大的赫鲁晓夫修正主义总路线。”[1]

这样，围绕莫斯科三月会议，以勃列日涅夫为首的苏共新领导认为，这次会议无论是对国际共产主义运动的团结，或者是对全世界一切革命力量的团结，均有重大贡献，并想借此来巩固苏共在国际共运中的中心地位；而中共则坚持称之为“分裂会议”，实行“没有赫鲁晓夫的赫鲁晓夫主义”，拒绝参加，并拒绝应邀参加苏共二十三大，对苏共进行最后通牒式的批判。可以认为：1965 年的莫斯科三月会议，标志着 20 世纪国际共产主义运动的正式分裂。

1966 年 3 月 29 日，苏共第二十三次代表大会开幕。勃列日涅夫在总结报告的“苏共的对外活动”中说：“在谈到加强世界社会主义体系的时候，还不能不指出，同志们，我们同两个社会主义国家的党——中国共产党和阿尔巴尼亚劳动党的关系，很遗憾，仍然是不能令人满意的。我们党和苏联人民真诚地想同人民中国和它的共产党友好。”[2]

苏共第二十三次代表大会是自中华人民共和国建国以后，中国共产党第一次没有应邀派代表团出席的代表大会，这标志着苏、中两党之间的党际关系的终结。此后，两党之间再也没有了党际交往，两国的关系越来越恶化。1966 年的最后三个月，勃列日涅夫连续地在苏波友好大会、授予格鲁吉亚列宁勋章

[1] 《中国共产党中央委员会 1966 年 3 月 22 日给苏联共产党中央委员会的复信》，《红旗》，1966 年第 4 期。

[2] 《在苏联共产党第二十三次代表大会上的总结报告（1966 年 3 月 29 日）》，《勃列日涅夫言论》，第 2 集，第 41 页。

庆祝大会、保加利亚共产党第 9 次代表大会、匈牙利社会主义工人党第 9 次代表大会，等等一系列的重要、公开场合，用不再有任何遮掩的语言，攻击中国共产党及其领导人，“践踏无产阶级国际主义原则”，“对中国共产党和中华人民共和国的领导人不能不表示坚决的谴责”[1]，“中国共产党领导人拒绝联合行动保卫越南人民，不管他们愿意还是不愿意，他们在客观上帮助着帝国主义者，使越南的斗争复杂化。”[2]1966 年 12 月，苏共中央通过了《苏共中央关于苏联的国际政策和苏共争取共产主义运动团结的斗争的决议》。决议说：“中央全会完全赞同政治局和苏联政府在苏共同中国共产党之间，以及苏联同中华人民共和国之间的相互关系方面的路线和实际活动……毛泽东及其一伙的帝国主义的、反苏的政策进入了一个新的危险的阶段。中共现在的领导人在国际舞台上执行的方针，他们对社会主义国家的政策，反对我们党和苏联人民的敌视活动，以及在国际共产主义运动中的分裂活动，所有这些都同马克思列宁主义毫无共同之处。这种政策、这些活动，给社会主义、国际工人运动和民族解放运动的利益，也给中国人民自身的社会主义事业，都造成损失，客观上给帝国主义帮忙。”[3] 苏共点名批判毛泽东，并称中国共产党是“帝国主义的帮凶”，表明苏、中两党在终结了两党关系之后，两国之间也随之成为相互敌对的对立面。

外交纠纷迭起

1965 年春，美国约翰逊政府对越南的战争升级，从对越南南方的“特种战争”扩大为对整个越南的局部战争。为了抗议美国对越南的侵略行为，1965 年 3 月 4 日下午，即 19 国共产党和工人党莫斯科会晤闭幕的前一天，2000 多名亚、非、拉各国在苏联的留学生，经苏联有关当局同意，在莫斯科

[1] 《在第比利斯体育宫授予格鲁吉亚列宁勋章庆祝大会上的讲话(1966 年 11 月 1 日)》,《勃列日涅夫言论》，第 2 集，第 295 页。

[2] 《在匈牙利社会主义工人党第九次代表大会上的讲话（1966 年 11 月 29 日）》，《勃列日涅夫言论》，第 2 集，第 326 页。

[3] 参见邢广程：《苏联高层决策 70 年》，第 4 分册，第 140 页。

举行反对美国扩大越南战争、轰炸越南民主共和国的示威游行。苏联政府一面同意游行示威，同时出动500多名警察和200多名士兵，由一名少将指挥，在美国驻苏大使馆前设立4道防线，阻止游行队伍接近美国驻苏大使馆。当游行队伍越过防线，往美国大使馆的铁栅栏上贴标语和漫画时，200多名士兵在警察的配合下，用木棍殴打游行学生，使30多名中国留学生受伤，其中9人重伤，另有1名中国留学生被拘留2个多小时。受重伤的中国留学生被送到莫斯科鲍特金医院，经医生诊断必须住院治疗，但是第2天竟被赶出来。

3月6日，中国驻苏大使潘自力会见苏联外交部部长葛罗米柯，就苏联军警无理野蛮殴打中国留学生和医院强行驱逐必须住院治疗的受重伤中国留学生事，向苏联外交部提交抗议照会，要求苏联政府向参加反美游行的学生道歉，并严惩打人凶手。

3月12日，苏联外交部照会中国驻苏大使馆，否认苏联军警殴打学生，反诬是游行学生、特别是中国学生殴打了苏联军警。3月16日，中国外交部照会苏联驻华大使馆，断然拒绝苏联外交部的照会，正式抗议苏联当局镇压各国留学生在莫斯科举行反对美国侵略越南的示威游行。

苏联军警镇压在莫斯科举行反美示威游行的留学生，造成流血事件，是苏中两国从意识形态争论发展到外交冲突的第一桩严重事件。中国政府将5名受重伤的留学生送回国内治疗。当5名受重伤留学生回到北京时，中国高等教育部部长蒋南翔亲自到机场迎接。中共中央宣传部部长陆定一到医院慰问受伤学生。全国各大城市纷纷举行集会，声讨苏联军警镇压留学生反美示威游行的罪行。

1966年10月，发生了苏联政府勒令在苏联留学的全部中国留学生休学、限期离境的事件，酿成了更大的外交纠纷。

1966年秋，中国的“文化大革命”在如火如荼地展开。1966年9月20日，中国高等教育部通知苏联驻华大使馆：由于中国高等院校正在进行“无产阶级文化大革命”，中国所有高等院校已全部停课，所有外国在华留学生休学一年，明年暑期和今年年底毕业的留学生可以提前毕业。苏联在华留学生原计划1966年年底毕业，基本课程已经学完，可以提前毕业。毕业时间在与苏联方面原则商定后，再由学校根据各个学生的学习进度，与苏联学生具体商定。

苏联政府没有回答中国高等教育部提出的问题。10月7日，苏联政府通知中国驻苏大使馆，单方面决定召回在华的全部留学生；并以对等原则为由，决定中国全体留苏学生休学，限令在10月离开苏联。

10月22日，中国外交部苏联东欧司司长余湛，召见苏联驻华大使馆临时代办[1]拉兹杜霍夫，提交了一份照会，就苏联"无理决定我国全部留苏学生休学事，向苏联政府提出最强烈抗议。"[2]10月24日，中华全国学生联合会也就此发表声明："中国学生最坚决地支持我国外交部10月22日给苏联驻华大使馆的照会，最强烈地抗议苏联政府片面决定中国在苏联的全部留学生休学并限期离开苏联的无理行径。"[3]

被苏联当局勒令休学并限期离境的中国留学生，10月25日与列宁陵墓管理处负责人马施柯夫上校约定，第二天上午11时向列宁与斯大林陵墓献花圈，并瞻仰列宁遗容。26日，当中国留学生们准时到达红场时，被拒绝进入列宁陵墓。10月27日，被限期离境的中国留学生41人，乘火车离开莫斯科。

这些消息传到中国后，处于"文化大革命"热潮中的北京"红卫兵"和"革命群众"，连天在北京的苏联驻华大使馆前的"反修路"上游行、贴大字报，高呼"反帝必反修"等口号。10月27日，苏联外交部远东司司长苏达利柯夫约见中国驻苏大使馆临时代办张德群，递交了苏联外交部的抗议照会。照会说：苏联驻华大使馆及其人员遭到有组织的围攻。"在苏联大使馆旁组织新的挑衅，只能是中国方面企图使苏中两国国家关系进一步尖锐化的又一个预谋的步骤。"[4]照会"要求中国当局采取紧急和有效的措施，以制止苏联大使馆近旁的胡作非为，并保证使馆进行活动的正常条件。"张德群坚决拒绝苏联的无理"抗议"。11月1日，中国外交部苏联东欧司司长余湛约见苏联驻华大使馆

---

[1] 苏联军警殴打举行反美游行示威的中国留学生事件的外交纠纷发生后，苏联驻华大使契尔沃年科已奉召回国。中国政府也召回驻苏大使潘自力。这是大使级外交关系的降级。

[2] 《人民日报》，1966年10月24日，第1版。

[3] 同上。

[4] 《人民日报》，1966年11月3日，第3版。

临时代办拉兹杜霍夫，面交了中国外交部对苏联外交部10月27日照会的复照，“断然拒绝苏联外交部来照对中国方面提出的荒谬抗议和无理要求，严词驳斥苏联来照对中国政府和革命群众的诬蔑。”[1]

11月2日，中国留学生回到北京。中国高等教育部副部长段洛夫、中国科学院副院长吴有训、中国外交部苏联东欧司司长余湛等领导人，以及中国对外文委、北京市、全国学联的负责人，北京的几千名“红卫兵”、“革命群众”前往欢迎。车站上举行了盛大的欢迎大会。段洛夫在欢迎大会上讲话：“苏联政府无理赶走我国全部留学生，是破坏中苏文化合作协定，进一步恶化中苏两国关系，掀起新的世界规模的反华高潮的一个严重事件。”[2]11月5日，中共中央政治局委员、国务院副总理兼外交部部长陈毅，代表中国共产党中央委员会主席毛泽东，代表中共中央和国务院，慰问被苏联政府勒令回国的全体留学生。当天下午，北京1.5万余名“首都各界革命群众和红卫兵”，在北京工人体育馆举行了盛大集会，“最热烈地欢迎被苏联政府无理勒令回国的我全体留苏学生，最强烈地抗议苏联修正主义领导集团进一步恶化中苏关系和破坏中苏人民友谊的卑劣行径。”陈毅和外交部副部长乔冠华、段洛夫等领导人均参加集会。大会宣告：“反帝必须反修。我们一定要高高举起毛泽东思想伟大红旗，把反对以苏共领导为中心的现代修正主义的斗争进行到底！”[3]

在苏联驱逐中国留学生之后，东欧各国也接着驱逐中国留学生。更为严重的、殴打途经莫斯科回国的中国留欧学生的事件发生了。

1967年1月25日，中国留欧学生69人，在回国途中路过莫斯科，由中国驻苏大使馆人员陪同，前往红场上的列宁、斯大林陵墓献花圈。中国留欧学生献花圈默哀后，列队齐声朗读毛主席语录，苏联政府预先布置好的军警和国家安全委员会特工约200—300人，立即围上前去推、拉，殴打。中国留欧学生不仅不走，反而齐声高唱《国际歌》，苏联军警开始围攻，大打出手，致使

---

[1] 《人民日报》，1966年11月2日，第3版。

[2] 《人民日报》，1966年11月4日，第5版。

[3] 《首都盛会欢迎光荣返回祖国的反修战士》，参见《人民日报》，1966年11月6日，第1版。

30 余人受伤，4 人重伤，其中 1 人被打断肋骨，生命垂危。[1]

苏联当局指使军警殴打集体朗读毛主席语录的中国留学生，绝不是偶然的，因为勃列日涅夫对中国的“红卫兵运动”和读毛主席语录，早就切齿痛恨。1967 年 3 月 10 日，勃列日涅夫在讲话中，曾比较系统地阐述到他对中国正在进行的“文化大革命”的看法。其中关于“红卫兵”和读毛主席语录，他是这样说的：“一批批青年学生既无政治锻炼，又无生活经验，对马克思列宁主义一窍不通，他们联合成‘毛主席的突击队’，由于不受制裁而得意忘形，受到上面的教唆，他们叫喊着毛主席语录，捣毁党委会和国家机关；他们殴打工农和知识分子并嘲弄人；他们把对工人阶级和全体劳动人民的切身利益的关心说成是犯罪，……这倒更像是在镇压社会主义革命。”[2] 因此，凡在苏联集体诵读毛主席语录的，都遭镇压。

事件发生后，中国驻苏大使馆临时代办安致远接连 4 次打电话，约见苏联外交部的任何一名代表，苏联外交部均拒绝接见。安致远又亲自来到苏联外交部，等了一个多小时，仍被拒绝接见，安致远只得返回大使馆。当天（1 月 25 日）下午 6 时半，中国驻苏大使馆就中国留学生向列宁、斯大林陵墓献花圈遭血腥镇压这一严重事件，“向苏联政府提出最严重、最强烈的抗议，要求苏联政府公开道歉，并严惩凶手。由此产生的一切后果由苏联政府负完全责任。”[3]7 时 20 分，苏联外交部副部长费留宾接见安致远，提出一个“口头声

[1] 《人民日报》，1967 年 1 月 27 日，第 1 版。[苏] 奥·鲍·鲍里索夫等著：《苏中关系 1945—1980》中说：“中国大使馆人员陪同中国留学生排队站在列宁陵墓入口处朗读毛泽东语录，而有七八百人站在冰天雪地里等着。当一名警察让他们不要阻挡队伍时，他们开始歇斯底里地叫喊起来，其中一个人朝一位妇女的面部打去。接着，其他人开始殴打旁观者，一个妇女遭到践踏，直到队伍里的人们臂挽臂形成了一堵墙，把中国人推回他们的公共汽车为止。当时在列宁陵墓附近只有二三名警察，在整个红场不超过 10 名警察，没有一个中国人受伤。”（见该书第 322—323 页）该书写的显然歪曲事实。被打伤的人都有实拍照片，警察打人也有照片。这些照片在中国驻苏大使馆新闻橱窗中展出时，被苏方捣毁。

[2] 《会见选民时的讲话（1967 年 3 月 10 日）》，《勃列日涅夫言论》，第 3 集，第 51 页。

[3] 《人民日报》，1967 年 1 月 27 日，第 4 版。

明”，说：中国学生和使馆人员“粗暴地破坏拜谒列宁陵墓的规定”、“扰乱秩序”、“动用武力”、“采取挑衅性的流氓行为”，并就此向中国大使馆表示“坚决抗议”。安致远当即对苏联外交部的“口头声明”加以驳斥。当晚，中国驻苏大使馆全体工作人员，在使馆举行“控诉苏修血腥镇压我留欧学生罪行大会”，“最强烈地谴责和抗议苏联军警和便衣特务当天中午在莫斯科红场列宁陵墓前血腥镇压中国学生的罪行”。[1]

当 1 月 25 日事件的消息传到国内后，首都北京的“红卫兵”和在校的解放军战士，立即在北京航空学院集会，“声讨苏修领导集团血腥镇压我国留学生的滔天罪行”。首都的工人也在北京第一机床厂集会，“声讨苏修领导集团犯下的新的罪行”。苏联驻中国大使馆的中国员工罢工，抗议苏联政府对中国留学生的暴行。在这同时，大批“革命群众”和“红卫兵”，从清晨到深夜，在苏联驻中国大使馆前举行抗议示威游行，高音喇叭响彻“打倒苏修”的口号声。直到 1 月 30 日，持续 5 天累计有 100 多万人参加游行示威。

1967 年 2 月 1 日下午，69 名中国留欧学生乘火车抵达北京。首都 10 多万人在北京车站和附近的大道上夹道欢迎。中共中央政治局委员、国务院副总理兼外交部部长陈毅亲自到车站欢迎。车站上举行隆重的欢迎大会。当天，《人民日报》发表题为《热烈欢迎光荣的反修战士们胜利归来!》的社论。社论说：你们向列宁和斯大林陵墓献花圈时，朗读毛主席语录，“你们的行动体现了中国人民包括苏联人民在内的全世界革命人民对国际无产阶级革命事业的无限忠贞。这个革命行动好得很，一千个好！一万个好！我们热烈赞扬和支持你们的革命行动。”[2] 当天傍晚，北京的红卫兵在苏联驻中国大使馆前，举行了更为激烈的游行示威。据彼得·琼斯等著《中苏关系内幕纪实（1949—1984)》一书说：“苏联驻北京大使馆外面开始了前所未有的暴力示威游行。包括武装士兵在内的大批人群朝出入苏联大使馆的人啐唾沫，进行骚扰，朝他们的车上扔颜料，用木棒殴打他们；这些人群还越过围栏，猛掷干草和燃烧的火把，制造一种失火的危险。大使馆大门和围栏上张贴着反苏标语，勃列日涅夫和柯西金的模拟像被吊在树上。高音喇叭昼夜不停地高喊反苏口

---

[1] 《人民日报》，1967 年 1 月 30 日。

[2] 《人民日报》，1967 年 2 月 1 日，第 3 版。

号。”[1] 国务院总理周恩来、副总理兼外交部部长陈毅，代表中国共产党中央委员会主席毛泽东、副主席林彪和党中央、国务院，致电慰问胜利归来的“反修战士”。2 月 1 日当天，中国驻苏大使馆临时代办安致远还约见苏联外交部远东司司长苏达利柯夫，要求苏方协助从欧洲和拉丁美洲回国的中国留学生，到列宁、斯大林陵墓献花圈。这一要求遭苏方拒绝，中国驻苏大使馆向苏联外交部提出“强烈抗议”。

2 月 2 日，苏联外交部向中国驻苏大使馆递交照会，抗议苏联的外交人员在北京遭围攻。2 月 3 日，发生了中国驻苏大使馆新闻橱窗被砸的事件。

2 月 3 日晚 7 时许，160 余名苏联便衣人员突然乘车来到中国驻苏大使馆前。他们手持斧、锯等器械，跳下汽车后，侵入大使馆，直奔新闻图片展览橱窗，锯、砍、砸，捣毁 6 个新闻图片展览橱窗，将展览介绍中国“文化大革命”，苏联军警 1 月 25 日在红场围攻、殴打中国留学生等的图片，悉数抢走，历时半小时。中国驻苏大使馆人员，包括临时代办安致远、二等秘书王荩卿、商务参赞蔡新德等官员，以及《人民日报》、新华社记者在内的 30 多人，进行阻止和说理，均遭殴打，10 多人受伤。负责使馆安全的苏联警察，在事情发生的半个小时里，始终袖手旁观。

事件发生后，头部受伤的中国驻苏大使馆临时代办安致远立即赶到苏联外交部，要求会见任何一名苏联政府代表，苏联外交部拒绝接见。一直等到深夜 23 时半，才由苏联外交部远东司副司长伊利扎维金出来会见。安致远当即向苏联外交部提出最强烈、最严重抗议，并提出 4 点要求：严惩凶手；赔偿损失；恢复新闻图片橱窗；中国大使馆保留进一步提出要求的权利。

1967 年 2 月 5 日，中国政府发表声明，“最最强烈抗议苏修法西斯暴行”。声明最后说：“我们正告苏联政府，中国的主权是不容侵犯的。中国人民的克制是有限度的。用毛泽东思想武装起来的中国人民是法西斯的斧头所吓不倒的。一切与中国人民为敌的反动派，都不会有好下场。”[2]2 月 5 日，周恩来、陈毅打电报给中国驻苏大使馆全体人员，“代表最伟大的领袖毛主席和他的亲

[1] ［英］彼得·琼斯等著：《中苏关系内幕纪实（1949—1984）》，郭学德等译，中国经济出版社 1994 年版，第 137 页。

[2] 《人民日报》，1967 年 2 月 6 日，第 1 版。

密战友林彪同志，代表党中央、国务院、中央军委、中央文革小组，向你们，英勇的反修战士们，表示亲切的慰问。”[1]

“砸毁新闻橱窗”事件的发生，表明中、苏两国的外交纠纷从一般事件上升到侵犯主权，两国关系严重恶化。1967年2月9日是中国农历丁未年正月初一。苏联方面从2月6日开始，每天指使几百人围住中国驻苏大使馆，阻止华侨进入使馆参加中国大使馆举行的春节招待会。同样，首都北京的“红卫兵和革命群众”，每天几万人在苏联驻中国大使馆前游行示威。

1967年2月9日，苏联外交部领事局副局长康茹科夫口头通知中国驻苏大使馆临时代办安致远，称从2月12日起，所有前往苏联和途经苏联领土的中国公民，都必须根据一般理由在苏联驻外使领馆取得相应的签证；由苏联出境的中华人民共和国公民必须持有苏联出境签证。2月10日，中国外交部向苏联驻华大使馆提出一项口头声明：就苏联政府片面撕毁两国互免签证的协议一事，向苏联政府提出最强烈抗议；同时决定，从2月12日起，所有苏联公民进出和经过中国国境，都必须取得中国的签证。

1967年3月11日，中国外交部宣布：苏联驻华大使馆的两名二等秘书是“不受欢迎的人”。3月18日，苏联外交部宣布：中国驻苏大使馆的一等秘书和一名三等秘书是“不受欢迎的人”。两国互相驱逐外交人员。这样，苏、中两国在维持着外交关系的情况下，种种互相敌对的行动，全都发生了。

从边界冲突到军事对抗

苏、中两国的边界由于历史上的原因，一直存在争议。在两国关系友好的时期，两国基本上以实际控制线为界，双方都本着息事宁人的原则，相互忍让。

由于历史的状况，苏、中两国之间7600公里的边界线，实际上存在着三条边界线：一、条约线。俄、中之间的定界条约共28个，1915年签订的《俄中霍尔果斯河划界文据》，最终划定了俄中两国的国界。这些划界条约的签订，当然都是不平等的。通过这些划界条约，俄国从中国“划”得了150多万平方

[1] 《人民日报》，1967年2月5日，第1版。

公里的领土。十月革命后，苏联与中国历届政府就两国边界问题进行过多次谈判，中国政府虽然从未对外正式承认过这些领土条约和协定，但是也从未对外正式宣布不予承认，实际上是默认了这些条约和协定的客观存在。二、苏图线。苏联根据历史形成的边界线所绘制的大比例尺地图所标的国界线。苏图线在许多地方偏离了条约线，把黑龙江和乌苏里江的边界线几乎全都画到中国岸边，自然，所有江心岛全归苏联了。不过，中国历届政府从不承认苏图线。三、实际控制线。苏联的实际控制线，有些地区同条约线或苏图线基本一致，而在有些地段不仅大大越过了条约线，而且越过了苏图线。中国的实际控制线基本上没有越过条约线，但是在有些地段也越过了苏图线。整个 20 世纪 50 年代，尽管后期苏中两党在意识形态上已出现了分歧，但是对于边界问题双方仍然采取友好、团结的方针，边界线的两侧还是和睦的。

1960 年 8 月，在中国新疆的博孜艾格尔山口，发生了中国牧民大规模越界，遭苏联边防军武装驱赶的事件。8 月 17 日，苏联驻华大使馆参赞苏达利柯夫向中国外交部副部长罗贵波递交照会，指责中国牧民越界，要求中国政府予以约束，保证不再发生类似事件。罗贵波则声明：中国公民和牲畜所在的领土是中华人民共和国的领土，“我们请求苏联方面立刻采取有效措施将自己的边防部队从上述有争议地区撤出去，不要对我方的畜牧业人员进行武力威胁。因为这个地区是中华人民共和国的领土。”[1]这次事件使苏中边界纠纷上升为边境冲突。1963 年 9 月 27 日，中国外交部照会苏联政府，正式提出：中苏之间存在着不平等条约的问题。11 月 19 日，中国外交部再次照会苏联政府，明确提出：“整个中苏边界有很多问题需要讨论。”[2]苏共中央在 1964 年 2 月 10—15 日举行的苏共中央全会上声明：苏联政府倡议就苏中边界某些地段明确划分一事进行磋商的出发点是，“苏中之间不存在领土问题。苏中边界是历史上形成的，只是需要确定其中某些地段”。[3]

[1] 参见《中苏关系史纲 1917—1991》，第 355 页。

[2] ［俄］普罗霍罗夫著：《关于苏中边界问题》，第 212 页，参见《中苏关系史纲 1917—1991》，第 357 页。

[3] 《中苏关系：俄国档案复印件汇编》，第 16 卷，第 4244 页，参见《中苏关系史纲 1917—1991》，第 357 页。

1964年2月25日—8月22日，苏中两国在北京举行关于边界问题的首次谈判。谈判中，中国明确地提出：首先应分清历史是非，即必须肯定1840年以后，中国清朝政府与俄国沙皇政府签订的《中俄瑷珲条约》、《中俄北京条约》[1] 等有关目前中苏边界的条约，都是沙俄在中、俄两国人民处于无权地位的情况下，强加于中国的不平等条约。中国方面从加强中苏两国人民友谊的愿望出发，仍然愿意以这些条约为基础，确定两国边界线的全部走向，解决边界上存在的一切问题。任何一方违反这些条约占据另一方的领土，原则上必须无条件地退还对方。但是不排除双方在平等的基础上，根据平等协商和互谅互让的原则，考虑到当地居民的利益，对边界上的个别地方作必要的调整。苏联方面坚持：苏中两国的边界，应当在条约线的基础上，以历史形成线（指苏图线）和实际控制线为依据，就某些地段苏中边界线的走向问题，共同讨论并制定出双方一致同意的文件；坚决不接受"不平等条约"的论断。苏联代表团强调：自这些条约签署之日起，在漫长的时期内，边界线已经被牢固地确定和保留下来，没有任何一方提出过重新划界的要求；希望"中国代表团研究具体问题，而不要展开政治辩论"。这样，苏中双方在对两国边界划分的基本政治立场上，就无法找到共同点。

4月18日，苏、中代表团第5次全体会议，双方交换了地图，将所标的边界线加以比对。此后，谈判转向比较务实的工作小组会晤。这样的谈判正是苏联所希望的。5月9日，苏共中央指示苏联谈判代表团："准确界定边界全线

---

[1] 《中俄瑷珲条约》，1858年5月28日，清政府黑龙江将军奕山与俄国签订。主要内容是：外兴安岭以南、黑龙江以北60多万平方公里的中国领土割归俄国，只有精奇里江以南至豁尔莫勒津屯、即江东64屯地区的中国人照旧永远居住，归中国官员管辖，俄人不得侵犯。乌苏里江东岸至海的约40万平方公里的中国领土划为中俄"共管"。黑龙江、乌苏里江只准中、俄两国船舶航行。清政府没有批准《瑷珲条约》，并处分了奕山。《中俄北京条约》是1860年1月14日签订，关于边界问题的内容是：确认瑷珲条约的内容；乌苏里江以东地区约40万平方公里中国领土割让给俄国；中俄西部未定边界的走向应顺山岭、大河之流，及现在中国常驻哨所等处，及1728年（雍正六年）所立沙宾达巴哈之界牌末处起，往西直至斋桑淖尔湖，自此往西南，顺天山之特穆尔图淖尔，南至浩罕边界为界。

并在目前生效的条约的基础上签订新的边界条约。”[1]接着，根据双方所交换的地图，讨论了两国东段国界线的走向，并达成了一致：以黑龙江和乌苏里江为界，主航道中心线中国一侧400多个有争议岛屿及有争议水域，包括苏联实际控制的珍宝岛，划归中国；黑龙江和乌苏里江交汇处的黑瞎子岛的归属问题，先搁置起来。苏联代表团按照双方达成的一致，起草了东段边界线协议，准备签署。眼见协议即将签署时，7月10日，毛泽东向佐佐木更三等日本社会党人士发表了关于“算历史上不平等条约的领土账”的谈话。谈判重新开始后，中国代表团即以毛泽东的这一谈话内容为指针，再次提起“不平等条约”的政治争论，把已经达成一致，准备签署的协议搁在一旁。苏共中央也被激怒了，作出了激烈的回应。这样，谈判遂告破裂。

边界谈判既然破裂，随着两国关系的急剧恶化，边界冲突也愈演愈烈。从1964年10月15日至1969年3月15日，中国指控苏联挑起4189起边境事件。

苏、中边界的东段，局势日益严重。从1967年1月23日至1969年3月2日的两年多时间的冰封季节，苏联边防军16次侵入珍宝岛地区，并在入侵中多次打伤执行正常巡逻任务的中国边防军。1967年秋，中国边防军穿着便衣，偕同大量民兵，用棍棒将登上吴八老岛的苏军赶了出去。从1967年1月底至1968年1月5日的冰封日子里，苏联边防军18次侵入珍宝岛以北的七里沁岛地区，多次打伤、打死中国正在劳动的和平居民。苏联边防军还多次侵入珍宝岛以南的卡脖子岛地区。在这同时，苏联军用飞机频繁侵入中国黑龙江省领空。[2]

面对日益严重的边境局势，中国选定了针锋相对，后发制人，有理、有利、有节的方针，要求边防军事先做好准备，拟定行动方案，作到不斗则已，斗则必胜。中共中央和中央军委最终选定1969年3月初在珍宝岛地区，对苏军实施军事打击。作出这样的选择是考虑到：选择在中国共产党第九次代表大会召开的前夕，具有政治意义；苏联还没有从因入侵捷克斯洛伐克而陷于国际孤立的状态中走出来；1964年6月，苏联已承认珍宝岛是中国领土，不会为此

[1] 参见《中苏关系史纲 1917—1991》，第361页。

[2] 《人民日报》，1969年3月3日，第1版。

而和中国大干。1969年1月25日，中国黑龙江省军区提出了在珍宝岛地区对苏军实施打击的方案：设想投入三个连左右的兵力，以一部上岛潜伏，在珍宝岛附近的边防检查站设立指挥所。2月19日，中国军队总参谋部、中国政府外交部批准了这一方案，并报请毛泽东同意。

1969年3月，苏、中两国边防军在珍宝岛地区的严重军事冲突，就这样发生了。

珍宝岛位于黑龙江省饶河县与虎头之间，乌苏里江主航道中心线的中国一侧，面积约0.9平方公里，俄语叫达曼斯基岛。珍宝岛即使根据1860年11月14日《中俄北京条约》，也属于中国。[1] 珍宝岛历来也属中国管辖，无可争议地属中国领土。1964年边界谈判中，苏方也承认珍宝岛以及七里沁岛、卡脖子岛属中国领土。

1969年2月，苏联远东边防军即进入一级战备状态。3月2日上午9时许，苏联边防当局出动大批军人，分乘4辆装甲车、卡车和指挥车，从下米海洛夫卡和库列比亚克依内，分南、北两个方向同时侵入珍宝岛，当场打死、打伤中国边防人员多名。中国边防人员奋起还击，苏军死亡23人，伤14人，旋即退走。

3月2日，中国外交部就苏联边防军入侵中国黑龙江省珍宝岛地区制造严重流血事件，向苏联政府提出最强烈的抗议，并“坚决要求苏联政府惩办这次事件的肇事凶手，立即停止侵犯中国领土和武装挑衅，并保留要求苏方赔偿我方一切损失的权利”。[2]

3月4日，《人民日报》、《解放军报》社论《打倒新沙皇！》在《人民日报》刊出。社论说：“我们警告苏修叛徒集团：中国的领土主权绝不允许任何人侵犯。人不犯我，我不犯人，人若犯我，我必犯人，中国人民受人欺侮的时代早就一去不复返了。你们还想用沙皇俄国那一套来对付伟大的中国人民，那是瞎了眼睛，那是白日做梦。不管你们来多少人，不管你们联合什么人一起来，我

[1] 《中俄北京条约》规定：从乌苏里江口往南至兴凯湖，中俄两国以乌苏里江和松阿察河为界，按公认的国际法准则，凡通航界河均以主航道中心线为界，并以此划分岛屿归属。

[2] 《人民日报》，1969年3月3日，第1版。

们都要把你们坚决彻底干净全部消灭之。”[1] 首都“革命群众”又连天在苏联大使馆前举行游行示威抗议。全国各大城市也连日集会、抗议。

苏联方面除向中国政府提出“强烈抗议”之外，3 月 7 日、8 日两天，10 万有组织的苏联示威者拥到中国驻苏大使馆前，用铁器、石块，砸毁大使馆的橱窗以及宿舍的全部玻璃，用气枪射击使馆工作人员，把各种颜色的墨水瓶扔向大使馆建筑物。3 月 10 日，一批人员有组织地袭击中国驻苏大使馆的外交人员汽车。3 月 12 日，中国驻苏大使馆工作人员前往库图佐夫大街 7 号外国记者住处联系公务，遭到预先守候在那里的克格勃人员的暴力袭击。在这同时，从 3 月 4 日至 12 日，苏联边防军几乎每天出动装甲车、卡车、指挥车，侵入珍宝岛地区。3 月 8 日，苏军《红星报》报道：苏联驻远东部队已处于戒备状态。

3 月 13 日，中国外交部照会苏联驻华大使馆，“强烈抗议苏联边防军继 3 月 2 日挑起边境武装冲突之后，又一再侵犯中国的领土，进行一系列的军事挑衅，企图挑起新的武装冲突。”照会最后“严正警告你们，中国的领土是绝不允许任何人侵犯的，如果你们一意孤行，那么，由此产生的一切严重后果，由苏联政府承担全部责任”。[2]

3 月 15 日，新的更大规模的武装冲突终于发生了。

3 月 15 日凌晨 4 时许，苏联边防军出动几十辆坦克、装甲车，约一个加强营，在飞机和远程炮的掩护下，再次向珍宝岛地区进攻。苏联边防部队不断向中国边防巡逻部队发起冲击，并向中国境内纵深地区进行炮击。中国边防部队也早有准备，进行猛烈还击。8 时开始，双方展开激烈战斗。进入珍宝岛的苏军边防部队遭到预先埋伏的中国边防部队的迎击，陷于被围的困境。后续苏军虽然发起三次猛烈进攻，但无奏效。至晚上 7 时，苏军全部撤回。3 月 15 日的大规模武装冲突，双方都造成重大人员伤亡。[3]

3 月 15 日下午，中国外交部紧急约见苏联驻华大使馆临时代办，向苏联

---

[1] 《人民日报》，1969 年 3 月 4 日，第 1 版。

[2] 《人民日报》，1969 年 3 月 14 日，第 1 版。

[3] ［苏］奥·鲍·鲍里索夫等著：《苏中关系 1945—1980》一书说，3 月 2 日的武装冲突，苏联边防军 31 人死亡，14 人受伤。3 月 15 日的冲突，造成更多人的伤亡。参见该书第 350—352 页。

政府提出“紧急的、强烈的抗议”。同样，苏联政府也发表了抗议声明。3月17日，苏军出动坦克和步兵，再次进入珍宝岛，意在拖回15日战斗中被击毁的一辆新型坦克。因遭中方炮火的猛烈袭击，被迫退回。

“总的来说，珍宝岛事件对于苏方是出乎意外的。在一些边防军人牺牲之后，如果苏联领导没有休克，那么也已濒临休克状态。于是痛苦地寻求摆脱这一困境的出路。”事件发生之后，安德罗波夫在一个小范围的会议上这样评论，并提出了对策：“第一、用纯边境问题的框子局限它，达到限制冲突的目的；第二、尽力只用边防军力量调解所发生的冲突，无论如何也不允许正规部队参与军事行动。”勃列日涅夫支持了安德罗波夫的意见，抑制了主张“利用中方提供的口实，展开全面进攻，并为此而动用大兵团作战”的意见。[1] 苏共中央形成了处置珍宝岛事件的基本思路。

苏、中两国大规模军事冲突一触即发。苏联从高层决策中心到民间各个阶层，都在讨论同中国发生战争的可能性。苏联还从更高的层次上，提出了建立“亚洲集体安全”的设想。

而中国则在毛泽东发出“深挖洞、广积粮、不称霸”的指示下，也积极准备应对各种可能发生的情况。

1969年3月15日，毛泽东在“中央文革”碰头会上听取珍宝岛地区战况汇报时指出：“让他打进来，就使我们动员起来。大敌当前，动员准备一下有利。我们是后发制人。”“让敌人沾点面子，他占了牡丹江，外国人就知道了。”[2] 毛泽东还由此想到了国际格局的大变动。他在看完了一份关于珍宝岛事件的报告后说：中苏交战“给美国人出了个题目，好作文章了”。中苏分裂，美国就由打“两个半战争”缩减到打“一个半战争”了，美国将根据中苏各方的利益来考虑并决定自己的外交取向。[3] 随后，在4月召开的中共第九次代表

[1] ［俄］弗·亚·克留奇科夫著：《个人档案（1941—1994）》，何希泉等译，东方出版社2000年版，第91页。

[2] 1969年3月15日毛泽东在“中央文革”碰头会上的讲话，参见《中苏关系史纲》，第391页。

[3] 吴旭君：《毛泽东的心事》，参见《缅怀毛泽东》，下册，中央文献研究室编，中央文献出版社1993年版，第644、645页。

大会的政治报告中，已经把苏联视做主要敌人了。

全世界都在关注两个社会主义大国之间的形势。

苏联根据苏共中央形成的关于珍宝岛事件的基本思路，处置苏、中两国之间出现的严峻局势。1969 年 3 月 21 日，苏共中央政治局委员、苏联部长会议主席柯西金，要通了通往北京的国际线路，准备与毛泽东或者周恩来直接联系，但是北京电话局接线员拒绝为他接通电话。柯西金又转而通过高频通讯设备，通知苏联驻华大使馆临时代办叶利扎维京："我受政治局委托，要亲自和毛泽东同志或者周恩来同志商谈几句。我们想要通过高频保密电话同他们取得联系，但北京的电话局里坐着个下流家伙，说话粗鲁，拒绝为我和他们接通。大使馆能够提供什么帮助吗?"叶利扎维京回答：现在不同中国外交部提前约好就要同中国领导人联系恐怕不可能。苏联大使馆向中国外交部请求安排。[1]

3 月 21 日晚 11 时 15 分，中国外交部苏联东欧司司长余湛会见叶利扎维京，并告诉他："苏联一切联系都应通过外交渠道进行，不能通过电话商谈。"[2]3 月 29 日，苏联政府发表声明，就两国边界问题以及国家关系问题，阐述了苏联的立场，并建议恢复 1964 年在北京开始的、已经中断的中苏边界谈判。中国没有回应。4 月 11 日，苏联政府又照会中国政府，提出近日内在莫斯科进行协商。直到 5 月 24 日，苏联政府才听到中国政府关于"历来主张通过谈判解决边界问题"的声明。7 月 26 日，苏联政府提出，就苏中边界问题举行苏中高级会谈的建议。

在苏联决策层中，尽管柯西金希望通过政治方式解决苏中两国的边界争端，但是有的人主张动用核力量，采取先发制人的方式，摧毁中国的核能力和核潜能，也即乘中国的核能力强大起来之前，摧毁中国的核设施，一劳永逸地解决中国核武器对苏联的威胁。在苏共中央政治局会议上，国防部长格列奇科是持这种主张的代表。另一种意见是"有限地对中国实施'核外科手术'，主要是摧毁中国的核设施"。[3]

---

[1] ［俄］列·姆列欣著：《历届外交部长的命运》，徐葵等译，新华出版社 2005 年版，第 491 页。

[2] 参见邢广程：《苏联高层决策 70 年》，第 4 分册，第 144 页。

[3] 同上。

苏联准备对中国实施“有限核打击”，摧毁中国的核力量和核设施，在国际上已不是什么秘密了。苏联在沿中国边界部署的兵力，1964 年是 12 个不满员师，1965 年是 13 个不满员师，约 10 万人。从 1966 年初开始，苏联有计划地从东欧地区将训练有素、装备精良的部队，包括可以发射核弹头的地对地导弹，调来远东，部署在沿中国边境，装置了直接针对中国的反弹道导弹系统。1966 年 1 月中旬，勃列日涅夫亲率苏联党政代表团访问蒙古人民共和国。1 月 15 日，苏联和蒙古签订了为期 20 年的《友好合作互助条约》，该条约特别瞩目的是容许苏联在蒙古驻扎军队和设置基地。签约双方承担在“保障两国国防能力方面相互提供援助；采取包括军事措施在内的一切措施，以保证两国的安全和领土完整”。[1] 显然，签订这样的具有军事同盟性质的条约，目标是针对中国的东北、华北、西北等中国北方开阔地区。1966 年春，苏联在沿中国边境已部署 25 个满员师，35 万人以上；1969 年增加到 27 个师，30 余万人。1970 年则继续增加到 40 个满员师，20 世纪 70 年代中期，增加到 48 个师，50 余万人。此后，苏联还不断向苏中边境增兵。美国密执安大学政治学教授、美国国务院中国问题专家惠廷认为：“俄国人很可能正在准备对中国的核力量发动一次先发制人的打击，因此他们沿中国边境不仅集结了部队，而且部署了导弹、飞机和坦克……如果勃列日涅夫认为毛泽东主义对莫斯科在共产主义世界的霸权是一个威胁，那么，中国那个方兴未艾的核武库就可以看作是加强了这种威胁。的确，在那年夏天（指 1969 年夏——引注），驻在一些国家的苏联外交官已经有所暗示，说俄国可能不久就要摧毁中国的核力量而为人类造福。”[2]

除柯西金以外，也有人认为对中国动用核打击，对苏联自身来说是危险的。国防部副部长兼总参谋长尼古拉·奥加尔科夫反对对中国实施核打击。他认为中国幅员辽阔，人口众多，几颗原子弹不能消灭像中国这样的国家。中国共产党有进行游击战的丰富知识和经验，会不屈不挠地将战争进行下去。苏联如果冒险对中国动用核武器，那将会使苏联陷入一场没完没了的战争，就像美

[1] 《苏联对外政策编年史 1917—1978》，A.A. 阿赫塔姆江等编，商务印书馆 1983 年版，第 187 页。

[2] 参见［美］乔治·桑特尔著：《尼克松传》，成都出版社 1996 年版，第 208—209 页。

国陷入越南那样。[1]

格列奇科的这种主张，在很大程度上是寄于如下判断，即美国公开敌视中国，因而不会积极地反对苏联的惩罚性行动。于是，苏联通过各种渠道，探测美国对苏联采取这种行动而可能作出的反应。1969 年 3 月 11 日，苏联驻美国大使多勃雷宁专门为此拜会基辛格，情绪激动地向基辛格叙述“珍宝岛事件”。基辛格多次试图改换话题，可是多勃雷宁却“坚持叙述所谓中国犯下的血淋淋的暴行，并加以详细说明……基辛格指出这是中苏之间的问题时，多勃雷宁感情激动地坚持说，中国问题是牵涉到大家的问题。[2] 多勃雷宁在多方探测美国的态度后向莫斯科报告说：“对中国进行这样的打击美国不会袖手旁观。”“美国将会大力进行阻遏。”[3]

中国的积极进行应对各种可能发生的情况的准备；中国的决心；中国自身具备的条件；美国的态度和国际社会的舆论；苏联高层决策圈中意见的分歧，终于使苏共中央政治局中有战争狂热思想的人，没有煽动起疯狂的战争。中间派占据了主流地位，即在边境全线配置大量有核武器装备的部队来对中国施加大规模压力；同时寻求通过外交谈判解决和中国争端的途径。但是，苏联并没有放弃对中国实施核打击的计划。1969 年 5 月 1 日，勃列日涅夫有所指地声称：“国家不惜人力和物力使它的保卫者拥有必要的手段来保卫我们边界牢不可破的防务。”[4] 苏军总参谋部侦察总局运用各种手段收集中国有关核工业的情况和军事部署情况，定期向苏共中央报告。1969 年 7 月 19 日，苏军总参谋部侦察总局呈苏共中央的报告说：“目前在中国唯一的生产铀–235 的工业企业是在兰州（甘肃省）1963 年投产的气体扩散工厂。工厂每年生产 300 公斤浓缩到 90% 的铀–235，这种铀用来生产核武器。根据现有资料，在贺兰

[1] 参见邢广程：《苏联高层决策 70 年》，第 4 分册，第 145 页。

[2] ［美］亨·基辛格著：《白宫岁月》，陈瑶华等译，世界知识出版社 2003 年版，第 1 册，第 218 页。

[3] 参见邢广程：《苏联高层决策 70 年》，第 4 分册，第 145 页。

[4] 《在莫斯科红场庆祝五一节大会上的讲话（1969 年 5 月 1 日）》，《勃列日涅夫言论》，第 5 集，第 14 页。

山地区（兰州东北 250 公里），中国人在建设新的生产铀-235 的工厂。”[1]1969 年 8 月 15 日，苏军总参谋部侦察总局给苏共中央的报告说：“今年 8 月 14 日期间，中国军队的战斗人员、部署和行动特点与同苏联及蒙古毗连的地区没有本质上的变化。”[2]

在这同时，苏联边防军经过精心准备，选择苏中边界的西段，对中国实施报复措施。8 月 13 日，苏联边防军出动 300 余人，在两架飞机，数十辆坦克、装甲车的掩护和支援下，袭击了中国新疆裕民县铁列克提地区。正在巡逻的中国边防分队一个排，除 1 人被俘获外，其余都被打死。

苏联把军事威胁作为政治解决边界问题的重要手段。

勃列日涅夫对中国的认识与苏中关系

“珍宝岛事件”、苏中边界一系列冲突和相应的事件发生后，勃列日涅夫开始形成了他对中国的固定的认识。勃列日涅夫的这种认识成为苏联在勃列日涅夫当政时期对华政策的指导思想，决定了苏联在这个时期的对华行动。

1969 年 6 月 5 日，勃列日涅夫主持在莫斯科召开的有来自世界 75 个共产党、工人党参加的国际会议。6 月 7 日，勃列日涅夫在会上作了长篇讲话，系统地阐明了对中国的认识。

首先，勃列日涅夫把中国共产党的理论、方针、政策看作是“左”倾修正主义，是当代帝国主义破坏共产主义运动和一切革命运动的方针的需要，是当代帝国主义政策的需要。勃列日涅夫说：“左”倾修正主义的特点是“在超革命词藻的掩饰下怂恿群众去进行冒险行动，把党推上使其失去团结反帝战士的能力的宗派主义道路。”[3]“左”倾修正主义是当代帝国主义从共产主义运动

[1] 《苏军总参谋部侦察总局关于国际形势调查给苏共中央的报告(1969 年 7 月 19 日)》，《苏联历史档案选编》，第 31 卷，第 395 页。

[2] 《苏军总参谋部侦察总局关于国际形势调查给苏共中央的报告（1969 年 8 月 15 日)》，同上书，第 401 页。

[3] 《在共产党和工人党莫斯科国际会议上的讲话（1969 年 6 月 7 日)》，《勃列日涅夫言论》，第 5 集，第 47 页。

和一切革命运动内部进行分化、瓦解的工具。勃列日涅夫说：中国共产党的这种政治纲领是早就形成了的，“差不多在10年前毛泽东和他的拥护者就开始攻击科学共产主义的原则了。中共领导在关于理论问题的多次讲话中一步步地修正了共产主义运动的原则路线。中共领导以自己对当代所有根本问题的特别方针同共产主义运动的原则路线相对抗。”[1]

勃列日涅夫的这种观点，其实早已形成，还在1966年10月，他恶意攻击和诽谤中国对越南的援助，就已明白地说出了这一思想。世人都知道，胡志明和毛泽东多次声明，中、越两国人民是同志加兄弟，中国是越南抗法斗争和抗美斗争的可靠后方，中国人民为此曾作出巨大的民族牺牲。1966年10月15日，勃列日涅夫在克里姆林宫苏波友好大会上竟说：“中华人民共和国领导人拒绝同其他社会主义国家就保卫越南采取积极的联合行动达成协议这一点，引起所有社会主义国家、全世界共产党人以及一切支持越南人民反对美帝国主义者侵略的斗争的正直人们的痛心和严厉的谴责……他们这样做，实际上就是在帮助美帝国主义，也就是要向全世界革命力量和反帝力量承担严重的责任。”[2]

其次，勃列日涅夫说，中国共产党已从原来只是同各国共产党进行论战转向“展开了反对共产主义运动的政治斗争……转为进行分裂活动和颠覆活动，积极促使当代各种革命力量相互对立；已由对和平共处的批评转为策划武装冲突，采取破坏和平事业的政策”。[3]

再次，勃列日涅夫认定：一切的一切，表明中国共产党把中国推上了军国主义化道路。“中国军国主义化的方针”是“挨饿和备战”，“不断加剧战争歇斯底里气氛”，“进行狂热的战争准备”，“把战争看成是积极的历史现象”。中国官方的宣传方向是公开号召“既要准备同苏联修正主义进行常规战争，也要准备同他们打核大战”。[4]

[1] 《在共产党和工人党莫斯科国际会议上的讲话（1969年6月7日）》，《勃列日涅夫言论》，第5集，第48—49页。

[2] 《在克里姆林宫苏波友好大会上的讲话（1966年10月15日）》，《勃列日涅夫言论》，第2集，第275—276页。

[3] 《在共产党和工人党莫斯科国际会议上的讲话》，《勃列日涅夫言论》，第5集，第49页。

[4] 《在共产党和工人党莫斯科国际会议上的讲话》，同上书，第50—51页。

在这同时，勃列日涅夫也十分顾忌中国，在讲话中多次提到“避免边界冲突”，“不会忘记苏联人民和中国人民的根本利益是一致的”。[1]

勃列日涅夫没有什么理论修养，也未曾有过称得上是“理论”的理论著作。勃列日涅夫在75国共产党和工人党莫斯科国际会议上，说出了这通对中国共产党和中华人民共和国的认识，决定了在勃列日涅夫当政的整个时期的对华政策和行动，理应予以特别的注意。

由于勃列日涅夫和苏共中央对中国及国际社会有着诸多顾忌，所以不敢贸然对中国“动外科手术”。

1969年9月3日，越南劳动党中央委员会主席、越南民主共和国主席胡志明病故。苏联部长会议主席柯西金和中国国务院总理周恩来，作为两国党和政府代表团团长，参加胡志明的葬礼。柯西金向周恩来提出两国总理举行会谈的可能性问题。9月10日晚，中国外交部召见苏联驻华大使馆临时代办叶利扎维金，告知：周恩来总理同意在北京的首都机场会晤柯西金。此时，柯西金已在回国途中，抵达苏联乌兹别克共和国首都塔什干。柯西金征得苏共中央同意后，于9月11日折回北京，在首都机场与周恩来会晤。

两国总理在中国首都机场的会晤开门见山。周恩来向柯西金提出：传说苏联要对中国的核基地发动先发制人的核打击。中国没有发动反对苏联的战争的任何主观意图和客观可能性。中国正在进行“文化大革命”，自己的事情都应付不了，不可能再对苏联采取行动。党与党之间的意识形态争论可以进行一万年，但这不应当损害国家之间的关系。如果苏联对中国实行先发制人的核打击，那么中国就与苏联处于战争状态。苏联即使摧毁了中国的核基地，中国也必将把战争进行到底。柯西金请周恩来相信：苏联不存在反对中国的任何战争计划，也没有为此作任何准备。美帝国主义力图使苏联和中国发生冲突，以便消灭社会主义和共产主义，我们不能让帝国主义高兴。[2]

两国总理还就维持边界现状，重开边界谈判，双方武装力量从边界有争议地区脱离接触，共同保证两国居民在有争议地区的正常经济活动等方面，达成了临时协议。柯西金还以苏联政府的名义，请周恩来向毛泽东转达希望两国

---

[1] 《在共产党和工人党莫斯科国际会议上的讲话》，《勃列日涅夫言论》，第5集，第52—53页。

[2] 参见邢广程：《苏联高层决策70年》，第4分册，第146—147页。

关系正常化的愿望。两国总理的“机场谈判”表明，无论是苏联或者中国，都不希望扩大事态，更不愿意在两个社会主义大国之间发生战争。

1969年9月16日，《伦敦新闻晚报》登载了西方的“苏联问题自由撰稿记者”维克托·路易斯的一篇文章。文章写道：“马克思主义的理论家一直在讨论一场中苏战争的可能性。如果这场战争发生，世界只会在战争爆发后才得知它。”文章还特别提到，苏联将对设在新疆罗布泊的核试验基地进行空中袭击。文章概括说：“过去一年的事态发展证明了苏联恪守这样理论，即社会主义国家为了自身的利益或者那些受到威胁的国家的利益，有权干涉彼此的事务。”[1]西方社会普遍认为，维克托·路易斯是苏联政府授权的、有意就敏感问题发放试探气球的“代言人”。这篇文章实际上是道出了苏联的一种意向。9月18日，周恩来向柯西金发出内部照会，建议两国就互不侵犯、包括不使用核力量攻击对方，承担义务。9月26日，柯西金答复周恩来：“为使苏中空中边界得到无条件遵守，要实行严格的控制。”[2]

10月7日，中国政府发表声明，同意在副外长一级重开同苏联的边界谈判。10月20日，苏中边界谈判在北京复会，苏联政府派出副外长库兹涅佐夫，中国政府的代表是外交部副部长乔冠华。苏中两国都明白，这样的边界谈判是不会有什么结果的，实际上两国也都不对谈判抱更大的希望。两国都需要这种马拉松式的谈判。1970年年底，两国重新派出了驻对方的大使：苏联驻中国大使是托尔斯季科夫，中国驻苏联大使是刘新权。

1971年3月30日，勃列日涅夫在苏共二十四大的总结报告中，用较大的篇幅阐述了苏共和苏联政府对中共和中国政府的“原则性方针”。勃列日涅夫报告中的关键意思是：“中国领导人在国际生活和世界共产主义运动的基本问题上提出了自己特殊的、与列宁主义不相容的思想政治纲领，而且要求我们放弃第二十次党代表大会的路线和苏共纲领。我们党坚决反对歪曲马克思列宁主义学说、制造国际共产主义运动和反帝战士队伍分裂的企图。”“近一年半以来，由于我们方面表现出的主动性，苏联和中华人民共和国之间的关系出现了某些

[1] ［美］亨·基辛格著：《白宫岁月》，第1册，第232页。

[2] 参见邢广程：《苏联高层决策70年》，第4分册，第148页。

正常化的迹象。”[1] 不难看出，勃列日涅夫的“原则性方针是：坚决反对毛主义这一与列宁主义敌对的思潮的理论和实践，同时愿意与中华人民共和国的国家间关系正常化。”[2] 勃列日涅夫的这一“原则性方针”在中国是行不通的，于是，苏中两国在边境地区展开了漫长的对峙。

在随后的几年里，中国的政局也发生了较大的变化。1976 年 9 月 9 日，毛泽东去世。10 月 7 日，中共中央政治局决定由华国锋继任中共中央主席、中央军委主席。1978 年 12 月，中共十一届三中全会决定放弃“以阶级斗争为纲”，坚持以经济建设为中心，实行改革开放。苏联注意到，中国政局的变化，自然对苏中关系也会产生影响。对于即将期满的苏中条约，就是在这样的背景下处理的。

1950 年 2 月 14 日签订的《苏中友好同盟互助条约》规定，条约有效期为 30 年，“如期满前一年未有缔约国任何一方表示愿意废除时则将延长 5 年，并依此法顺延之。”就两国关系的实际情况来看，条约早已是名存实亡。但是不管怎样，苏联仍然希望保留这个条约。可是，中国不想保留这个条约。1979 年 3 月 24 日，邓小平同意中国外交部提出的《关于不延长中苏友好同盟互助条约问题的请示》的报告。4 月 3 日，中国五届全国人大常委会第七次会议通过了《关于不延长中苏友好同盟互助条约的决议》。决议说：“鉴于国际形势已发生重大变化，中苏友好同盟互助条约由于并非中国方面的原因早已名存实亡，决定条约期满后不再延长。”[3] 当天，中国外交部部长黄华约见苏联驻华大使谢尔巴科夫，递交外交照会，告知：中国人大常委会决定，在条约期满后不再延长。照会建议两国就解决悬而未决问题、改善两国关系问题举行谈判，并根据谈判的结果，签署相应的文件。4 月 17 日，苏联外交部部长葛罗米柯向中国驻苏大使王幼平递交外交照会，表示同意举行谈判。1979 年 9 月 25 日，以苏联外交部副部长伊利切夫为团长的苏联政府代表团，同以中国外交部副部长王幼平为团长的中国政府代表团，在莫斯科开始了第一轮谈判。谈判虽然没有什么结果，但毕竟是两国政府有了直接的接触，相互了解到对方的要求。相互商定，第二轮谈判将于 1980 年春在北京举

[1] 《勃列日涅夫言论》，第 7 集，第 12—13 页。

[2] 《在阿拉木图列宁宫向哈萨克苏维埃社会主义共和国授勋大会上的讲话（1973 年 8 月 15 日）》，《勃列日涅夫言论》，第 9 集，第 195 页。

[3] 中共中央文献研究室编：《邓小平年谱》，上册，中央文献出版社 2004 年版，第 497—498 页。

行。1979 年 12 月苏联出兵阿富汗，苏中两国政府谈判也随之中断。

1982 年 3 月 24 日，勃列日涅夫在塔什干发表讲话，特别就苏联和中国的关系问题作了几点补充说明，实际上是表明苏联处理和中国的关系的基本原则。勃列日涅夫说："第一，我们从来也不想干涉中华人民共和国的内部生活。我们过去没有否认、现在也不否认中国存在着社会主义的社会制度。""第二，我们过去和现在从未以任何方式支持所谓'两个中国的概念'，过去完全承认、现在仍然承认中华人民共和国对台湾岛的主权。""第三，我们过去没有、现在也没有对中国提出任何领土要求，并准备在任何时候继续就现在的边界问题举行谈判，以便达成彼此可以接受的解决办法。""第四，我们清楚地记得那个友谊与同志般合作的纽带将苏联和人民中国联结在一起的时代。我们从不认为我们两国间的敌对和疏远状况是正常现象。我们愿意在不带任何先决条件的情况下就双方可以接受的，在互相尊重彼此利益、不干涉彼此事务和互利的基础上，当然是在不损害第三国利益的情况下改善苏中关系的措施达成协议。"[1] 在勃列日涅夫讲话以后，苏中两国都相互试探，朝着两国关系正常化的目标迈出谨慎的步子。

第二节　苏军对捷克斯洛伐克的武装占领 [2]

关于"勃列日涅夫主义"

勃列日涅夫当政后，人类社会和世界局势都发生了巨大的变化。人类

[1] 《在塔什干授勋大会上的讲话(1982 年 3 月 24 日)》,《勃列日涅夫言论》，第 18 集，第 80—81 页。

[2] 关于苏联同东欧国家的关系，主要依据的资料是苏联国家相关档案。原捷共中央第一书记、"布拉格之春"的发起人杜布切克著：《杜布切克回忆录》，原捷共中央主席团委员、捷国民议会主席斯姆尔科夫斯基著：《斯姆尔科夫斯基回忆录》，原捷共中央书记姆利纳日著：《严寒来自克里姆林宫》，[美] 塔德·舒尔茨著：《"布拉格之春"前后》，[苏] 梅德维杰夫主编：《政治日记》上、下册等著作，为捷克这段历史、为苏捷关系历史，提供了各方面的资料。作者本人在 2001 年曾撰写、出版过有关这段历史的专著：《回眸"布拉格之春"》。马细谱主编：《战后东欧——改革与危机》，刘邦义：《哥穆尔卡评传》等著作，也是重要参考书。

社会第三次科技革命迅猛地展开，经济全球化的趋势更为明朗起来，这些又反过来促使人类社会生活和思想观念发生新的变化。斯大林创导、苏联一贯坚持的关于世界已形成“两个平行市场”，从理论到实践，越来越难以立足了。勃列日涅夫虽然也看到“我们生活在科学技术革命的时代”，[1] 但是，他并没有从客观世界的这一大变动中得出符合实际的结论，调整苏联对东欧，乃至对整个社会主义世界各国的政策，而是提出他的“社会主义大家庭”理论，也即“勃列日涅夫主义”，作为苏联在新形势下推行霸权主义的理论依据。

“勃列日涅夫主义”的主要内容，可以概括为如下三个方面。

第一，勃列日涅夫认为，在当前新的形势下，帝国主义和反动派已把破坏世界社会主义事业的赌注押在社会主义阵营的分裂上，因此，各国共产党的最高国际主义义务就是巩固社会主义大家庭的团结。谁如果不维护这种团结，谁就是帝国主义的帮凶。

从 1965—1968 年的 4 年里，勃列日涅夫在对波兰、罗马尼亚、匈牙利、捷克斯洛伐克、保加利亚、民主德国等东欧各国党和人民的十几次讲话中，在苏共党内以及在苏联国内各种场合的几十次讲话中，总是不断地重复：“我们的时代是革命风暴的时代……巩固作为全世界一切革命力量和解放力量的堡垒的世界上第一个社会主义各国大家庭，是每个马克思列宁主义政党的最高的国际主义义务。”[2] 既然组成“社会主义大家庭”，自然少不了“家长”；这个“体系”当然要有“中心”；“社会主义大家庭”要完善技术装备和武装力量，也要有“组织者”。于是，勃列日涅夫责无旁贷地说：“我们共产党人把自己国家的社会主义建设和共产主义建设看成是首要义务，然而就我们信仰的实质，就我们所受的教育和心灵的要求而言，我们同时又是国际主义者，我们不能，也永远不会对其他国家社会主义建设的命运，对世界上整个社会主义和共产主义事业抱漠不关心的态

---

[1] 《在全苏教师代表大会上的讲话（1968 年 7 月 4 日）》，《勃列日涅夫言论》，第 4 集，第 80 页。

[2] 《在布拉迪斯拉发群众大会上的讲话（1966 年 6 月 2 日）》，《勃列日涅夫言论》，第 2 集，第 223 页。

度。”[1]勃列日涅夫曾在布达佩斯向匈牙利人民宣称：“我们把全面加强社会主义国家的集体防务看成是自己的一项极为重要的任务。”[2]

第二，勃列日涅夫认为，新技术革命的进展，生产力发展水平越高，越是要求改善社会主义大家庭在国际范围内的分工、生产专业化和协作。因此，勃列日涅夫把社会主义大家庭的“国际分工”，看作是新科学技术革命形势下对社会主义事业的“新的时代要求”，严厉地要求在新的形势下“更要利用兄弟国家合作的优越性”。勃列日涅夫在布拉迪斯拉发的群众大会上说：“生活越来越坚决地向我们各个国家提出发展和改善社会主义国际分工的任务。我们各国拥有不同的自然资源，不同的生产能力，运用集体过去所创造的一切后备力量有助于更顺利地解决每个社会主义国家和整个世界社会主义体系所面临的任务。”[3]

勃列日涅夫在西欧法、意、联邦德国、比、荷、卢等6国在原有联营的基础上筹建“欧洲共同体”的刺激下，提出了“社会主义共同体”的口号。1965年9月，勃列日涅夫甚至说，“社会主义共同体”早就建立起来了，他说：“生产力发展水平越高，越需要不仅在国内，而且在国际范围内改善分工、生产的专业化和协作。这些过程已经在社会主义共同体中进行着，而且大家知道，进行得不坏。经济互助委员会积累了大量的有益的经验。”[4]

勃列日涅夫还提出，社会主义国家之间的国际分工，整个社会主义大家庭的经济，是一个“国际合作共同体”，苏联理应把社会主义大家庭的国际分工作为自己注意的中心。为此，勃列日涅夫要求东欧各国“对华沙条约坚定不移地忠诚。”勃列日涅夫将社会主义大家庭国际分工的优越性概括为：“实

[1] 《在克里姆林宫苏匈友好大会上的讲话(1968年7月3日)》,《勃列日涅夫言论》，第4集，第74—75页。

[2] 《在布达佩斯苏匈人民友好大会上的讲话（1967年9月7日)》，《勃列日涅夫言论》，第3集，第151页。

[3] 《在布拉迪斯拉发群众大会上的讲话（1966年6月2日)》,《勃列日涅夫言论》，第2集，第223页。

[4] 《在克里姆林宫苏捷友好大会上的讲话（1965年9月14日)》，《勃列日涅夫言论》，第1集，第274页。

行更加广泛的社会主义国际分工、生产协作化和专业化，可以更加有效得多地发挥社会主义的优越性，更加迅速地发展我们各国的国民经济，争取在同资本主义的竞赛中获得新的成就。”[1] 勃列日涅夫进而把加强社会主义大家庭国际分工、生产专业化和协作化，看作是社会主义国家国民经济发展的“规律”。[2] 苏共二十五大决议还指出，实行社会主义经济一体化，意味着“共同开发自然资源以供共同的需要，共同建设大型工业综合体以满足所有参加者的需要，为我们这些国家的企业和整个工业部门之间在今后许多年里的协作制定规划。”[3]

第三，勃列日涅夫认为，在当前的新形势下，国际主义越来越成为检验各国共产党是否忠诚于马克思列宁主义的最可靠尺度。

勃列日涅夫几乎是“国际主义”不离口的，他要求东欧各国的“国际主义”是什么呢？1966 年 11 月 15 日，勃列日涅夫在保加利亚共产党第九次代表大会的讲话中，有一个稍为明白一些的解释。勃列日涅夫说：在这里，在你们的代表大会上，不能不说一下，社会主义国家的马克思列宁主义政党应当制订出把每个国家的民族利益同整个社会主义大家庭的利益正确结合起来的政策。“现在，当世界社会主义体系成为决定人类发展的主要因素之一的时候，社会主义国家共产党认为，自己最主要的职责是不倦地关心和提高它联合起来的威力，加强社会主义国家的团结和在反对帝国主义的共同斗争中协调它们的行动。”[4]

此外，勃列日涅夫还要求华沙条约组织在保障社会主义大家庭的安全方面，实现最紧密的配合；在军事政治合作的同时，在经济方面也必须紧密合作。勃列日涅夫甚至傲然地宣布：“我们不能，也永远不会对其他国家社会主

[1] 《在波兰统一工人党第五次代表大会上的讲话（1968 年 11 月 12 日）》，《勃列日涅夫言论》，第 4 集，第 188 页。

[2] 《在德意志民主共和国耶拿市卡尔·蔡司·耶拿厂群众大会上的讲话（1967 年 4 月 20 日）》，《勃列日涅夫言论》，第 3 集，第 78 页。

[3] 《苏共第二十五次代表大会主要文件汇编》，第 9 页。

[4] 《在保加利亚共产党第九次代表大会上的讲话（1966 年 11 月 15 日）》，《勃列日涅夫言论》，第 2 集，第 304—305 页。

义建设的命运，对世界上整个社会主义和共产主义事业抱漠不关心的态度。"[1]勃列日涅夫这是明白地宣布，要以苏联的武装力量来保障社会主义大家庭的"安全"，并把这作为苏联履行"国际主义"的最高义务。勃列日涅夫对此还作了一个补充："当然，向兄弟国家提供军事援助以消除对社会主义制度的威胁，这样的行动是一种非常的、迫不得已的措施。只有国内外社会主义的敌人的直接行动，只有对社会主义阵营的共同利益造成威胁的行动，才会导致采取那样的措施。"[2]这一补充，恰好把勃列日涅夫的意思表现得更为暴露，即只要勃列日涅夫认为"社会主义大家庭"的共同利益受到威胁时，苏联就采取直接的军事措施。

勃列日涅夫关于"社会主义大家庭"的这些理论，即"勃列日涅夫主义"，都是勃列日涅夫主要在波、匈、捷、保、民主德国等国的党的会议，以及各种群众集会上不厌其烦地反复阐述，并不断地强调的。为了不致使读者感到厌烦，本书对凡是勃列日涅夫说到与这些方面的意思相似、话语相近的，都不重复引述。不然的话，勃列日涅夫的这方面的"论述"，可以单独辑录成一本书。

苏联对捷克斯洛伐克的武装占领，就是在"勃列日涅夫主义"的指导下发生的。

"勃列日涅夫主义"与冷战格局下的东欧

"勃列日涅夫主义"实际上是勃列日涅夫在新形势下，对"两个阵营"、"两个平行市场"理论的新诠释。为了便于读者更深入地了解勃列日涅夫的东欧政策，包括对捷克斯洛伐克社会主义共和国的武装占领，有必要对冷战格局下的东欧作概括性的提示。

东西方冷战对峙差不多占据了20世纪下半期；也就是说，20世纪几乎有一半时间是处在冷战格局之下。冷战格局的形成，和20世纪社会主义实践是

---

[1] 《在克里姆林宫苏匈友好大会上的讲话(1968年7月3日)》,《勃列日涅夫言论》，第4集，第75页。

[2] 《在波兰统一工人党第五次代表大会上的讲话(1968年11月12日)》,《勃列日涅夫言论》，第4集，第186页。

分不开的。当然，冷战格局的出现并不是社会主义实践的结果。但是，如果没有社会主义实践，也不会出现冷战对峙的格局，这是不言自明的。

冷战也不是随着社会主义实践的开始而开始的。世界上第一个社会主义国家苏联是1917年十月革命胜利后建立起来的，而冷战格局是到第二次世界大战之后才形成的。当今世界上仍然存在不同社会制度和不同意识形态的国家，但是冷战格局已于20世纪90年代初随着苏联的解体而冰消了。可见冷战的前提虽然是存在社会主义和资本主义两种不同社会制度和不同的意识形态，但是存在不同的社会制度和不同的意识形态，和冷战格局之间并无必然的因果关系。实际上，1955年社会主义的中国和非社会主义的巴基斯坦、缅甸、锡兰等国家，在万隆会议上共同倡导和平共处五项原则，就是对当时实际存在的冷战对峙格局的否定。

历史告诉人们冷战格局的出现是有条件的。这些条件从苏联一方来说就是：苏联确立了斯大林模式，综合国力强大到一定程度，并且能牢牢地控制东欧的周边国家，形成以苏联为核心的集团，提出“两个阵营”、“两个平行市场”的理论。只有到这时，也只有在这样的条件下，才出现冷战格局。

冷战年代的国际格局基本上是苏、美两个超级大国对抗，但是东欧自始至终都在冷战格局中有着特殊的地位。而且，东欧之所以成为1947年以后的东欧，本身就是冷战的结果。甚至可以这样说：如果没有1947年以后的东欧，冷战格局也就不存在了。1958年，戴高乐出任法兰西第五共和国总统之后，冲破美国的限制，发展自己独立的核力量。1966年，法国宣布退出北大西洋公约组织的军事一体化，美国也只好听之任之。相比之下，在华沙条约组织内，苏联是绝对不能容许东欧国家出现任何离心倾向的，更不必说类似法国退出北约军事一体化这样的事情了。

东欧各国成为冷战格局中的特殊地盘，并不是东欧各国历史发展的逻辑结果，而是被苏联强行拉进去的。

第一次世界大战结束以后，东欧各国在纷纷复国和独立的同时，共产党也先后成立，开始了各自争取社会主义的斗争。东欧各国的国情和历史传统有着很大差异，各国共产党的命运也各不相同。第二次世界大战期间，东欧各国有的被德国法西斯直接占领，有的成为它的附庸。东欧各国共产党加入了反法西斯同盟，成为全世界反法西斯斗争中的力量之一。

第二次世界大战后，共同为反法西斯斗争作出贡献，致力于本国的国家独立和民族解放的东欧各国的各民主党派和共产党一起，成立了民主联合政府，共同当政；东欧各国都建立了人民民主政权。对于东欧各国的发展方向问题，无论是在战争期间或者是战后初期，斯大林都不止一次地承诺：尊重各国人民自己的选择，更不要求学习苏联的经验，因为每个国家都有自己的传统和国情。1945 年年底，捷共中央主席哥特瓦尔德在一次捷共党员干部会上作报告时也说："不是要照搬苏联的社会主义，在苏联取得胜利以后形势又有了变化。再说，我们的传统和需要也不同于苏联。一天，我走在莫斯科的一条大街上掉了一只鞋后跟，但我找不到修鞋的鞋匠，因为在苏联所有手工业者被消灭了……我们为什么要去消灭我国大批的小手工业者呢？让他们继续工作要好得多。"[1] 捷共中央领导也一再向参加民族阵线联合政府的其他政党表示："我们绝不成立集体农庄！我们实行土地改革，把土地分给了农民！全部事情就是这样。""我们是反对一党制，反对书报检查制度的。你们每个人都看得见，我们的一切都是建立在民主的基础上的。"[2]1946 年，捷克斯洛伐克举行战后第一次选举，共产党在捷克地区得票为 40%，在斯洛伐克地区得票为 15%；在全国得票为 38%。基于这种现实情况，哥特瓦尔德以及捷共的其他领导人都真诚地努力在《科希策纲领》[3] 的基础上，从捷克斯洛伐克的历史传统和具体国情出发，"按自己的道路，自己的方式，自己的捷克斯洛伐克政策"，走向社会主义。

可惜这种祥和的发展局面竟像过眼烟云一样，很快就消失得无影无踪。

1947 年，美苏对抗的冷战开始了（冷战甚至也不是战后形成的两极格局的必然结果）。接着，潜伏着的苏南矛盾很快浮出水面，终于导致 1948 年欧洲共产党情报局将南斯拉夫共产党开除出局。国际局势风云突变，苏联以军事力量为后盾，指挥东欧各国共产党发动了一场普遍的暴力夺权运动。从此，东欧

[1] 参见［捷］伊日·贝利康著：《永无尽头的春天——一个布拉格共产党人的回忆》，北京出版社 1983 年版，第 53 页。

[2] 同上。

[3] 《科希策纲领》是反法西斯战争期间，捷共在莫斯科制定的捷克斯洛伐克民族民主革命纲领。1945 年 3 月经其他反法西斯政党同意后宣布，作为在东斯洛伐克的科希策成立的第一届民族阵线联合政府的施政纲领。

各国被强制移植斯大林模式，或者像苏联一样实行一党专制，或者虽然保留着多党制的形式，实际上也是名存实亡；消灭了发育到不同程度的市场经济，实行统一的计划经济。在国民经济发展战略上一律贯彻优先发展重工业，推行农业集体化。东欧各国在 1948 年前后的“第二次夺权运动”，表面看是东欧各国共产党的胜利，实际上是东欧各国党付出了独立自主的代价，把党和国家的命运完全和苏联绑在一起。东欧国家经过第二次世界大战的磨难，原以为在消灭了法西斯国家以后，可以走上真正独立、民主的发展道路，但历史又一次出现曲折，东欧民族解放、人民民主的发展再次被阻碍。

冷战格局塑造了东欧。东欧既是冷战的见证，也是冷战的受害者，为冷战承受了牺牲。

冷战格局下的苏美对抗，就苏联来说虽然在反法西斯战争胜利以后，军事力量，特别是陆军力量已大大膨胀起来，并在欧洲占据有利的战略态势，足以和美国抗衡；但是，就综合国力而论，苏联则远远比不上美国。从综合实力来说，苏联统率的华沙条约组织和美国为首的北大西洋公约组织相比，也是北约远远超过华约。1954 年，联邦德国加入北约后，北约有 15 个成员国，土地总面积约 2217 万平方公里，总人口约 53900 万。1955 年华沙条约签订时，拥有 8 个成员国，土地总面积约 2342 万平方公里，总人口约 32260 万。也就是说，北约和华沙相比较，土地的面积相当，人口比华约多 40%，而国民生产总值则高出华约 3 倍。从地域上说，北约的 15 个成员国家是世界资本主义的发祥地和心脏地带，是近代以来世界的先进地区。在综合实力悬殊的条件下，苏联统率的华约集团能够和美国统率的北约集团抗衡，靠的是什么呢？或者说，是什么因素使得苏联统率的华约集团在综合实力方面的明显劣势得以弥补？

苏联和华约集团弥补自身综合实力不足的是政治因素。首先是斯大林模式的计划经济体制，优先发展重工业、实际上是优先发展军事工业的经济发展战略，使得苏联及其华约集团，虽然在综合实力上落后，但在发展军事工业和国防军事拨款方面，能够和美国及北约集团竞赛。其次，华约组织是一个以苏联为核心的跨国界紧密型准实体，它不仅是一个国际军事同盟集团，更是一个内向性的政治、经济、军事、外交、意识形态一体化的紧密实体。在这方面，华沙条约可以说不同于任何国际同盟条约。勃列日涅夫提出的“勃列日涅夫主义”，正是华沙条约组织这种特性的“理论”升华。华沙条约在政治方面的这些特点，在一定时段里能发挥出实际效能，弥补它在和北约抗衡中的综合实力的不足。但是，从长远来说，也正是这些因素，制约了华沙条约集团，导致其在冷战对抗中的最终失败结局。

苏联和华约集团在冷战对抗中最终失败，是20世纪五六十年代以来国际社会发展一系列因素的结果。其中，1956年纳吉在匈牙利的改革，虽然十分短暂，毕竟是对冷战格局的挑战。1968年杜布切克在捷克斯洛伐克的改革，明确地表示要摆脱苏联的控制，无疑是对冷战格局的冲击。苏联纠集华约其他国家，出兵镇压“布拉格之春”，说明苏联除了出动军队之外，其他措施已难以维护华约的整体性了。在这前后，苏联凭借已经积累起来的财富和科技资本，乘美国陷在越南战争的泥潭里无力他顾之机，在核军备竞赛上取得某些单项的优势，达到自己在霸权主义道路上的巅峰状态。但是巅峰状态往往是下滑的开始。苏联以武力镇压了“布拉格之春”，强化对东欧的军事控制，终于圆了在捷克斯洛伐克常年驻军的梦，对美国和北约集团表现出咄咄逼人的态势。但是，20世纪70年代也是苏联盛极而衰的转折点。

苏军武装占领捷克斯洛伐克，就是在这样的背景下发生的。

捷克斯洛伐克的“布拉格之春”

捷克在20世纪60年代初就开始酝酿经济体制改革。1964年10月，捷共中央公布了由全国经济改革委员会提交的《关于完善国民经济计划管理的原则草案》(以下简称《原则草案》)，进行经济体制改革。《原则草案》的基本内容是：国家除保存制定中央长期规划的机构之外，逐步把国家机器的有关部分变成企业和超企业组合的行政机构，同政治性的国家机构分开；党机关活动中免除其指挥经济的工作，把党的职能集中于政治工作和国家大政方针的决策工作；企业应当成为尊重市场规律和生产效果的经济活动独立实体；提高专业干部在企业中的地位和作用；重新解决工会、工人、企业行政干部在工厂和企业管理中所应发挥的作用问题，让企业的全体员工通过奖金（利润提成）直接感觉到管理不善的恶果，为此，必须让他们对管理拥有某种形式的发言权（建立某种形式的自治机构）。

看得出，《原则草案》并未从根本上触动计划经济体制，仅仅是想逐步使政、企分离，党、政各司其职，使企业从原来的完全面对计划，半转的、或者说是“一只眼睛盯着国家计划，另一只眼睛瞄向市场”。捷共中央虽然公布了《原则草案》，但是规定在一年多的时间里是供“讨论”的，到1966年以后才启动运行。

1966年5月31日至6月4日，捷共召开第十三次代表大会。捷共中央第一书记、捷克共和国总统诺沃提尼在总结报告中，既未对经济、政治的严峻形势作出客观的、符合实际的分析，更未对今后采取的应对措施作出明晰的决策，空谈“进一步发展社会主义社会”。“十三大”还制定了第四个五年计划（1966—1970），规定五年计划的主要任务是“恢复国民经济的按比例发展，全面巩固国民经济和创造经济储备”。至于经济改革，只字未提。那就意味着，第十三次党代表大会将停止尚未真正启动的经济体制改革，全面加强计划经济。

1967年，全国的经济形势更加恶化，第一季度，日用商品的批发价格上涨20%，市场日用商品价格更是猛涨。物价上涨，外贸出口减少，劳动生产率低下，劳动者的生活水平得不到应有的改善。这方面的矛盾，突出地反映在住房短缺上。在布拉格、布拉迪斯拉发、布尔诺、俄斯特拉发、科希策等捷克斯洛伐克大、中城市，很多成年男女因为没有住房而不能结婚；而很多已经结婚的夫妇因为没有住房，夫妻只能分别住在集体宿舍里，不能有孩子，没有社会意义上的“家庭”。全国几乎是异口同声地责难：“我们忙着建设社会主义，结果把建造住房给忘了。”经济的恶化还促使捷克和斯洛伐克两个民族的民族矛盾表面化。这些矛盾，又综合成对诺沃提尼当政的不满。

1968年1月4日，诺沃提尼被撤销捷共中央第一书记职务，杜布切克当选捷共中央第一书记。1月6日，勃列日涅夫给杜布切克发去贺电，“衷心祝贺您当选为捷克斯洛伐克共产党中央委员会第一书记”。勃列日涅夫在贺电中还“真诚地希望您在……加强社会主义国家的友谊和全面合作、加强国际共产主义运动和工人运动队伍的团结这一伟大事业的活动中取得成就”。[1]3月22

[1] 《给捷克斯洛伐克共产党中央委员会第一书记亚历山大·杜布切克的贺电（1968年1月6日）》，《勃列日涅夫言论》，第4集，第1页。

日，诺沃提尼向国民议会正式提出：辞去共和国总统职务。当天下午，国民议会主席团投票表决通过，接受诺沃提尼的辞职。3月30日，斯沃博达当选共和国总统。

杜布切克当选为捷共中央第一书记后，在1968年初的几个月里，重大的人事调整是以切尔尼克取代纳列尔特，出任政府总理；为备受迫害的斯姆尔科夫斯基彻底平反，并任命他为国民议会主席。

在实行这些新的领导人员调整的同时，杜布切克还调集部分党政领导人、各学科高级专家、学者，成立"政治委员会"，起草捷共当前时期的行动纲领，作为改革的政纲。经反复讨论，1968年4月5日，捷共中央全会通过了题为《捷克斯洛伐克通向社会主义的道路》的改革政纲，即《行动纲领》。《行动纲领》的俄文本全文刊登在捷共中央委员会的专门新闻简报上，全文共63页。《行动纲领》的内容分为：捷克走向社会主义的道路；党的领导作用；发扬社会民主，建设新的政治管理体制；提高国民经济和人民生活水平；科学和文化教育事业等五个部分。《行动纲领》的基本精神正如该文件最后所说的，是"坚持走捷克斯洛伐克自己的社会主义道路"。"我们将进行试验，赋予社会主义发展以新的形式。捷克斯洛伐克有责任总结和利用自己比较先进的物质生产基础、非常高的教育水平和无可置疑的民族传统，走自己的社会主义道路，承担起捷克斯洛伐克对国际命运负有的使命"。"我们要创造一种条件，使每一个关心社会主义事业和各族人民事业的真正的公民都能感觉到，他们是自己国家命运的主宰，是必不可少的力量，希望寄托在他们身上。为此，行动纲领应是我国社会主义事业复兴的纲领。"[1]

《行动纲领》还具体地规定了恢复新闻自由、保障迁徙自由、非集中化和企业领导独立、私营企业合法化等措施。《行动纲领》的公布，标志着捷克社会跨进被称作"布拉格之春"的改革阶段。杜布切克曾这样评价《行动纲领》："行动纲领是国际共产主义运动史上独一无二的文件。任何别的共产党无论何时何地都未起草过这么概括而又富于原则性的、偏离在运用的列宁主义—斯大林主义理论和实践的纲领。我们的纲领是逐步回到民主社会主义的思想的计划。"杜布切克也谈到《行动纲领》没有触及到对外政策。杜布切克解释说：

[1] Политический дневник.1964—1970. Амстердам. 1972. С.331.

之所以没有涉及对外政策，是因为“东欧集团的所有共产党通过强大而善钻的各级效忠者和代理人之网，同苏联党绑在一起。当这些党是国家政权机构的领导力量时，苏联人不仅钻进每个党的正式机构，而且控制武装部队和安全部队、外事部门等关键职位。这种实际情况使任何搞独立活动的尝试，如果不是根本不可能的话，至少是非常困难的。”[1]

捷克的广大人民群众对《行动纲领》的态度，对业已开始的“布拉格之春”改革的态度，在1968年的“五一”国际劳动节的庆祝活动中，得到最充分的表现。1968年的“五一”节游行，不再是“导演游行”；也不再是把人们按单位组织起来，在捷共中央提出的口号下齐步走。1968年“五一”节是人们自己聚集起来，带着他们自己愿意举、能表达他们自己意见、思想、愿望的横幅标语。这些标语是多元的：有表示愉快心情的、有批评性的、有幽默讽喻的，连色彩也不再是单一的红色。连杜布切克也说：“人群自然流露的同情支持之情征服了我。”

在游行的人群中，还出现了两个组织：“非党人士俱乐部”和“231俱乐部”，苏共和勃列日涅夫以后死抓住这两个组织，斥责捷克斯洛伐克“公开成立反革命组织”。其实，“231俱乐部”是1968年3月31日经捷克斯洛伐克内务部批准而宣布成立的。该俱乐部的成员基本上是在大清洗中幸存下来的老干部和社会名流，该俱乐部的基本主张是“按照捷克斯洛伐克刑法第231条，对那些专搞迫害的人处以‘剥夺他人人身自由罪’，予以惩处”。因此，该俱乐部只是在平反昭雪过程中有情绪性的言辞，属一般群众性结社。“非党人士俱乐部”在以后的日子里越来越主张自由化，被捷克斯洛伐克政府取缔。

苏联的干预

苏联一直关注着以复兴社会主义为号召，以摆脱斯大林模式、建设捷克斯洛伐克式社会主义为目标的“布拉格之春”改革的进程。

东欧各国除罗马尼亚之外，不要说是共和国党中央第一书记，即使是政府部长和地方相应级别的首长人选，也须经克里姆林宫认可。勃列日涅夫和苏

[1] 《杜布切克回忆录》，第172—173页。

共中央之所以接受杜布切克，是因为杜布切克和苏联有着特殊的情结，不过杜布切克上台后的作为，大出勃列日涅夫和苏共中央的意料。

亚历山大·斯捷潘诺维奇·杜布切克生于 1921 年 11 月 27 日，其父曾参加奥地利社会民主党，斯洛伐克族。杜布切克的父母于 1912 年移居美国，第一次世界大战结束，捷克斯洛伐克复国后，1921 年全家又返回斯洛伐克，杜布切克就是在其父母回国几个月后出生的。杜布切克曾戏称：如果我早几个月出生，就成了美国人了（其父母回国时仍持美国护照）。

1921 年，应列宁“援助饥荒受害者”的号召，捷克斯洛伐克的工人成立了“国际援助合作社”。杜布切克的父亲是工人领袖之一，积极参加了这一组织，并于 1925 年春，变卖了全部家产，购买机械设备，随“国际援助合作社”，来到苏联中亚的吉尔吉斯定居，援助苏联的经济恢复工作。杜布切克的童年和少年时代就是在苏联度过的，在苏联接受共产主义的启蒙教育。杜布切克的父母加入了苏联国籍，参加高尔基汽车厂的建设，但因为不能忍受大清洗的恐怖，于 1938 年 11 月回到捷克斯洛伐克。1939 年，杜布切克加入了捷共，参加了著名的斯洛伐克民族反法西斯占领大起义，他的哥哥在这次武装起义中牺牲。

第二次世界大战后，杜布切克先后担任过工厂党委书记、县委书记、州委第一书记等职务。1955 年，他被选送到苏联，进苏共中央高级党校学习。1958 年，杜布切克从苏共中央高级党校毕业，拿到表示学习成绩为优等的红色毕业证书。1958 年 9 月，杜布切克被任命为捷共西斯洛伐克州委第一书记，当选捷共中央委员。1963 年 4 月，杜布切克当选捷共中央主席团委员、斯洛伐克共产党中央第一书记。1968 年 1 月，接替诺沃提尼，当选捷共中央第一书记。在勃列日涅夫看来，杜布切克是一位久经各种革命环境的考验，由苏联培养起来的干部。因此，杜布切克的上台，得到勃列日涅夫的支持。杜布切克上台后，举行中央全会，在没有事先征得苏联同意的情况下，重组了捷共中央主席团、书记处、国民议会和共和国政府等整套党、政领导班子，撤换了军队、保安部队、司法、监察等国家要害机构的领导人，特别是 4 月 4 日通过了实施复兴社会主义改革的《行动纲领》。以此为分界，勃列日涅夫和苏共中央对杜布切克和捷共，由支持、观察、斥责，转为施加压力，直至必欲去之而后快。

杜布切克上台以后，苏联驻捷克斯洛伐克大使契尔沃年科和苏联驻捷大使馆随时将捷共中央和杜布切克的举动，以及捷克斯洛伐克社会的各方面动态，详细报告苏共中央。勃列日涅夫多次主持召开苏共中央政治局会议，研究捷克斯洛伐克的形势和苏联的对策措施。1968 年 3 月 15 日，勃列日涅夫在苏共中央政治局会议上说："对杜布切克的期望不要太大，他可能飞走，因为他控制不了正在发生的事件。"主管意识形态的苏共中央书记波诺马廖夫提出：应当由苏共中央政治局直接致函捷共中央主席团，"指出他们那里发生了报纸、广播、电视等的猖狂叫嚣，指出这一切的目的在于使捷克脱离社会主义阵营，脱离苏联"。波诺马廖夫还特别强调，信中应当明确地提醒捷共中央领导人："他们是与联邦德国为邻的……形势的确很严重。现在捷克的局势和 1956 年 10 月匈牙利的形势非常相似。当年的匈牙利就是这样一步步走过来的。"根据波诺马廖夫的建议，苏共中央政治局起草了给捷共中央措辞严厉的信函。由于杜布切克的请求，这封信没有公布。1968 年 4 月 9 日、10 日两天，苏共中央举行全会，勃列日涅夫在会上作了题为《国际形势中的迫切问题和苏联共产党为保卫国际共产主义运动的团结而斗争》的报告。勃列日涅夫在报告中根据苏联搜集来的"实际材料"，评论了捷克发生的局势，表示当苏联感到"社会主义大家庭的安全受到威胁"的时候，决不能漠然置之。勃列日涅夫和苏共中央还鼓动东欧的其他一些国家，共同对捷克斯洛伐克施加压力。

1968 年 5 月 3 日晚上，杜布切克、切尔尼克、斯姆尔科夫斯基、比拉克等捷共领导人，被苏共中央"邀请"去"谈一谈"，实际上是被召到莫斯科去，接受苏共中央的训诫。5 月 4 日，苏共中央勃列日涅夫、柯西金、波德戈尔内、苏斯洛夫、卡图谢夫等领导人，和捷共中央代表团举行会谈。勃列日涅夫根据苏联得到的情报，提出一大堆责难：允许公开成立反革命组织；宣传舆论阵地失控；党不能控制局势；允许资本主义经济自由发展；军队不听指挥；等等。勃列日涅夫还念了很多"材料"：一些县的报纸写了什么文章；哪些地方开了什么会；哪些人在会上讲了什么；等等。杜布切克、切尔尼克、斯姆尔科夫斯基在会谈中尽可能地作些解释。杜布切克说：党不仅没有失去在社会中的领导作用，而且比以往任何时候更多地赢得各社会集团和各民族的支持；至于说到大众媒体，政府已不对报纸的内容负责，报纸上大多支持党的政策，有些批评也是多样性和自由的表现；经济改革是保障广泛的非集中化和经营者的主动性，激励对更好的效率给予更高的报酬；允许小企业合法化是为了改善市场状况和方便人们生活，不会导致在小企业中形成敌对的、反国家的基础。勃列日涅夫听到这里，顶着说："小手工业者？这我们将会认得！你们的拔佳先生在未盖工厂之前，也是个小鞋匠！"[1] 勃列日涅夫还责问捷共中央"要复兴什么？究竟要把捷克引向何方？"

会谈中，切尔尼克以政府总理的身份提出，捷克斯洛伐克需要进行加工工业现代化，逐步改革工业结构和布局，这样就需要4亿—5亿卢布，希望能从苏联得到这笔贷款。柯西金对这个要求只是含糊其辞地说"研究、研究"，然后明确地说："你们究竟想为谁生产消费品？是不是为了出口？西方现在不需要、将来也不会需要；想拿到社会主义国家去，首先拿到苏联市场去？社会主义国家也不需要。我们要的是你们的机器设备。"[2] 柯西金实际上是拒绝了捷克斯洛伐克的要求。第一次会谈就持续了9小时，实际上是争辩了9小时。捷共领导人实际上是被召去受训斥，"会谈"什么结果也没有，会谈公报也只是冷淡地说：会谈在"同志般的气氛"中进行。在会谈中，比拉克始终站在苏联的立场上，参加责难捷共。比拉克很快被苏共中央确定为"健康力量的代表"。

5月6日，苏共中央政治局会议以通报5月4日与捷共代表团会谈为中心，研究捷克局势。勃列日涅夫说："杜布切克给人的印象是，嘴上说的是一回事，而行动上绝对是另一回事。杜布切克使捷共成了一个群龙无首的党。"勃列日涅夫还指出：《行动纲领》是复辟资本主义的纲领。葛罗米柯支持勃列日涅夫的意见，说捷克斯洛伐克的状况，说得好听点，是第二个罗马尼亚，实际上将会使华沙条约组织彻底完蛋。马祖罗夫、波利扬斯基甚至说到要"放开手脚地干"，提出"有必要调动华沙条约国的军队。"勃列日涅夫说："在今天的军事会议上我们也研究了问题，讨论了在目前形势下我们所采取的实际措施的具体计划。"政治局会议还划分了捷共中央的"健康力量"：捷共中央主席团委员中的比拉克、科尔德，捷共中央书记英德拉等，都被作为"健康力量"。

[1] 参见《杜布切克回忆录》，第174、186页。[捷] 约瑟夫·斯姆尔科夫斯基著：《斯姆尔科夫斯基回忆录——苏联侵捷前后》，钟杰译，商务印书馆1975年版，第23页。

[2] 参见 [捷] 约瑟夫·斯姆尔科夫斯基著：《斯姆尔科夫斯基回忆录——苏联侵捷前后》，第26页。

5 月 8 日，苏共中央还背着捷共，将保共中央第一书记、保加利亚国务委员会主席日夫科夫，匈牙利社会主义工人党中央第一书记、匈牙利国务委员会主席卡达尔，波兰统一工人党中央第一书记、波兰国务委员会主席团委员哥穆尔卡，德国统一社会党中央第一书记、民主德国国务委员会主席乌布利希召集到莫斯科，举行高级会谈，协商集体制裁捷共问题。哥穆尔卡、乌布利希力主对捷克斯洛伐克采取“及时的警察行动，以便在杜布切克这个‘毒瘤’还没有扩散之前就予以切除。”日夫科夫也赞成这样做，说保加利亚可以派出一支象征性的部队。可是卡达尔不赞成由经互会出面对捷克斯洛伐克实行经济制裁，更不赞成对捷克斯洛伐克采取军事行动。卡达尔的态度使勃列日涅夫只好声明：这次会晤仅仅是交换意见，目的是寻找帮助捷克斯洛伐克渡过危机的更好途径。

6 月 18 日，华沙条约缔约国武装力量在捷克斯洛伐克举行军事演习，苏、波、匈和捷克斯洛伐克等四国的武装部队参加军事演习。1.6 万名装备精良的苏军进入捷克斯洛伐克。在此之前，捷共中央曾一再反对在捷克斯洛伐克境内举行华沙条约缔约国军事演习，软磨硬拖，终都无法阻止苏军进入捷克斯洛伐克。捷共中央更为担心的是，苏军进入捷境之后就不走了。事情果然如捷共中央所料，演习结束后，苏军赖着不走。后经捷共中央一再交涉，苏军也只是撤至捷苏边境。这支部队后来在军事入侵中，也就轻车熟路。

勃列日涅夫仍然希望同杜布切克再进行一次秘密会晤。6 月 11 日，苏共中央决定，就勃列日涅夫同杜布切克秘密会晤，指示苏联驻捷大使向杜布切克转述勃列日涅夫的口头信函。其中说：捷共的处境已到了“特别重要的时期”，“你们的敌人将对共产党内及其领导层中的健康力量发动更加猛烈的攻击，并为此不惜利用讹诈、造谣和挑拨离间，借口同‘保守派’作斗争来危害忠于事业的正直的共产党人”。[1] 勃列日涅夫还让契尔沃年科大使告诉杜布切克：“捷克的大多数宣传机构，仍然从右派的、资产阶级自由主义的立场，有时还公然从反革命立场发表意见，根本不顾捷共中央 5 月全会通过的决议。”[2] 勃列

[1] 《苏共中央政治局关于勃列日涅夫致杜布切克口头信函的决定（1968 年 6 月 11 日）》，《苏联历史档案选编》，第 31 卷，第 278 页。

[2] 同上。

日涅夫提出，让杜布切克挑选“最亲近的志同道合者”，在6月15日、16日，与之秘密会晤。“最亲近的志同道合者”，勃列日涅夫替杜布切克开列的名单是：切尔尼克、比拉克、英德拉、列纳尔特、科尔德。值得注意的是，其中的三位：比拉克、英德拉、科尔德是苏共中央认定的“健康力量”。双方商定，将于7月29日在捷克紧贴苏联边境的蒂萨河畔小镇切尔纳举行会谈。

6月上旬，斯姆尔科夫斯基率捷克斯洛伐克国民议会代表团访问苏联。6月14日，勃列日涅夫与捷克斯洛伐克国民议会代表团举行“座谈”。“座谈会”上，勃列日涅夫曾8次讲话。从“座谈会”的记录来看，都是捷方的某个人说了几句话，勃列日涅夫就抢过去讲上一大通。勃列日涅夫说：“我完全不想要教训什么人”，这才是“此地无银三百两”。这次名曰“座谈会”，实际上是勃列日涅夫的“训话会”。

勃列日涅夫先教育捷方人员：不要忘记苏联对捷克斯洛伐克的帮助；接着谴责捷克斯洛伐克“有些人”居然把苏联说成是“干涉内政”；继之告诫捷方不要忘记西德复仇主义势力和美帝国主义侵略势力的威胁，捷克斯洛伐克是紧邻西德的；最后暗藏杀机地说：“我国人民，如果需要的话，随时准备重新同捷克人和斯洛伐克人，为了贵国的独立而并肩作战。”[1]

特别需要关注的是，“座谈会”结束后，勃列日涅夫请斯姆尔科夫斯基“留下来单独谈一谈”。“单独谈一谈”谈的是什么呢？勃列日涅夫再次对捷克斯洛伐克局势的发展表示担心和不满，然后谈到杜布切克的个人经历和工作，说“杜布切克不适宜担任这一职务”。又说：苏共中央在这几个月中对斯姆尔科夫斯基不很了解，请求原谅。“你是个老人了，献身于党已经快40年了。”听到这里，斯姆尔科夫斯基说：“这些话使我非常吃惊，因为我知道他在向我建议什么。”[2] 对于这次与勃列日涅夫的“单独谈一谈”，事后斯姆尔科夫斯基说：“我采取既适当而又明确的方式对此加以拒绝，我保卫了杜布切克。我不仅捍

[1] 《勃列日涅夫与斯姆尔科夫斯基为首的捷克斯洛伐克国民议会代表团成员的座谈记录（1968年6月14日）》，《苏联历史档案选编》，第31卷，第289页。

[2] ［捷］约瑟夫·斯姆尔科夫斯基著：《斯姆尔科夫斯基回忆录——苏联侵捷前后》，第40页。

卫了我们的政策，而且也保卫了杜布切克。”[1]

7月29日，捷共中央代表团和苏共中央代表团在切尔纳举行会谈，这是一次更为激烈地争吵的“会谈”，也是苏联采取军事行动前的最后一次“会谈”。捷共为这次会谈确定的方针是：捍卫党的《行动纲领》；防止同苏联决裂。具体要求是：坚持社会主义、同盟、主权和自由。这个方针决定了捷共在会谈中的处境是很艰难的。苏方盛气凌人，会谈几度陷入僵局，几近破裂。最后，根据苏方的要求，捷共承诺：不许克里格尔担任捷克民族阵线中央委员会主席；不许齐萨日担任捷共中央书记；不许社会民主党存在；取缔“非党人士俱乐部”和“231俱乐部”；恢复新闻检查制度。杜布切克作了很大的妥协（这些近乎最后通牒的条件，实际上是一个主权国家所难以接受的）。杜布切克的做法既捍卫了《行动纲领》，又没有同苏联决裂，坚持了既定的方针。

会谈过后一星期，勃列日涅夫就不断打电话，责问杜布切克“为什么不执行切尔纳的承诺”。杜布切克忍气吞声，解释这样重大的人事变动，要经过预定在8月底、9月举行的捷共中央全会和捷共第十四次代表大会。勃列日涅夫威胁说：这将迫使苏联采取“新的独立措施”。气得杜布切克在电话里要求勃列日涅夫解除他的捷共中央第一书记职务。[2]

对捷克究竟是采取政治解决的办法，还是实行军事制裁，从苏联驻捷大使馆到苏共中央政治局，都存在着不同意见。苏联驻捷大使馆，以公使衔参赞乌达利佐夫为代表的一些官员，极力主张对捷采用军事手段。以契尔沃年科大使为代表的一些官员，认为捷克斯洛伐克的局势十分复杂，只有杜布切克能稳定局势；不要把捷共的路线和个别人的言论混为一谈，尤其不要同党外人士的言论混为一谈。在苏共中央政治局内，谢列斯特、安德罗波夫、乌斯季诺夫、马祖罗夫等，都力主对捷实行军事制裁。部长会议主席柯西金主张政治解决。勃列日涅夫对实行军事制裁有两大疑虑：美国的态度，华约组织内部卡达尔的反对立场。

[1] [捷]约瑟夫·斯姆尔科夫斯基著：《斯姆尔科夫斯基回忆录——苏联侵捷前后》，第41页。

[2] 从8月9日至13日起，勃列日涅夫不断给杜布切克打电话，催问“执行切尔纳承诺”的情况。通话内容参见叶书宗：《回眸“布拉格之春”——1968年苏军入侵捷克斯洛伐克揭秘》，社会科学文献出版社2001年版，第199—206页。

7 月 22 日，苏联驻美大使多勃雷宁拜会美国国务卿腊斯克，探询如果苏联对捷采取极端措施，美国将作何反应？腊斯克表示，美国不想干涉捷克斯洛伐克的事务。腊斯克说："美国政府对捷克斯洛伐克事件的评论力求保持克制。我们不想干预或参与这些事件。因此我们特别惊讶，苏联想让我们也卷入这些事件……美国从一开始就不想介入。"[1] 卡达尔也最终被勃列日涅夫"说服"，同意对捷采取联合军事行动。

7 月 19 日，苏共中央政治局会议基本上确定了对捷克斯洛伐克实行军事制裁的方针。7 月 22 日，苏共中央政治局作出决议，紧急制定对捷克斯洛伐克采取军事措施的具体工作，包括：通过决议，认为有必要派遣华沙条约缔约国联合武装部队进驻捷克斯洛伐克，撤换捷克斯洛伐克的党、政领导；以捷共中央主席团和捷克斯洛伐克"革命政府"名义，起草致捷克斯洛伐克公民、军队的呼吁书，等等。这些文件，统统在 7 月 26 日、27 日两天的苏共中央政治局会议上通过。军事制裁的方针是否付诸实施和何时实施，苏共中央尚在等待切尔纳会谈的结果，选择适当时机。

武装占领

8 月 10 日前后，苏共中央选定 8 月 20 日对捷克斯洛伐克实行武装占领。8 月 10 日以后，待命的苏军部队进入出击阵地，处于临战状态。8 月 16 日，苏联国防部部长格列奇科元帅、华沙条约缔约国联合武装部队总司令雅库鲍夫斯基元帅、苏军总政治部主任叶皮谢夫大将抵达柏林，视察出击部队的临战状态。第二天，他们又抵达华沙，落实出击部队的战斗准备状况。8 月 16 日，苏共中央政治局还指示苏联驻捷大使契尔沃年科，对"健康力量"进行策反工作。8 月 17 日，苏共中央政治局会议正式决定对捷克斯洛伐克进行武装干涉，把日期定在 8 月 20 日。政治局会议还最后批准了《苏共中央政治局致捷共中央主席团的信》;《致捷克斯洛伐克公民和军队的呼吁书》；指示做好比拉克、英德拉、科尔德、巴尔比雷克、什维斯特卡等"健康力量"的工作。政治局会议

[1] 引自［俄］皮霍扬：《捷克斯洛伐克，1968 年，莫斯科的观点，根据苏共中央文件》。Новая и новейшая история. 1994. № 6,7.

还起草了《捷共中央主席团和捷克斯洛伐克社会主义共和国宣言》。这个宣言说："爬上党和国家领导层的右翼修正主义分子，向人民作了种种许诺，实际上却是一些政治上身败名裂的人……捷共中央主席团和我国政府为了祖国的社会主义未来，倡议团结所有爱国力量。反动派挑起的残杀同胞的战争威胁，使我们必然要求助于苏联和其他兄弟社会主义国家。我们的盟友答应我们的请求，在面临考验的困难时刻派兵支援我国。捷共中央主席团和革命政府号召全体公民，给协助我国的盟友部队以大力协助。"[1]宣言还历数杜布切克奉行的政策的种种"错误"；允诺新的"革命政府"将给予人民的种种"优惠"；论证捷克斯洛伐克必须与苏联及其他社会主义国家在外交政策上保持一致的正确性。姑且不说宣言的内容，仅就由苏共中央政治局，在没有一名捷共中央主席团委员和捷克政府成员参与的情况下，炮制出《捷共中央主席团和捷克斯洛伐克社会主义共和国宣言》，越俎代庖已到了荒诞的地步。苏共中央政治局还指令契尔沃年科，把这份宣言的文本，转交给比拉克和英德拉。

8 月 18 日，准备跟随苏联一起出兵的华沙条约缔约国领导人飞抵莫斯科。勃列日涅夫向他们作了即将开始的军事行动的最后布置和说明。乌布利希、哥穆尔卡、卡达尔、日夫科夫等都表示毫无保留地执行苏共中央的决定。当天，他们都立即回国，作最后的部署和落实。8 月 19 日，勃列日涅夫召集苏共中央政治局委员、书记处书记，各加盟共和国共产党中央第一书记、各州委和边疆区委第一书记、各自治共和国第一书记到莫斯科，向他们报告即将对捷克采取军事行动的决定，并要他们立即返回各自的岗位，做好一切工作。苏共中央还批准了塔斯社将于 20 日在军事行动开始后发表的苏联政府声明的文本。苏共中央还指示契尔沃年科在 20 日莫斯科时间 23 时 20 分，即苏军全面出动前一小时，拜会斯沃博达总统，告知苏联将采取的行动。同时指示苏联驻美国大使多勃雷宁，在华盛顿时间 8 月 20 日下午 6—8 时之间，也即苏军坦克即将开进布拉格的时候，拜会美国总统约翰逊，告知苏联的行动。

苏共中央政治局指定苏联国防部副部长、苏联陆军总司令巴甫洛夫斯基大将任入侵捷克军队总指挥，出动的兵力是：苏军 16 个师约 17 万人（其中 10

[1] 参见叶书宗：《回眸"布拉格之春"——1968 年苏军入侵捷克斯洛伐克揭秘》，第 209—210 页。

个师来自苏联本国、6 个师是驻民主德国的苏军）；波兰正规军 3 个师约 4 万人；民主德国 2 个师约 1.5 万人；匈牙利 2 个师约 1.5 万人；保加利亚 1 个师，且不满员，约 5000 人。从军事上说，保加利亚军队是无足轻重的。勃列日涅夫是出于“华沙条约缔约国联合行动”的政治考虑，让保加利亚参加苏联的这一行动。这支保加利亚军队，先从保加利亚的黑海港口瓦尔纳空运到苏联的敖德萨，再从敖德萨空运到民主德国与捷相邻的厄尔士山脉一线出击阵地，然后行动。如此复杂的远征，是因为罗马尼亚坚决拒绝保加利亚军队过境或飞越其领空。

军事入侵已迫在眉睫，而捷共中央反认为和苏共之间的激烈矛盾已有所缓和，根本没有想到会发生军事入侵。8 月 20 日下午 2 时，捷共中央主席团按计划召开主席团会议，讨论筹备定于 9 月间召开的捷共第十四次代表大会事项。

下午 4 时左右，布拉格鲁津机场指挥台接到两架苏联民用客机称出现机械故障，要求临时降落的信号。飞机安全降落后，停靠在机场大楼前的停机坪上。机上下来几十个穿统一服装，提统一箱子的壮汉，机场警察以为是运动员，并未在意。午夜 11 时，原来安静地坐在候机大厅里的这些苏联人，突然从各自的行李箱里取出手提机关枪，按各人选定的位置，闪电般地占领了机场的各要害部门。原来这批“乘客”是苏军特种部队的突击队员，那两架发生“机械故障”降落在鲁津机场的飞机，是活动雷达站。3 分钟后，苏联巨型运输机装载着坦克和士兵，在活动雷达站的指挥下降落。坦克冲出机舱，迅速占领了整个机场。接着，每隔一分钟就有一架苏联运输机降落，坦克、装甲车、火炮、全副武装的士兵和各种军用物资，倾泻而出。苏联大使馆派来的“向导”也进入机场，带领刚着陆的苏军，扑向布拉格的捷共和捷克斯洛伐克政府的各要害部门，以及伏尔塔瓦河上的各座桥梁。

也是在午夜 11 时，已等待在出击阵地上的苏联、波兰、匈牙利、民主德国、保加利亚等华沙条约缔约国武装部队，分为 8 路，潮水般地涌入捷克斯洛伐克。入侵者没有遭到抵抗，就像不久前来捷克斯洛伐克演习一样。

苏军在开始行动前，苏联驻美国大使多勃雷宁根据本国的指示拜会了约翰逊总统。其实，约翰逊早已心中有数了。多勃雷宁对着约翰逊和美国国家安全顾问罗斯托，念了莫斯科的电报。电报称：“捷克存在着一个由内外反动势力组成的，反对社会主义制度的阴谋集团。苏联及其华沙条约组织盟国对布拉格政府寻求帮助的呼吁作出了反应。因此，苏联军队已奉命开进捷克斯洛伐克。”[1] 约翰逊仔细地听完电文，平静地“感谢多勃雷宁大使向他通报这一消息”，接着就滔滔不绝地谈起他和柯西金在葛拉斯堡罗进行会谈的情况。约翰逊的“平静”，连多勃雷宁也说“令我十分惊讶”。3 天后，腊斯克警告多勃雷宁：“下一个会不会是罗马尼亚？那就太过分了，而且我们根本不可能控制住公众的舆论。”[2] 约翰逊政府正陷于越南战争的泥潭，不能自拔，而且，约翰逊即将任期届满，乐于同勃列日涅夫达成默契。

捷共中央主席团会议进行到晚上 11 时半左右，切尔尼克被叫到隔壁听电话。过了几分钟，切尔尼克回来说：电话是国防部部长楚尔打来的，报告华沙条约 5 国（除罗马尼亚外）的部队已越过国界进入捷克斯洛伐克，到早晨 6 时全国即将被占领。楚尔还说，他在办公室里已被两名苏联军官扣押，只准许给总理打电话。

主席团会议室出现了短暂的由于愤激而发生的骚动，很快平静下来。斯沃博达总统也赶来了。主席团首先决定：谁都不能辞职，一切合法成立的机构及其领导必须坚守岗位；决不能在武装干涉下成立新机构，搞新的任免。主席团同时认为，武装抵抗无论从军事上或者从政治上考虑，都是不可取的，也不现实，决定号召全国人民“保持平静”，对从境外开进来的军队“不要进行抵抗”。

现实的情况是，捷克斯洛伐克拥有 4 个坦克师、8 个机械化步兵师、1 个伞兵旅，约 14.5 万人，500 架作战飞机，还有 4 万空军部队。这样的军事实力，又毫无战斗准备，更兼指挥系统、通信联络系统、情报系统，全被苏军控制，仓促之间想上阵和苏军对抗，确是难以想象的。如果发生战斗，那是正中苏共中央下怀：苏军就像 1956 年 10 月侵入匈牙利那样，名正言顺地来“镇压反革命叛乱”。

对于苏军的入侵，主席团决定起草一个宣言《告全国人民书》，以捷共中央主席团的名义发布。《告全国人民书》说：对于苏、波、匈、保、民主德国等 5 国军队越过了捷克斯洛伐克的边界，共和国总统、国民议会主席团、政府主席团和党中央第一书记，都一无所知。“主席团号召全国公民保持平静，不

---

[1] ［俄］阿·多勃雷宁著：《信赖——多勃雷宁回忆录》，肖敏等译，世界知识出版社 1997 年版，第 206—207 页。

[2] 同上书，第 208 页。

要抵抗前进中的外国军队，因为现在已经不可能保卫我国的国界了。根据同样的理由，没有命令我国军队、公安部队和工人纠察队保卫国土。”《告全国人民书》严正表示：5 国军队的入侵“违反了社会主义国家之间关系的基本原则，破坏了国际法的基本准则”。[1]《告全国人民书》要求各级干部都坚守岗位，说党中央、国民议会、政府各部门都坚守岗位，面对业已形成的局势。此时，捷克斯洛伐克国家电台已被苏军占领，捷克斯洛伐克国家电台的工作人员已转移到布拉格郊区的斯特拉霍夫中心转播站。捷克斯洛伐克政府邮电部部长卡雷尔·霍夫曼倒向了苏军，拒绝服从捷共中央的命令。捷共中央依靠电台的工作人员，通过中心转播站，及时把《告全国人民书》播送出去。

8 月 21 日凌晨 4 时，苏军占领了捷共中央大厦。苏军把留在捷共中央大厦里的人集中到杜布切克的办公室里，宣布“不准说话，不准自由行动”。上午 9 时，杜布切克、斯姆尔科夫斯基、克里格尔、切尔尼克(在政府办公室里)等 4 人，被苏军押走，推进已准备好的装甲车，开往鲁津机场。到了机场，他们被塞进“运牲口的飞机”(装运坦克的运输机)，经波兰西部的莱格尼查、外喀尔巴阡乌克兰，最后转到莫斯科郊外，拘押起来。

苏联率领波、匈、保、民主德国等国，武装占领捷克斯洛伐克，按原计划是扶持比拉克、英德拉等“健康力量”，组成“革命政府”；苏军是应“革命政府”的请求，前来拯救捷克斯洛伐克的社会主义事业，镇压国内外反革命颠覆活动，并顺理成章地把杜布切克等人送上“革命法庭”。8 月 21 日凌晨 5 时 25 分，苏联塔斯社通过捷克斯洛伐克的伏尔塔瓦电台，向全世界发表声明：塔斯社受权声明，捷克斯洛伐克党和政府向苏联及其他盟国提出请求，希望给予兄弟的捷克斯洛伐克人民以紧急援助，包括武装部队的支援在内。苏联和其他盟国部队，已于 8 月 21 日进入捷克斯洛伐克领土。但是，向苏联和其他盟国提出请求的捷克斯洛伐克党和政府的领导人是哪些人？这些人的首脑又是谁？世人在等待回答，苏联也急着在拼凑。

8 月 21 日凌晨，捷共中央主席团会议一结束，比拉克、英德拉、科尔德等人，在苏联驻捷大使契尔沃年科的陪同下，来到已被苏军包围的总统府，要求总统“委托英德拉组织政府”。斯沃博达总统予以严辞拒绝。苏联和比拉克

[1] 参见叶书宗：《回眸“布拉格之春”——1968 年苏军入侵捷克斯洛伐克揭秘》，第 219 页。

等人仍不死心。下午 3 时许，他们齐集在捷共中央招待所“布拉格饭店”开会。契尔沃年科提出：在新的党中央第一书记产生之前，由比拉克、科尔德、英德拉等 3 人主持党的领导工作，由英德拉组成新的革命政府。契尔沃年科认为，“政府成员名单必须得到斯沃博达总统的批准”。这些实际上都是克里姆林宫的意见。22 日凌晨，他们再次拥到总统府，要挟斯沃博达总统批准党、政领导新名单。斯沃博达告诉他们：有关党的问题，只能同杜布切克交谈；切尔尼克是捷克斯洛伐克合法政府总理，有关政府的事只能同切尔尼克商讨。斯沃博达还告诉苏联人：必须立即释放被捕的捷克斯洛伐克党政领导人，否则，任何谈判都是不可能的。在两天的时间里，苏联拼凑“革命政府”的种种努力，都失败了。而捷克斯洛伐克全国，从苏联及其他几国军队入侵开始，几乎是全民自发地出动，涌上街头，把苏军士兵和坦克围起来，向他们吐唾沫，扔脏东西。全国上空响彻“杜布切克！”“俄国佬滚回去！”的吼声。市民还把布拉格街道的路名牌全部刷掉，写成“杜布切克大街”、“切尔尼克大街”、“斯姆尔科夫斯基大街”，等等，入侵的苏军连路都找不到。捷克斯洛伐克的武装部队虽然没有抵抗，但是全国老百姓这种方式的一致的对抗，是世界上小国遭大国入侵的历史上所从未有过的。入侵的苏军几乎一筹莫展，捷克斯洛伐克把这称作“大象踩不断绣花针！”20 世纪 60 年代的捷克斯洛伐克民族魂，使入侵的苏军不知所措，也使克里姆林宫里的苏共中央政治局不敢妄为。8 月 22 日，捷克斯洛伐克全国同时举行一小时的总罢工，抗议苏联为首的华约组织 5 国军队入侵。在布拉格，汽笛一声长鸣，所有工作统统停止，行驶的车辆当街停下，全城陷入死一般的沉寂。巴甫洛夫斯基为首的占领当局和契尔沃年科大使，连连向莫斯科请示：下一步怎么办？莫斯科的决策者们也面临同样的问题：下一步该怎么办？

斯沃博达向苏联提出：必须释放被他们逮捕的捷克斯洛伐克党、政领导人；捷、苏双方只能通过谈判来解决问题。经过考虑，勃列日涅夫和苏共中央也只好接受这一建议。8 月 23 日上午，杜布切克、切尔尼克、斯姆尔科夫斯基、克里格尔从苏军的“俘虏”、囚犯，又成为苏联的“客人”。8 月 23 日下午，苏、捷双方又开始举行会谈。参加会谈的捷克斯洛伐克代表团成员，除杜布切克等人以外，还有从捷克斯洛伐克赶来的斯沃博达、比拉克、英德拉、胡萨克等人。

会谈开始后，勃列日涅夫说了一大通，意思是：咱们不谈过去的事，也不谈谁对、谁错；咱们讨论怎样解决已经出现的局势。勃列日涅夫的意思很清楚：不谈明目张胆地对一个主权国家实行军事占领，只是要捷共帮苏共解决由于实行军事占领而造成的进退两难的处境。但是，杜布切克仍然坚持说：在捷共中央全会之前，在捷共第十四次代表大会之前，也根本不通知捷共中央主席团、国民议会、总统、政府总理和我本人，就采取了"五国军事措施"。"照我的看法，这些措施不仅使我党和贵党，而且也使国际共运面临国际共产主义运动过去未遇到过的最复杂的问题。"[1]苏共中央仍然想立即去掉杜布切克，另组捷克斯洛伐克的党、政领导班子，但是，无论是斯沃博达或者切尔尼克，都不能接受；而且比拉克、英德拉等人在几天内的公开表演，已使他们在捷克斯洛伐克国内声名狼藉。苏共中央最后放弃了立即搞掉杜布切克等人的计划，但是要捷克斯洛伐克承认国内存在着反革命复辟的现实活动，"五国军事干预"是正确的、合法的，根本不提撤军问题。双方谈判一直延续到 8 月 26 日午夜。这是一次名副其实的刺刀下的谈判。其间，勃列日涅夫曾抛开"思想与理想"等词汇，实话实说："捷克斯洛伐克自最后一次战争结束以来就是苏联安全区的一部分，苏联无意放弃它。出现了'布拉格之春'，苏共中央担心它走向独立。杜布切克的那些讲话稿没有经过苏共中央批准，干部的调整也没有征得苏共中央的允许。对此，苏共中央是不能容忍的。"[2]这些话，倒是现出了勃列日涅夫的军人本色。当捷克斯洛伐克代表团中有人表示不赞同时，勃列日涅夫立即站起来，脸涨得通红，浓眉紧蹙，大声喊叫，转身走出会场。苏共中央政治局委员们也站起来，像军人一样跟着勃列日涅夫走出会场。

苏共中央不仅以刺刀威胁捷克斯洛伐克代表团，更以屠杀捷克斯洛伐克国内和平居民相要挟。杜布切克等人，纵然以死相抗争，最后也只能妥协。8 月 26 日午夜，捷、苏两党签署了《莫斯科会谈公报》。公报不再提捷克斯洛伐克发生"反社会主义的反革命势力进攻"；但是抹去了《行动纲领》，即抹去了建设捷克斯洛伐克型社会主义的改革；捷克斯洛伐克不再提将捷克斯洛伐克局势提交联合国安理会讨论，撤军将视捷克斯洛伐克局势的正常化而定；捷克斯

[1] 《勃列日涅夫、柯西金、波德戈尔内、沃罗诺夫同杜布切克会谈速记记录摘录（1968 年 8 月 23 日）》，《苏联历史档案选编》，第 31 卷，第 306 页。

[2] 参见［捷］亚 · 杜布切克著：《杜布切克回忆录》，第 234 页。

洛伐克重申对华沙条约组织的承诺，毫不动摇地履行社会主义各国间多边的或双边的协议规定的义务。苏共中央还想继续扣押克里格尔，捷克斯洛伐克代表团表示：克里格尔必须一起回国，否则，他们将不离开苏联。8 月 27 日凌晨，捷克斯洛伐克代表团的全体成员回到捷克斯洛伐克。杜布切克、切尔尼克、斯姆尔科夫斯基、克里格尔，备受折磨，劫后余生。

8 月 31 日、9 月 1 日，捷共中央召开全会，这是在苏军占领下举行的中央全会。全会把科尔德、里戈、卡佩克、克里格尔、什维斯特卡等“开除出党中央主席团”，免除齐萨日党中央书记职务。苏军入侵时，齐萨日隐蔽到布拉格郊外去了，苏军没有抓到他，躲过一场大难。经济体制改革的设计者希克，苏军入侵时正在南斯拉夫访问，躲过了血光之灾。此后，他留居瑞士，教书为生。希克于 9 月 3 日被解除政府副总理职务。

1968 年 10 月 4 日，杜布切克等组成的捷克斯洛伐克代表团，赴莫斯科与苏联签订了“盟国军队暂驻”条约。10 月 14 日，切尔尼克以捷克斯洛伐克政府总理的身份，再赴莫斯科谈判。10 月 16 日，捷、苏双方签订了《关于苏联军队暂时留驻捷克斯洛伐克社会主义共和国境内的条约》。根据这项条约，华沙条约缔约国其他国家的军队撤离捷克斯洛伐克；捷克斯洛伐克向苏联驻军提供一切设施，承担一切费用；苏联驻军及其家属享有治外法权。这项条约，使苏军在捷克斯洛伐克的“留驻”合法化；对捷克斯洛伐克的苛刻程度，无异于 19 世纪西方宗主国在殖民地驻军。

苏军入侵捷克斯洛伐克，全世界共产党人都齐声谴责华约五国的侵略行径。“留驻”条约签订后，捷克斯洛伐克人民也没有停止抗议活动。1969 年 1 月 8 日，布拉格查理大学哲学系学生扬・帕拉赫为抗议苏军的占领而自焚。帕拉赫的悲壮赴死，震动了全捷克斯洛伐克，全国掀起抗议苏军占领的新高潮。捷克斯洛伐克人民不断以各种方式表达昂扬的爱国热情，抗议苏军武装占领。1969 年 2 月 25 日，在法国东南部伊泽尔省格勒诺布尔市举行的冬季奥林匹克运动会冰球比赛中，捷克斯洛伐克队憋足了劲，硬是以 5∶4 的比分，击败开赛以来保持不败纪录的苏联队。这年的 3 月，在瑞典举行的世界冰球比赛中，捷克斯洛伐克队再次战胜了苏联队。消息传到国内，布拉格几十万市民涌向瓦茨拉夫广场和附近的大街，高喊“狠揍俄国佬！”“俄国佬滚回去！”“坦克不能阻止我们前进！”等口号，并且砸烂了苏联国家民航总局驻布拉格办事处的玻璃橱窗。

苏联也加紧实施控制措施。1969 年 1 月 16 日，斯姆尔科夫斯基被解除国民议会主席职务，1970 年又被“开除”出捷共中央。1969 年 4 月 17 日，胡萨克“当选”为捷共中央第一书记，杜布切克被任命为驻土耳其大使。1970 年 6 月，杜布切克被召回国，“开除”出捷共，并被宣布为“人民和民族的敌人”，由国家安全部门实行监视。1970 年 6 月，切尔尼克也被解除政府总理职务，“开除”出捷共。

苏联还指使胡萨克，大肆迫害拥护和支持改革的各级党政干部。到 1970 年，胡萨克先后将其余 4 名捷共中央书记、9 名州委第一书记、59 名县委第一书记“开除出党”；1/3 以上的党中央委员、州委委员、县委委员，或撤职、或“开除出党”；1/5 以上党员被除名或“开除出党”。1970 年 12 月，胡萨克召开捷共中央全会，全盘否定“布拉格之春”的改革，全面接受“苏联帮助捷克斯洛伐克保卫社会主义成果”的观点。

如同压迫其他民族的民族，其自身也没有自由一样，镇压别国改革的社会主义国家，其自身也禁止改革。苏联在镇压“布拉格之春”的同时，也窒息了柯西金的新经济体制改革。“勃列日涅夫主义”为苏联东欧体系的总崩溃埋下新的、更深的根。

第三节　勃列日涅夫当政时期的苏波关系

“波兰危机”的出现

1956 年 10 月，波兰统一工人党二届八中全会选举哥穆尔卡为党中央第一书记。哥穆尔卡当政后，曾为波兰的发展，创造了一个新的机会。二届八中全会后，波兰统一工人党中央提出以提高各级议会的权力，扩大地方和企业的自主权为主要内容的政治、经济体制改革。改革虽然没有触动斯大林模式在波兰的根本，但也使波兰经济出现了某种良好的势头。对于改革的反映，既有表示支持，并要求加大改革力度的，也有竭力反对的，因为改革也确使波兰的社会经济出现了一些新的问题。在这样的形势面前，哥穆尔卡不是坚持推进改革，解决前进中出现的问题，而是选择了后退。1959 年，波兰统一工人党第三次代表大会后，哥穆尔卡放弃了他一贯坚持的“波兰道路”的探索，逐步停止了改革的种种尝试，与苏联越捆越紧。波兰举国对哥穆尔卡也从支持、拥护，变得越来越不满。1970 年 12 月，波兰统一工人党五届七中全会选举盖莱克为党中央第一书记，取代哥穆尔卡。1971 年 2 月，波兰统一工人党五届八中全会又进一步“暂停哥穆尔卡同志的中央委员权利”，哥穆尔卡从此被逐出波兰政治舞台。

盖莱克当政后，限制对重工业的投资，扩大对轻工业、加工工业和农业的投资；冻结日用消费品的零售价格；提高低收入者的工资；适量增加养老金和困难家庭补助金。这些措施，稳定了动荡不宁的社会生活。1973 年 10 月，波兰统一工人党召开第一次全国代表会议，宣布“向建设发达社会主义社会阶段过渡”，实行高速度、高积累、高消费的方针，使波兰的经济达到法国、英国、联邦德国等西欧发达资本主义国家的水平。实行这样的经济发展方针，首先要有“高投入”，需要大宗的前期资金投入。此时，苏联自身的经济已陷入困境，不可能向波兰提供大宗贷款。于是，波兰大举向西方国家借贷，引进西方的技术和管理。从 1971 年到 1981 年的 10 年里，波兰欠西欧各国的债款，从 10.1 亿美元增加到 240.5 亿美元。[1]

盖莱克当政时期波兰经济发展的“三高”政策，确使经济有了较快的发展。1975 年，波兰国民收入人均达到了 3000 美元。波兰制造的“菲亚特”轿车成为世界的著名品牌之一，1978 年的产量达 18 万辆。波兰人民的消费水平接近西欧发达资本主义国家的水平。

波兰经济的发展，很大程度上是依靠向西方国家贷款，引进西方国家的技术和管理来实现的。这样的发展本身，不仅是对经互会和“两个平行市场”的否定，更使波兰经济实际上从“苏联板块”逐渐转向世界市场。而且，盖莱克大举向西方国家借贷，并未经过波兰议会通过，借贷也通过暗箱操作进行。20 世纪 70 年代后期，西方世界经济出现强烈波动，波兰的出口受阻，经济立显恶化。在举国企盼经济更快发展、生活水平更迅速提高的时候，经济生活却出现逆转，而且还知道了经济发展的代价是背上了西方国家极其沉重的债

---

[1] 统计数字参见马细谱主编：《战后东欧——改革与危机》，中国劳动出版社 1991 年版，第 547 页。

务，还债的时候也到了。于是，举国大哗，导致对波兰统一工人党执政的信任危机。

为了应付经济的困境，也为了还债，1976 年 6 月 24 日，波兰政府决定大幅度提高食品价格，其中，猪肉每公斤上涨 69%，黄油上涨 50%，食糖上涨 100%，政府以补贴形式给予市民等价的现金补偿。[1] 其实，食品的大幅度涨价，带动了所有商品的狂涨，政府的“食品涨价补贴”，填不平居民因食品涨价带来的实际生活水平下降而造成的窟窿。食品涨价引起工人普遍的不满和抗议。

6 月 25 日，即波兰政府宣布食品大涨价的第二天，皮沃特勒库夫省腊多姆市工人就走上街头，举行罢工、游行，抗议食品涨价，游行队伍冲击市府机关，引发了流血冲突。事态迅速扩大，全国几十个省接连罢工、游行。迫于形势，波兰政府撤销了涨价的决定，并声称“在几年内冻结物价”。但是，波兰政府在事后却悄悄地、逐步地提高商品零售价格，而且推出双重价格：“平价（配给）和自由价格”。人民的不满情绪在不断积聚。

20 世纪 70 年代后期，波兰的社会综合状况继续恶化：国家综合经济比例失调；外贸负债；计划管理混乱；生产无人负责；社会政治生活不正常；对涉及人民生活和切身利益的各种问题久拖不决；官员贪污腐化、营私舞弊的现象层出不穷；党和国家领导人从没有克服困难、励精图治的老实说法。人民越来越不相信波兰统一工人党能解决问题。

与此相对应的是，波兰天主教的势力迅速增强。1978 年 10 月 16 日，克拉科夫主教卡罗尔·沃伊蒂瓦当选为罗马教皇，改名约翰—保罗二世。此事轰动了举国民众，天主教的影响大盛。1979 年 6 月，约翰—保罗二世访问波兰。教皇所到之处，万人空巷，争睹教皇的风采。波兰统一工人党的党员很大部分成了虔诚的天主教徒。这种现实状况显示：天主教会的影响和威望已盖过了波兰统一工人党和波兰人民共和国政府。

1980 年 7 月 1 日，波兰政府决定将“特种商店”的肉类销售价格提高 40%—60%。当天，南部小城梅莱茨的一家工厂工人举行罢工抗议。该厂领导答应给工人增加 10% 的工资，平息了矛盾。但是，全国各大城市的罢工浪潮

[1] 统计数字参见马细谱主编：《战后东欧——改革与危机》，第 551 页。

此起彼伏，事态向深层发展。

影响波兰命运的事态发生了。8 月 14 日上午 6 时 30 分，格但斯克列宁造船厂第一班工人上班后，60 名左右的工人罢工，要求给全厂职工提高 1000 兹罗提[1]的月薪。到 10 时，已有 3000 多名工人聚集在办公大楼前，全厂已停止了工作。罢工工人推举电工瓦文萨为罢工委员会领导，同列宁造船厂领导谈判。事态迅速扩大，波罗的海沿岸各城市的 750 家大型工厂联合罢工，领导罢工的罢工委员会建立了格但斯克—格丁尼亚—索波特“三联城厂际罢工委员会”的组织，瓦文萨被推为“厂际罢工委员会”主席。联合罢工开始后，罢工委员会建立起严密的组织，要求工人保护好公共财产，维持社会秩序，不上街游行，与政府进行谈判。罢工委员会与政府谈判的要求，除在经济方面提出增加物资供应，改善劳动保护等内容之外，特别提出了取消新闻检查，言论自由，追究使国家经济陷入困境的党和政府领导人的责任，维护罢工权利，建立独立自治工会，等等政治要求。更值得注意的是，波兰统一工人党党员几乎都加入了罢工的队伍。许多忠诚的党员对局势感到失望、悲观、痛苦。

波兰统一工人党和政府已难以控制局势了。8 月 20 日，波兰统一工人党格但斯克市委员会机关报《维堡之声》在一篇题为《我们的评论》的文章中无可奈何地写道：“这里差不多停工一周了，正常的生活节奏业已消失。人的日常生活和个人问题发生了巨大变化，城市交通停顿，商店关门，服务行业停工，许多其他行业不正常工作，为解决问题造成巨大困难。学校开始无限期停课。”[2] 全国局势陷入混乱。

面对这样的局势，波兰统一工人党和政府几经调整领导人，呼吁工人停止罢工，但是全国的罢工浪潮有增无减。8 月 23 日，政府委员会开始同罢工委员会谈判。8 月 31 日，以政府副总理雅盖尔斯基为首的政府代表团，同以瓦文萨为首的三联城罢工委员会代表团签署了“21 条协议”。该协议中关键的内容是：同意国际劳动组织关于工会自由的公约，建立不从属于党的工会；保证罢工者及罢工支持者的罢工权利和安全；尊重宪法所保障的言论、新闻、出

---

[1] 波兰货币单位。

[2] 《关于波兰局势给国内的报告（1980 年 9 月 15 日）》，《苏联历史档案选编》，第 31 卷，第 528 页。

版自由，独立的出版社不受惩治，并保证各种信仰的代表能使用大众宣传工具；实行每周 5 天工作制。[1] 政府还承诺：保证罢工者和罢工支持者的人身安全及工作条件；立即通过全国性大众传播工具，公布该协议全文。厂际罢工委员会承诺：1980 年 8 月 31 日 17 时结束罢工。罢工以波兰统一工人党和波兰政府的全面让步而结束。

罢工结束后，全国各地纷纷建立独立自治团结工会（简称团结工会），并组成全国性的决策机构"全国协调委员会"，总部设在格但斯克。瓦文萨当选为团结工会全国协调委员会主席。1981 年 9 月，团结工会在格但斯克召开全国第一次代表大会。大会呼吁东欧各国工人也建立类似团结工会的、脱离党控制的工会组织。大会通过了团结工会纲领。纲领明确提出改变现行的社会制度，进行政治、经济民主改革；建立属于自己的报刊、通讯社、电台、出版社；建设自治的波兰；等等。瓦文萨当选为团结工会全国委员会主席。原来的波兰工会联合会土崩瓦解。

8 月罢工结束后，波兰统一工人党于 1980 年 9 月召开八届六中全会，解除了盖莱克的党中央第一书记职务，选举卡尼亚为党中央第一书记。波兰统一工人党中央对局势的看法及对策，明显地分成三派：雅布隆斯基、拉科夫斯基、维尔布兰等为首的一派，主张将社会经济结构改造成南斯拉夫的方式，国内各方政治力量结成伙伴关系；以奥尔绍夫斯基、格拉勃斯基等为首的一派，主张采取断然手段，整肃团结工会，他们还认为"没有苏联军队的介入就不可能改善局势"，因而主张请苏军进驻，这一主张使他们在党内和国内都陷于孤立；以卡尼亚、雅鲁泽尔斯基为首的领导人主张通过政治谈判，解决团结工会的问题，主张和苏联结盟忠于华沙条约组织，但不赞成让苏军进驻。雅鲁泽尔斯基和卡尼亚的一派，在波兰统一工人党内占据主流地位，但苏共中央对卡尼亚的优柔寡断越来越失望，尤其是对其迟迟不实行军事管制十分不满。

1981 年 10 月，波兰统一工人党召开九届四中全会，同意卡尼亚辞去党中央第一书记职务，选举雅鲁泽尔斯基为党中央第一书记，并继续兼任政府总

[1] 参见《格但斯克罢工工人提出并由厂际罢工委员会转交的要求》，《苏联历史档案选编》，第 33 卷，第 37 页。

理、国防部长。苏联希望以集党、政、军最高权力于一人的极权方式，通过实行军事管制的途径，解决波兰危机。1981 年 12 月 13 日，成立了以雅鲁泽尔斯基为主席的波兰救国军事委员会，宣布全国进入战时状态，对全国实施军事管制。军管期间，实行严格的新闻检查，禁止一切罢工、游行和集会，各大城市实行宵禁（22 时至次日 6 时），收缴平民的武器弹药，切断华沙同外界的一切通讯联络（国家控制系统除外），封锁边界、领空和机场。当天，格但斯克和华沙的团结工会领导人均被逮捕，团结工会以及其他社团、政治组织的活动，均被禁止。军事管制期间，全国逮捕了约 6000 人。

波兰统一工人党在苏联的一再催促下实行军事管制，以军事手段来稳定秩序，强力压制矛盾。这种秩序只能是暂时的。

波兰人民共和国已是风雨飘摇了，实际上整个东欧已是山雨欲来风满楼了。

苏共中央的对策与苏波关系

苏共中央深知，波兰问题是整个东欧问题的反映，因而密切关注波兰局势，频繁召开政治局会议，研究对策。

8 月罢工事件发生的前夕，已预感到局势严重性的盖莱克，于 1980 年 7 月 31 日秘密访问克里姆林宫，向勃列日涅夫详细汇报波兰国内的不安局面，寻求勃列日涅夫的指示与支持。

在谈话中，勃列日涅夫告诉盖莱克：无论如何要稳住局势。勃列日涅夫告诉盖莱克："制造壮大的声势，进行社会主义国际主义教育。坚决制止利用民族主义灌输反社会主义、反苏情绪，歪曲苏波关系的历史和苏联同波兰人民共和国合作的性质。"[1] 勃列日涅夫还特别担心在波兰已广为流传的口号："全世界的波兰人都是兄弟"；告诫说："在同反社会主义分子的政治斗争中，不是致力于防卫，而是要连续不断地反击。"从勃列日涅夫同盖莱克的谈话内容来看，勃列日涅夫担心的是波兰人民和苏联"算旧账"，只关心波兰出现"反苏"倾向，担心波兰退出华沙条约组织，对于波兰危机的严重性却没有认识。因此，盖莱

---

[1] 《苏共中央关于同波兰领导人谈话的提纲（1980 年 9 月 3 日）》，《苏联历史档案选编》，第 31 卷，第 348 页。

克的秘密访苏，勃列日涅夫的面授机宜，对缓解波兰因提高肉类销售价格而引发的工人罢工浪潮、国内危机，毫无作用。

8 月中旬，摇撼全波兰的 8 月罢工事件全面爆发了。在“厂际罢工委员会”与波兰统一工人党政府相互对峙，波兰政府束手无策时，苏共中央于 1980 年 8 月 25 日召开政治局会议，研究波兰局势与苏联的对策。政治局会议责成以苏斯洛夫为召集人的苏共中央政治局委员会“注意观察波兰人民共和国国内出现的情况，并系统地向政治局通报波兰国内发生的事情，以及我方可能采取的措施。”[1]政治局会议未对波兰的紧迫问题，即在波兰统一工人党政府与厂际罢工委员会对峙中，究竟是镇压还是让步的问题表示任何意见。这说明苏共中央政治局对波兰局势以及如何应对，仍然没有明确的方针。

8 月罢工事件以波兰统一工人党政府的全面退让而结束，厂际罢工委员会取得完胜。8 月罢工事件的结果，实际上是盖莱克政治生命的结束。在盖莱克下台的前夕，即 9 月 3 日，苏共中央与秘密来访的，以卡尼亚为首的波兰统一工人党代表团举行了会谈，会谈内容主要涉及盖莱克之后的波兰统一工人党的大政方针问题。

苏共中央对卡尼亚抱有希望。苏共中央向波兰统一工人党代表团指出：“21 条协议”的签订，使波兰党和政府为此“付出巨大的政治和经济代价”，即“使社会主义的反对派合法化”，“产生了一个政治影响扩及全国的组织（指团结工会——引注）”。苏共中央要求卡尼亚的波兰统一工人党“准备反攻和夺回在工人阶级和人民中失去的阵地”，“加强党在社会中的领导作用”，“加强对军队的注意，要特别注意官兵的军事、政治训练”。苏共中央尤其要波兰党“坚决清除党内明显的异己分子”；“整顿和提高 1975 年行政改革后履行县委员会任务的波兰统一工人党乡委员会的战斗力”。[2] 苏共中央还具体

[1] 《苏共中央关于同波兰领导人谈话的提纲（1980 年 9 月 3 日）》，《苏联历史档案选编》，第 31 卷，第 348 页。

[2] 1975 年，盖莱克推出了“行政机构和代表机构改革”。6 月 1 日，经议会通过，将国家行政区划的中央、省、县、乡四级管理，改为中央、省、乡三级管理。全国的省由原来的 17 个扩大到 49 个，撤销县建制。改革后，原来的乡（区）党委实际已履行原县党委员会的职能和任务。

指示："把军队中有经验的政治工作人员派往地方党机关，担任领导工作"，"尽力使工会中央理事会（波兰国家工会——引注）及其组织不解散或不自行解散。"[1]

波兰统一工人党代表团回国后，根据苏共中央的指示，于1980年9月5日、6日两天，召开八届六中全会，以卡尼亚取代盖莱克，出任波兰统一工人党中央委员会第一书记，并努力落实苏共中央的指示精神。

卡尼亚出任波兰统一工人党中央委员会第一书记后，苏共中央政治局经过多次讨论、研究，形成了关于波兰局势和苏联对策的几点基本政策取向，作为这一阶段苏波关系的政策指导。

苏共中央的几点基本政策取向是：

一、苏联绝不能放弃波兰。1980年10月29日，葛罗米柯在苏共中央政治局会议上说："我们不能丢掉波兰。苏联在同希特勒分子的战斗中解放了波兰，牺牲了60万官兵。我们不能容忍反革命。"[2]葛罗米柯的意见被政治局一致认同，苏共中央无论怎样都要尽力支持、挽救波兰统一工人党和波兰人民共和国，更不允许波兰脱离华沙条约组织。

二、认为团结工会是个反革命的政治组织，苏共中央一再催促波兰统一工人党以极端手段，镇压团结工会，至少是限制团结工会的政治活动。1981年1月14日至18日，瓦文萨率团结工会代表团访问意大利。苏联共产党十分紧张。苏共中央指示苏联驻意大利大使拜会意共中央总书记贝林格，说明团结工会"公开对抗波兰统一工人党的立场"，"使波兰的经济恶化，动摇社会主义社会的基础"，阻止贝林格和意共其他领导人同团结工会接触。[3]1981年3月30日，勃列日涅夫在与卡尼亚的电话通话中，忍不住要卡尼亚"手里拿起大棒子"。勃列日涅夫教训说："我们劝说你们多少次了，

---

[1] 《苏共中央关于同波兰领导人谈话的提纲（1980年9月3日）》，《苏联历史档案选编》，第31卷，第349—352页。

[2] 《苏共中央政治局关于准备同波兰党政代表团会谈的会议纪录（1980年10月29日）》，《苏联历史档案选编》，第33卷，第541页。

[3] 《就瓦文萨访问意大利事，苏共中央批转给苏联驻意大利大使的指示（1981年1月14日）》，《苏联历史档案选编》，第30卷，第383页。

应当采取坚决果断的措施，不能无休无止地向‘团结’工会让步。你们一再强调和平途径，而不懂得，或者不想懂得你们奉行的所谓‘和平途径’可能会让你们流血。”[1]

三、虽然波兰统一工人党实际上已处于半瘫痪状态，波兰党的领导人也提出重建一个新党的要求，但苏共中央表示：“不能同意建立新党的建议”。葛罗米柯这样说：“必须直截了当地告诉雅鲁泽尔斯基，完全没有必要建立一个新党。因为这意味着波兰领导的退却，承认波兰统一工人党确实不是一个战斗的政治组织，而是一个犯了错误的组织，证明它的软弱和领导本身的软弱，从而有利于‘团结’工会中的极端分子。”[2] 苏共中央政治局都同意葛罗米柯的分析，并且作为苏共中央的意见，反对重建波兰新党。

四、要求波兰统一工人党和波兰政府尽快实施战时状态，对全国实行军事管制，把军事管制作为摆脱危机的唯一可行办法。1980 年 10 月 29 日，乌斯季诺夫就在苏共中央政治局会议上说：“如果不实行军管，事情会糟糕、更糟糕。军队里有骚乱。”[3] 勃列日涅夫点头称是说，“已确实需要实行军事管制”。从 8 月罢工事件结束到 1981 年 12 月波兰宣布全国实行军事管制的一年多时间里，苏共中央曾不断地催促卡尼亚和雅鲁泽尔斯基：不能犹豫不决，要尽快实行军事管制。

为了敦促波兰统一工人党尽快实施军事管制，1981 年春，苏共中央派遣安德罗波夫和乌斯季诺夫秘密约见卡尼亚和雅鲁泽尔斯基，商讨实施军事管制问题。这次会见安排在 1981 年 4 月初。为了不让外界知道卡尼亚和雅鲁泽尔斯基的外出，会见时间安排在晚上 9 时至次日凌晨 3 时，地点则选择在布列斯特附近的火车车厢上进行。会晤时，安德罗波夫开门见山，希望波兰领导人从速采取决断的强硬措施，以控制局势。安德罗波夫说：“至于战时状态，本来

[1] 《苏共中央政治局关于波兰局势的会议纪录（1981 年 4 月 2 日）》，《苏联历史档案选编》，第 33 卷，第 588 页。

[2] 《苏共中央政治局关于波兰局势的会议纪录（1981 年 12 月 10 日）》，《苏联历史档案选编》，第 31 卷，第 379 页。

[3] 《苏共中央政治局关于准备同波兰党政代表团会谈的会议纪录（1980 年 10 月 29 日）》，《苏联历史档案选编》，第 33 卷，第 540 页。

早就可能实施。实施战时状态意味着什么？它有助于摧毁反革命分子、各种闹事分子的进攻，一劳永逸地结束罢工，结束经济生活的无政府状态。关于实施战时状态的文件，已经在我们的同志（苏共中央——引注）帮助下准备好了，需要的是签署这些文件。”[1]卡尼亚和雅鲁泽尔斯基对于苏共中央的催逼和越俎代庖还有所顾虑，说：“实施战时状态的文件需经议会通过。我们怎好签署。”安德罗波夫不耐烦了，说：“根本不必通过议会。当你们实施战时状态时，这些文件是你们行为的依据。而现在，卡尼亚同志和雅鲁泽尔斯基同志，你们必须签署，以便让我们知道你们同意这些文件，并且知道实施战时状态时该怎么办。如果不得不实施战时状态，到那时已经没有时间研究实施战时状态应该采取哪些措施。应该事先全部准备就绪。”[2]在安德罗波夫的催逼下，卡尼亚和雅鲁泽斯基说：将在 4 月 11 日“研究这些文件，并且签署”，实际上是推托、拖延。这使苏共中央对卡尼亚越来越不满。

五、不直接出兵。波兰危机出现后，苏共中央眼看波兰统一工人党愈来愈难以控制局势，曾多次议及干预的方式问题，最终还是否定了军事方式。1981 年 12 月 8 日，即雅鲁泽尔斯基宣布波兰实施军管的前夕，苏共中央派遣苏共中央委员、苏联部长会议副主席、苏联国家计划委员会主席巴伊巴科夫和苏共中央委员、苏共奔萨州委第一书记库利科夫访问波兰，商谈向波兰提供铁矿石、有色金属、肥料、谷物等紧急援助问题。12 月 8 日晚，雅鲁泽尔斯基会见巴伊巴科夫和库利科夫，库利科夫在会见时曾说：“我们不会眼看着波兰受难而不管。”[3]库利科夫的这句话，被雅鲁泽尔斯基理解为苏联将像当年对付匈牙利危机、捷克斯洛伐克“布拉格之春”那样，直接干预。会见后，雅鲁泽尔斯基立即向苏共中央表示：“反对派军队进入波兰。如果军队开进来，那将意味着一场灾难。”此前，葛罗米柯也接到来自美国的警告：“不应该用自己的

---

[1] 《苏共中央政治局关于与波兰代表团会晤情况总结的会议纪录（1981 年 4 月 9 日）》，《苏联历史档案选编》，第 33 卷，第 596 页。

[2] 《苏共中央政治局关于与波兰代表团会晤情况总结的会议纪录（1981 年 4 月 9 日）》，同上书，第 596—597 页。

[3] 《苏共中央政治局关于波兰局势的会议纪录（1981 年 12 月 10 日）》，《苏联历史档案选编》，第 31 卷，第 380 页。

武装力量干涉波兰的事务。”[1]12 月 10 日，苏共中央立即召开政治局会议。会上，苏共中央政治局中的决策人物葛罗米柯、苏斯洛夫都一再说：“我们应当尽力设法打消雅鲁泽尔斯基和其他波兰领导人关于派军队的想法，派军队进入波兰是不可能的。我想，我们可以委托我国的大使去拜访雅鲁泽尔斯基，并把这点通知他。”苏斯洛夫说：“我们在这里的所有的人有一个一致的意见，即不能再说任何关于派军队的话。”[2]

在政治局会议上，乌斯季诺夫赶紧为库利科夫的话作解释：“关于似乎库利科夫同志讲过派军队去波兰一事，那么我可以完全负责地说，库利科夫没有讲过。他只是重复我们和列昂尼德·伊里奇所说的，我们不会眼看着波兰受难而不管。而且他也清楚地知道，波兰人自己曾请求不要出兵。”[3]乌斯季诺夫是说波兰人对库利科夫的话作了错误的理解，但这已使苏共中央政治局要求统一认识，今后与波兰领导人谈话，绝不能有可能引起误解的话语。

六、继续给予波兰适量的经济援助，拉住波兰，以免波兰脱离华沙条约组织，倒向西方。20 世纪 70 年代末、80 年代初，苏联自身的经济状况，也是每况愈下，捉襟见肘。但是在波兰的一再要求下，并以倒向西方相要挟，苏联只能勉为其难。1981 年，苏联已向波兰提供 10 亿多卢布的谷物、肉类、铁矿石等 350 类货物。波兰还要求苏联 1982 年提供价值 44 亿卢布货物的请求。[4]

在做以上这些工作的同时，苏共中央特别警惕地防范波兰的各类出版物进入苏联。苏共中央指示苏联国家报刊保密总局和苏联邮电部，严格检查和控制波兰的出版物进入苏联。国家报刊保密总局对来自波兰的邮件进行严密检

[1] 《苏共中央政治局关于波兰局势的会议纪录（1981 年 4 月 2 日）》，《苏联历史档案选编》，第 33 卷，第 589 页。

[2] 《苏共中央政治局关于波兰局势的会议纪录（1981 年 12 月 10 日）》，《苏联历史档案选编》，第 31 卷，第 381 页。

[3] 《苏共中央政治局关于波兰局势的会议纪录（1981 年 12 月 10 日）》，同上书，第 379—380 页。

[4] 《苏共中央政治局关于波兰局势的会议纪录（1981 年 12 月 10 日）》，同上书，第 373、381 页。

查，《华沙生活报》等 13 种报纸，《画报》、《银幕》等 18 种杂志，不允许由个人订购邮寄到苏联公民的个人手中，也不允许通过苏联报刊发行总局公开出售。凡来自波兰的有关宗教内容的书籍，只允许给宗教活动家阅读，或由有权使用这类图书的单位收藏。

对待波兰危机、处理苏波关系，苏共中央已显力不从心的疲态了。

第八章　苏联与社会主义以外的世界各国

本章阐述苏联与社会主义以外的世界各国的关系，这是苏联对外关系的主要方面，也是勃列日涅夫当政时期苏联对外关系史的主要内容。需要说明的是，自从苏、中意识形态分歧激化，特别是1968年苏军入侵捷克斯洛伐克事件发生以后，中国曾经认为苏联已沦为“社会帝国主义国家”。但是到20世纪80年代初，两国的这种意识形态色彩略趋淡化。1982年3月24日，勃列日涅夫在塔什干发表的讲话中说：“我们过去没有否认、现在也不否认中国存在着社会主义的社会制度。”[1]因此，本书将苏中之间的关系，理所当然地作为社会主义国家之间的双边关系。

一个国家的外交是内政的外延，内政和外交是一个国家的总体战略方针的辩证统一的整体。勃列日涅夫当政时期的外交方针及其实际执行，是苏联总体战略方针的有机组成部分，自然，它也在很大程度上制约着苏联历史的走向与结局。左凤荣说：“在苏联剧变的众多因素中，对外战略的失衡，以及由此导致的国家发展战略的失误，在苏联这个人类历史上第一个社会主义大国的失败中起了关键作用。苏联不是被别人打垮的，是自己犯了致命的错误，导致了国家的衰落与解体。”[2]本书除对在苏联剧变中起“关键作用”的究竟是什么有歧义之外，认为左凤荣关于对外战略在一个国家发展中的地位和作用的见解，是精辟的。本书也是从这样的定位上来研究和阐述苏联在勃列日涅夫当政时期的对外关系。

关于勃列日涅夫当政时期的苏联对外战略问题，国内已出版的相关的著作，如《苏联兴亡史》、《苏联高层决策70年》、《勃列日涅夫时期的苏联》、《苏联兴亡史论》、《苏联兴亡史纲》等，基本上都归结为是苏联凭借增强起来的综合国力，在全球范围内和美国争霸，是一种全球进攻战略；“缓和”只不过是服务于这一战略的策略。左凤荣说：“缓和，只是为对抗服务的工具，是苏联为掩护自己的战略准备施放的烟雾弹。”[3]本书基本认同这一认识，只是认为

[1] 《在塔什干授勋大会上的讲话（1982年3月24日）》，《勃列日涅夫言论》，第18集，第80页。

[2] 左凤荣：《致命的错误——苏联对外战略的演变与影响》，世界知识出版社2001年版，第5页。

[3] 同上书，第201页。

“缓和”对苏联来说也有实际的内容，并不仅仅是“烟雾弹”。实际上，左凤荣在她的著作中，对“缓和”已有具体的、实事求是的分析。勃列日涅夫提出“缓和”，也曾经谋求“缓和”，这对苏联来说是复杂的，甚至是矛盾的。本章力求在历史的演进过程中，以历史的具体来演绎这一“抽象”。

第一节 苏联外交路线的调整与苏美关系

苏联关注的外交新热点

赫鲁晓夫当政时期苏联的外交路线是：“全力争取同美国‘共同主宰世界’，主张通过‘缓和’来争取与美国平起平坐的国际地位，建立两个核大国‘共管’的世界体系。”[1] 赫鲁晓夫的外交活动，在苏联与西方国家的关系方面赢得一定的成功，但是还留下诸如欧洲边界、两个德国、东西柏林等重大问题悬而未决，来自西部对苏联的威胁没有从根本上消除。勃列日涅夫上台之后，在原有问题的基础上，又发生了新的情况，成为苏联关注的外交新热点。而解决所有问题的关键，都是同美国的关系问题。

苏联首先面对的是美国扩大越南战争问题。

1964 年 8 月，美国派飞机轰炸越南民主共和国，把对越南南方的“特种战争”，扩大为对整个越南的“局部战争”。

1965 年 2 月 6—10 日，苏共中央主席团委员、苏联部长会议主席柯西金率苏联党政代表团，对越南民主共和国进行友好访问。2 月 10 日，越南南方解放军猛烈袭击了北纬 14 度线附近波来古的美军基地，使美军遭受重大伤亡和损失。美国总统约翰逊在立即轰炸北越，实施报复，还是等柯西金离开越南民主共和国之后，再实施轰炸两者之间犹豫不决。由于众多顾问们的“建议”，约翰逊终于选择冒美苏关系恶化的危险，立即大举轰炸越南民主共和国，向苏联显示“美国的决心”。柯西金对美国在他访问越南民主共和国期间实施大规模轰炸一事，十分气愤。苏联政府为此向约翰逊政府发出一封措辞十分强硬的秘密信，谴责美国在越南所采取的行动。虽然约翰逊和美国国务卿腊斯克私下

[1] 周尚文等：《苏联兴亡史》，上海人民出版社 2002 年版，第 761 页。

曾多次向苏联表示：美国不想损害苏美关系，可是无论约翰逊怎样解释，这一事件无疑更加刺激了苏联。

在此之前，1964年11月6日，勃列日涅夫在庆祝十月革命47周年大会的报告中，只是一般性地提及“我们坚决谴责对越南民主共和国的挑衅行为”。[1] 美国大举轰炸越南民主共和国之后，勃列日涅夫在不同场合的讲话中，都猛烈谴责美国对越南的侵略，表示坚决支持越南人民反对美国侵略的斗争，并大大加强了支持的力度。1965年3月23日，勃列日涅夫甚至说：“苏联公民向我们中央机关提出不少申请，表示准备参加越南人民争取自由和独立的斗争。我们非常理解苏联人民这些申请中所表达的兄弟声援的感情和社会主义国际主义的感情。根据同越南劳动党和越南民主共和国政府领导人的协议，苏联已经采取必要的措施来帮助越南民主共和国加强防御能力。”[2]

勃列日涅夫所说的“帮助越南加强防御能力的必要措施”，主要是向越南提供和运送军事物资，以及其他技术设施。由于中苏两国关系恶化，苏联已不可能通过中国，从陆路向越南运送物资，而只能利用船舶，通过海上抵达越南北部湾的海防、鸿基等港口。1966年，苏联海运部指派20—22艘大吨位海船，负担向越南运送军事物资的任务。由于美军封锁北部湾，苏联船舶往往要冒被袭击的危险。越南民主共和国的巡逻艇遭到美国飞机的空中袭击时，也往往向苏联船舶紧靠。[3] 当然，苏越双方领导人在不同场合曾讨论过援助的规模和方式问题，包括向越南派遣“志愿人员”问题。越南领导人表示：“越南首先需要的是军事技术装备和军事技术物资方面的帮助。至于人力资源，越南并不缺。”[4] 因此，苏联对越南的援助，基本上是军事物资以及经济和技术设备方

[1] 《在克里姆林宫庆祝十月革命47周年大会上的报告（1964年11月6日）》，《勃列日涅夫言论》，第1集，第30页。

[2] 《在红场欢迎宇宙航行员帕·伊·别利亚耶夫和阿·阿·列昂诺夫大会上的讲话（1965年3月23日）》，同上书，第77页。

[3] 《苏联海运部就向越南运送物资致苏共中央的报告（1966年7月18日）》，《苏联历史档案选编》，第30卷，第153—156页。

[4] 《苏联外交部关于向越南派遣志愿人员向苏共中央提供的背景资料（不早于1966年7月9日）》，同上书，第159页。

面的资助。葛罗米柯在提交给苏共中央政治局的外交政策备忘录中说得更加明白："我们应该继续向越南民主共和国提供全面的援助，但却不要直接卷入战争。我们必须使美国人认识到，对越南民主共和国采取进一步升级的军事行动将迫使苏联向这个国家提供更大规模的援助，摆脱目前这种状况的唯一出路是在尊重越南人民合法权利的基础上达成一项政治解决问题的方案。"[1] 葛罗米柯的外交备忘录被苏共中央政治局批准，这一意见也成为苏联关于越南战争的外交路线的方针和各项政策的依据。

不管援助的规模和形式如何，越南问题已成为勃列日涅夫上台后，苏美对抗的新热点。

其次是由于北大西洋公约组织提出建立多边核力量计划而凸显起来的防止核扩散问题。

北约组织提出建立多边核力量计划后，苏联对德意志联邦共和国将有可能因此而进入核俱乐部问题，特别敏感。1963 年 4 月 8 日，苏联政府针对北约组织的建立多边核力量计划，照会北约组织各成员国，建议以全面彻底裁军、禁止使用核武器和销毁核储藏，来代替用核武器武装德意志联邦共和国和扩散核武器。1964 年 5 月 27 日，德意志民主共和国单独向德意志联邦共和国政府建议：两个德国各自承担不生产、不获得、不使用、不在其领土上部署核武器的"四不"义务。1964 年 5 月 29 日至 6 月 13 日，德国统一社会党中央第一书记、民主德国国务委员会主席乌布利希对苏联进行"国事访问"。6 月 12 日，两国签订了《友好互助合作条约》，该条约醒目的内容是：苏联重申保障德意志民主共和国边界的不可侵犯；如果缔约一方遭到欧洲任何国家或国家集团的武装进攻，缔约另一方将给予包括军事援助在内的一切援助。

勃列日涅夫上台后，1965 年 1 月 19 日、20 日，华沙条约缔约国召开政治协商委员会会议，与会国严正声明：坚决反对北大西洋公约组织建立多边核力量的计划。

苏联与东欧国家的这些建议，并没有得到美国和西方国家的积极回应。1966 年 3 月 18 日，苏联驻美国大使多勃雷宁奉命向美国政府表示：在战略武

[1] 葛罗米柯向苏共中央政治局提交的《外交政策备忘录（1967 年 1 月 13 日）》，参见［俄］阿·多勃雷宁著：《信赖——多勃雷宁回忆录》，附录，第 726 页。

器方面，苏联要实现与美国平起平坐的目标。[1]1966 年 10 月，苏联领导层决心把防止扩散核武器问题作为对美国和西方世界外交工作的一项重心内容。

与上一问题紧密相关的是，关于欧洲安全问题成为苏联与西方外交工作的第三个热点问题。

1965 年 1 月下旬举行的华沙条约缔约国政治协商委员会会议，提出了召开保障欧洲集体安全的欧洲国家会议的建议。1966 年 7 月上旬，华沙条约缔约国在布加勒斯特再次召开政治协商委员会会议。7 月 5 日，会议通过《加强欧洲和平与安全宣言》，提出为了保证使欧洲局势由紧张转向缓和，应当同时解散现有的军事联盟；作为第一步，先就撤销联盟的军事组织达成协议。华沙条约缔约国又建议，召开全欧洲国家会议，讨论保障欧洲安全和建立全欧洲国家合作的问题。

苏联就欧洲安全问题，对西欧大国展开了积极的外交工作。1966 年 12 月上旬，苏联部长会议主席柯西金对法国进行正式访问。在发表的苏法声明中表示：保障欧洲安全，组织全欧合作，使一代人和今后几代人免遭核战争的灾祸，是苏法双方共同的愿望。1967 年 1 月，苏联最高苏维埃主席团主席波德戈尔内紧接着对意大利进行国事访问。1967 年 2 月上旬，柯西金对英国进行正式访问。苏英双方表示，要以必要的方式，讨论和筹备召开保障欧洲国家合作的全欧洲国家会议。

从苏联关注的外交热点和重大外交活动中可以看到，勃列日涅夫上台之初，在对西方世界的外交路线上，基本上仍是沿袭赫鲁晓夫时期的路线。

外交路线的调整

勃列日涅夫上台之初，虽然关注国际问题的新热点，但是在外交路线方面，基本上是延续赫鲁晓夫时期的外交路线。1964 年 10 月 19 日，勃列日涅夫在劳动人民代表欢迎宇宙航行员大会上说："苏联外交政策不可动摇的基础是：列宁的不同社会制度国家和平共处原则，为巩固和平、为各国人民的友谊与合作、为进一步缓和国际紧张局势而不倦地斗争。这是当前条件下唯一明智

[1] 参见［俄］阿·多勃雷宁著：《信赖——多勃雷宁回忆录》，第 172 页。

的政策。”[1]1964 年 11 月 6 日，勃列日涅夫在克里姆林宫庆祝十月革命 47 周年大会上更明确地宣布：“我们党近几次代表大会的决议和我们党的纲领所确定的苏联对外政策总方针是始终一贯的、不可改变的。”[2]1966 年 3 月 29 日，勃列日涅夫在苏共二十三大的总结报告中，对当代的国际形势以及苏联的外交路线和政策，作这样的归纳：“我们一贯地、始终不渝地奉行不同社会制度国家和平共处的方针。这就是说，苏联把不同社会制度国家的共处看作是社会主义和资本主义之间阶级斗争的形式，同时一贯主张同资本主义国家保持正常的、和平的关系，主张通过谈判的途径而不是通过战争的途径解决国与国之间的争端。”[3]

从勃列日涅夫的这些正式讲话以及苏联的外交活动中，可以清楚地看出，苏联对西方世界的外交路线，基本上是沿袭赫鲁晓夫时期的路线。

可是勃列日涅夫对赫鲁晓夫的外交路线是不满意的，正如葛罗米柯所说，赫鲁晓夫的外交路线贯穿着“唯意志论和说教”。此外，勃列日涅夫和苏共新领导也意识到世界局势和苏联国内形势的细微变化。因此，勃列日涅夫在政局趋于稳定，新经济体制改革比较顺利地开展之后，就着手调整外交路线。

勃列日涅夫本人对外交事务知之甚少。对于这点，勃列日涅夫也比较坦诚，不拿腔作势。勃列日涅夫当政后，苏联驻美国大使多勃雷宁每次回莫斯科，都要单独向勃列日涅夫汇报在美国工作的情况，末了总要问一句：“您对今后的工作有什么指示？”每当这种时候，勃列日涅夫总是千篇一律地回答：“你需要什么指示？你比我更知道怎样和美国人打交道。让那里保持安宁，这是最主要的。”[4]苏共中央总书记办公室主管对外政策的总书记助理安德烈·亚历山德罗夫－阿根托夫也见证说：“勃列日涅夫对从事大规模的国事活动，对

[1]《在劳动人民代表欢迎宇宙航行员大会上的讲话（1964 年 10 月 19 日）》，《勃列日涅夫言论》，第 1 集，第 5 页。

[2]《在克里姆林宫庆祝十月革命 47 周年大会上的报告（1964 年 11 月 6 日）》，同上书，第 32 页。

[3]《在苏联共产党第二十三次代表大会上的总结报告（1966 年 3 月 29 日）》，同上书，第 2 集，第 65 页。

[4]参见［俄］阿·多勃雷宁著：《信赖 —— 多勃雷宁回忆录》，第 148 页。

进行概括，更不用说对作理论总结，是不太适合的，勃列日涅夫自己明白他本人的最佳可能性。”勃列日涅夫在一次非正式的谈话中曾对亚历山德罗夫—阿根托夫说：“安德烈，你知道吗，我还是得出结论，我担任过的所有职务中最好的职务还是党的州委第一书记的职务。既有可能多做些事情，同时也可亲自清楚地看到实际形势和自己的工作结果。而在这里，在克里姆林宫，是坐着通过放在你桌上的文件去看世界。”[1]

勃列日涅夫认为，葛罗米柯是苏共领导层中的“国际事务问题专家”。而且，一般地说，勃列日涅夫比赫鲁晓夫更为信任和尊重葛罗米柯。赫鲁晓夫有意取笑葛罗米柯是“懦夫”，私下曾挑逗说：“命令葛罗米柯光屁股坐到冰上，他会吓得坐下去。”这使葛罗米柯感到难堪。直到临终前，葛罗米柯提到赫鲁晓夫还说：“你不知道，他会搞出什么鬼把戏来。”[2]

勃列日涅夫却欣赏葛罗米柯的忠诚。他们很快彼此就用“你”来相互称呼，有关国际问题都愿意倾听外交部长的意见和建议。这样，1967 年初，苏共中央指示苏联外交部提出一份能够成为苏联未来外交政策基础的详细分析报告。根据苏共中央的这一指示，1967 年 1 月 13 日，葛罗米柯向苏共中央政治局提交了《外交政策备忘录》，并经苏共中央政治局讨论、批准。“这一报告的重要性在于它不是为了让公众了解或为了进行宣传而准备的，而是供政治局委员——而且是仅供他们——内部作出评价并批准的，他们的确这样做了。”[3]

1968 年 9 月 16 日，即在由于苏军武装占领捷克斯洛伐克而出现的苏联在国际舞台上的不利态势之后，葛罗米柯又向苏共中央政治局提出《对外政策方针及苏美关系状况的评价》。这份文件可以看作是对 1967 年 1 月 13 日《外交政策备忘录》的补充，同样经苏共中央政治局讨论、批准。《外交政策备忘录》和《对外政策方针及苏美关系状况的评价》（以下简称《两份文件》）是葛罗米

---

[1] ［俄］罗·梅德维杰夫著：《人们所不知道的安德罗波夫》，徐葵等译，新华出版社 2001 年版，第 208 页。

[2] ［俄］列·姆列欣著：《历届外交部长的命运》，徐葵等译，新华出版社 2005 年版，第 487 页。

[3] ［俄］阿·多勃雷宁著：《信赖——多勃雷宁回忆录》，第 179 页。

柯长期负责苏联的外交事务，以及他对国际局势和苏共的方针路线的分析的总结。《两份文件》经苏共中央政治局批准，成为勃列日涅夫当政时期外交路线的基础。

《两份文件》提出了一些有关苏联外交路线的新构想。

一、在“冷战”的总体格局下，缓和有利于提高苏联的国际地位。《两份文件》提出：“总的看来，国际局势紧张不符合苏联及其盟国的国家利益。社会主义建设和经济发展需要保持和平。在缓和的条件下更易于巩固和提高苏联在世界上的地位。”文件建议苏联要保持国内稳定，只有国内稳定才可能在世界舞台上保持强大；就像美国的强大是由于它国内稳定，并在此基础上奉行其全球战略一样。

二、国家利益是外交活动的基本原则，严格区分意识形态与国家对外政策之间的不同关系。《两份文件》提出：“我们在与各个西方国家——包括美国——交往的过程中，不应该因为对帝国主义持片面的看法而主动拒绝采取外交策略的可能性。在某些情况下，有必要将共产国际的活动和外交部的活动明确区分开——列宁曾经强调过它们的区别。”《两份文件》建议：把外交工作的坚定性和灵活性结合起来，扩大与包括美国在内的资本主义国家之间的文化、艺术和教育等各方面的交流。

三、尽可能地逐步削弱美国在欧洲的地位和影响。《两份文件》提出：“为了实现削弱美国在西欧地位的目的，我们应该不断地坚持欧洲问题只能‘由欧洲人来解决’的原则。我们必须坚持倡导欧洲能够而且必定会保证其自身安全并加强东西欧之间相互信任关系的思想。”

四、坚持裁军、防止核扩散，应是苏联不变的立场；提出取消在国外设立军事基地，即使美国不能接受，也能争取世界舆论的理解。

五、实现广泛而且稳固的社会主义国家一体化，以抗衡北大西洋公约组织。《两份文件》提出：“苏联外交政策的主要目标是巩固社会主义共同体并发展苏联同兄弟的社会主义国家之间多种形式的、更加深入的合作。”文件要求苏联要像西方国家通过与北大西洋公约组织有联系的，或与之有关的多边组织网络，如欧洲经济共同体、欧洲议会等，建立社会主义一体化。文件说：这是在当前国际形势下应该坚定追求的目标。

六、支援民族解放运动的前提是有益于苏联，对第三世界国家也只应当发展与“对我们具有战略意义的国家的经济合作。”[1]

葛罗米柯的《两份文件》，提出了一些作为苏联制定国家外交政策的现实的新思想，如：苏联社会主义建设和经济发展需要保持和平的国际环境；国家利益至上是外交活动的基本原则，严格区分意识形态领域和国家外交部的活动；解决重大国际问题不能只从苏美两国的利益出发，而应考虑世界上其他国家的利益；实现社会主义大家庭一体化，以抗衡美国及北大西洋公约组织，等等。但是，葛罗米柯的《两份文件》同时也体现着苏联传统的僵化教条和急剧膨胀起来的霸权主义气息。这方面择要来说：

一是认为“目前这个转折时期出现的问题归根结底就是在世界和平的条件下，或在世界大战的间歇期间，国家和民族将如何实现从资本主义向社会主义的转变”。这种思想是20世纪60年代版的“世界革命”思想。

二是以“缓和”、“欧洲问题只能由欧洲人来解决”为策略，削弱美国在欧洲的地位，增强苏联的实力，提升苏联在欧洲和全世界的影响和地位。

三是实现以苏联为盟主的社会主义国家一体化，以社会主义国家的紧密联盟作为苏联争霸世界的集团性后盾。

四是同对苏联具有战略意义的第三世界国家建立经济及各方面关系，作为苏联争霸世界的全球性网络。

葛罗米柯的《两份文件》既有面对世界现实的一面，又表现出强烈的霸权主义气息。勃列日涅夫怎样选取，怎样制定苏联的外交路线，关系着苏联的发展命运。

苏共中央决策层的成员组合，也在很大程度上影响着勃列日涅夫的外交路线的选取。

在苏共中央最高决策层中，在勃列日涅夫、波德戈尔内、柯西金所组成的“三驾马车”中，勃列日涅夫对波德戈尔内的疑虑极大，本书前文已有阐述。柯西金无疑比较务实，并具有丰富的一般性知识和观察、操作国际事务的能力，在党内和国内也赢得了更多的尊敬。对此，勃列日涅夫非常清楚。正是

---

[1] 葛罗米柯1967年1月13日提交的《外交政策备忘录》和1968年9月16日提交的《外交政策方针及苏美关系状况的评价》，参见［俄］阿·多勃雷宁著：《信赖——多勃雷宁回忆录》，附录，第724—729页。

因此，勃列日涅夫从内心嫉妒柯西金，不喜欢柯西金。勃列日涅夫说起柯西金时，曾经鄙视地摇摇头，嘟哝道："这也算政治家！"[1] 柯西金熟谙苏联政局，并有自知之明，不抱政治野心，也不介入权力角逐。也正是由于此，勃列日涅夫才容忍柯西金担任苏联部长会议主席的要职。另一名老资格的苏共中央政治局委员、分管意识形态工作的苏斯洛夫，在苏共党内当然有很大的影响，可是苏斯洛夫几乎拒绝任何新思想和新事物，被西方称作"克里姆林宫的红衣主教"也不无道理。1965 年 3 月，一直主管苏联军工生产的乌斯季诺夫被提升为苏共中央主席团候补委员、苏共中央书记。自此，勃列日涅夫倚重和信任的是苏联外交部长葛罗米柯、苏联国家安全委员会主席安德罗波夫和乌斯季诺夫（1976 年 3 月苏共二十五大以后，苏联国防部长格列奇科病逝，乌斯季诺夫即出任苏联国防部长，并成为苏共中央政治局委员、苏共中央政治局常委——引注）。所以苏联政坛，在波德戈尔内、柯西金被逐出苏共领导层之前，从职务上看是勃列日涅夫、波德戈尔内、柯西金所组成的"三驾马车"掌控着；而实际的影子核心则是以勃列日涅夫为中心的由葛罗米柯、安德罗波夫、乌斯季诺夫等 3 人组成的"三驾马车"。20 世纪 70 年代中期，勃列日涅夫的健康状况恶化之后，葛罗米柯、安德罗波夫、乌斯季诺夫就成为左右苏联政局的"三巨头"。

勃列日涅夫当政后，苏联国内状况的发展变化，也是勃列日涅夫选取外交路线的又一重要考虑因素。

就苏联国内来说，政局相对平稳，综合国力大大提高。[2]

由于推行新经济体制改革，20 世纪 60 年代后期苏联国民经济出现了良好

[1] 《鲜为人知的勃列日涅夫》，《马克思恩格斯列宁斯大林研究》，中央编译局马列部主办，2006 年第 4 期，第 37 页。

[2] 评价某个国家的"综合国力"，并无绝对的标准。本书作者认为，在常态环境下，相对来说"综合国力"可由该国的固定因素和变动因素两大部分构成。固定因素包括领土、人口、自然条件、资源储藏等方面；变动因素包括科学技术发展水平、经济发展水平、全民意志表现、政治协调水平以及军事实力。其中军事实力当然在"综合国力"中具有举足轻重的意义。但是，参阅古今中外的历史，在常态环境下，使军事实力和该国的各方面因素相协调，既足以维护全社会的安宁、捍卫国家的安全，显示国家的威力，又不致影响国家、社会的进步和国民生活水平的逐步提高，客观上是一个较难掌握的度。

的发展势头，苏联的经济实力逐步增长，苏联同美国的差距有所缩小。20世纪70年代中期，苏联20几种主要工业产品，尤其是能源方面，如电力、原油、原煤、天然气、钢等的产量，都超过了美国。苏联的国民收入总量大大超过了除美国以外的任何一个西方国家，而且超过英、法、联邦德国、意大利和荷兰等西欧5国的总和。[1] 经济实力的提升，为勃列日涅夫调整外交路线提供了坚实的物质基础。

勃列日涅夫当政后，苏联军事力量的发展也进入了快车道。

勃列日涅夫一直把拥有强大的军备和核威慑力量看作是推行外交政策的后盾。因此，在国内的经济发展中，将85%以上的工业投资用于发展重工业，尤其是军事工业。在勃列日涅夫当政的18年里，军费逐年增加，从1965年的折合370亿美元增至1981年的折合近2000亿美元，前后增长近5.4倍，占全国财政支出的1/3。[2]

1965—1981年苏联的军费支出

（单位：亿美元）

年份	军费支出	年份	军费支出
1965	370	1974	1090—1130
1966	387	1975	1240
1967	419	1976	1270
1968	482	1977	1330
1969	511	1978	1480
1970	539	1979	1650
1971	550	1980	1400
1972	844	1981	1910—2000
1973	889		

资料来源：伦敦国际战略研究所编：《军事力量对比》。

20世纪60年代，苏美军事实力对比，苏联还处于全面劣势，到70年代

[1] ［俄］吉·谢·哈恰图夫著：《现阶段苏联经济》，北京出版社1981年版，第5页。

[2] 参见周尚文等：《苏联兴亡史》，第763页。

已大体相当，在某些方面甚至超过了美国。

苏美战略核力量对比表

年份	国别	洲际导弹	潜射导弹	远程轰炸机
1963	苏联	100	100	190
	美国	424	224	630
1972	苏联	1050	160	150
	美国	1054	656	445
1975	苏联	1618	787	135
	美国	1054	656	445
1979	苏联	1618	787	135
	美国	1054	656	338

资料来源：伦敦国际战略研究所编：《军事力量对比》。

军队在苏联政治生活中的地位也显著提高了。1976 年 2 月 28 日，苏联武装力量代表团打着军旗，在全场近乎疯狂的掌声中进入苏共第二十五次代表大会会场，这在苏共代表大会的历史上是空前的。战略火箭部队师长科切马索夫少将在大会发言中说：苏联武装力量同华沙条约缔约国兄弟国家的军队一起，随时准备给任何侵略者以毁灭性打击。

勃列日涅夫当政时期，苏联战略方针的变化特别体现在海军战略的改变，即从原来的近海防御改为致力于建立远洋舰队，使苏联海军进入世界各大洋，使苏联成为世界一流的海军强国。

尽可能地向海洋发展，是近代以来俄国的不变战略目标，争夺海洋是俄国不变的战略。但是，直到第一次世界大战前，俄国海军仍然被世界各海洋大国封锁在俄国的近海海域，难以伸展。苏联建国后，斯大林虽然极端重视建设和发展苏联海军，争夺有利的海洋发展态势，但是囿于苏联的综合国力和综合发展水平，斯大林最终也只是要求“我国海军是红军的忠实助手”[1]。斯大林规定，海军是在近海海域行动，在战役—战略方面仍然是防御性的。

[1] 《最高统帅给苏联红军和海军部队的命令》，《斯大林文选》，下册，人民出版社 1977 年版，第 433 页。

赫鲁晓夫当政时期把主要注意力集中在发展核武器上，海军发展战略是在保持原来方针不变的原则下，快速建设和发展潜艇，包括装备弹道导弹和巡航导弹的核潜艇以及柴油发动机为动力的鱼雷和导弹潜艇。20 世纪 50 年代中期至 60 年代中期，苏联海军新接收了 188 艘潜艇，其中 56 艘为核动力潜艇。苏联海军组成了第一代水下核舰队，水下力量成为苏联海军的一个重要的、超过美国水下力量的兵种。

勃列日涅夫当政后，不顾苏联现实的国力条件，在大力发展核武器的同时，也加紧发展常规武器。在海军发展战略上，也一反苏联原定的方针，竭力向远洋扩展。

勃列日涅夫积极支持、实施建造大型核潜艇、导弹巡洋舰、航空母舰的造舰计划，大大增强舰队的攻击能力。像大型核潜艇“苏联成立 50 周年”号、“列宁共青团”号，水面排水量都在 3000 吨以上，水面航速都达 25 节以上，带有 3 个导弹发射管，能在远洋停留 4 个月。20 世纪 70 年代，苏联海军拥有 400 艘潜艇，其中 65 艘左右为核潜艇。核潜艇成为苏联海军主要的海上作战力量。1976 年，大型航空母舰“基辅”号开始服役。20 世纪 70 年代，编入海军服役的航空母舰已有直升机航母“莫斯科”号和“列宁格勒”号，大型航空母舰“基辅”号、“明斯克”号等 6 艘。20 世纪 80 年代初，苏联海军的水面舰只达到 362 艘。至此，苏联海军的作战舰艇总数已超过美国，尽管在总吨位上还落后于美国。海军的战略也从海岸防卫转为环球航行，和美国展开海上争霸。

1975 年 4 月，苏联海军在海军总司令、海军元帅戈尔什科夫的领导下，举行了所有各舰队全都参加的、代号为“大洋—75”的作战演习。苏联海军兵力在巨大的世界海洋空间里展开，各自按现实和标示的目标进行了战役—战略演练。演习的结果表明，苏联海军已经由近海驶向世界各大洋，并正以自己的战斗勤务兵力控制着诸多重要的战略海域。还在 1966 年 7 月海军节时，海军总司令戈尔什科夫在演说时就说：“苏联海军的旗帜正自豪地飘扬在各大洋上。”苏联“要建成一支可以完成进攻性战略任务的远洋潜艇和火箭导弹舰队。要结束由传统的海军列强控制海洋的局面”。[1] 勃列日涅夫遵循的俄国的祖训：

[1] 参见［美］唐·W. 米切尔著：《俄国与苏联海上力量史》，朱协译，商务印书馆 1983 年版，第 557 页。

强大的俄罗斯、强大的海军，成为苏联20世纪70年代的事实。

勃列日涅夫当政后，在外交工作上也展开攻势。

1966年6月下旬，法国总统戴高乐应邀对苏联正式访问。1966年12月上旬，苏联部长会议主席柯西金应邀正式访问法国，作为戴高乐半年前访苏的回访。1967年2月，柯西金还实现了对英国的访问。尤其重要的是1970年8月11—13日，联邦德国总理勃兰特应邀正式访问苏联。

在这几年里，苏联在中东、印度支那、南亚次大陆以及非洲、拉丁美洲等广大第三世界地区，也展开积极的外交活动，努力楔入对苏联有战略意义的地区，为苏联谋取各方面的利益，改善苏联的战略态势。

勃列日涅夫经过几年对国际事务和苏联国内局势的观察、思考，终于形成他关于苏联的外交路线。1971年3月30日，勃列日涅夫在苏共第二十四次代表大会的总结报告中，具体地、明确地阐述了苏联的外交路线。

勃列日涅夫对自他当政以来世界局势的总评价是："资本主义的总危机在继续加深。""新的阶级搏斗可能导致根本性的社会变革，一系列国家的民族解放斗争，实际上已发展成为既反对封建剥削关系，也反对资本主义剥削关系的斗争。""世界社会主义体系的形成和巩固强有力地加快了由伟大十月革命所开创的历史进程。出现了社会主义在全世界取得胜利的新前景。"[1]

勃列日涅夫从对世界局势这一基本估计出发，认为保证苏联进行和平建设必须使欧洲现有国界不变，"欧洲持久和平的基础首先是欧洲各国的边界的不可侵犯性。"

在总结报告中，勃列日涅夫还明确地提出了和美国争霸的目标。勃列日涅夫说：苏共中央和苏联政府竭尽全力保证苏联共产主义建设的和平条件，"近几年来它（美国——引注）一再证实，它竭力想充当国际剥削和压迫制度的特别保证人和维护者的角色。它力图到处称霸"。[2] 勃列日涅夫把裁军、不扩散核武器、限制战略武器问题，作为当前抑制美国霸权的斗争内容。勃列日涅夫提出了苏联在"目前形势下保卫和平和加强国际安全"的六项具体任务：

---

[1] 《在苏联共产党第二十四次代表大会上的总结报告（1971年3月30日）》，《勃列日涅夫言论》，第7集，第6页。

[2] 同上书，第18页。

一、不使用武力和不以使用武力相威胁来解决国际争端；

二、以最终承认第二次世界大战在欧洲形成的领土变更为出发点，召开全欧会议并使其成功，同时废除北约和华约，或以撤销它们的军事组织作为第一步；

三、缔结禁止核武器、化学武器和细菌武器的条约；

四、停止军备竞赛，撤除外国军事基地；

五、消除残存的殖民制度；

六、在保护自然环境、开发动力和其他自然资源、发展运输和通信联络、防止和根治最危险的常见疾病、考察宇宙和海洋等方面，加强各国之间的互利合作。[1]

勃列日涅夫在苏共二十四大的总结报告中，关于《苏联为争取和平与各国人民安全而斗争》的内容，是勃列日涅夫接受了葛罗米柯《两份文件》的基本思想，根据他自己几年来对国际、国内问题的观察与思考，为苏联确定的外交路线。这条路线就是以缓和为策略，以裁军为口号，以实现欧洲人的欧洲为步骤，以一体化的社会主义大家庭为集团支撑，使苏联在和平的国际环境下跃居世界超一流强国，和美国在全球范围内争霸。勃列日涅夫所选定的苏联外交路线，有审时度势、面对现实、为苏联赢得有利的发展的一面；但是从历史的长时段上来看，这条外交路线把苏联的基本注意力和国力都消耗在和美国的争霸上，错失了和平发展的良机，成为苏联在勃列日涅夫身后不久就发生剧变的重要原因之一。

苏美葛拉斯堡罗会谈

葛拉斯堡罗会谈是勃列日涅夫当政后，苏美两国举行的首次最高级会谈。

1967 年 6 月 5 日，第三次中东战争爆发。6 月 10 日下午 6 时 30 分，联合国关于停火的协定生效，以色列速战速决。在 6 天的战争中，约旦、叙利亚、黎巴嫩、埃及等阿拉伯国家损失惨重。以色列通过第三次中东战争，占领

[1] 参见《在苏联共产党第二十四次代表大会上的总结报告（1971 年 3 月 30 日）》，《勃列日涅夫言论》，第 7 集，第 36—38 页。

了戈兰高地、约旦河西岸、加沙地区和西奈半岛，以及耶路撒冷旧城，扩大了战略纵深，改善了战略态势。阿拉伯国家在第三次中东战争中的惨败，使勃列日涅夫的中东政策也遭到苏共党内反对势力的质疑。

苏联为了重新恢复它在中东地区的地位，阻止美国势力在该地区的增强，1967 年 6 月 19 日，柯西金向联合国大会提交了一份特别决议案，要求坚决谴责以色列，并要求以色列军队从被占领的阿拉伯国家领土上撤走。美国在得知苏联部长会议主席出席联合国大会之后，约翰逊总统即提出与柯西金举行美苏最高级会谈的建议。

柯西金立即征询苏共中央的意见，被告知：一、可以举行会谈；二、会谈只能“在纽约，起码也应在纽约周围，同时应明确表示约翰逊将来此拜访苏联部长会议主席，而不是柯西金去美国总统那里会谈”。[1] 柯西金根据苏共中央的指示，与美国方面商定，会谈在距纽约大约 100 公里的小城镇葛拉斯堡罗举行。

1967 年 6 月 23 日下午，苏美两国最高级会谈开始。对于这次苏美最高级会谈，柯西金没有任何准备，也没有得到苏共中央的任何授权，而且勃列日涅夫根本就不希望柯西金在会谈中取得什么实质性的进展。因此，葛拉斯堡罗最高级会谈只能是苏美双方了解一些彼此的意图。

会谈中柯西金向约翰逊提出：美国的政策致力于军事目的，展开一场其他国家也必定要卷入的军备竞赛，这将使整个世界面临核战争的威胁。约翰逊解释说：美国丝毫不想造成一种可能会导致战争的局面，美国历届政府都致力于提高防御能力，而不是提高进攻能力。约翰逊希望美苏两国和平地发展两国关系，避免发生军事冲突。在作了这番开场白之后，两国在会谈中涉及中东问题、越南问题和反弹道导弹系统问题。

关于中东问题，柯西金强调应通过联合国来解决。约翰逊表示赞成以色列从被占领的阿拉伯国家领土上撤军，但是应当保证该地区所有国家，包括以色列在内的国家的领土完整。在中东问题上，柯西金是强调通过什么样的途径来解决；约翰逊是强调“保证该地区各国的领土完整”，“赞成”以色列从被其占领的阿拉伯国家领土上撤军，实际上谁也不承担什么责任。这样，苏美两国

[1] ［俄］阿·多勃雷宁著：《信赖——多勃雷宁回忆录》，第 186 页。

在中东问题上就没有太大的分歧了。

越南问题是这次苏美最高级会谈的中心问题。约翰逊提出：北越应保证停止在南越的军事行动，美国可以从南越撤军；约翰逊还希望苏联能充当解决越南问题的“第三者角色”；柯西金因为没有得到苏共中央的授权，因而没有作出承诺，只建议美国直接与越南民主共和国谈判。约翰逊接着表示：如果河内愿意立即与美国谈判，美国将停止空袭。柯西金也不清楚越南民主共和国的态度，对约翰逊的建议也不能有明白的表示，只好坚持：除非美国停止空袭并从南越撤军，否则冲突就很难解决。关于越南问题上的接触，苏联的实际收获是得到美国不使用战术核武器的私下保证。

关于反弹道导弹系统问题，约翰逊强调，美国是出于这样的理论，即美国应该准备在承受核导弹的突然袭击的同时，保存自己的反击能力，并使敌人受到无可挽救的损失。约翰逊还说：美苏双方都意识到这点，因而哪一方都不会主动攻击对方，因为攻击对方也意味着“自杀”，这是一种“恐怖平衡”。在这个问题上，约翰逊表示得十分强硬：退一步说，美国可以将部署反弹道导弹系统的时间往后推迟，但是不能停止这一计划的实施。面对美国的强硬态度，柯西金只是泛谈：防御是合乎道德的，侵略则是不道德的。

苏美葛拉斯堡罗最高级会谈并没有产生什么实质性的结果，这本是勃列日涅夫计划之中的。关于葛拉斯堡罗会谈，柯西金回国后向苏共中央政治局报告说：“约翰逊和他的助手们对我们十分友好，十分重视我们的意见，并极力表明他们迫切希望找到解决重要问题的办法。”[1]

莫斯科苏美两国最高级会谈

葛拉斯堡罗会谈虽然没有取得什么实质性的成果，但是此后苏美两国在各方面的联系和交流，则明显地增加了。1968 年 7 月 15 日，莫斯科—纽约直达航线开通。当天，从莫斯科起飞的伊尔—62 飞机抵达纽约，美国副国务卿罗斯托到机场欢迎。美国的波音 707 客机立即从纽约起航，于 16 日飞抵莫斯科。苏联民航部部长布加耶夫到机场欢迎。随机抵达莫斯科的苏联民航部国际

[1] ［俄］阿·多勃雷宁著：《信赖——多勃雷宁回忆录》，第 191 页。

关系处处长比西金在机场致词中说：莫斯科—纽约直达航线的开通，是苏美发展广泛的相互接触中开辟的一条重要通道。

1969 年 1 月，尼克松就任美国总统。尼克松上台后，立即建议与苏联举行两国最高级会谈。还在约翰逊总统任内，苏联即有此期望与安排，只是由于 1968 年 8 月入侵捷克斯洛伐克，约翰逊才取消了访苏计划。对于尼克松的建议，苏联立即作出积极的回应。勃列日涅夫也决定，由他亲自与尼克松举行苏美两国最高级会谈。此前，对未来的首脑会谈，葛罗米柯多次有意无意地表示："所有重要的谈判都应该由苏共中央总书记主持，而不是由政府首脑主持。"[1] 在外交工作方面，勃列日涅夫执意依靠葛罗米柯，排斥柯西金。在准备接待尼克松来访、苏美举行首脑会谈过程中，勃列日涅夫、柯西金、葛罗米柯 3 人曾有过这样一段"电话三人转"：

柯西金要通了勃列日涅夫的电话："瞧，尼克松有多厚颜无耻。对越南炸了又炸。真混蛋。喂，列昂，要不，我们推迟他的来访？"

勃列日涅夫："你是怎么啦！"

柯西金："怎么啦！还会轰炸啊！"

勃列日涅夫："轰炸归轰炸，可它更多的是炸谁呀。"

柯西金："是，好吧。但应该给他写封信，不是吗。"

勃列日涅夫："对，我这里好像有一封尼克松的信。我还没答复他呢。我就利用它吧。"

勃列日涅夫搁下和柯西金的通话，立马要通葛罗米柯的电话："你知道吗，柯西金建议推迟尼克松的来访。他说，尼克松将继续轰炸。"

葛罗米柯："他是怎么回事？这个柯西金一天会有 20 个想法。"

勃列日涅夫："行了，行了，让我们在政治局把一切都商谈一下。"[2]

这段"电话三人转"，反映了勃列日涅夫、柯西金、葛罗米柯之间的微妙关系。

1971 年 10 月，苏美两国商定，苏美两国将于 1972 年 5 月在莫斯科举行首脑会谈。这个时间是在尼克松完成对中国的历史性访问之后。按勃列日涅夫

[1] [俄] 列・姆列欣著：《历届外交部长的命运》，第 492 页。

[2] 同上书，第 492—493 页。

的说法："尼克松到北京赴宴，但到莫斯科来是办事。"[1]

苏美两国都为这次最高级会谈做了充分准备。

在此之前，尼克松访问过英国、法国和联邦德国，分别同英国首相希思、法国总统蓬皮杜、联邦德国总理勃兰特举行会谈。尼克松向他的西欧盟国首脑们谈了他关于世界格局以及美国和西欧关系的构想。尼克松反复说："我们必须记住在世界历史的进程中，唯一能够使我们得到广泛持久的和平的时期，就是势力平衡时期。当一个国家相对于它的潜在竞争者来讲变得极端的强有力时，战争的危险也就上升了……我认为，如果我们能够有一个强大、健康的美国、欧洲、苏联、中国、日本的平衡，一方制衡其他方，不利用一方对抗另一方，一个均等的平衡，世界将会更加安全、更加美好。"[2] 尼克松已经面对20

勃列日涅夫会见勃兰特

[1] ［美］亨·基辛格著：《白宫岁月》，陈瑶华等译，世界知识出版社2003年版，第3册，第1071页。

[2] ［美］理·里夫斯著：《孤独的白宫岁月：近距离看到的尼克松》，蒋影译，经济日报社2004年版，第353页。

世纪60年代以来的世界发展变化的现实，放弃了美国优势的方针，谋求多极格局的均衡。

关于美国和西欧的关系，尼克松说：尽管存在着众所周知的分歧，“从长远看，美国没有欧洲的共存将无法独立于世。没有美国在这个时代对核力量的贡献，欧洲的生存也谈不上。苏联人很清楚这个道理，因此千方百计要分裂美国和欧洲。”[1] 这是尼克松面对苏联“欧洲是欧洲人的欧洲”的强烈攻势，表明美国的坚定立场。尼克松的见解、态度得到他的西欧盟国首脑们的认同。

与苏联领导人有过不止一次接触的蓬皮杜、勃兰特，也向尼克松谈了他们对苏联领导人的印象：“柯西金是一个阴郁而严肃的人，对德国怀有巨大的恐惧，这很可能由于他来自列宁格勒，曾有过在希特勒军队包围之中的生活经历。勃列日涅夫是乌克兰人（应当说是出生在乌克兰的俄罗斯人——引注），来自南方。他是个很强硬的家伙，但是表面上很友好随和，装作热爱生活，喜欢美食、饮酒和西方汽车。”[2] 勃兰特还告诉尼克松：“现在莫斯科由衷地感兴趣与美国和西欧的关系正常化，苏联人很可能在寻找更多的经济上和技术上的合作，而且肯定对削减军备感兴趣。”[3]

总之，尼克松在抵达苏联之前，已对莫斯科最高级会谈做了充分的准备。他将这次最高级会谈的目标定位在：“我们希望达成一项反弹道导弹条约，并且同时冻结进攻性武器，这是我们的目标。”[4]

苏联方面也为这次最高级会谈做了多方面的准备，勃列日涅夫也希望制约和美国的军备竞赛，缓解经济上的不堪重负。

1971年3月30日，勃列日涅夫在苏共二十四大的总结报告中就说：“我们正在就有关限制战略武器问题同美国进行谈判。这项谈判如能得到圆满结果，就能避免又一个回合的火箭武器竞赛，就能腾出大量资金用于建设性的目的。我们正在努力使这项谈判取得积极的成果。然而，我想强调指出，只有同等地考虑各方面的安全利益，并且任何人都不追求单方面的优势，裁军谈判、

---

[1] ［美］理·里夫斯著：《孤独的白宫岁月：近距离看到的尼克松》，第348页。

[2] 同上书，第348—349页。

[3] 同上书，第351页。

[4] 同上书，第407页。

尤其是那种讨论极其微妙的军事技术方面的谈判，一般来说才是有成效的。”[1]

但是在裁军和限制战略武器问题上，苏共中央受到苏联军方和军事工业集团的很大制约。在苏联的政治生活中，军人的影响极大；军人和军事工业集团构成苏联社会真正的强势集团。他们总是不断要求政府扩大军工生产，加强军队的物质技术基础，在国际竞争中谋求军事优势。他们总是强调国家经济不仅能保障军队的当前需要，同时能弥补一旦发生战争而造成的大量物质损失，几乎不考虑整个国民经济的均衡发展。因此，他们总是无止境地、不顾一切地要求发展军事工业，尤其是核武器。

实际上，勃列日涅夫上台以后，苏联的国防开支，几乎年年追加，年年超过美国。

苏美两国历年国防开支

（单位：亿美元）

年份 国别	1965	1966	1967	1968	1969	1970
美国	518	675	754	807	814	773
苏联	623	697	809	854	898	720

叛逃到美国的前联合国副秘书长、苏联人舍甫琴科说：“1972年莫斯科首脑会议之后，苏联不但没有放松武器储备，反而继续使其军火库——战略的和常规的——全面现代化，不断增加导弹、飞机、坦克、舰艇和大炮的数量。苏联不惜牺牲其他经济部门，而且大大超过其实际防务需要，将军工生产增加了1/3。它的军工基地之大在全世界首屈一指。按美元估算，苏联军事投资大大超过了美国。”[2]

[1] 《在苏联共产党第二十四次代表大会上的总结报告（1971年3月30日）》，《勃列日涅夫言论》，第7集，第33页。

[2] 统计数据与引文参见左凤荣：《致命的错误——苏联对外战略的演变与影响》，第252—253页。苏联“军费开支”的含义，苏联和世界各大研究中心的理解有所不同。西方有的研究机构将直接服务于军事的军工生产也包括在内，因此统计数字也有不同。

当勃列日涅夫希望和美国达成某种协议，制约着魔似的军备竞赛时，仍遭到军方的强烈反对。为此，勃列日涅夫曾把军方和军事工业集团的领导人，召集到他的办公室开会，讨论拟议中的限制军备竞赛问题。军人们激烈的情绪使会议进行了 5 个小时而没有结果。最后，勃列日涅夫忍不住了，说："好吧，我们不作任何让步，也不签订协议，继续进行核军备竞赛。你们能给我这个国家武装力量总司令一个明确的保证吗？说我们一定会超过美国，我们之间的力量对比要比现在对我们更有利。"会场上顿时哑然，因为谁也不敢作这样的保证。勃列日涅夫紧接着说："这是怎么回事呢？为什么我们要继续消耗我们的经济，不断增加军事开支？"[1] 勃列日涅夫总算"说服"军人和军工集团，同意和美国达成某种协议。

关于西柏林问题"四国协定"的签订，也为苏美首脑会谈做好了重要的准备。1971 年 9 月 3 日，苏联、美国、英国、法国四国政府，在柏林签署了关于西柏林问题的"四国协定"。四国政府保证促进消除西柏林地区的紧张局势和防止发生纠纷，不在该地区使用武力或以武力相威胁。四国政府保证只用和平手段解决争端。美、英、法政府声明：德意志联邦共和国和西柏林的联系将予维护和发展；同时应考虑到"西柏林不是德意志联邦共和国的一部分，今后也不受它管辖。"

关于西柏林问题的"四国协定"，为西柏林和民主德国之间确定了一条法定的自由走廊，从而为西柏林和东柏林，以及西柏林和民主德国之间，提供了比较便利的、法定的通信和交往条件。该协定的签订，不仅最终确定了西柏林的合法地位，更是消除了第二次世界大战结束以来欧洲的一大不安定隐患，使苏美之间、乃至苏联和西欧各大国之间，从感情上接近了一大步。

苏共中央政治局也曾多次讨论即将举行的苏美最高级会谈问题，其中包括接待尼克松的礼仪问题。勃列日涅夫在政治局会议上说："在中国，尼克松及夫人去游览了长城。到我们这里，夫人总是单独活动的，只是去看《天鹅湖》的时候才一起去。这合适吗？不应当把尼克松的随从人员安排进宾馆，因为那样安德罗波夫盯不住他们。应当把他们都安排在列宁山上的单独住所里，这样同外界的接触也将少一些。在机场的欢迎仪式，我们这里通常是挥舞小旗子，

[1] ［俄］列·姆列欣著：《历届外交部长的命运》，第 497 页。

高喊‘友谊’。现在这不合适。但也不能完完全全默不作声。要训练五六个孩子，让他们用英语对总统随便说点儿什么，比方说，祝谈判取得成功。”[1]苏共中央政治局经过讨论后确定：这次最高级会谈集中在限制战略武器和反弹道导弹系统问题上。

越南战争曾一度使苏美最高级会谈蒙上阴影。

美国不顾苏联的警告，坚持在越南采取大规模军事行动。5 月初，一艘停泊在海防港的苏联货轮也被美国飞机炸沉，2 名苏联船员丧生。在政治局会议上，格列奇科反对在这样的时候与美国举行最高级会谈，波德戈尔内也支持格列奇科的意见，认为应当推迟尼克松访苏。柯西金此时也和葛罗米柯一起主张按预定日期举行最高级会谈。苏斯洛夫模棱两可。勃列日涅夫尽管渴望与尼克松尽快会面，由于政治局内意见的分歧，也左右为难。勃列日涅夫将问题提到苏共中央全会上去。1972 年 5 月 19 日，苏共中央举行全体会议，主要内容是听取勃列日涅夫关于国际形势的报告。苏共中央全会通过了《关于国际形势的决议》，表示完全赞同苏共中央政治局根据苏共二十四大决议所采取的关于缓和国际紧张局势、加强和平与国际安全事业的实际活动，实际上是勃列日涅夫借中央全会的决议，来平息政治局内关于和美国如期举行最高级会谈的不同声音。

1972 年 5 月 22 日，美国总统尼克松乘“空军一号”专机飞抵莫斯科，开始了对苏联的为期 8 天的访问。陪同尼克松访苏的有国务卿罗杰斯和国家安全事务助理基辛格等高级官员。苏联最高苏维埃主席团主席波德戈尔内、苏联部长会议主席柯西金前往机场迎接尼克松。

苏美两国最高级会谈开始了。会谈的进程十分复杂，内容涉及政治、经济、科学和技术联系、医药和公共卫生、越南问题、中东问题等等一系列问题，以及虽然没有列为会谈的内容，但时时牵涉的“中国问题”。在越南问题上，苏联方面表面上的情绪最为激动，勃列日涅夫、波德戈尔内、柯西金轮番指责美国“纯粹是侵略”，勃列日涅夫甚至拍桌子。尼克松心中有数，表现镇静自如。在“中国问题”上，勃列日涅夫最为刻薄，攻击“中国执行邪恶的外交政策”；“《上海公报》双方各自申明自己的立场而不确立共

[1] ［俄］列·姆列欣著：《历届外交部长的命运》，第 494 页。

同的立场，使得整个文件毫无原则性。”[1]尼克松拒绝苏方的攻击，坚持《上海公报》的立场。

莫斯科最高级会谈的中心是关于限制进攻性战略武器和反弹道导弹系统问题。在这个问题上，不仅苏美双方的争论和讨价还价极为激烈，即使在苏联方面，勃列日涅夫还和以国防部长格列奇科为代表的苏联军方发生激烈争吵。

勃列日涅夫与尼克松

在苏共中央政治局讨论关于限制进攻性战略武器的某些措施的临时协定时，国防部长格列奇科反对已经协商好的文本，并且声明说：“他作为国家安全的负责人不能同意。”格列奇科在政治局会议上，当着众人的面，向苏联国防委员会主席兼苏联武装力量总司令的苏共中央总书记作这样的声明，触到了勃列日涅夫的痛处。勃列日涅夫申斥了格列奇科，坚持政治局通过的协议文本。勃列日涅夫虽然自认为自己是职业军人，也明白军人是他掌权的非常重要的基础，实际上他也是尽可能地满足军队的所有要求，但是在这个问题上表现得比较理智。事后，格列奇科驱车来到扎维多沃别墅，向勃列日涅夫道歉，承认自己错了。勃列日涅夫说：“你在政治局当着众人的面责备我不重视国家安全利益，而现在私下来到扎维多沃只向我一个人道歉。”[2]

5 月 26 日，苏美签订了《限制反弹道导弹系统条约》和《关于限制进攻

[1] ［美］亨·基辛格著：《白宫岁月》，第 4 册，第 1554 页。

[2] 参见［俄］格·阿·阿尔巴托夫著：《苏联政治内幕：知情者的见证》，第 281 页。

性战略武器的某些措施的临时协定》。《限制反弹道导弹系统条约》的主要内容是：一、允许缔约双方在以各自的首都为中心、半径为150公里的反弹道导弹部署区内，部署不超过100部反弹道导弹发射架，发射场内可部署不超过100枚反弹道导弹；二、在设有洲际导弹地下发射井、半径为150公里的反弹道导弹系统部署区内，缔约双方亦可部署不超过100部的反弹道导弹发射架和不超过100枚的反弹道导弹；三、上述规定数目以外的反弹道导弹系统应当销毁，缔约双方保证不建立以海洋、空中、空间为基地以及陆地机动的反弹道导弹系统。

《关于限制进攻性战略武器的某些措施的临时协定》主要内容是：一、缔约双方从1972年7月1日开始，不再建造以陆地为基地的洲际弹道导弹发射架；二、限制潜艇发射的弹道导弹发射架和现代化的、装备弹道导弹潜艇的数量；三、协定有效期为5年。

5月29日，双方签署了《苏维埃社会主义共和国联盟和美利坚合众国相互关系原则》，这是勃列日涅夫最为关心的。文件声明：双方将尽一切可能避免军事对抗和防止核战争的爆发；经常注意在相互关系中保持克制。

此外，双方还签署了环境保护合作协定；医学和卫生合作协定；为了和平目的探索和利用外层空间合作协定；科技合作协定；防止公海及其上空发生事

勃列日涅夫和尼克松签署协议

故协定，等等一系列协定。

尼克松访苏期间，5 月 27 日曾在柯西金的陪同下访问列宁格勒。柯西金陪同尼克松登上苏联安排的专机后，3 个小时不能起飞。柯西金急了，找来飞行员问是怎么回事。飞行员回答：飞机的一个引擎失灵了，要临时换机。柯西金向尼克松作了解释，并说将处分这位飞行员。尼克松平静地说：这位飞行员应该得到奖赏，而不应受处罚。尼克松向大惑不解的柯西金解释说：某次在非洲，美国飞行员知道有一个引擎运转得不正常，但指望侥幸完成短暂的飞行，结果遇到了麻烦。飞机在沙漠上被迫紧急降落，尼克松总算死里逃生。尼克松说："这就是为什么我说你们的飞行员应该受到奖赏的原因，因为他说了实话。"[1] 不管怎么说，尼克松是按计划完成了对苏联的访问。

苏美莫斯科最高级会谈的最大成果是签订了限制进攻性战略武器临时协定，这是苏美两个核大国首次就限制进攻性战略武器达成的协议。尽管此后两国仍开展尖端核技术的激烈竞赛，但毕竟是人类出现核武器之后的第一个关于限制核武器的协定。5 月 30 日，尼克松离开苏联前往伊朗访问之后，苏共中央政治局举行了关于尼克松访问问题的专题会议。苏共中央政治局几乎都认同："尼克松是一个办事有条不紊而又讲求实效的人。"6 月 1 日，尼克松回到美国后，向参、众两院报告莫斯科最高级会谈说："首脑会谈为世界上两个最强大的国家之间建立一种新型关系奠定了基础。"包括限制进攻性战略武器协定在内的一系列双边协定的签订，"标志着两个主要核国家走向共同克制和限制武器时代的第一步"。[2]

勃列日涅夫访美与签订《防止核战争协定》

1973 年 6 月 18—25 日，勃列日涅夫率苏联代表团对美国进行了为期一周的正式访问，这是勃列日涅夫首次访问美国。

自从 1972 年 5 月尼克松访苏，苏美两国签署了《相互关系原则》以后，除武器竞赛问题之外，勃列日涅夫在某些次要问题上，向美国作出了一定的让

[1] 参见［美］亨・基辛格著：《白宫岁月》，第 4 册，第 1554 页。

[2] 同上书，第 1588 页。

步，希望以此来换取美国放宽对苏联的贸易限制，突出的事例是苏联放宽了对犹太人移民的限制。

此前，苏联一直限制犹太人向国外移民，理由是：许多犹太人在应用科学和军工企业工作，知道国家机密；放宽犹太人移民将会加剧国外的反苏运动，等等。其实，更重要的原因是阿拉伯国家一直抗议犹太人移民，它们认为犹太人移民将会迅速增加以色列的人口和增强以色列的科技实力；苏联担心放宽犹太人移民将会损害和阿拉伯国家的关系。为了限制犹太人移民，1972 年 8 月 3 日，苏联最高苏维埃主席团颁布一项法令：移民必须交纳出境“移民税”，用以偿还在苏联享受义务教育而对国家的积欠。对此，美国也作出强烈反应：不准苏联获得最惠国待遇和贸易信贷。这样的局势，无疑将影响勃列日涅夫即将进行的对华盛顿的访问。1973 年 3 月 30 日，勃列日涅夫指示苏联驻美国大使多勃雷宁向尼克松秘密转交一封“私人信件”，信中告知：1972 年，95.5% 申请移居以色列的苏联犹太人均已获得批准；1968 年，从苏联出境的犹太人是 400 名，1973 年为 3.5 万人；1971 年至 1973 年的两年里，已有 6 万余名苏联犹太人移居以色列。勃列日涅夫在信中还告诉尼克松：“移民税”也已经废除了。[1]

1973 年 5 月初，勃列日涅夫在距莫斯科 130 公里的扎维多沃狩猎区，接待了来访的基辛格，就勃列日涅夫访美，以及起草包括防止核战争协议在内的各种文件，达成协议。6 月 14 日，勃列日涅夫在克里姆林宫接见一批美国主要报纸、电台和电视台的驻苏记者，回答了记者们就他即将访问美国一事提出的问题。勃列日涅夫说：现在具备了两国在各个领域内进一步顺利发展关系的条件，“苏美关系的顺利发展无疑将有利于苏美两国人民，有利于加强和平与国际安全的事业”。[2]

1973 年 6 月 18—25 日，勃列日涅夫对美国进行了正式访问，同美国总统尼克松在白宫、戴维营和圣克里门蒂等三地举行最高级会谈。勃列日涅夫与尼克松的第一次会谈在白宫举行。会谈只有一名译员维克多·苏霍德列夫在场。勃列日涅夫对尼克松这样阐明他对苏美两国之间关系的看法：“我们知道就力量和影响来说，世界上只有苏联和美国这两个国家真正管事。任何事

---

[1] ［俄］阿·多勃雷宁著：《信赖——多勃雷宁回忆录》，第 311 页。

[2] 《同美国记者的谈话（1973 年 6 月 14 日）》，《勃列日涅夫言论》，第 9 集，第 70 页。

情只要我们两国之间决定了，世界上其他国家即使可能不同意也不得不跟着我们走。”尼克松猜透了勃列日涅夫的话的潜意思，回答说：“我承认，我们是两个最突出的核超级大国，这是现实。但我们双方都有盟国。他们全是有自尊心的人民，我们做事绝不应显得漠视他们的利益。”[1]

勃列日涅夫访问美国

访美期间，勃列日涅夫会见了美国国会参议院外交委员会的成员、美国实业界人士、美国共产党领导人，发表了电视讲话。当然，勃列日涅夫访美、与尼克松会谈的中心问题是关于限制战略武器、欧洲安全与裁军问题。关于进攻性战略武器和防止核战争问题，苏联原定的目标是“相互保证不首先使用核武器”。但是在这个问题上，美国、包括它的北约盟国则要求保持常规核武器（战术核武器）的威慑力。双方几经讨价还价，把讨论引向“不首先使用武力”这一更为宽泛的概念上去。6 月 21 日，苏美两国签订了关于进一步限制进攻性战略武器的谈判基本原则。这份“谈判基本原则”说：“双方保证将继续进行积极的谈判，以便在 1972 年 5 月在莫斯科通过的苏美文件和 1973 年 6 月在华盛顿达成的协议的基础上，制定出关于更全面的限制进攻性战略武器措施的永久性协议。”勃列日涅夫和尼克松相互承诺：“双方将遵守承认相互同等安全的原则和不允许直接或间接地获得单方面优势的原则。”[2] 实际上，关于限制

[1] ［美］乔・桑特尔著：《尼克松传》，成都出版社 1996 年版，第 328 页。

[2] ［苏］A.A. 阿赫塔姆江等著：《苏联对外政策编年史。1917—1978 年》，商务印书馆 1983 年版，第 274 页。

进攻性战略武器谈判并没有实质性的进展。因此，关于限制进攻性战略武器的谈判和协议，勃列日涅夫也只是谨慎地说："经过共同的努力，在限制苏美的战略武器这样十分重要而又难于解决的问题上又向前迈出了一步。"[1]

6月22日，苏美两国签订了《防止核战争协定》。该协定称："苏美两国将采取行动，以期防止发生导致它们之间关系恶化的形势，避免军事冲突和消除它们之间，以及它们中的一方与其他国家之间发生核战争的可能性。"当出现核冲突的危险时，两国将立即进行协商。[2] 苏美签订的关于防止核战争协定仅仅是一种协议，并不是对双方都有约束力的条约。因此，勃列日涅夫与尼克松的最高级会谈，在两个主要问题上，都没有取得实质性的进展。

勃列日涅夫与尼克松会谈时，曾多次提到美国与中国的关系问题。勃列日涅夫表示他对美中关系极为关注，担心美国和中国之间进行一些秘密的军事安排。尼克松向勃列日涅夫保证：美国绝不会同中国作出任何有违美苏之间刚刚签订的防止核战争协定精神的安排；但是美国也不能同意与苏联建立一种将美国同中国打交道的情况向苏联通报的关系。[3]

勃列日涅夫访美期间，还与美国签订了关于在农业、运输、世界海洋研究、和平利用原子能等领域内合作的协定；关于接触、交流和合作的总协定；征税公约；关于航空运输、开设商务代表机构和建立苏美贸易委员会等一系列协定。

6月25日，勃列日涅夫结束对美国的访问，转飞欧洲，访问法国。

勃列日涅夫对1972年5月尼克松访问苏联、1973年6月他本人访问美国，津津乐道，称这两次互访是"为苏美关系从对抗转向缓和、正常化和互利合作开辟了道路。"[4]

---

[1] 《在苏联驻美国大使馆招待尼克松的宴会上的讲话（1973年6月21日）》，《勃列日涅夫言论》，第9集，第82页。

[2] ［苏］A.A.阿赫塔姆江等著：《苏联对外政策编年史。1917—1978年》，第274页。

[3] 参见［美］乔·桑特尔著：《尼克松传》，第332—333页。

[4] 《在世界和平大会上的讲话（1973年10月26日）》，《勃列日涅夫言论》，第9集，第268页。

苏美“缓和”的高潮

1973年6月勃列日涅夫访美之后，10月发生了第4次中东战争，苏美两国围绕这次战争和中东问题，又展开了一场微妙的新对抗。

1970年9月28日，埃及总统纳赛尔病逝，副总统萨达特继任总统。萨达特任总统后，于1971年5月27日与苏联签订了为期15年的两国友好合作条约，[1] 想依靠苏联的帮助，收复埃及在1967年6月第3次中东战争中丧失的土地。1972年2月和4月，萨达特两度访问莫斯科，与勃列日涅夫举行会谈，要求苏联帮助埃及建设自己的军工企业，并给予军事上和外交上的全面支持。勃列日涅夫反复向萨达特说明，苏联供给埃及的武器，无论从数量和质量上说，不仅都能同以色列保持平衡，在某些种类的武器上还能超过以色列。谈判的结果是，勃列日涅夫只答应向埃及提供一批苏联新式装备和武器，对埃及的其余要求，实际上予以拒绝。萨达特终于猜透了苏联的真实意图是维持中东的不战不和的现状；苏联驻埃及的庞大的军事顾问和专家队伍，不过是苏联安在埃及军事机器上的“制动阀”。萨达特对苏联的态度很快从失望转为不满。1972年7月18日，萨达特代表埃及政府发表声明：中止苏联在埃及的1.5万名军事顾问和专家的任务，限一星期内离开埃及；1967年以来苏联在埃及建立的军事设施和装备，将成为埃及财产。萨达特想排除苏联的干预，自主地收复埃及在第3次中东战争中失去的土地。萨达特的行动，让苏联经过十几年的努力在中东地区组合起来的势力网，几乎丧失殆尽。

1973年10月6日（伊斯兰教历的斋月6日、犹太教的赎罪日）下午2时，经过周密准备的埃及和叙利亚军队，从东、西两线同时向以色列军队发起猛烈攻击。西线的埃及军队渡过苏伊士运河，突破以色列军队精心营建的巴列夫防线，攻占了在第3次中东战争中丧失的西奈半岛的土地。

第4次中东战争的炮声一响，苏联的神经立即兴奋起来，展开积极的活动。苏联想乘机重新恢复在中东地区的影响和地位，削弱美国的影响力。美国也展开更为紧张的工作，想乘机把苏联挤出中东地区。但是，无论苏联或者美国，都想维持1972年5月莫斯科峰会、1973年6月华盛顿峰会达成的协议，

[1] 1976年3月，埃及政府宣布废除这一条约。

双方都害怕被直接拖进军事冲突的旋涡。于是，苏美两国围绕第 4 次中东战争，展开了一场不同于 1962 年加勒比海危机的、更其微妙的对抗。

1973 年 10 月 9 日，勃列日涅夫就向阿拉伯国家领导人表示："苏联正在以'多种形式'支持它的阿拉伯朋友'抗击以色列帝国主义侵略的正义斗争'。"[1] 短短 20 天的战争，苏联向埃及和叙利亚提供的军事物资，不会少于 22 亿美元。[2] 苏联想通过对埃及和叙利亚的大力军事援助，重新赢得阿拉伯国家的信任。苏联一面向阿拉伯国家紧急提供大量武器和战略物资，一面密切和美国联系，协商解决中东问题的方案。10 月 10 日至 13 日，苏美两国通过秘密渠道，频繁交换意见，以便达成一项解决问题的"联合国安理会决议"方案。战争的头几天，由于埃及和叙利亚在军事上占据了主动态势，就不断向苏联施加压力，拒绝"联合国干预"。

战争爆发后，美国也立即向以色列大规模空运各种军需物资，包括"小牛"式空对地导弹、各种型号的飞机和坦克。同时，尼克松又向勃列日涅夫表示：不能因为中东战争而影响美苏关系的成果；如果苏联不向中东地区派兵，美国也不会出动军队。13 日深夜，美国向苏联提出"就地停火"的建议。可是，阿拉伯国家仍坚持：以色列军队必须撤退到第 3 次中东战争之前的阵地才能停火，拒绝了由苏联转达的"就地停火"的建议。

10 月 15 日，以色列军队在得到美国新式武器补给之后，经过巧妙的安排，成功地偷渡苏伊士运河，在运河西岸迅速集结起近 3 万军队，夺回了战争开始时丧失的大片阵地，掌握了战争的主动权。此后的几天，战争的形势愈来愈不利于阿拉伯国家。10 月 22 日，阿拉伯国家被迫接受联合国安全理事会通过的第 338 号决议，实现就地停火。可是，以色列却加紧从东西两面向苏伊士运河地区推进，使仍滞留在苏伊士运河以东西奈半岛上的埃及第 3 军团 2.5 万人陷入重围。面对这种态势，萨达特只好通过特殊电话，向正在主持苏共中央政治局会议的勃列日涅夫直接喊道："救救我和首都，它已被以色列坦克包围了。"[3]

[1] 《就中东问题给布迈丁的信（1973 年 10 月）》，《勃列日涅夫言论》，第 9 集，第 260 页。

[2] 参见［俄］阿·多勃雷宁著：《信赖——多勃雷宁回忆录》，第 228 页。

[3] 同上书，第 341 页。

10月23日晚，勃列日涅夫召开苏共中央政治局紧急会议，讨论中东局势和苏联应采取的行动。国防部长格列奇科提出一个极端的建议：必须向美国和世界显示“我们在埃及和叙利亚的军事存在。”波德戈尔内极力支持格列奇科的意见。柯西金、葛罗米柯都反对采取直接军事介入的极端做法。勃列日涅夫认为，如果采取直接的军事介入，必将破坏和美国已建立的关系，因而也不赞成格列奇科的意见。经过争论，苏共中央政治局最后形成的意见是：给尼克松发一封措辞非常强硬的电报，建议苏美两国联合向埃及派遣军事力量；但不包括任何单方面采取行动的威胁。根据苏共中央政治局的决议，勃列日涅夫给尼克松的电报最后这样说：“让我们在这一特殊的问题上和在这种复杂的形势下共同履行这项协议吧（指联合国安理会10月23日通过的第339号决议，该决议要求冲突双方退回到各自的停火位置，联合国派观察员进行监督——引注），这将成为我们两国为了和平利益而采取一致行动的典范。”[1]苏联为了显示自己干预中东局势的决心，特意让苏联空军在外高加索地区举行一连串象征性的演习，苏联运输机则示威性地飞抵开罗。不过，勃列日涅夫给尼克松的电报表明，苏联仍希望与美国实行某种合作。

在美国的压力下，10月23日晚，以色列接受联合国安理会第339号决议，同意停火。

10月24日晚，白宫召集高级会议，商讨如何应对中东局势。出席会议的有基辛格、国防部长施莱辛格、参谋长联席会议主席摩尔、中央情报局局长柯尔比等美国高层决策人员。基辛格表示：“俄国人打算向中东派出军队以巩固他们在这一地区的影响力。弄清楚俄国人的真实意图是非常重要的。”基辛格还认为：俄国人肯定会利用这一机会重新确立他们在埃及和该地区其他国家的实际地位。经过讨论，会议作出这样的决定：命令美国武装力量立即处于临时战备状态，以此来显示美国坚决反对苏联军事力量介入中东地区的决心。[2]尼克松总统立即批准了这一决定。

随后，尼克松回复勃列日涅夫，指出：美苏共同采取协调一致的维和行动是极为重要的，但是不能接受关于苏美联合向埃及派遣军事力量的建议。美国

[1] 参见［俄］阿·多勃雷宁著：《信赖——多勃雷宁回忆录》，第342页。

[2] 参见上书，第345页。

认为，如果只要同意“苏美联合向埃及派遣军事力量”，那就等于允许苏联向中东地区进行军事渗透。接着，美联社播发了“美国武装力量正在进入战斗状态”的新闻报道，说“苏联蓄意威胁要向中东派兵以强制实现停火，即使美国不参加也罢”。“白宫拒绝屈从苏联的压力。白宫采取的坚定立场是阻止苏联对这一地区进行军事干涉。”[1]一时之间，苏美两国都摆出各不相让的阵势，似乎要展开正面对抗。实际上，当时的苏联没有在中东地区和美国对抗的准备，勃列日涅夫更不愿让阿以战争演化成苏联与美国之间的军事对抗。同样，尼克松也不想在中东地区和苏联展开军事对抗，美苏双方都守着各自的底线。因此，当苏联要求美国解释“美军进入临时战备状态”究竟是什么意思时，美国则要求苏联“不应将白宫命令进行有限的战斗准备看成是美国政府采取的一个敌视行动，这样做主要是出于国内的考虑”。[2]10 月 26 日，勃列日涅夫和尼克松都公开表示：支持建立一支联合国维和部队，实现中东停火。当天，联合国派遣的国际维和部队抵达运河地区，第 4 次中东战争停止。

第 4 次中东战争让勃列日涅夫看到：美国绝不会放弃它在中东地区的主导影响力；苏联也难以重新恢复它在中东地区的地位和影响。重新楔入中东地区，成为 1979 年苏军大举入侵阿富汗的决策因素之一。

与苏联的处境相比较，第 4 次中东战争之后，美国在中东地区的地位和影响力却大大地提升了。1974 年 2 月 28 日，埃及正式恢复了同美国的外交关系。4 月，埃及进而同美国签订了两国《关系和合作协定》，埃及开始大规模接受美国贷款和武器援助。1974 年 6 月 5 日，埃及宣布开始清理苏伊士运河，准许美国航空母舰硫黄岛号驶进塞得港，参与运河的清理工作。6 月 12 日，应萨达特总统的邀请，尼克松访问了埃及。尼克松经过的铁路干线，从开罗到亚历山大港的沿线，两旁欢呼的人群齐声呐喊着：“尼克松、尼克松！”萨达特和尼克松的巨幅照片下，横幅标语写着“两位伟大的人物向人类贡献了和平和进步！”随后，尼克松又访问了沙特阿拉伯、叙利亚、约旦和以色列。尼克松所到之处，几乎都被当地奉作中东地区和平的重要缔造者。尼克松的中东之行，几乎成为美国在中东地区信任度的民意测验。

---

[1] 参见［俄］阿·多勃雷宁著：《信赖——多勃雷宁回忆录》，第 344 页。

[2] 同上。

1974年6月苏美莫斯科峰会，就是在这样的背景下举行的。

1974年6月27—7月3日，尼克松对苏联进行正式访问。此时，美国对苏联“缓和”的真意也有了更清晰的认识，因“缓和”思想而产生的欣慰感已经完全消失。尼克松将他的莫斯科之行的谈判议程定为：限制战略武器谈判、欧洲安全与合作会议、中东问题以及双边合作问题。经过几轮谈判，7月3日，苏美两国签署了限制地下核武器试验条约及其议定书，双方保证从1976年3月31日起，禁止和不再进行超过15万吨当量的一切地下核试验。7月3日，苏美两国还签署了关于限制反弹道导弹防御系统条约的附加议定书。附加议定书规定，双方同意各方都只能在一个地区部署反弹道导弹防御系统，代替1972年5月26日签订的条约关于可在两个地区部署这种防御系统的规定。究竟拆除哪个地区的防御系统，由各方自行决定。在与尼克松的会谈中，勃列日涅夫仍不忘攻击中国。当美国驻苏大使馆为尼克松的访苏举行宴会时，勃列日涅夫提请尼克松注意：“中国对和平是个威胁。苏美两国应缔结互不侵犯条约，以防止中国人试图将苏美两个大国卷入冲突的任何企图。”[1]每当勃列日涅夫谈到中国问题，尼克松总是尽量回避。

尼克松访苏，表面看仍然是热热闹闹，然而在主要问题上，即限制战略武器问题，没有达成协议。尼克松回国后，即陷入“水门事件”的政治困境，1974年8月9日，终因无法摆脱这一政治困境而宣布辞职，成为美国历史上第一位任期未满而辞职的总统。由于尼克松的辞职，副总统福特接任美国总统。

1974年11月23—24日，美国总统福特与勃列日涅夫在符拉迪沃斯托克（海参崴）举行工作会晤。会谈在当地的一家俱乐部里举行，会谈的中心问题是拟订一个长期的限制战略武器协议。勃列日涅夫与福特接受彼此在核武器的拥有量上相当这一现实，这是苏美两国都需要进行限制战略武器会谈的基础。但是，苏美两国在战略武器的结构和部署上，包括关于核战略的概念，从发展核武器开始，就存在差异。美国是以从陆地、海上和空中发射核武器，也即从三位一体的所谓“立体核打击”的战略出发，发展战略核武器。而苏联基本上是没有海外基地的大陆国家（当然，苏联在东欧地区和蒙古都建有基地，但毕

[1] 参见［俄］阿·多勃雷宁著：《信赖——多勃雷宁回忆录》，第363页。

竟不同于美国建立的、遍布全球的海外基地）。这样，苏联战略核武器的结构、部署，从一开始就集中发展大型的陆基导弹。因此，当苏美双方接触到限制战略武器的具体问题时，都想限制对方的优势。几轮的谈判，都难以在苏联占优势的陆基导弹投掷重量和数量，与美国占优势的分导式多弹头导弹之间，找到微妙的平衡点，谈判往往是马拉松式的谈而不“判”。符拉迪沃斯托克谈判过程中，苏联国防部长格列奇科又节外生枝，提出：“任何限制战略武器的协议，都应把英国和法国的核力量计算进去。”[1]勃列日涅夫认为，福特是不可能在这方面作出让步的，如果这样坚持，势必使这次最高级会谈流产。于是拿出苏共中共总书记的权威，迫使格列奇科放弃这一要求。

经过紧张的谈判，双方达成协议：允许各方最多拥有 2400 件战略武器运载工具和 1300 枚分导式多弹头导弹。11 月 24 日，苏美两国签署了联合声明。苏美联合声明称：苏联和美国均将拥有包括陆基洲际弹道导弹、海际弹道导弹、战略轰炸机、巡航导弹等在内的 2400 个战略武器运载工具；缔约双方中的每一方，在其拥有的战略武器运载工具总数中，包括 1320 枚分导多弹头导弹。

苏美两国都认为这次最高级会谈各有所获。福特连声说和勃列日涅夫的会谈“非常、非常好！”勃列日涅夫向苏共中央政治局报告这次会晤时称：“同福特总统的个人接触是有益的。他是个可以与之打交道的人。”[2]

1974 年 11 月的符拉迪沃斯托克苏美峰会，标志着苏联在“缓和”口号下发展同美国的关系的高峰。此后，双方高层领导接触虽然一直保持，但美国对苏联的态度转向强硬，双方的关系趋冷。

从“缓和”到新的“冷战”

1975 年 7 月 30 日，勃列日涅夫率苏联代表团出席在赫尔辛基举行的欧洲安全与合作会议第三阶段会议时，与福特有过礼节性的会晤。1976 年 1 月，葛罗米柯与已任美国国务卿的基辛格举行过会谈，但是没有取得什么实质性的

[1] 参见［俄］阿·多勃雷宁著：《信赖——多勃雷宁回忆录》，第 380 页。

[2] 同上书，第 383 页。

进展。1976 年 11 月美国大选，民主党候选人卡特战胜福特，当选为美国第 39 任总统。1976 年 12 月 30 日，勃列日涅夫在回答美国政治评论员史密斯问时，抱怨美国和西方国家领导人："他们的所作所为使人觉得，似乎最近几年什么事也没有发生，什么也没有变化，世界仍然处于'冷战'状态。他们一再大肆叫嚷什么来自苏联方面的'军事威胁'不断加剧，因而要求越来越多的军事拨款和加紧军备竞赛。"[1]勃列日涅夫十分希望卡特能作出新姿态，觉得有必要把话说得更加明白些。于是，1977 年 1 月 18 日，即卡特就职的前两天，勃列日涅夫在图拉的讲话中，说苏联并不谋求军事优势，只谋求一种足以威慑任何潜在敌人的防御。为了"谋求足以威慑任何潜在敌人的防御"，20 世纪 70 年代后期，苏联用于军事准备的开支占国民生产总值的 25%—30%，比美国和北约国家高出 4—5 倍。[2] 勃列日涅夫还对"缓和"作了如下说明："缓和首先是克服冷战，是国与国的关系向正常和平等状态的转变。缓和就是在谈判桌上通过和平的手段来解决分歧和冲突，而不是采用武力、恐吓和张牙舞爪的方式。缓和是某种考虑他人合法利益的信任和能力。"勃列日涅夫关于"缓和"的说明，既是用外交辞令包装起来的扩张政策的演绎，也是对于 12 月 30 日讲话的某种补充。关于"缓和"，苏联职业外交家、一直在为"缓和"而忙碌的多勃雷宁，将之解释为"扣动扳机"[3]，倒是说出了苏联的"缓和"的真意。

为了回应勃列日涅夫的外交攻势，卡特任总统后，于 1977 年 1 月 26 日致信勃列日涅夫，说军事竞赛愈演愈烈不是美国和它的盟国的责任，"苏联只要求一种足以威慑任何潜在敌人的防御，美国也不为自己谋求任何更多或更少的利益。因此，我们两国用一致和智慧应该能够避免新的军备竞赛。我向美国人民宣布，消灭所有核武器是我坚定的目标"。[4]"消灭所有核武器"比"足以

[1] 《回答美国政治评论员金斯伯里—史密斯问（1976 年 12 月 30 日）》，《勃列日涅夫言论》，第 12 集，第 442 页。

[2] ［俄］米·谢·戈尔巴乔夫著：《对过去和未来的思考》，徐葵等译，新华出版社 2002 年版，第 211 页。

[3] 参见［俄］阿·多勃雷宁著：《信赖——多勃雷宁回忆录》，第 385 页。

[4] 《卡特致勃列日涅夫的信（1977 年 1 月 26 日）》，《苏联历史档案选编》，第 31 卷，第 517—518 页。

威慑任何潜在敌人的防御"好听多了！实际上，不管勃列日涅夫和卡特怎么说，"谋求足以威慑任何潜在敌人的防御"，就足以成为新一轮军备竞赛、也即无限制军备竞赛的新起点。对于苏联的"缓和"攻势，卡特政府表示：除了限制战略武器会谈之外，不打算将对苏关系作为当务之急。卡特甚至不屑地说："没有必要对勃列日涅夫每次打个喷嚏也表示关注。"[1]1978年6月17日，《真理报》刊出题为《论美国政府的当前政策》的编辑部文章，称美国政府的对外政策"发生了危险变化"，"那些希图破坏缓和、使世界回到'冷战'状态的派别的代表，在华盛顿统治集团内部，在处置与苏联和其他社会主义国家关系上占了上风"。

"人权"问题，使苏美关系更加急剧冷却。

卡特就职后，萨哈罗夫写信给卡特，称颂了美国对人权的尊重。卡特出于礼貌，以个人名义给萨哈罗夫回了信，接着又在白宫接见了一批移居美国的苏联"持不同政见者"。1977年2月8日，美国驻苏大使馆的工作人员还会见了萨哈罗夫。凡此更加激起了克里姆林宫的愤怒。1977年2月18日，苏共中央政治局指示苏联驻美国大使多勃雷宁，面告美国总统卡特和国务卿万斯：美国在"人权"问题上的做法，"损害了两国相互关系的基本原则"。苏共中央政治局指示多勃雷宁向美国直言："事实上所谓'关心苏联人权'是为支持、明确地说是为煽动一些人从苏联社会中分离出去服务的……而且美国驻莫斯科使馆的一些人员直接参与其中，我们可以特别地提出我们所知的名单。"苏共中央政治局指示说："如果对话者坚持要问我们在说谁，你可以说是一秘普雷塞尔。"[2]1977年2月25日，勃列日涅夫再次致信卡特，以极为严厉的语言，不顾外交礼仪地警告美国：苏联"不允许别人干涉我们的内政"。勃列日涅夫还谴责美国在对于限制战略武器问题上，"只考虑单方面利益"，"违背了1972年5月以及在海参崴达成的临时协定"。勃列日涅夫在信的结尾说："总统先生……我没有选择温和的措辞，也许它们可能更顺耳些。由于我们讨论的事情太严肃了，以至于没有任何余地可以模棱两可或沉默不语。"[3]

---

[1] 参见［俄］阿·多勃雷宁著：《信赖——多勃雷宁回忆录》，第444页。

[2] 《苏共中央政治局关于就"人权"问题与万斯谈话的决议（1977年2月18日）》，《苏联历史档案选编》，第31卷，第532页。

[3] 《勃列日涅夫致卡特的信（1977年2月25日）》，同上书，第538页。

当万斯从多勃雷宁手中接过这封信时，专心地读了两遍，震惊于这封信的强硬措辞，说“就个人而言，我欢迎总书记的直言不讳的话语”。

20 世纪 70 年代后期，苏联借殖民主义体系瓦解之机，大力向非洲大陆渗透，扩大苏联的影响。美国十分重视苏联对非洲大陆的政策和行动，认为这是对美国的严重挑战，并将之纳入美苏关系的总体框架之内。在卡特总统任内，由于苏联大肆插手非洲事务，使已经降温的苏美关系更趋紧张。

1977 年 3 月下旬，美国国务卿万斯访苏。万斯访苏的使命是推进美苏第二阶段限制战略武器谈判的进程。由于勃列日涅夫的健康状况很糟，仅在 3 月 28 日上午会晤万斯，共进早餐，会谈由葛罗米柯与万斯进行。3 月 28 日，葛罗米柯与万斯会谈时，指责美国在战略武器方面谋求单方面的优势，说“苏联和美国都认为在这方面的主要原则就是双方的平等和同样的安全，也就是说不允许单方面拥有超过对方的优势”。[1] 葛罗米柯认为美国破坏了这一“公式”。关于近东问题，葛罗米柯说美国破坏了苏美之间已经达成的“协调一致地行动的协议”，“很快单独地行动起来”。葛罗米柯激动起来，说“这种行动方式，包括从美国民族利益角度来看也是鼠目寸光和极端错误的。我们认为这是很明显的”。[2] 这次“谈判”，葛罗米柯几乎没有让万斯有说话的机会。万斯的访苏使命落空。

事后，苏共中央政治局总结和万斯的会谈，说“同意苏共中央政治局委员、外交部部长葛罗米柯同他进行的谈判”。[3]

1978 年 4 月，美国国务卿万斯又对莫斯科进行访问，希望推进第二阶段限制进攻性战略武器谈判。由于健康原因，勃列日涅夫仍然不能主持谈判，由葛罗米柯、乌斯季诺夫和安德罗波夫与万斯谈判。苏联与万斯谈判的这个“谈判委员会”，没有一个人能够或者敢于承担责任，谈判当然又是毫无结果。当葛罗米柯、乌斯季诺夫和安德罗波夫向勃列日涅夫汇报与万斯谈判的结果时，

---

[1] 《葛罗米柯就限制战略武器和近东问题同万斯的谈话记录（1977 年 3 月 28 日）》，《苏联历史档案选编》，第 33 卷，第 241—242 页。

[2] 《葛罗米柯就限制战略武器和近东问题同万斯的谈话记录(1977 年 3 月 28 日)》，同上书，第 243 页。

[3] 《苏共中央政治局关于同万斯会谈的会议记录(1978 年 4 月 27 日)》，同上书，第 261 页。

勃列日涅夫生气地说："你看，我第一次委托你们亲自进行谈判，而你们却把它搞糟了。"[1]

苏美两国高层领导人尽管有连绵的接触，但是在限制进攻性战略武器问题上却毫无进展。苏美两国关系越来越紧张。1979 年，美国以"苏联的军事教练中心设在古巴"为由，恢复了已经停止多年的在苏联领空的侦察飞行，并在苏联领海附近进行海军训练。为了打破僵局，卡特提议与勃列日涅夫直接举行美苏两国首脑的最高级会谈。关于会谈的地址，卡特提议应当在华盛顿，因为上次最高级会谈是福特飞赴苏联的符拉迪沃斯托克举行的。勃列日涅夫以"医生建议不宜作长途飞行"为由，提议在莫斯科举行。几经往返双方商定 1979 年 6 月 15—18 日，在奥地利首都维也纳举行苏美最高级会谈。

勃列日涅夫启程前一星期，苏共中央政治局举行会议，勃列日涅夫在会上对国际局势及苏美关系作了重要讲话。勃列日涅夫对国际局势及苏美关系的总评价是："目前形势严重恶化。这种恶化主要来源于卡特政府中日益增多的侵略者，来源于总统本人及其最亲近的同僚们，首先是布热津斯基讲话中越来越激烈的反苏情绪。"[2] 针对"卡特政府制造的国际局势严重恶化和挑动反苏"，勃列日涅夫认为苏联要做这样几件事：

"第一、在我们的报刊（同时在各大报上）发表长篇和措辞严厉的声明，比如题目可叫'评卡特政府的政策'。发表这样无任何人签字的声明，这甚至会更加引人注意。声明中直截了当地说：在美国政策中发生了对和平事业来说危险的变化；在对苏联及其他社会主义国家编造的谎言和诽谤的掩盖下，正干着反对和平与缓和的具体勾当；故意延缓同苏联就限制战略武器谈判的过程……目前美国政策的制定者似乎已经同好战的、反苏的中国统治者找到了共同语言。众所周知，后者把和平与缓和说成是骗局，而战争才是唯一有前途的。"[3]

---

[1] 参见［俄］格·阿·阿尔巴托夫著：《苏联政治内幕：知情者的见证》，第 287 页。

[2] 《苏共中央政治局关于对国际形势估计的会议记录（1979 年 6 月 8 日）》，《苏联历史档案选编》，第 33 卷，第 264 页。

[3] 《勃列日涅夫在苏共中央政治局会议上就若干国际形势问题的讲话（1979 年 6 月 8 日）》，同上书，第 264—265 页。

第二、华沙条约缔约国要就北大西洋公约组织理事会会议总结发表集团声明，指出北大西洋公约组织理事会会议工作及其决议，不仅未能使国际局势缓和和巩固和平，而是使国际局势尖锐化，加强军事准备和军备竞赛。声明的措辞不能太尖锐，因为要同罗马尼亚协商。

第三、就非洲事务发表苏联政府声明，强烈谴责以美国为首的北大西洋公约组织各国对非洲的军事干涉、破坏活动。

勃列日涅夫要求苏联外交部，苏共中央的国际部、联络部、对外政策宣传部等职能部，立即动手做这“三件事”。

苏共中央政治局会议经过讨论，形成了“国际形势若干问题”的两点意见：“1. 赞成勃列日涅夫同志在苏共中央政治局会议上就该问题发言中所阐述的意见。2. 委托苏联外交部，苏联国家安全委员会，苏共中央国际部、联络部和对外政策宣传部参考政治局会议上交换意见的情况，准备相应的材料和文件草案，并送交苏共中央。”[1]

苏联外交部等各职能部立即根据苏共中央政治局的决定完成上述几件事。

1979 年 6 月 15 日，勃列日涅夫率苏联代表团抵达维也纳，代表团成员包括苏联外交部长葛罗米柯、国防部长乌斯季诺夫、苏共中央政治局委员契尔年科。卡特率领的美国代表团成员包括国务卿万斯、国家安全助理布热津斯基、国防部长布朗、参谋长联席会议主席琼斯。

勃列日涅夫和卡特到达维也纳的第一天，礼节性地拜访了奥地利总统基希施莱格。谈话中，勃列日涅夫对卡特说：“如果我们失败了，上帝是不会原谅我们的。”人们惊讶于勃列日涅夫怎么引用“上帝”。扎米亚京在随后的新闻发布会上解释：“列昂尼德·伊里奇想说，如果我们失败了，后辈人不会原谅我们。”[2]

会谈中，勃列日涅夫表现出明显的与卡特的不同。卡特比较轻松，讨论各种问题也不需要顾问的帮忙。勃列日涅夫讲话基本上是照本宣科，读助手们事先准备好的发言稿，也不解释。勃列日涅夫的译员持有发言稿的复印件。因

[1] 《苏共中央政治局关于对国际形势估计的会议记录（1979 年 6 月 8 日）》，《苏联历史档案选编》，第 33 卷，第 263 页。

[2] 参见［俄］列·姆列欣著：《历届外交部长的命运》，第 524 页。

此，即使勃列日涅夫读错了，翻译仍然会准确地表达发言稿的内容。有一篇发言稿，苏联代表团在最后时刻删去其中的一段话。勃列日涅夫念到这里时，竟转身大声地问翻译，是否应该读这段话。

勃列日涅夫在与卡特的会谈中，免不了又要谈“中国问题”。一谈到“中国问题”，勃列日涅夫免不了就激动起来，也不需要讲稿了。勃列日涅夫反反复复试图说服卡特：中国领导人的任何保证都是不能相信的；想利用中国人，那真的是在玩火。[1]

6月18日，勃列日涅夫与卡特终于在维也纳签署了到1985年都有效的《苏美第二阶段限制进攻性战略武器条约》。缔约双方保证，各方拥有的各类核武器，包括分导式多弹头导弹在内的总量，到1981年1月1日，将削减到2240枚。苏美两国同时签署的还有《关于限制战略武器谈判原则和指导方针的联合声明》、《关于确定进攻性战略武器数目的基准数据的谅解备忘录》。条约的签署仪式结束时，勃列日涅夫还站起来拥抱卡特，并吻面。这一情景，成为西方各媒体报道的热点。经历过维也纳会谈，勃列日涅夫对卡特的印象有了很大的转变，称卡特为：“终究还是一个相当不错的朋友。”[2]

勃列日涅夫宣布第22届奥运会开幕

勃列日涅夫与卡特在维也纳举行的最高级会谈，虽然签署了《限制进攻性战略武器条约》，但是由于双方在欧洲、中东、古巴、贸易等一系列问题上都存在分歧，在人权和美中关系等问题上仍发生激烈争论。苏联在非洲的扩张，也越来越成为美国谴责的内容。1979年12月，苏军大举入侵阿富汗，卡特立即谴责苏联违反了苏美缓

[1] 参见［俄］阿·多勃雷宁著：《信赖——多勃雷宁回忆录》，第488页。

[2] 参见上书，第489页。

和的协议，要求苏联从阿富汗撤军，苏美关系严重恶化。1980 年 1 月，卡特决定让美国参议院不定期地冻结审议《美苏第二阶段限制进攻性战略武器条约》。同时，美国政府决定禁止向苏联出售高科技产品，禁运粮食，取消了部分与苏联的经济、技术、文化交流，抵制 1980 年 7 月在莫斯科举行的第 22 届奥运会。结果有 37 个国家和地区，抵制这届奥运会。

对于苏美关系恶化的原因，勃列日涅夫说："我可以毫不含糊地回答：这是帝国主义势力，首先是美国某些集团的过错。是那些认为缓和紧张局势妨碍他们的侵略意图、妨碍掀起军国主义狂热、妨碍干涉他国人民内部事务的人的罪过。"[1]

1981 年，里根就任美国第 40 任总统，针对苏联的扩张，推出强硬的"有限退回"政策。里根及其班子对美苏之间的军事力量对比作了这样的分析："美国已经丧失了它的战略核优势。从衡量战略核力量的大多数标准——导弹数量、携带的弹头、百万吨级（100 万吨 TNT 的当量）或投掷重量——来看，美国都落后于苏联……苏联拥有的三条洲际弹道导弹生产线一直在生产，而我们的最后一条生产线已于 1977 年关闭了。苏联保持着历史上武器装备最强大的军事力量，它可以在 30 天内动员 200 个师……它们对第三世界的援助在以往的 5 年内平均每年为 100 亿美元。"[2] 里根政府认为《美苏第二阶段限制进攻性战略武器条约》已经死亡，要求重新夺回对苏联的军事优势，对苏实行"新的遏制战略"。

至此，新的冷战开始了。勃列日涅夫的"缓和"在苏美关系上，已成淡薄的历史回忆。

第二节　苏联与西欧各国

确认欧洲边界现状

第二次世界大战以后，不仅是社会主义制度越出了苏联一国的范围，形

[1] 《答〈真理报〉记者问（1980 年 1 月 12 日）》，《勃列日涅夫言论》，第 16 集，第 6 页。

[2] 参见左凤荣：《致命的错误——苏联对外战略的演变与影响》，第 207 页。

成了社会主义阵营，而且欧洲各国、包括苏联在内的边界也发生了较大的改变。多年来，苏联虽然以武力为支撑，维护着欧洲边界的这种现状，但是由于西方世界普遍没有从国际法上承认这种改变，使苏联感到一把达摩克利斯剑悬在头上。勃列日涅夫把解除这种威胁作为欧洲政策的重要内容。

苏联一直把第二次世界大战后确立的欧洲边界现状不可改变作为保障苏联和社会主义大家庭安全的基本条件，谋求这一问题的国际法律认可。1965年4月8日，勃列日涅夫访问波兰时说："波兰人民共和国的边界问题，也和欧洲战后边界的整个问题一样，早就在1945年由反希特勒同盟各国签订的波茨坦协定加以解决了。它已最后地和绝不改变地解决了。"[1]苏联外交部长葛罗米柯也反复说：欧洲国家的边界，包括波兰西部的奥得—尼斯线，是公正的、合法的。"战后边界的不可侵犯性是保障欧洲安全的根本问题。"

苏联十分清楚，确认欧洲边界不可改变，就欧洲国家来说，关键是联邦德国。联邦德国在阿登纳政府时期，拒绝承认欧洲边界现状；不承认民主德国是一个独立主权国家；除与苏联建立有外交关系之外，坚持不同和民主德国有外交关系的国家建立外交关系。阿登纳下台后，继任的艾哈德政府于1966年先后照会100多个国家政府，宣称将使用和平手段，谋求德国的重新统一。因此，直到1965年底，苏联始终把"西德复仇主义"作为威胁欧洲和平的最危险因素。1968年11月13—14日，苏共中央与秘密来访的意大利共产党中央会谈时，苏共中央政治局委员基里连科对意共中央总书记贝林格仍然反复说："联邦德国的复仇主义势力显得十分活跃"；"捷克斯洛伐克事件完全证明，当时我们对波恩的'新东方政策'持不信任的态度是正确的。德国帝国主义的侵略本质再一次明显地暴露出来。"[2]

到20世纪60年代末，苏联终于注意到联邦德国外交政策的调整。

1966年12月，基督教民主联盟主席基辛格出任联邦德国政府总理，和社会民主党组成联合政府，由社会民主党主席勃兰特出任外交部长。自此，联邦

---

[1] 《在华沙群众大会上的讲话（1965年4月8日）》，《勃列日涅夫言论》，第1集，第134—135页。

[2] 《苏共与意共代表团关于捷克斯洛伐克事件的会谈纪录（1968年11月13—14日）》，《苏联历史档案选编》，第30卷，第261页。

德国的外交政策转向积极谋求在国际上发挥主权国家的作用，自主地探索和东方国家接触并建立关系的可能，扩大国际交往。1967 年 1 月，联邦德国和罗马尼亚建立了大使级外交关系，标志着联邦德国和东方国家建立关系的新开端。1969 年 9 月，勃兰特出任联邦德国政府总理，同自由民主党组成联合政府。勃兰特接受不同社会制度国家和平共处的主张，把联邦德国同东方国家相互关系的目标定位为：改善同苏联的关系；同东欧各国关系正常化；暂时解决德国两部分的关系。[1] 这就是勃兰特政府提出的“新东方政策”。“新东方政策”的实质在于承认目前实际存在的欧洲边界现状。勃兰特政府提出“新东方政策”，标志着联邦德国的基本国策从寻求美国保护转向寻求和平发展。联邦德国基本国策的调整，也使勃列日涅夫谋求的欧洲边界现状不可改变，有可能得到联邦德国的回应。此后，苏联逐渐停止使用“西德复仇主义”一词。

苏联抓住这个机遇，展开积极的外交活动。为了拟订苏联和联邦德国条约，苏联外交部长葛罗米柯 15 次会见联邦德国外交部长谢尔以及联邦德国总理府国务秘书巴尔，以便达成协议。双方讨论的中心问题是：联邦德国需要承担明确的义务，承认战后形成的边界，包括波兰西部的奥得—尼斯河边界；承认民主德国为主权国家；发展苏联和联邦德国之间的关系。

就联邦德国来说，边界问题是最为敏感的问题；其中尤以承认民主德国为主权国家，成为双方分歧的焦点。因为承认民主德国为主权国家，那就意味着承认两个德国之间的分界线将成为两个德国之间的“国界”。这无论从德意志国家的历史还是从德意志民族的感情上说，都是联邦德国所难以接受的。但是，苏联坚持联邦德国政府必须放弃“德国统一”的任何提法，哪怕只是隐晦的暗示。苏联强硬地表示：“对两个德意志国家可能统一的任何暗示都是不能接受的，我们坚决加以拒绝，因为民主德国和联邦德国是沿着截然相反的社会道路发展的。”经过艰难而持久的谈判，联邦德国最终作出了理性的选择：在条约的正式文本中放弃关于“德国统一”的任何提法；另由联邦德国政府特别致函苏联最高苏维埃主席团，阐明联邦德国政府致力于德意志国家统一的根本立场。对于联邦德国政府致苏联最高苏维埃主席团的信函，苏联的回答是：

[1] 参见王斯德、钱洪主编：《世界当代史（1945—1991）》，高等教育出版社 1993 年第 2 版，第 274 页。

“向谁发信和发什么样的信，这是联邦德国政府的事。单方面的文件不会使我们承担任何义务。”[1] 苏联与联邦德国之间关系的难题，总算解决了。关于联邦德国最终作出退让的原因，勃兰特在事后对美国总统尼克松这样说：“他们（指勃列日涅夫为首的苏共领导人——引注）希望至少暂时东欧的现状能够被接受。苏联人知道，他们不可能永远控制东欧，但是他们愿意尽可能延长这个过程。”[2]

为了签订苏联与德意志联邦共和国条约，联邦德国总理勃兰特于 1970 年 8 月 11—13 日应邀对苏联进行正式访问。8 月 12 日，苏联和联邦德国条约在克里姆林宫叶卡捷琳娜大厅签字。代表苏联在条约上签字的是苏联部长会议主席柯西金、苏联外交部长葛罗米柯；代表联邦德国在条约上签字的是联邦德国总理勃兰特和外交部长谢尔。条约说：双方将只用和平手段来解决它们的争端，不以武力相威胁或使用武力，无条件地恪守欧洲各国现有国界内的领土完整。关于确认欧洲边界现状，条约第三条说：“苏维埃社会主义共和国联盟和德意志联邦共和国一致承认，只有任何人都不侵犯现有的国界，才能保持住欧洲的和平。它们承担义务严格遵守欧洲各国现在边界内的领土完整；它们声明，不论对任何人都没有任何领土要求，将来也不提这种要求；它们认为，本条约签字之日的所有欧洲国家边界，无论现在和将来都是不可侵犯的，包括作为波兰人民共和国西部边界的奥得—尼斯线，以及德意志联邦共和国和德意志民主共和国之间的边界。”[3]

关于确认欧洲边界现状问题，苏联确实是寸步不让，倒是联邦德国作了理性的退让，才使两国条约得以签署。关于这个问题在两国条约中的文字表述，苏联也是考虑十分周详，含义明确，前、后、左、右，都是铁钉钉死。但是，条约毕竟是人为的、写在纸上的文件。历史发展的实际并不能和人的主观设计完全吻合，即使签署条约的当事人还活着，看着社会现实的变化也无可奈何。

1970 年 12 月，联邦德国政府和波兰人民共和国政府签订了两国条约，承

---

[1] ［苏］安・安・葛罗米柯著：《永志不忘——葛罗米柯回忆录》，第 586 页。

[2] ［美］理・里夫斯著：《孤独的白宫岁月——近距离看到的尼克松》，蒋影译，经济日报出版社 2004 年版，第 351 页。

[3] 参见［苏］安・安・葛罗米柯著：《永志不忘——葛罗米柯回忆录》，第 586—587 页。

认民主德国和波兰之间的奥得—尼斯线。

苏联和联邦德国条约的签订，为解决西柏林问题创造了基本条件。

苏联和美、英、法讨论西柏林问题时，美、英、法三国主张讨论的应是整个柏林的地位问题，反对苏联使用的“西柏林”这一称谓和概念。经过讨论，苏联和美、英、法共同接受“柏林西区”这一称谓，并就这一称谓的定义达成了协议。1971 年 9 月 3 日，苏联驻民主德国大使，美、英、法三国的驻联邦德国大使，分别代表本国政府，在西柏林的前盟国管制委员会大楼，签署了关于西柏林问题的四方协定。这样，就从国际法上确认了柏林西区作为独立的政治实体的地位。

接着，民主德国与联邦德国、民主德国和西柏林市政府之间，也举行了谈判。1971 年 12 月 17 日，民主德国与联邦德国之间签署了关于联邦德国和西柏林过境交通协定。同年 12 月 20 日，民主德国与西柏林市政府之间签署了关于西柏林常住居民到民主德国探亲访友及旅行协定。战后欧洲危机重要根源的柏林问题，遂得以解决。

1971 年 9 月 16—18 日，勃兰特访问苏联，同勃列日涅夫举行了会谈。两国发表的声明表示，要促进联合国同时接纳德意志民主共和国和德意志联邦共和国为会员国。1973 年 5 月，勃列日涅夫应邀访问联邦德国，双方对两个德国同时加入联合国表示欢迎；双方表示要共同努力，促使全欧安全和合作会议早日召开。

1974 年春，社会民主党人施密特接任联邦德国总理。施密特认为，欧洲的稳定，在于北约组织和华约组织之间保持某种军事均衡。可是勃列日涅夫在“缓和”的攻势下，一方面是乘机从西方大量引进先进技术，扩大和西方的贸易；另一方面是军备竞赛却有增无减。苏联与西方先进国家之间的贸易额，1965 年为 28.16 亿卢布，1980 年增加到 315.83 亿卢布。1980 年联邦德国的 2000 家、芬兰的 600 家、意大利的 300 家公司均与苏联有贸易往来。苏联从西方各大国获得的长期贷款，1964—1970 年为 38 亿美元，1971—1981 年为 300 余亿美元。[1] 在军备竞赛方面，到 20 世纪 70 年代末，苏联无论在军队数量、坦克、火炮、战术火箭、多种歼击机、潜艇等常规武装力量方面；或者在

[1] 参见左凤荣：《致命的错误——苏联对外战略的演变与影响》，第 200 页。

运载工具数量、爆炸力当量、战略武器投掷量、中程武器等核打击力量来说，都超过了美国。1981 年，苏联军队又在其西部边境线设置了 650 枚先进的、射程超过 5000 公里的“SS—20”导弹，即“先驱者”分导多弹头导弹。新的瞄准西欧的中程核力量明显地改变了欧洲力量的均衡，引起施密特的恐慌。施密特直率地向柯西金和葛罗米柯表示：“我不喜欢 SS—20 导弹，这是玩危险的游戏。”“你们新导弹的目标大概只是联邦德国，我也应当采取什么措施。这些导弹破坏了欧洲力量的均势。如果你们继续部署导弹，我就要求美国人采取措施。”[1] 联邦德国也迅速部署了美国“潘兴—2”式导弹。1981 年 11 月，勃列日涅夫再次访问联邦德国，意在修补苏联和联邦德国的关系，但是没有结果。欧洲又出现某种新的对峙。

苏联与法国的关系

苏联与法国的关系，在苏联的欧洲政策中占有特别重要的地位。苏法之间在历史上就有着特殊的联系和感情。到 20 世纪 60 年代，两国之间有过的这种特殊联系和感情，尽管存在着不同的社会制度和意识形态，但仍然在无形中起着作用。从地缘政治上说，苏联和法国分别处于欧洲大陆的东西两端，有相互呼应和对中欧形成夹击之势。在第二次世界大战期间，苏联和法国同样经历过希特勒法西斯德国制造的战争浩劫。这样，不管两国出于何种本意，警惕纳粹主义总是两国接近的契合点。因此，当勃列日涅夫把欧洲安全问题作为苏联与西方外交工作的一大重点之后，苏联的欧洲外交工作重点也瞄向法国。

1966 年 6 月 20—7 月 1 日，法国总统戴高乐应邀访问苏联。6 月 30 日，苏联与法国签署了两国宣言。宣言表示：苏法两国赞成在东西方所有国家间创造缓和气氛，主张欧洲国家间在所有领域进行有效的合作。同时，苏联还和法国签署了《关于为和平目的研究和征服宇宙空间合作协定》、《关于建立克里姆林宫和爱丽舍宫之间直接通信联系的决定》等文件。同年 12 月 1—9 日，柯西金访问法国时发表的两国会谈声明说：促进欧洲安全保障，组织全欧洲合作，能使这一代人和今后几代人免遭核战争的灾祸。

---

[1] 参见［俄］列·姆列欣著：《历届外交部长的命运》，第 528 页。

戴高乐对苏联创导的“缓和”以及发展法苏关系有自己独特的理解。戴高乐认为对苏联首先“要有坚强的防御，同时也有缓和的必要”。戴高乐说：“俄国还存在，共产主义还存在。共产党人不再前进了，共产主义的危险还没有过去，但是它已不再能够征服世界了。时间太晚，它做不到那一点了。动力已经没有了。”戴高乐还说，“缓和还可以有对西方有其他的好处。缓和意味着接触、旅行、交换货物和意见。东欧尚未湮灭的争取自由和尊严的倾向，在缓和的气氛中肯定还会发展”。[1] 戴高乐在这样的政策思想指导下，发展和苏联的关系。

1968 年 5 月，法国社会发生了较为剧烈的震荡。5 月 3 日，法国巴黎大学的一所分校，学生因不满生活条件和考试制度而上街游行，并占领了学校。当军警前来平息事态时，和学生发生激烈冲突，导致数百人受伤，近 600 人被拘留。5 月 13 日，法国最有影响的工会劳工总联合会号召举行 24 小时总罢工，声援学生。全国约 800 万工人参加了总罢工，像已有 20 年没有发生过罢工的雪铁龙汽车厂等大企业工人，也参加了总罢工，事态不断扩大。对于所出现的社会震荡，戴高乐总统和蓬皮杜政府认为：“社会进程的外来影响在这一事件中起了主要作用。”而法国政府所说的“外来影响”实际上主要是指“苏联干预”。

“五月事件”发生后，苏联确实十分关注法国的局势。苏联驻法大使佐林根据本国政府的指示，频繁会见法国共产党中央领导，与法共领导人举行会谈，听取法共对形势的估计及采取的对策，并将种种情况及时报告本国政府。1968 年 5 月 30 日，佐林在会见法共中央政治局委员居约时说：“苏联共产党中央委员会密切注视法国时局的发展。以数百万苏联共产党员的名义，对法国工人阶级在法国共产党的领导下，在极其复杂形势下进行的斗争表示声援。”[2]5 月 30 日当天，戴高乐发表讲话，对法国共产党进行了严厉的谴责，并有弦外之音。苏联不愿意因“五月事件”而损害已与戴高乐法国形成的谅解、协商与合作的势头，力促法共采取谨慎态度，支持法国政府平息事态。苏联对戴高乐的讲话采取容忍的态度，并坚持不介入“五月事件”，已出现的苏法接近遂没

---

[1] 参见［美］亨·基辛格著：《白宫岁月》，第 1 册，第 137、138 页。

[2] 《佐林与居约关于法国国内局势的谈话纪要（1968 年 5 月 30 日）》，《苏联历史档案选编》，第 30 卷，第 243 页。

有受“五月事件”的多大影响。

1969 年 4 月，戴高乐辞去法国总统职务，原法国总理蓬皮杜在选举中获胜，入主爱丽舍宫。蓬皮杜坚守戴高乐当政时期的“接近苏联”的政策。1970 年 10 月 6—13 日，法国总统蓬皮杜应邀访问苏联。10 月 13 日，两国签署了《苏法宣言》和《苏法议定书》。《苏法议定书》声明，一旦出现双方认为对和平构成威胁，或招致国际局势紧张时，就进行协商和接触，以协调两国的立场。此外，两国还商定举行定期的政治协商。

20 世纪 70 年代，两国最高领导人又频繁互访。1971 年 10 月 25—30 日，勃列日涅夫访问法国，苏法两国签署了关于发展经济、技术和工业合作协定，以及《苏法合作原则》。《苏法合作原则》称：两国间的协调与合作的政策，应成为两国关系不变的政策和国际生活的永久性因素。

1973 年 1 月 11—12 日，蓬皮杜对苏联进行非正式访问。勃列日涅夫在明斯克附近的扎斯拉夫尔迎接来访的法国总统，双方举行会谈。会谈中，勃列日涅夫尽量向法国总统阐明在欧洲、乃至在全世界继续推进“缓和政策”的意义。蓬皮杜原则上接受勃列日涅夫的意见，同时强调要发展法国与苏联之间的经济关系。同年 6 月 25—27 日，勃列日涅夫前往巴黎，与法国总统蓬皮杜会晤，双方都表示要加强彼此之间的“建设性合作”。1974 年 3 月 12—13 日，蓬皮杜再次访问苏联，苏法双方表示要进一步加强两国之间的传统友谊。此时，蓬皮杜已重病缠身，回国后三周就去世了。

1974 年 4 月，德斯坦当选法国总统。1974 年 12 月 4—7 日，勃列日涅夫对法国进行工作访问，同德斯坦举行会谈。苏法两国都表示要积极参与日内瓦欧洲安全和合作会议的工作，两国同时还签署了经济合作协定和贷款协定。对于苏联和法国之间的关系，勃列日涅夫这样评价：“自从同戴高乐总统会谈以来，苏法最高级会谈已经成为一种传统。在一系列会晤——开始是同蓬皮杜总统，随后是同吉斯卡尔·德斯坦总统——的过程中，两国对一系列对外政策问题的立场接近了，苏法两国多方面的联系和接触加强了……我们高度评价同法国的关系，并愿意扩大同它进行协商与合作的领域。”[1]

[1] 《在苏共第二十五次代表大会上的总结报告（1976 年 2 月 24 日）》，《勃列日涅夫言论》，第 12 集，第 35 页。

1977年6月16日，勃列日涅夫兼任了苏联最高苏维埃主席团主席的职务。1977年6月20—22日，勃列日涅夫以苏联国家元首的身份，再次访问法国。6月22日，勃列日涅夫同德斯坦亲自签署了苏维埃社会主义共和国联盟和法兰西共和国宣言。同日签署的还有运输合作等一系列协定。苏联与法国的关系，比较典型地反映了苏联在与美国全面争夺中的“离间政策”：在不损害苏联对外政治利益的前提下，着意活跃经贸关系，在“缓和”的口号下使苏联得益。

苏共与法共之间的争论

20世纪70年代，苏共与法共之间就“人权”问题展开了一场争论，这是苏共作为国家的执政党在“党际关系”中发生的情况。自从第三国际建立以来，在历史上，苏共经常指示别国共产党应该做什么、不应该做什么。第二次世界大战后，国际共产主义运动的形势发生了很大变化。

法国共产党是20世纪六七十年代欧洲共产主义中有影响的党，从而使这场争论在很大程度上反映了苏联和欧洲共产主义之间的分歧。

关于“欧洲共产主义”，并无明确的界定，大致是国际共产主义运动在20世纪50年代后期形成的反对苏联共产党一党专政，反对暴力、独裁的苏维埃专政形式，反对霸权主义的扩张政策；主张建立多党制的民主政权，尊重人权，保障自由的共产主义流派。西欧各国的共产党基本上持这种主张，法国共产党是欧洲共产主义的主要力量之一。所以苏共与法共之间发生在20世纪70年代的争论，实际上也是苏共与欧洲共产主义之间的争论。

苏共与欧洲共产主义之间的争论早就开始了。1968年8月，苏联等华约5国武装占领捷克斯洛伐克，西欧各国共产党几乎发出一致的谴责，意大利共产党尤为激烈。意大利共产党中央委员会主席隆哥和其他领导人，在意大利共产党第十二次代表大会、中央全会以及其他场合，多次严正谴责苏联的入侵行为。苏共则称意共这样做“是出于争取选票的需要”。苏共和意共之间的争论几乎演变成又一场大论战。

苏共中央接受意共中央的建议，由两党代表团于1968年11月13—14日在莫斯科举行会谈。隆哥因健康原因，没有来莫斯科。意共代表团由意共中央总书记贝林格率领。苏共中央代表团由苏共中央政治局委员基里连科率领。会谈中，贝林格坚决地、反复地阐明：捷克斯洛伐克无论在 8 月 21 日之前或之后，“还未达到需要 5 个社会主义国家出面干涉的地步”。“因此，我们不同意这 5 个国家的行动。我们确信，即使在现在……这种干涉也不会产生积极的结果。”[1] 贝林格还对苏共将意共的严正立场说成是“争取选票的需要”表示难以理解。基里连科只能反复说明“捷克斯洛伐克出现了特殊的、复杂的局势”，“捷克斯洛伐克是与联邦德国相邻”，等等。显然，基里连科的“辩解”是苍白无力的。经过两天的“会谈”，贝林格说：“西欧几乎所有的共产党对捷克斯洛伐克问题都持大致相同的立场，但是对这一事实不能说成是向修正主义的虚假的让步。可是有些人正是这样说的。”基里连科只是说：“有关捷克斯洛伐克问题的所有基本情况，意大利同志们都已很清楚了。”[2]

会谈中，贝林格清楚地说明，意共表达的是西欧各国共产党几乎一致的意见。但会谈也只是各自表达了各自的立场、观点。

如果说 20 世纪 60 年代的争论是反对苏联的霸权主义对外政策的话，那么20世纪70年代的争论则是牵涉对苏共建立的政权的看法，争论也更深刻了。

1976 年 10 月 21 日，法国数学家委员会在巴黎互助厅组织一次声援其他国家“被迫害知识分子”的群众集会。集会主要是针对苏联“迫害持不同政见者”。会上，法共代表皮埃尔·汝干发表了声援演说，谴责苏联政府对“没有任何违法之处的公民，错误地采取行政措施”。法共中央机关报《人道报》也发表了公开信，声援这次集会。对此，苏联塔斯社于 10 月 23 日发表了抗议。

在这前后，法国电视台播放了根据阿尔图尔·伦敦的长篇小说改编的一部电影，电影中有关于 1952 年捷克斯洛伐克处死原捷共中央总书记斯兰斯基等领导人的“布拉格审判”的片断。这部电影在法国电视台播放时，法共中央政治局委员卡纳帕在电视节目中发表讲话，其中刺激苏共的话是：“布拉格审

---

[1] 《苏共与意共代表团关于捷克斯洛伐克事件的会谈记录（1968 年 11 月 13—14 日）》，《苏联历史档案选编》，第 30 卷，第 249—250 页。

[2] 《苏共与意共代表团关于捷克斯洛伐克事件的会谈记录（1968 年 11 月 13—14 日）》，同上书，第 264 页。

判”是所有为社会主义而奋斗的人应当了解的事件，建议苏共重新审视它的60年的专制历史，并就苏联的民主问题进行讨论。法共中央总书记马歇还批评苏联以驱逐持不同政见者布科夫斯基来交换遭智利军政府监禁的智利共产党党员科尔巴兰，说“同法西斯制度进行如此公开交易是‘可怜的’”。[1] 法共中央还就此事发表了一个声明，批评苏共进行“不正确的交易”。

被这一连串事情激怒了的苏共，决定给法共中央发信，谴责法共中央“对苏共的攻击”。1977年2月16日，苏共中央国际部为此而呈送苏共中央的报告说：法共领导对苏联的攻击，“与内政战略的改变紧密相连。完全通过议会斗争道路争取社会主义，尔后在社会主义条件下保留资产阶级反对派的私有制（垄断性的私有制除外）这一方针，同为了追求选票而对机会主义者作出的其他让步一样，都表明法国共产党领导人已经背离了马克思列宁主义的原则立场”。[2] 由波诺马廖夫签署的这份报告最后说：“鉴于上述情况，我们认为有必要给法国共产党中央委员会寄去一封非公开信。”[3]3月15日，苏共中央政治局批准苏共中央致法共领导人信，并批示在3月17—18日将信发给法共领导人。

苏共中央致法共领导人的信说：尽管你们党的领导人不止一次声明说，法国共产党不打算使同苏联共产党的论战进一步升级，可是，“在‘批评自由’和关心‘自由和民主’的口号下，你们党的某些领导人、工作人员和出版物，在对苏联共产党的政策进行毫无根据的攻击的道路上越走越远。批评苏联民主和苏联社会主义制度的言论，坚决不同意我党和苏联人民几十年来所坚持的许多原则立场的言行，一次接一次地发生”。[4] 信件谴责说：“现在，法国共产党

[1] 《苏共中央国际部关于〈致法共中央非公开信〉的请示报告（1977年2月16日）》，《苏联历史档案选编》，第31卷，第494页。

[2] 《苏共中央国际部关于〈致法共中央非公开信〉的请示报告（1977年2月16日）》，同上书，第494页。

[3] 《苏共中央国际部关于〈致法共中央非公开信〉的请示报告（1977年2月16日）》，同上书，第495页。

[4] 《苏共中央国际部关于〈致法共中央非公开信〉的请示报告（1977年3月18日）》，同上书，第497—498页。

某些领导人转入对我国的政策进行激烈的攻击，而且这种攻击的路线与目前反苏运动中资产阶级宣传的路线准确吻合，这自然使帝国主义者及其附庸感到高兴。”[1] 这封长信反反复复地说明，苏联社会主义民主是真正的民主；那些“持不同政见者”是反社会的“刑事犯罪分子”。信件最后说：“苏共中央对法共中央的行动表示坚决的反对。并且认为，对你们的那些破坏法国共产党和苏联共产党之间有半个世纪历史的兄弟友好的传统，对苏共的政策吹毛求疵，把不符合争取和平和社会主义国际斗争利益的观点强加给苏联共产党和苏联的同志所应担负的责任，应该引起注意。”[2]

在将这封信转交法共中央的同时，苏共中央还决定将此信向奥地利、希腊、丹麦、冰岛、加拿大、塞浦路斯、葡萄牙、联邦德国、美国、智利、乌拉圭等国的共产党通报，让这些国家的“共产党领导人了解”。苏共中央实际上是对欧洲共产主义的叫板作出回应。

对这场争论，各国共产党都坚持自己的立场和观点。到 20 世纪 70 年代末，不了了之。1980 年 1 月 7 日，法共中央总书记马歇率法共代表团访苏。两党经过会谈，发表联合公报，说“每个国家的传统、民族特点和状况各不相同，因此，解决问题的方式也不同，不能硬套或照搬别国的经验”。这些不应成为合作的障碍。马歇在苏联电视台发表讲话，说“两党在某些问题上存在分歧”。这些话算是对这场争论的结束语。

苏联与欧安会

确保欧洲边界现状，召开欧洲安全和合作会议，是勃列日涅夫争夺欧洲的重要内容。苏联在 1965 年 1 月 19—20 日举行的华沙条约缔约国政治协商委员会会议上，最早提出关于召开保证欧洲安全的欧洲国家会议的设想。1966 年 7 月 5 日，在布加勒斯特举行的华沙条约缔约国政治协商委员会会议通过了《加强欧洲和平和安全宣言》。宣言呼吁：欧洲正在形成的局势要求所有欧洲国

[1] 《苏共中央致法共领导人信（1977 年 3 月 18 日）》，《苏联历史档案选编》，第 31 卷，第 500 页。

[2] 同上书，第 508 页。

家积极行动起来，采取各种措施，以保证欧洲局势趋向缓和。宣言提出：为了保证欧洲和平，建议同时解散现有的军事联盟；作为实现这一目标的第一步，首先就撤销联盟的军事组织达成协议。华沙条约缔约国在这次会议上，正式提出召开全欧洲国家会议，商讨保障欧洲安全和建立全欧洲国家合作的问题。会议认为：欧洲国家有能力在没有外来干涉的条件下，解决它们之间的关系问题。显然，苏联是想在加强自身在欧洲的地位和影响力的同时，逐步把美国挤出欧洲。苏联想把美国排除在解决欧洲问题之外的不现实主张，遭到美国的强烈反对。华约国家的提议，没有得到北大西洋公约组织的回应。1968 年 6 月，北大西洋公约组织在雷克雅未克召开北约组织外交部长会议，发出了“愿意同华沙条约组织讨论相互均衡裁军”的信号，表示对苏联建议的某种冷淡态度。

以后，苏联将工作的重点偏向与法国、英国、意大利、联邦德国、芬兰、挪威等国的双边协商，把召开欧洲安全和合作会议作为双边会谈的重要内容。在各次互访与会谈中，除“解散现有军事联盟”、中欧核武器部署、政治制度与人权等尖锐问题之外，对于召开全欧洲国家安全和合作会议问题，尽管各国的理解和认识各不相同，但原则上都认为可以接受苏联的建议。1969 年春，意大利总理鲁莫尔在参加美国前总统艾森豪威尔的葬礼时对尼克松说：“苏联的建议（指召开欧安会——引注）尽管有它的宣传目的，但是意大利的政局要求作出迅速的响应。”联邦德国总理勃兰特认为，召开欧安会“可以使美国在欧洲的存在合法化”。法国总统蓬皮杜把召开欧安会看作“是避免德国单独主动向东方打交道而把它放到多边的轨道上来的一个办法”。英国政府的领导人们认为“召开这种会议是摆脱冷战的手段”。[1]

这些情况反映了欧洲已经作为世界的新的独立的力量在勃兴，对美国形成压力。美国对苏联的欧安会“攻势”，也从拒绝转向提出“必须谈判具体的问题；必须在北大西洋公约组织内部进行协商，以便使西方在这些问题上形成共同的立场”。[2]

1969 年 3 月 17 日，华沙条约缔约国政治协商委员会会议在布达佩斯举行。会议向全欧洲各国发出一份呼吁书，呼吁欧洲各国“加倍努力来巩固欧洲的安

[1] 参见［美］亨·基辛格著：《白宫岁月》，第 1 册，第 534 页。

[2] 同上书，第 535 页。

全和合作”。呼吁书建议：社会主义国家和资本主义国家之间应当就建立集体安全进行对话，早日召开欧洲安全和合作会议。在实际行动上，苏联率先同西方达成解决柏林问题的协定。此外，勃列日涅夫终于接受一个现实，即没有美国的参与，欧安会是开不成的。1969 年 4 月 3 日，当多勃雷宁将这份呼吁书交给白宫时，明确表示：“苏联不反对美国参加‘全欧洲会议’的会议；苏联不再提‘解散现有军事联盟’。”[1] 由于苏联的退让，苏美之间在就召开欧安会问题上，达成原则上的谅解。

1969 年 6 月 9 日，苏联政府就召开欧安会问题向芬兰政府递交备忘录。同年 10 月底，华沙条约组织外交部长会议在布拉格举行。这次会议特别讨论了关于筹备召开欧安会问题。与会的华沙条约组织外交部长们根据本国政府的委托，将欧安会的议程定为：保障欧洲安全和在欧洲国家相互关系中不使用武力或以武力相威胁；在平等的基础上扩大欧洲各国间的贸易、经济和科技联系。

1972 年 1 月 25—26 日，华沙条约缔约国在布拉格召开党和政府首脑级政治协商委员会会议，通过了关于欧洲和平、安全和合作宣言。与会各国呼吁尽快召开欧洲安全和合作问题的全欧洲国家会议。2 月底，芬兰总统吉科宁访问苏联，两国的会谈声明说：所有相关国家必须着手在赫尔辛基进行关于欧洲安全和合作会议的多边协商。1972 年 5 月下旬尼克松访苏，和勃列日涅夫就召开欧安会问题达成最终谅解。紧接着，5 月 31 日，北大西洋公约组织宣布同意参加筹备全欧洲会议和预备性协商会议。这样，从 1972 年 11 月开始，欧洲的 33 个国家以及美国和加拿大在赫尔辛基参加协商。协商会议时断时续，直至 1973 年 6 月 8 日方基本达成协议。建议在会议上讨论的问题有：欧洲安全；在经济、科学、技术和环境保护方面的合作；在人文和其他领域的合作；会后的进一步措施。协商会议还确定，欧安会将分三阶段进行。

1973 年 7 月 3—7 日，欧洲安全和合作会议第一阶段会议在赫尔辛基召开，美国、加拿大以及欧洲国家等 35 个国家参加会议。7 月 4 日，苏联政府向大会提出一项关于欧洲安全和欧洲国家间相互关系原则宣言草案，其中心内容是：“边界不可侵犯；领土完整”，也即保证欧洲边界现状的不可改变。这是苏

[1] 参见［美］亨·基辛格著：《白宫岁月》，第 1 册，第 534 页。

联坚持和力促欧安会召开的主旨。

欧洲安全和合作会议第二阶段会议于1973年9月18日至1975年7月21日在日内瓦举行，这是一次各委员会的会议。375名专家，组成三个委员会，分别对欧洲安全问题、经济和科学技术合作问题、人权问题展开讨论。由于各方的分歧很大，其间不乏激烈的争吵。会议断断续续，拖了22个月，总算在1975年3月形成了《欧洲安全和合作最后文件》。

1975年7月31日—8月1日，在赫尔辛基召开欧洲安全和合作会议的第三阶段会议。33个欧洲国家和美国、加拿大等35个国家的政府首脑或国家元首参加了会议。7月31日，勃列日涅夫在欧安会上发言，提出：欧安会的实质是使缓和物质化。勃列日涅夫说："会议的成果是对所有与会国的利益经过仔细掂量加以平衡得出来的。"勃列日涅夫把"缓和与平等合作"看作是"决定着欧洲和世界政治的潮流"，缓和的物质化才能保证持久和平。他说："国际缓和正在越来越大的程度上为具体的物质内容所充实。使缓和物质化，这正是问题的实质所在，是一切事情的实质所在，这一切就是要使欧洲的和平成为真正持久和不可动摇的和平。"[1]

8月1日，欧安会各与会国共同签署了《欧洲安全和合作会议最后文件》，其中包括《指导与会国之间关系原则的宣言》、《关于建立信任的措施和安全与裁军的某些文件》、《人道主义和其他方面的合作》、《经济科学技术和环境方面的合作》等。最后文件也被称作《赫尔辛基宣言》。在赫尔辛基签署的基本文件的内容，被称作安全、经济合作和人道主义合作等"三个篮子"，是与会国在这三个领域的共同承诺。

在准备基本文件的过程中，苏联只对前两个篮子的内容感兴趣，竭力贬低第三个篮子，认为"人道主义问题"是属于内政问题。西方国家则坚持，"人道主义问题"是苏联必须为之承担责任的重要国际问题，否则，西方国家将拒绝就其他问题达成协议。当苏共中央政治局讨论即将在赫尔辛基会议上签署的文本时，波德戈尔内、苏斯洛夫、柯西金、安德罗波夫等都对第三个篮子表示担忧，认为这将为外国干涉苏联国内政治生活开辟道路。葛罗米柯竭力争辩说："多年来苏联追求的主要目标是使战后边界和现存的欧洲政治版图得到普

[1] 《在欧安会上的发言（1975年7月31日）》，《勃列日涅夫言论》，第11集，第138页。

遍承认，这将是莫斯科在政治上和宣传上获得的一个重大胜利……至于人道主义方面的承诺，那仍将取决于苏联政府的态度，因为只有它才能决定什么是干涉我国内政，或什么不是干涉我国内政。”葛罗米柯强调：“我们是自己家里的主人。”[1]勃列日涅夫支持葛罗米柯的意见，苏共中央政治局才认可了基本文件的文本。于是才有了《赫尔辛基宣言》。

欧安会一结束，勃列日涅夫即在各种国际场合，称赞欧安会“为卓有成效地发展国际合作……创造了有利的条件”。[2]1976 年 2 月 24 日，勃列日涅夫在苏共二十五大的总结报告中说，欧安会的成果是“现有国界的不可侵犯性得到与会国的集体确认。制定了一整套国与国之间相互关系的原则，这些原则从文字到精神是完全符合和平共处的要求的。这样就为保持和巩固整个欧洲大陆的和平创造了良好条件”。[3] 欧安会和“赫尔辛基精神”其实是东西方妥协的产物，同时也表明在经历了两次世界大战之后，欧洲开始了新的复兴。

第三节　苏联与非洲大陆

苏联与安哥拉独立运动

非洲大陆的西南部、濒临大西洋的安哥拉，1884 年正式沦为葡萄牙的殖民地，1961 年开始了争取独立的武装斗争。苏联在“支持民族解放运动”、履行“国际主义义务”等革命口号下，积极介入安哥拉独立运动。1972 年 7 月，埃及驱逐了庞大的苏联军事顾问团和专家队伍，严重抑制了苏联在非洲和第三世界的影响力。此后，勃列日涅夫更注意把安哥拉作为“落后国家走非资本主义道路”的又一典型，期望借此重新扩大苏联在非洲的影响力，实际上是要使安哥拉成为苏联打入非洲腹地的楔子。

安哥拉领土面积 125 万平方公里，20 世纪 60 年代人口约 700 万，分属乌

---

[1] ［俄］阿·多勃雷宁著：《信赖——多勃雷宁回忆录》，第 397 页。

[2] 《致大学国际联合会第六次大会的参加者（1975 年 8 月 20 日）》，《勃列日涅夫言论》，第 11 集，第 142 页。

[3] 《在苏共二十五大上的总结报告（1976 年 2 月 24 日）》，同上书，第 12 集，第 36 页。

姆崩杜、基姆崩杜、巴刚果、隆达等不同部族，他们分别信仰原始宗教、天主教、基督教等不同宗教。葡萄牙语虽然被法定为官方用语，但是民间流行的是乌姆崩杜语、基姆崩杜语、基刚果语、隆达语等不同语言。在世界民族解放潮流的涌动下，全国虽然强烈要求摆脱葡萄牙的殖民统治，但是争取民族独立的武装斗争开展以后，多部族、多宗教信仰、多语言等等的复杂国情，加上外来势力的介入，使争取独立的武装斗争出现了复杂的形势。围绕着武装斗争的领导权和未来国家政权的主宰问题，武装斗争分裂为得到苏联全力支持、以安东尼奥·阿戈什蒂纽·内图为主席的“安哥拉人民解放运动”（以下简称“人运”），以及得到美国等西方国家支持、以霍尔敦·罗伯托为主席的“安哥拉民族解放阵线”（以下简称“民阵”）等两派力量。在非洲大陆，“人运”得到东南紧邻赞比亚的全力协助；东北紧邻扎伊尔则鼎力支持“民阵”。

1972年12月，非洲统一组织出面调解，使“人运”和“民阵”达成协议：“民阵”主席罗伯托出任独立斗争统一的“最高联合政治委员会”主席；罗伯托承诺，逐步解散“民阵”，实现安哥拉独立斗争的统一。

“人运”与“民阵”之间的协议刚刚达成，“人运”自身的矛盾又激化了。

“人运”的战斗部队成员，基本上来自乌姆崩杜部族，可是在“人运”领导层中，只有一名副主席希潘达是乌姆崩杜部族。“人运”的“积极分子”对这种状况十分不满。1973年初，反对派强烈要求召开“人运”代表大会，按“人运”中部族人数的比例，选举相应比例的、来自不同部族的领导人。当这一要求被内图拒绝后，“人运”战斗部队中有的营地开始拒绝执行内图的命令。内图就以希潘达和乌姆崩杜部族积极分子“蓄意背叛”为由，枪毙了5名“积极分子”，撤销希潘达的一切职务、开除出党。由于赞比亚的干预，希潘达才免一死。内图的做法更加激怒了反对派。1973年8月，“人运”战斗部队的几个主要营地宣布“起义”，拥戴希潘达为领导人。经过这一“事变”，“人运”战斗部队一下子从5000人减少到3000人。葡萄牙殖民当局支撑的白人反对组织，乘势夺回了大片已被“人运”占领的地区。11月，非洲统一组织出面调解，成立了由内图和希潘达双方成员组成的调解委员会，但是没有结果。

“人运”自身的分裂，使以罗伯托为主席的“民阵”有机会扩展势力，建立新的战斗营地，展开积极的外交活动。扎伊尔也封锁了与安哥拉接壤的边界，不许“人运”的部队以及支援它们的装备、物资过境。

苏共中央在得到来自苏联驻赞比亚大使馆和苏共中央国际部关于安哥拉局势的报告之后，对安哥拉独立运动出现的复杂状况深感不安。1974 年 1 月 10 日，苏共中央指示苏联驻赞比亚大使，分别拜会内图和希潘达，向他们转达苏共中央“对因党内领导人的分歧而形成的安哥拉人民解放运动的形势，表示严重不安”。苏共中央要求苏联驻赞比亚大使向“人运”的领导人们明确说明：“苏联一贯把安哥拉人民解放运动看作是安哥拉民族解放运动的主导力量，并给予该党以很大的军事的、政治的及其他物质援助。苏共中央对安哥拉人民解放运动领导层内的事态，以及安哥拉民族解放运动的状况极为关切……给安哥拉人民解放运动的物资现已运抵刚果人民共和国和坦桑尼亚。但是安哥拉人民解放运动内部继续不断的分歧，给苏联各组织对该党的援助造成困难。”[1]

可是，在苏共中央向“人运”的双方领导人发出警告之后，安哥拉独立运动的局势进一步复杂化。1974 年 6 月，“人运”和“民阵”的战斗部队之间发生了大规模战斗，西北部的扎伊尔省、威热省、马兰热省、隆达省，几乎全被“民阵”控制了。

苏联对愈来愈难以控制的安哥拉独立运动的形势，焦急起来了。苏联最终选择了内图。按照苏共中央的指示，苏联驻刚果大使阿法纳欣科于 1975 年 7 月 4 日在苏联驻刚果大使馆会见了“人运”主席内图。阿法纳欣科对内图说：“苏共中央正在注视安哥拉局势的发展。苏联人民关心安哥拉民主力量的胜利。”[2] 阿法纳欣科提请内图注意：苏联已经给予安哥拉“人运”越来越多的援助，但是局势却让人越来越担心。内图诉说他所面临的困难：“国内三个民族解放运动（机构）的存在，为国内反动势力的活动创造了良好的局面，使政治、社会、经济矛盾进一步尖锐化。”[3] 内图对“两伙反动派”：葡萄牙殖民当局保护的白人反动派和“境外反动势力”，包括“民阵”在内的力量十分担心。内图承认：“民阵”的战斗部队在数量上已超过了“人运”。内图请求：“在这种

[1] 《苏共中央书记处给苏联驻赞比亚大使的电报（1974 年 1 月 10 日）》，《苏联历史档案选编》，第 33 卷，第 7—8 页。

[2] 《阿法纳欣科同阿戈什蒂纽·内图的谈话纪要（1975 年 7 月 4 日）》，同上书，第 10 页。

[3] 《阿法纳欣科同阿戈什蒂纽·内图的谈话纪要（1975 年 7 月 4 日）》，同上书，第 11 页。

情况下，期望得到苏联的援助。安哥拉人民解放运动的领导人决定请求苏共中央提供军事和财政的补充援助。”[1]

苏共中央在得到阿法纳欣科的报告之后，再综合各方面的情况，认为像原来那样向“人运”提供再多的援助，也未必能使内图取得胜利；即使损害“缓和”，也要采取新的措施。苏共中央终于决定在向安哥拉派遣大批军事顾问的同时，向安哥拉运送由苏联武装起来的7000人的古巴正规军；古巴对参加“非洲民族解放运动”也非常积极。当古巴军队投入战斗以后，战场形势立即改观。在西北部地区，古巴军队和“人运”部队很快推进到与扎伊尔接壤的整个国境线，占据西北部地区的“民阵”武装被消灭，残部逃向扎伊尔。在南部地区，古巴军队和“人运”部队摧垮了白人武装和南非军队的抵抗，消灭了要求地方自治的民族主义武装，控制了大西洋重要港口木萨米迪什。安哥拉独立运动的大局就这样确定了。1975年11月11日，内图在首都罗安达宣布安哥拉人民共和国成立，内图任共和国总统。1976年2月15日，古巴共产党和古巴共和国驻安哥拉临时代办发表谈话时说：“到本月底，古巴军队将进逼南非共和国军队占领的地区。让我们看看他们是自己撤离还是不得不把他们打出去。”[2]安哥拉人民共和国成立后，1976年2月2日，内图宣布：安哥拉内政和社会经济发展纲领是“指引我国建立社会主义社会”。2月23日，内图在庆祝苏联建军节的招待会上说：“没有苏联和古巴巨大、无私和全面的援助，安哥拉革命的胜利是不可能的。”[3]

1976年5月24—31日，“人运”政治局委员、安哥拉人民共和国总理多纳西门托访问苏联，和苏联签署了苏、安两国《友好关系与合作原则宣言》。10月7—13日，“人运”主席、安哥拉人民共和国总统内图对苏联进行正式访问，两国签订了为期20年的《友好合作条约》。10月7日，勃列日涅夫

[1] 《阿法纳欣科同阿戈什蒂纽·内图的谈话纪要（1975年7月4日）》，《苏联历史档案选编》，第33卷，第12页。

[2] 《苏联驻安哥拉人民共和国临时代办兹韦列夫关于安哥拉形势给国内的政治信函（1976年3月1日）》，同上书，第15页。

[3] 《苏联驻安哥拉人民共和国临时代办兹韦列夫关于安哥拉形势给国内的政治信函（1976年3月1日）》，同上书，第17页。

在招待内图的宴会上，称安哥拉的胜利“这是国际主义的胜利，也是进步力量的国际声援的胜利。”勃列日涅夫说：“安哥拉事件再次证实了我们时代的伟大真理：因国际主义声援而倍增的人民捍卫自由的决心，是不可战胜的力量。每一个真正愿意学习革命经验的人，从这些事件中得出的恰恰是这个结论。”[1]

事实上，在苏共高层人员中，也不是所有人都同意这个结论的。

就在苏联将全副苏式装备的古巴军队运送到安哥拉，直接参加战争时，阿尔巴托夫就认为：“我们同古巴人一起采取这个联合行动，这样就走上了一条危险的道路——开始在‘第三世界’国家直接卷入军事行动，而且同意派正规部队参加这些军事行动。”[2]1975 年初冬，苏共中央和苏联外交部的一批工作人员，以及被吸收起草苏共二十五大文件的学者，集中在莫斯科郊外的扎维多沃开会。在讨论将举行的苏共二十五大工作总结报告的外交政策部分时，涉及安哥拉问题。阿尔巴托夫曾对勃列日涅夫说：“在我看来，古巴军队在那里参战以及我们为保证这场战争提供援助，可能要付出很高的代价，会打击缓和的基础。”[3]亚历山德罗夫立即反驳说：“安哥拉使他想起 1935 年的西班牙，我们实在不能袖手旁观，不管发生什么后果，也要履行自己的义务。”[4]亚历山德罗夫还认为：安哥拉事件涉及苏联履行国际主义义务，在这种形势下苏联不能撂开不管。阿尔巴托夫的意见，代表了苏共高层领导圈中某些人的思想。

勃列日涅夫一直听着他们的争论，并且说：“你们假设自己是政治局委员，争论吧，我听着。”[5]勃列日涅夫虽然没有就阿尔巴托夫和亚历山德罗夫之间的争论表态，其实心中有数，并且早就一贯地在做。1976 年 10 月 7 日，勃列日

---

[1] 《在招待安哥拉人民解放运动主席、安哥拉人民共和国总统安东尼奥·阿戈什蒂纽·内图的宴会上的讲话（1976 年 10 月 7 日）》，《勃列日涅夫言论》，第 12 集，第 279 页。

[2] ［俄］格·阿·阿尔巴托夫著：《苏联政治内幕：知情者的见证》，第 269—270 页。

[3] 同上书，第 270 页。

[4] 同上书，第 271 页。

[5] 同上。

涅夫在招待来访的内图的宴会上，终于把这个结论说了出来。

1977 年 12 月 3 日，苏共中央政治局委员基里连科率苏共代表团，参加安哥拉人民解放运动第一次代表大会。他在大会致词时说，要把“人运”变成先锋党。苏联原来设想安哥拉人民共和国建立后，社会主义就会在安哥拉顺利地发展起来，苏联会在非洲腹地建立起一个据点，古巴军队也能很快撤走。但是，事实的发展并不能使苏联如愿以偿，古巴军队一直拖到 20 世纪 80 年代末才撤离。

苏联直接参与安哥拉独立战争，给苏联自身造成极其深刻的消极后果。

苏联与非洲之角的关系

非洲之角的索马里半岛上，由英国托管的索马里和由意大利托管的下索马里，于 1960 年 7 月 1 日合并，宣布成立索马里共和国。1969 年秋，陆军司令西阿德·巴雷少将出任最高革命委员会主席兼政府总理，改国名为索马里民主共和国，在全国推行激进的社会改革。苏联认为这是它打入非洲大陆、引导索马里走社会主义道路、在非洲建立社会主义据点的绝好机遇。1970 年 4 月，苏共举行列宁诞辰 100 周年纪念活动，特邀索马里最高革命委员会派代表团参加纪念活动。期间经过会谈，双方商定：苏共中央将派遣党的建设专家组，帮助索马里制定走向社会主义的纲领。在苏共中央党建专家组的指导下，1970 年 10 月，索马里最高革命委员会通过第二个革命宪章，宣布在索马里建设社会主义。1971 年 4 月，索马里最高革命委员会代表团出席了苏共二十四大。此后，苏共中央党校和军事院校，大批接纳、培训索马里的政工干部和军事干部。

1974 年 7 月上旬，苏共中央政治局委员、苏联最高苏维埃主席团主席波德戈尔内访问索马里。7 月 11 日，签订了苏联和索马里民主共和国友好合作条约，双方保证加强两国间的友好合作。苏联向索马里提供武器；索马里允许苏联舰船使用亚丁湾的柏培拉港，自由进出曼德海峡，同意苏联在摩加迪沙建立海空军基地。1974 年 10 月 21 日，经过苏共党建专家指导组帮助，索马里革命社会主义党宣布成立。索马里革命社会主义党党纲载明：“索马里民主共和国最高革命委员会以科学社会主义原则为基础，利用社会主义大家庭各国社会主义建设的经验，满怀信心地引导国家沿着业已选择的道路前进。”[1]纲领还说：索马里革命社会主义党在自己的活动中遵循国际主义原则，党的对外政策的任务之一就是加强索马里民主共和国同社会主义国家的友谊与合作，发展同它们的政府、党和社会组织之间的联系。从此，苏联和索马里之间的关系，除了国家之间的关系以外，更增加了苏共和索马里革命社会主义党之间的密切的党际关系。

1976 年 8 月，索马里民主共和国党政代表团正式访问苏联。紧接着，1976 年 12 月 15 日，索马里革命社会主义党中央政治局委员、索马里民主共和国总统萨曼塔尔访问莫斯科，同苏共中央政治局委员、苏共中央书记波诺马廖夫专门讨论了发展两党之间的党际关系问题。双方商定，由苏共中央派遣“苏共中央负责工作人员小组”赴索马里，和索马里革命社会主义党共同制定“1977—1978 年两党合作计划”。该计划特别强调由苏共“帮助索马里革命社会主义党培训政治和意识形态干部，使他们能在实际工作中掌握党对经济、政治和社会生活方面的领导经验。”[2]1977 年，苏共接纳了 3 批索马里革命社会主义党送来的学员，学员中包括索马里革命社会主义党中央委员、中央组织部长，地方党政负责人等高级干部。到是年的年底，先后已有 1600 余名学员毕业回国，正在苏联学习的还有 284 名。[3] 此外，苏共还帮助索马里革命社会主义党建立中央党校，以便培训干部。

苏联在大力进行经济援助、意识形态输出、建党模式移植等同时，更着重于向索马里提供军事援助，包括提供坦克、飞机、火箭炮、枪支弹药等武器装备；派遣军事专家帮助组建和训练军队；大批接纳索马里军事人员到苏联各军事院校培训；帮助建设军事基地；提供专用通讯器材；等等。

至 1976 年年底，苏联已给予索马里 20120 万卢布的贷款和无偿援助，还

---

[1] 参见《苏联驻索马里大使馆关于索马里革命的报告（1977 年 3 月 11 日）》，《苏联历史档案选编》，第 33 卷，第 82 页。

[2] 参见《苏联驻索马里大使馆关于索马里革命的报告（1977 年 3 月 11 日）》，同上书，第 83 页。

[3] 参见《苏联外交部非洲司整理的苏联与索马里关系的报告（1977 年 5 月 24 日）》，同上书，第 114 页。

不包括专项贷款和援助（不包括1976年8月提供的13920万卢布补充贷款，以及1977年4月索马里要求给予的13亿卢布的军事援助。）[1]

苏联在与索马里的关系越来越亲密的同时，又密切关注着紧挨非洲之角的埃塞俄比亚。

和索马里相邻的埃塞俄比亚于1974年9月12日发生军事政变，推翻了海尔·塞拉西皇帝的王朝政权，建立了临时军事行政委员会政权，宣布实行社会主义，称为社会主义埃塞俄比亚。

扼红海的埃塞俄比亚领土面积比索马里大一倍，人口多6倍，在红海东南有1000多公里的海岸线，是控制红海通航的要地。苏联海军要驶向印度洋，埃塞俄比亚和索马里对苏联来说是同等重要的。1976年7月6—12日，埃塞俄比亚国家代表团正式访问苏联。双方表示：目前正在形成加深苏、埃两国关系和发展全面合作的有利条件。苏联表示将向埃塞俄比亚派遣专家组，并帮助埃塞俄比亚训练民族干部。此后，苏联扩大对埃塞俄比亚的全面援助，并派遣医疗卫生、大学教师、组织建设专家等各类专家组，赴埃塞俄比亚工作。1977年5月4—8日，以临时军政委员会主席门格斯图为首的埃塞俄比亚国家代表团正式访问苏联。5月6日，两国签订了《友好关系和合作的原则宣言》。苏联满心希望把"社会主义大家庭"扩展到非洲大陆。

苏联和埃、索之间的边界战争

埃塞俄比亚和索马里之间，存在着历史上遗留下来的边界问题，长期以来，争端不断。

19世纪末20世纪初，双方就提出了边界问题。埃塞俄比亚东南部与索马里相邻的欧加登地区，索马里称之为"西索马里"，那里生活着约200万索马里游牧民，索马里坚持欧加登地区应归属索马里。此外，索马里还坚持：埃塞俄比亚北部的厄立特里亚省应当脱离埃塞俄比亚独立。1964年初，两国领土纠纷激化，发生了多次边界武装冲突。非洲统一组织曾出面调解。1976年1月，

[1] 参见《苏联外交部非洲司整理的苏联与索马里关系的报告（1977年5月24日）》，《苏联历史档案选编》，第33卷，第111—113页。

非洲统一组织在亚的斯亚贝巴举行大会，出席大会的埃、索两国领导人也举行过会晤，可是边界之争仍无法调解。

索马里在边界问题上越来越转向以武力来解决，是在1974年7月与苏联签订友好合作条约，得到苏联的大规模军事援助之后。1974年9月，埃塞俄比亚宣布实行社会主义。西阿德·巴雷多次表示怀疑埃塞俄比亚发展中的革命性质，说："埃塞俄比亚领导人是与犹太复国主义势力有联系的沙文主义者。埃塞俄比亚的进步力量，包括马克思列宁主义者正受到迫害和被消灭。"[1]关于边界问题，西阿德坚决地说："我们将支持居住在欧加登的索马里人争取同自己祖国合并的斗争。欧加登的居民，我们的兄弟姐妹向我们求援，我们不能拒绝。假如索马里领导人阻止索马里人挣脱埃塞俄比亚殖民主义的枷锁的斗争，那么索马里人是不会理解他们的。"[2]

苏联曾试图调解索马里和埃塞俄比亚之间的边界争端，结果是碰了一鼻子灰。在苏联的说项下，1977年3月16日，索马里总统西阿德和埃塞俄比亚临时军政委员会主席门格斯图在民主也门首都亚丁举行会晤，古巴总统卡斯特罗和东道主民主也门总统委员会主席鲁别伊·阿里也参加。会晤中，西阿德表现了极端强硬的立场，说："索马里和埃塞俄比亚关系正常化的必要条件是欧加登地区并入索马里，应该解决的是立即移交欧加登问题。如果社会主义国家在这个问题上不支持索马里，那么索马里就得被迫求助于阿拉伯和西方国家。"[3]会晤不欢而散。

埃塞俄比亚与索马里之间的边界战争，终于大规模爆发了。

1977年7月23日，索马里以"索马里西部民族解放阵线"的武装力量打先锋，索马里正规军随后推进，分南、北两路，大举向埃塞俄比亚发起进攻。索马里的军队是有备而来，因而推进迅速。北路军占领了厄立特里亚75%—

[1] 参见《苏联驻民主德国大使阿勃拉西莫夫关于德国统一社会党代表团访问索马里致波诺马廖夫的报告（1977年2月18日）》，《苏联历史档案选编》，第33卷，第75页。

[2] 参见《苏联驻索马里民主共和国大使萨姆索诺夫与西阿德谈话纪要（1977年2月23日）》，同上书，第78—79页。

[3] 参见《苏联外交部关于索马里和埃塞俄比亚领土争端及苏联立场的简要报告（1977年5月19日）》，同上书，第100—101页。

80% 的地区，包括纳克法、克伦等重要城市。南路军占领了欧加登地区的德卡梅雷、戈腊等重要城市，并向迪雷达瓦、哈拉尔、基基加等城市猛烈进攻。

埃塞俄比亚在军事上明显处于下风。埃塞俄比亚全国名义上有 6 个正规师（约 5.5 万人）、8 个民兵师（约 10 万人）以及 4 万人的警察部队。实际上，原正规军几近瓦解；民兵师没有经过多少军事训练，几近乌合之众；警察部队只能在地方上维持治安，根本不能适应野战。临时军政委员会政权 1977 年初刚刚从苏联和东欧国家获得武器装备，开始组建新的正规军和警察部队。苏联的坦克虽然运来了，由于没有拖运坦克的重型拖车，坦克卸在港口上，还没有装备部队，何况坦克手还在训练。部署在欧加登地区的万人部队，根本抵挡不住训练有素、有备而来的索马里军队的进攻。10 月，索马里军队相继攻占了哈拉尔省、巴累省、锡达莫省的大部分地区。

埃塞俄比亚紧急向苏联求助，急切要求苏联：提供武器装备并帮助训练官兵；帮助建立拥有动员国家一切力量的“国家保卫委员会”、最高统帅部、两个方面军（包括司令部和参谋部），要求苏联帮助全国转入战时体制。同时，埃塞俄比亚还要求苏联出面，立即制止索马里军队的进攻。

起初，苏联面临两难选择。1977 年 8 月 4 日，苏共中央政治局会议，研究埃、索之间的军事冲突和苏联的态度。勃列日涅夫因病缺席，政治局会议由基里连科主持。经过讨论，政治局会议形成的意见是：请“非洲进步国家领导人，采取措施使两国关系正常化”。基里连科说得更明白：“我们的处境非常困难。我们没有任何理由同索马里争吵，也没有任何理由同埃塞俄比亚争吵。”[1] 但是，苏联也看到，如果战争继续下去，将严重损害苏联在非洲的影响和工作。在索马里拒绝非洲国家的调停、坚持要把战争进行下去的情况下，苏联转向必须制止索马里的领土要求。1977 年 8 月 11 日，苏共中央政治局再次讨论非洲局势时，主持会议的基里连科说“列昂尼德·伊里奇要求尽快审理埃塞俄比亚的申请，然后，尽可能地给予他们必要的援助”。[2] 政治局会议形成的

[1] 《苏共中央政治局会议关于致信非洲进步国家领导人的记录（1977 年 8 月 4 日）》，《苏联历史档案选编》，第 33 卷，第 126 页。

[2] 《苏共中央政治局会议关于致信非洲进步国家领导人的记录（1977 年 8 月 11 日）》，同上书，第 134 页。

意见是：说服索马里放弃以武力解决边界问题的打算，从埃塞俄比亚撤军。但是，苏联的实际工作失败了。自 1977 年 7 月 25 日至 8 月 19 日，索马里代表团与苏联代表团在莫斯科进行了三轮谈判。其间，8 月 14 日，塔斯社还就索马里军队入侵埃塞俄比亚欧加登省发表声明，希望两国停止军事行动，用和平方法解决争端。谈判的结果是，苏联从埃、索边界战争的斡旋者，变成和索马里之间的直接争吵者。苏联代表团最后说了这样一番话："苏联希望不要随心所欲地感情用事，而要谨慎明智从事。不要从民族利益出发，而要根据国际主义，根据巩固进步力量的利益立场行事。""因此，苏联领导们友好地规劝你们领导人要考虑整个形势，行事要有开阔的国家和国际主义胸怀。"[1] 苏联的斡旋失败了。

1977 年 9 月 8 日，埃塞俄比亚断绝同索马里的外交关系。1977 年 10 月 30—31 日，埃塞俄比亚临时军政委员会主席门格斯图秘密访苏。经过会谈，苏共中央同意全面帮助和支持埃塞俄比亚革命。应埃塞俄比亚的请求，苏共中央同意：迅速增加供应武器和军事装备；增派军事顾问团和军事专家；派遣以彼得罗夫大将（时任苏联陆军第一副总司令）为首的国家代表团常驻亚的斯亚贝巴，会同埃塞俄比亚方面一起组建武装力量，帮助尽快掌握苏联的军事装备；制定在欧加登地区和厄立特里亚省的作战计划；等等。[2]

苏联还具体帮助埃塞俄比亚作了新的军事部署。苏联抵达埃塞俄比亚的军事人员约 1000 人。另有 2000 富有作战经验的古巴坦克兵、炮兵、摩托化步兵以及飞行员，进入埃塞俄比亚，他们将在反攻中担任主攻任务。

1977 年 11 月，索马里政府也作出反应：决定废止索马里和苏联 1974 年 7 月签订的《友好合作条约》，并宣布"苏联专家不得继续留在索马里民主共和国"。

经过这番准备和工作，1978 年 2 月，埃塞俄比亚军队在北、南两线同时发起全面反攻，索马里军队迅速败退。3 月 9 日，索马里宣布"从欧加登和厄立特里亚撤回自己的军队"。3 月 12 日，埃塞俄比亚外交部发表声明：愿意根

---

[1] 《伊利乔夫与卡西姆第二阶段的会谈纪录（1977 年 8 月 12 日）》，《苏联历史档案选编》，第 33 卷，第 171 页。

[2] 参见《苏联外交部第三非洲司关于苏—埃关系的资料（1978 年 2 月 7 日）》，同上书，第 213—214 页。

据联合国宪章和非洲统一组织的决定，恢复非洲之角的和平；拒绝“关于撤出在埃塞俄比亚领土上由埃塞俄比亚政府请来的外国军人及派遣的外国观察员”的建议。[1]

1978 年 4 月 3—5 日，社会主义埃塞俄比亚临时军政委员会主席、埃塞俄比亚部长会议主席门格斯图对苏联进行工作访问。门格斯图“以埃塞俄比亚人民的名义表示深切感谢苏联对埃塞俄比亚革命的支援”。

在索马里和埃塞俄比亚，勃列日涅夫雄心勃勃，耗资巨大，实际是挖了一个窟窿。

第四节　苏军入侵阿富汗

苏联和阿富汗的频繁政变

地处亚洲中西部、伊朗高原东缘的阿富汗是个内陆国家。它西邻伊朗，北面与苏联有 2400 公里左右的边界线，东、南靠巴基斯坦。阿富汗领土面积 65 万平方公里，20 世纪 70 年代全国人口 1600 余万，90% 是农、牧民。人口中 40% 是普什图人（阿富汗族），其他为塔吉克、乌兹别克、土库曼和哈萨克人。19 世纪 30 年代，英国侵入阿富汗。阿富汗人民经过 3 次抗英斗争，终于在 1919 年恢复独立。1963 年，国王查希尔通过修改宪法，规定王室成员不得参政，迫使国王的堂兄达乌德辞去首相的职务。达乌德对此一直心怀不满，时刻想重新上台，找到苏联作为自己的靠山。达乌德联络了一批亲苏的军官，在苏联的支持下，乘查希尔国王在国外治病之机，于 1973 年 7 月 17 日发动政变，废黜国王，宣布成立阿富汗共和国。达乌德自任国家主席兼政府总理、国防部长、外交部长、最高经济委员会主席。1977 年 2 月，达乌德就任阿富汗共和国第一任总统。

达乌德上台初期，积极奉行亲苏政策，深得苏联领导的赞赏。1974 年 6 月 4—8 日，达乌德作为阿富汗共和国国家元首和政府总理，对苏联进行正式

---

[1] 参见《苏联外交部第三非洲司关于索—埃冲突的资料（1978 年 3 月 31 日）》，《苏联历史档案选编》，第 33 卷，第 221 页。

访问，受到热情接待。经过会谈，双方确认：苏联和阿富汗之间充满信任和相互谅解精神的友好睦邻关系正在顺利发展。

1975 年开始，达乌德因不满苏联的过分干预和控制，在苏联以外寻求援助。达乌德在国内还清洗了一些亲苏势力，外交政策上拒绝苏联倡导的“亚洲集体安全体系”，表示奉行不结盟政策。凡此种种，都招致苏联的忌恨。1975 年 12 月 9—10 日，苏联最高苏维埃主席团主席波德戈尔内访问阿富汗，阿富汗表现冷淡，会谈只是例行公事：双方决定将 1931 年签订的中立和互不侵犯条约的有效期顺延 10 年。1977 年 4 月 12—15 日，达乌德对苏联进行正式友好访问。在讨论双边关系时，也是冷淡地表示：“1921 年签订的苏阿友好条约和 1931 年的中立和互不侵犯条约，至今仍然是两国关系的基础。”勃列日涅夫曾规劝达乌德改变疏远苏联的政策，达乌德回答：“我是一个独立国家的总统。”[1] 勃列日涅夫要求达乌德“驱逐在阿富汗的所有帝国主义专家”。达乌德的回答是：“一旦不再那样需要他们，将放走所有外国专家。”[2] 达乌德的回答已经使勃列日涅夫十分不快，达乌德回国后又加紧寻找途径，减少在经济上、军事上对苏联的依赖，建立和美国的紧密的联系。达乌德这样做出于民族主义的考虑，但是也很危险：因为 1978 年，在阿富汗国内已有 2000 多名苏联经济技术专家，苏联对阿富汗的贷款总额达 12.65 亿美元；美国的无偿贷款和贷款总额只有 4.7 亿美元。4 月 25 日，阿富汗又迫使苏联与之签订新协定：阿富汗向苏联供应的天然气价格提高 35%；1977 年阿富汗已提供的天然气，苏联给予 18% 的补偿。[3]

1978 年 4 月 27 日，阿富汗人民民主党策划并实施了一场成功的军事政变。

1978 年 4 月 26 日，达乌德政府逮捕了包括塔拉基、卡尔迈勒等在内的 7 名阿富汗人民民主党领导人，指责他们“违反了阿富汗宪法第 46、47 条的规

---

[1] 参见刘温国、郭辉：《强弩之末——前苏联入侵阿富汗秘闻》，社会科学文献出版社 2001 年版，第 36 页。

[2] ［俄］阿·利亚霍夫斯基著：《阿富汗战争的悲剧》，刘宪平译，社会科学文献出版社 2004 年版，第 26 页。

[3] 《苏联驻阿使馆呈报的 1978 年 4—5 月阿富汗大事记（1978 年 6 月 10 日）》，《苏联历史档案选编》，第 32 卷，上册，第 9 页。

定”。第二天，即 27 日，政变发生了。当天中午，政变发动者指挥第 4 坦克旅攻入有 2000 名士兵防守的总统府，达乌德一家及副总理兼外交部长、达乌德的弟弟纳伊姆等 30 余人在地下室被乱枪打死。政变发动者经过 10 小时战斗就大功告成，塔拉基称之为“阿富汗 10 小时的四月革命”。“四月革命”后，改国名为阿富汗民主共和国。4 月 30 日，阿富汗民主共和国革命委员会公布了第一号命令：选举阿富汗人民民主党总书记塔拉基为阿富汗革命委员会主席、政府总理，建立对革命委员会负责的政府；阿明任政府副总理兼外交部长。当天，苏联就宣布承认阿富汗民主共和国。

策划和实施“四月革命”的阿富汗人民民主党，是在苏联的直接帮助下，于 1965 年 1 月 1 日成立的，塔拉基被选为中央委员会总书记，卡尔迈勒当选中央委员会书记。阿富汗人民民主党的纲领规定，党的任务是：“为取得反帝、反封建的民族和人民民主革命的胜利，为夺取政权，建立一个劳动人民的国家而奋斗。”党的最终任务是“在阿富汗社会的多民族条件下创造性地运用马克思列宁主义革命的普遍规律建立社会主义国家”。[1]

阿富汗人民民主党总书记努尔·穆罕默德·塔拉基，1917 年出生于加兹尼省的牧民家庭，普什图族。1953—1956 年从事社会政治活动，发表过小说、散文、诗歌，以后在美国驻阿富汗大使馆工作过。塔拉基是个自负的理想主义者，是阿富汗人民民主党的创建人之一。

阿富汗人民民主党中央书记巴布拉克·卡尔迈勒，1929 年生于喀布尔附近一个小镇的军官家庭，普什图族。其父曾任步兵师师长、省长等高级官职，母亲是塔吉克人。

阿富汗人民民主党成立不久，领导人之间就出现了政见分歧。塔拉基依据人民革命理论，提出在封建的阿富汗可以建立无产阶级专政，党的工作重心应转入地下斗争。卡尔迈勒及其追随者认为应加强合法斗争，党的当前工作目标应当是介绍全人类有价值的东西，提高和改善人民的生活水平。当然，彼此之间在很大程度上是为了争夺党内的领袖地位。1966 年秋，塔拉基借故想开除卡尔迈勒，卡尔迈勒和他的支持者则主动退出党中央委员会，另行成立“阿富汗人民民主党——全体劳动人民先锋队”，也称“旗帜派”。塔拉基及其追随

[1] 参见［俄］阿·利亚霍夫斯基著：《阿富汗战争的悲剧》，第 14 页。

者则称"阿富汗人民民主党——工人阶级先锋队"，也称"人民派"。1977年6月，在苏共的调解下，两派召开联合大会，重新合并为统一的阿富汗人民民主党。塔拉基当选为党中央委员会总书记，卡尔迈勒当选为党中央委员会副总书记。

1978年阿富汗"四月革命"，就是打着苏共印记的阿富汗人民民主党策动和实施的。据此，西方媒体和我国的史学著作认为"四月革命"是苏联策划的。[1] 但是，这种推断至今还缺乏史料依据。根据目前接触到的史料，本书认为苏联并没有参与、策划这次政变。但是这并不影响苏联对政变成功所流露的兴奋和对塔拉基政权的支持，因为推翻达乌德政权，让阿富汗人民民主党掌权，正是苏联的目标。

正是由于此，所以政变后的第3天，4月30日，苏联就承认了阿富汗民主共和国。5月3日，勃列日涅夫和柯西金致函塔拉基，葛罗米柯致函阿明，祝贺他们担任阿富汗民主共和国的领导人。7月11日，苏联驻阿富汗大使普扎诺夫拜会了塔拉基。塔拉基对苏联大使说："阿富汗的革命所以能胜利和发展，是因为有苏联，苏联共产党和苏联政府的帮助和支持。作为苏联的邻邦，阿富汗民主共和国希望能成为社会主义大家庭自然的参加者和成员。"[2] 当天，普扎诺夫又与阿明举行会谈。阿明对苏联大使说："阿富汗革命是伟大十月

---

[1] 参见刘温国、郭辉：《强弩之末——前苏联入侵阿富汗秘闻》，第36—39页。该书认为苏联"重演'国会纵火案'，策动阿富汗'四月革命'"。该书所依据的史料是1978年6月7日，英国《外事报道》刊登的题为《克格勃策划了阿富汗政变吗?》的文章。该书说："这篇文章'详细披露了苏联策划此次政变的经过。'"这篇文章作出判断的依据是政变的主要组织者卡迪尔与苏军总参谋部情报部驻喀布尔头目佩钦科，以及克格勃喀布尔站站长诺沃克列钦科夫的关系密切，在政变前几个星期同他们见过几次面。又说：克格勃专门派一个工作组来喀布尔，帮助诺沃克列钦科夫制定政变计划。但是，所有这些，至今都没有档案记录或知情者的回忆录予以证实，只是"根据西方情报界人士提供的材料"，或者"据东欧人士说"。因此，缺乏可信度。积极参与苏军驻阿富汗第40集团军与阿富汗国防部、安全部、内务部等强力部门之间的协同作战工作的利亚霍夫斯基所著《阿富汗战争的悲剧》一书说：政变发动者事先一直对苏联隐瞒推翻达乌德政权的计划。政变发生后，苏联驻喀布尔代表犹如晴天霹雳（见该书第32页）。

[2] 《普扎诺夫同塔拉基会谈记录（1978年7月）》，《苏联历史档案选编》，第32卷，上册，第16页。

社会主义革命的继续，也是世界许多国家的榜样。我们总是从十月革命的思想中汲取精神力量，许多阿富汗革命者都接受过伟大的列宁的著作的教育。”阿明最后说：“我们对苏联朋友没有秘密，因为我们总是想用四点基本品质教育党员，这就是爱国主义、马克思主义、苏维埃主义、国际主义。”[1]

人民民主党当政后，大肆镇压有不同意见的军官、国家干部、党务工作者、政治组织领导人、部落代表和宗教界人士。阿明曾以“请部落代表到喀布尔谈判”为名，一次就诱杀了500名部落首领。[2] 塔拉基表示：“准备用5年时间完成苏维埃政权在60年来所做的事。”于是全国开始对工商企业、农村、宗教领域，实行“全线社会主义改造”。

清洗运动也大规模地开展。1978年5月24日，阿富汗人民民主党中央政治局会议，通过了《关于扩大革命委员会编成的决议》和《关于阿富汗人民民主党统一的呼吁书》，实际上是在人民民主党内部搞大规模清洗。政府部长、人民民主党高层领导人，像走马灯似地消失、调换。“旗帜派”是清洗的重点。属于“旗帜派”的副总统、国防部长、内政部长、计划部长等9名人民民主党中央委员被开除出党，许多遭杀害。卡尔迈勒因为得到苏联的庇护，于1978年5月底被派到捷克斯洛伐克任大使，8月又被撤职。苏联为了保护卡尔迈勒，就让他一直留在捷克斯洛伐克。塔拉基成为阿富汗民主共和国总统；阿明成为政府总理兼国防部长，掌握了军权。阿富汗全国陷入混乱和恐怖之中。塔拉基的这些残忍手段，使苏共领导十分为阿富汗的局势担心。1979年3月17日，基里连科在苏共中央政治局会议上说：“必须告诉努·穆·塔拉基，让他们改变策略。不应该采取大规模枪杀、刑讯等行动。宗教问题、对宗教团体和宗教活动家的态度对他们来说至关重要。这是个大的政治问题。这里必须斩钉截铁地告诉努·穆·塔拉基，不许他们采取任何不容许的手段。”[3] 但是，塔拉基等人，特别是阿明，照样我行我素。

---

[1] 《普扎诺夫与阿明的会谈记录（1978年7月11日）》，《苏联历史档案选编》，第32卷，上册，第18、19页。

[2] ［俄］克留奇科夫著：《个人档案（1941—1994）》，第177页。

[3] 《苏共中央政治局紧急会议关于阿富汗局势的讨论记录（1979年3月17—19日）》，《苏联历史档案选编》，第32卷，上册，第97页。

1979 年初秋，塔拉基和阿明之间的矛盾又白热化了，彼此形同水火，都想除掉对方。

阿富汗政局和社会的严重不稳，苏共中央根据来自苏联国家安全委员会和其他方面的情况，综合分析认为，主要是阿明的过激、冷酷和手段残忍所造成的。苏共中央的结论是“阿明这个人已直接威胁到阿富汗革命的命运”。[1]苏共中央企图废掉阿明，巩固塔拉基的地位，稳住阿富汗局势。对于这样的局势和自己的命运，阿明自然是倍加警惕。阿明组建忠于个人的死党武装，更为用心地控制军队。

1979 年 9 月上旬，塔拉基出席在古巴首都哈瓦那举行的第六次不结盟国家政府首脑会议后，返回时路过莫斯科，和苏共中央进行了密谈。9 月 10 日，勃列日涅夫亲自对塔拉基说：“根据苏联情报侦察机关得来的材料，应当注意面临的危险。”勃列日涅夫甚至劝塔拉基暂时留在莫斯科，待局势大定之后再返回喀布尔。塔拉基对勃列日涅夫的提醒表示感谢，并说将采取必要的预防措施，但是坚持返回喀布尔。

这些情况，都被阿明侦知，并决定抢先动手，废掉塔拉基。

1979 年 9 月 14 日，阿明不顾塔拉基的反对，解除了 3 名塔拉基的亲信的部长职务，改组内阁。当天下午 3 时，塔拉基在与苏联驻阿富汗的 3 名代表密商之后，打电话请阿明到总统府办公室“商谈工作”。碍于苏联代表承诺保证其人身安全的情面，阿明带着 8 名保镖及警卫队来到总统府。阿明刚进入总统府即遭预先埋伏的枪手们的密集枪击。阿明的 8 名保镖全被击毙，阿明只伤着手，在警卫队的掩护下，逃回国防部。阿明回到国防部，立即命令喀布尔卫戍部队包围并攻打总统府，逮捕了塔拉基。9 月 15 日晚，阿明召开人民民主党中央政治局会议，宣布解除塔拉基及其“一伙人”的一切职务，并开除出党。16 日清晨，阿明又召开人民民主党中央全会，选举阿明为人民民主党中央总书记。革命委员会跟着任命阿明为阿富汗民主共和国总统。

9 月 16 日，政变局势已定，喀布尔电台发布新闻称：塔拉基由于健康原因辞职，由阿明担任阿富汗人民民主党中央总书记、阿富汗民主共和国革命委员会主席，并被任命为阿富汗民主共和国总统。经过 9 月 14 日政变之后，阿

[1] ［俄］弗·亚·克留奇科夫著：《个人档案（1941—1994）》，第 176—177 页。

明公开表示对苏联的不满。阿明向苏联政府多次“建议普扎诺夫大使离开阿富汗”，说“苏联大使支持了反对派，危害了我”。[1]10月8日，阿富汗外交部长瓦利在会见社会主义国家使节时，公开表示不满苏联参与暗杀阿明的计划。在场的苏联外交官萨弗龙丘克当即向瓦利提出：“您是否明白，这样毫无根据的指责会给苏阿关系带来无法挽救的损失。”[2]瓦利根本不理苏联外交官的表示。

政变发生后，苏共中央政治局曾批示苏联驻喀布尔的代表们，向阿明转达苏共中央的“意见”：“塔拉基下台后，不应对他采取任何迫害措施，或者进行什么审判。”[3]阿明对苏共中央的“意见”不屑一顾,10月9日凌晨，阿明下令，将塔拉基秘密地活活闷死。10月10日，阿富汗各大报同时发表一条短讯：“前革命委员会主席努尔·穆罕默德·塔拉基久病之后于昨日清晨病重去世。死者的遗体已于昨日埋葬在其家族墓地。”[4]迫于阿明政府的压力，苏联只能将普扎诺夫召回。11月8日，苏联任命原鞑靼州委第一书记塔别耶夫为苏联驻阿富汗大使。

哈菲祖拉·阿明，1927年生于喀布尔附近的巴戈曼小镇，普什图族。当职员的父亲在阿明幼年时就去世，由其兄抚养长大。阿明先后毕业于高等师范学校和喀布尔大学科学系，曾任喀布尔贵族学校校长。1957年赴美留学，获硕士学位。1965年人民民主党成立，阿明是筹备工作的参加者之一，并和塔拉基建立了密切的私人关系。人民民主党分裂后，阿明是“人民派”的坚定拥护者，从而成为塔拉基的“最亲密战友”。1967年，经塔拉基推荐，阿明成为人民民主党“人民派”中央委员。1977年6月两派合并后，阿明成为联合的人民民主党中央委员，并负责军队中的工作。1978年春，由于人民民主党多数领导人被捕入狱，阿明就成了“四月革命”的主要领导人。阿富汗民主共和国成立后，他从副总理兼外交部长，很快就“履行国防部长职务”，成为统管军权，控制安全部门、党的组织工作、国家建设工作等等要害部门的“第一号

[1] ［俄］阿·利亚霍夫斯基著：《阿富汗战争的悲剧》，第89—90页。

[2] 同上书，第90页。

[3] 同上书，第86页。

[4] 马行汉：《战火中驻使阿富汗》，《炎黄春秋》1988年第8期，第69页。

人物”。这个鲜明的普什图民族主义分子，越来越被苏共中央所忌恨。

苏共中央一心想除掉阿明，结果反被阿明抢先下手。勃列日涅夫为塔拉基的死而深深地感到难过，并为未能劝说他留在莫斯科而内疚。事后，勃列日涅夫多次对安德罗波夫伤心地说：“你带给我的材料（指克格勃收集的有关阿明密谋除掉塔拉基的材料——引注），我都给他（塔拉基）看了，并对他讲，情报侦察部门保证消息是可靠的。”[1]因此，从感情上说，苏共中央也不能接受阿明。1979 年 9 月 15 日，苏共中央工作简报提出对阿富汗政变的方针：“考虑到现实情况，我们不应该拒绝同阿明和以他为首的政府打交道。”[2]这是苏共中央迫于形势的无奈，除掉阿明只是时机的选择问题。苏共中央批示苏联新闻机构对喀布尔事件的报道，“只作一些态度平和的时事性报道，不作任何评述或评价”。

苏联出兵阿富汗

阿富汗局势的发展，最终使苏联作出了直接出兵的决定。不过，苏联作出直接出兵的决定，也经历了一个反复、痛苦的过程。

阿富汗和苏联不仅有漫长的边境线，阿富汗居民中还有 700 万左右的塔吉克人、乌兹别克人、土库曼人，差不多占阿富汗全国人口的一半。他们和苏联中亚各加盟共和国的各族居民属同源民族，共同拥有边境河流的水资源，历来有着相当广泛的经贸往来。20 世纪 50 年代以来，阿富汗也是苏联和美国在中亚地区争夺的一个点。因此，阿富汗局势的变化，密切关系到苏联的国家战略利益。

更令苏联担忧的是，反政府的“伊斯兰圣战”在全国迅速蔓延，宗教激进主义势力抬头，局势越来越难以控制。

1978 年“四月革命”后，6 月，阿富汗东南部的库尔纳、帕克吉亚、南加尔哈尔等省的武装宗教组织，就展开了反政府的武装斗争。塔拉基政权出动

---

[1] 参见［俄］弗·亚·克留奇科夫著：《个人档案（1941—1994）》，第 183 页。

[2] 《苏共中央工作简报摘录》，《俄罗斯总统档案》馆藏 3，编目 82，卷宗 173，第 72—75 页。参见《阿富汗战争的悲剧》，第 86 页。

由苏联武装的正规军，动用飞机、坦克、大炮等先进武器实施镇压。军队所到之处，乡村、灌溉系统、庄稼均遭毁灭性破坏，于是引发了“难民潮”。1978年底，逃离家园的难民约11万人，到1979年底达到80万人左右，1980年超过了100万人。“难民潮”的出现，使反政府武装斗争更加激化起来。1979年3月，西部重要城市赫拉特发生什叶派起义，100多名苏联顾问被杀。政府军攻占该城之后，报复性地枪杀了几千人。这样的屠杀，使反政府武装迅速从农村扩展到城市，遍及全国28个省的23个省。他们破坏交通，袭击机场，毙俘政府军3000余人，杀死苏联顾问300多人。[1]反政府武装在巴基斯坦建立基地，得到伊朗和巴基斯坦的多方支持，阿富汗政府的军事行动往往是疲于奔命，而鲜有效果。政府军也因不满苏联的干预，不断发生哗变。驻扎在赫拉特市政府军的一个师瓦解，其中的一个炮兵团、一个步兵团，倒向了反政府武装。塔拉基政府曾多次请求苏联出兵帮助镇压反政府武装，说“如果现在苏联不帮忙，那我们就坚持不住了”。[2]

面对阿富汗的局势和塔拉基政府的再三请求，苏共中央政治局于1979年3月17（星期六）、18（星期日）、19日（星期一），连续三天召开紧急会议，研究阿富汗的局势以及苏联所应采取的做法。17日、18日的两天紧急会议，勃列日涅夫没有出席，由基里连科主持。在17日、18日两天的政治局紧急会议上，主要发言和拿主意的是葛罗米柯、安德罗波夫和乌斯季诺夫等三人。受勃列日涅夫委托主持政治局紧急会议的基里连科一开头就说：“事情刻不容缓。葛罗米柯、安德罗波夫和乌斯季诺夫同志今天拟订了一些方案，这些方案现已准备好，就在我们的手中。让我们来认真讨论这个问题并拟定我们应该采取的措施。首先让我们听一听葛罗米柯的发言。”[3]于是，葛罗米柯首先作了长篇发言，安德罗波夫和乌斯季诺夫随后作补充，其他政治局委员实际上只是发表一些表示同意的插话。葛罗米柯等三人发言的主要意思是：阿富汗局势已急剧尖锐化，塔拉基政府已难以控制了；塔拉基请求苏联援助武器、弹药、粮食。

[1] 刘温国、郭辉：《强弩之末——前苏联入侵阿富汗秘闻》，第59页。

[2] 《苏联历史档案选编》，第32卷，上册，第101页。

[3] 《苏共中央政治局紧急会议关于阿富汗局势的讨论纪录（1979年3月17—19日）》，同上书，第90页。

“努·穆·塔拉基似乎是随口说，大概是要求陆地和空中援助。这应该理解为要求我们派出我们的陆军和空军。我认为，在给予阿富汗援助时必须首先考虑到主要方面，这就是：我们在任何情况下都不能失去阿富汗。”[1] 安德罗波夫补充说：“很可能（国际社会）给我们戴上‘侵略者’的帽子，但是尽管这样，我们无论如何也不能失去阿富汗。”[2] 柯西金在两次发言中提出一个重要的问题：“在必须出兵时我们将同谁作战？谁将反对阿富汗的现领导？他们都是些伊斯兰教徒，相同信仰的人。他们的信仰如此强烈，教徒如此狂热，足以使他们在此基础上团结起来。”柯西金接着说：“现在我们难以形成政治文件。为此，同志们需要再工作。正如我说过的那样，给三天时间。”[3] 柯西金还说；“我认为我们（向阿富汗政府）运送武器是必要的，但是我们必须确信它不会落入叛乱分子手中。如果他们（阿富汗政府）的军队瓦解了，那么这些武器势必被叛乱分子掠走。然后就会产生我们将怎么向世界舆论交代的问题。所有这一切都应当有根据。也就是说，如果我们要出兵，那就应当选择相应的论据，对一切都应当详尽地加以解释。”[4] 这样，17 日的政治局紧急会议并没有形成对这个问题的明确意见，而是要求柯西金与阿富汗方面紧急联系，了解确切的情况，再作定夺。

3 月 18 日，政治局紧急会议继续进行。会议开始后，柯西金汇报：昨天，我曾两次与塔拉基进行了电话交谈，“努·穆·塔拉基同志说，如果现在苏联不帮忙，那我们就坚持不住了”。柯西金继续说；他们想要得到步兵坦克和装甲车的加强，但是他们那里没有坦克手，“所以他们请求我们从坦克部队中派塔吉克人坦克手和装甲车手，让他们换上阿富汗服装后派来。当时我再次说，努·穆·塔拉基同志，我们军队参加作战的事实是根本掩盖不住的，是会很快被揭露的，记者们会向全世界传播说苏联坦克手在阿富汗作战。”[5] 柯西金的意见，显然使得安德罗波夫等人不得不慎重考虑。

---

[1] 《苏联历史档案选编》，第 32 卷，上册，第 92—93 页。

[2] 同上书，第 97 页。

[3] 同上书，第 96 页。

[4] 同上书，第 98 页。

[5] 同上书，第 101—102 页。

这时，安德罗波夫的一席话，使两天来的讨论有了明朗的意见。安德罗波夫说："同志们，我仔细考虑了这个问题并得出这样一个结论：我们必须非常严肃认真地考虑我们为了什么要出兵阿富汗的问题。对我们来说非常清楚的是，阿富汗对现在以社会主义方式解决一切问题尚未作好准备。那里宗教势力很强大，乡村居民几乎都是文盲，经济落后，等等。我们都知道列宁关于革命形势的学说。阿富汗的形势尚不具备（社会主义革命的）形势。因此我认为，我们只有借助我们的刺刀才能拯救阿富汗的革命，而这对我们来说是完全不容许的。我们不能去冒这样的险。"[1]葛罗米柯跟着说："我完全支持安德罗波夫同志关于排除采取我们出兵阿富汗措施的建议。那里的军队不可靠。这样一来，我们进入阿富汗的军队就将成为侵略者。它同谁作战？首先同阿富汗人民，并且必须向人民开枪。安德罗波夫正确地指出，阿富汗的形势对革命来说就是不成熟，我们近年来为缓和国际紧张局势、削减武器等克服困难所作的一切都将付诸东流。当然，这将是献给中国的最好礼物。所有不结盟国家也将反对我们。一句话，采取该行动所引起的严重后果在等待着我们。列昂尼德·伊里奇同卡特会晤的问题就失去了意义，3 月末吉斯卡尔·德斯坦的来访也成了问题。试问，我们能赢得什么？赢得一个拥有现政权的、经济落后、在国际事务中微不足道的阿富汗。另一方面，我们应该注意到，在法律上我们也没有出兵的理由。"[2]契尔年科也说："如果我们出兵阿富汗去打阿富汗人民，我们必定会被谴责是侵略，罪责难逃。"[3]两天的讨论，苏共中央政治局终于形成这样的一致意见：除了出兵以外，采取一切手段援助阿富汗塔拉基政权。

19 日，勃列日涅夫亲自主持，继续举行政治局紧急会议。勃列日涅夫讲了几句开场白之后，说这几天会议"提出了关于我国军队直接介入阿富汗发生的冲突的问题。我想，政治局委员们确定我们现在不该被拖入这场战争是正确的。应该向努·穆·塔拉基同志及其他阿富汗同志讲清楚，我们能够援助他们在国内行动中所需要的一切。我们的军队介入阿富汗不但会给我们带

[1] 《苏共中央政治局会议关于阿富汗局势的讨论记录（1979 年 3 月 17—19 日）》，《苏联历史档案选编》，第 32 卷，上册，第 103 页。

[2] 同上书，第 103—104 页。

[3] 同上书，第 105 页。

来损害，而且首先会给阿富汗带来损害”。这样苏共中央政治局就形成了不直接出兵的决定；并决定 3 月 20 日在莫斯科接待塔拉基，告知苏共中央的决定。

1979 年 3 月 20 日，塔拉基应邀秘密来到莫斯科，与柯西金、乌斯季诺夫、波诺马廖夫等苏共领导人举行会谈。柯西金开门见山地说：“政治局委托我们同您讨论所有您认为必须交换意见的问题。正像我已经对您说过的那样，勃列日涅夫定于 18 时至 18 时 30 分将同您见面。”[1] 柯西金接着说：“我们认真讨论过贵国的形势，寻求过给你们最符合我们友谊利益和你们同其他国家关系的援助的途径。解决你们产生诸种问题的途径是多种多样的，但其中最好的途径是既能保持贵政府在人民中的威信，又不破坏阿富汗同邻国的关系，也不损害贵国的国际威望。绝不容许事态发展到这种地步，即让别人看到似乎你们自己不能解决自己的问题而邀请外国军队的援助。”[2] 柯西金已经把苏联不出兵的意思表达得够明确了。不过为了使塔拉基不再有任何提出这方面要求的余地，柯西金又进一步说了这样一大段话：“我们把保卫你们免受任何可能出现的国际麻烦的影响，看成是现阶段自己的任务。我们将尽一切可能援助你们——提供武器、弹药，派遣对保障领导贵国军事和经济事务有用的人，以及训练你们的军事人员，帮助使用我们向你们提供的最现代化的武器和军事装备。我们出兵到阿富汗领土会立即刺激国际舆论，在多方面引起负面后果。（这样做）实质上不仅是同帝国主义国家的冲突，而且也是同本国人民的冲突。我们共同的敌人正期待着在阿富汗领土上出现苏军的那一时刻。这将为他们向阿富汗领土派遣敌视你们的武装部队提供借口。我想再次强调指出，关于出兵的问题我们已从各方面进行了审议，我们仔细研究了该行动的各个方面并得出结论：如果我们出兵，贵国的局势不仅不能改善，反而会复杂化。不能不看到，如果到那时，我们的军队就不但是同（在你们领土上的）外国侵略者斗争，而且还要同你们的某一部分人民斗争。而人民对这样的事是不会饶恕的。此外，只要我国军队一跨越边界，中国和所有其他侵略者就会赢得失去的名声。我们的结论是：现

[1] 《柯西金等人同塔拉基会谈记录（1979 年 3 月 20 日）》，《苏联历史档案选编》，第 32 卷，上册，第 119 页。

[2] 同上。

阶段，从给予你们最有效的支援的观点出发，我们对邻国施加政治影响，以及提供大量和多方面援助是最好的方法。”[1] 柯西金已经把话说到这样的程度，塔拉基只能表示：“非常感谢您就我想讨论的问题详尽地阐述了苏联领导人的立场。”[2]

当天晚上 6 时，勃列日涅夫接见了秘密来访的塔拉基。这次秘密接见主要是由勃列日涅夫讲，塔拉基听。勃列日涅夫寒暄几句之后，马上转入正题。勃列日涅夫说：“正如我们所看到的那样，现在主要任务就是采取一些步骤摆脱当前的局面，消除对阿富汗民主共和国新制度的威胁。不仅要消除威胁，而且要巩固‘四月革命’的成果。”勃列日涅夫提出、要求塔拉基采取的“一些步骤”，概括起来有这样几点：一、扩大党和国家领导人赖以存在的基础。党的统一，相互信任，其队伍自下而上的、思想政治上的团结，对于巩固‘四月革命’的成果，具有首要意义。二、建立一个在阿富汗人民民主党领导下的统一民族阵线。该阵线可以包括现存的社会政治组织，并依靠工人、农民、小资产阶级和中产阶级、知识分子和学生、青年和妇女的先进阶层。该阵线的宗旨应是在反对国内外反动派的斗争中，团结一切反帝和爱国民族力量，并使之成为能对居民进行政治教育的重要工具，以吸引人民参加革命的进程。三、在乡村地区组建由无地、少地农民和佃农组成的，旨在反击封建主、地主、资本家的贫民委员会。四、应当竭尽一切努力，使军队坚定地站在人民革命政权方面。为此要不惜一切。五、重要的还有，要让军队指挥人员对自己地位的稳定有信任感。如果经常调换指挥官，那就不可能指望军队有大的作为。假如对军队指挥官的调换伴随着逮捕，那就更不公正了。须知许多指挥官看到他们的同事被逮捕并消失，便会对未来失去信心。关于请求苏联出兵问题，勃列日涅夫告诉塔拉基：“我们对该问题进行了全面研究，仔细权衡了利弊，现在我直截了当地告诉您：不应该做这件事。如果做了，就等于帮了敌人（无论是你们的，还是我们的）的忙。”当然，勃列日涅夫没有让塔拉基空手而回。勃列日涅夫答应向阿富汗提供一切必要的政治、物资援助，包括：再提供 10 万吨小麦（塔拉基希望得到 30 万吨）；除已在阿富汗的 500 多名将军和军官之外，再派遣几

[1] 《苏联历史档案选编》，第 32 卷，上册，第 120 页。

[2] 同上书，第 121 页。

名党务高级工作者和150—200名军官。[1]

听了勃列日涅夫的这番宏论和最终结论，塔拉基既哭不出来，也笑不起来，表示："由于阿富汗经济落后和部分居民政治觉悟不高，所以以社会主义大家庭一些国家现有阵线的那种形式，在阿富汗社会政治生活中建立'统一民族阵线'是不可能的。""对国际帝国主义和反动派的走狗采取的镇压措施，完全是依法实施的。""关闭我们同伊朗、巴基斯坦的边境是非常困难的。"因为这样做"不仅会引起阿富汗人的不满，而且会引起相互之间有着密切亲属关系的巴基斯坦普什图人和俾路支人的不满，最终会给阿富汗现政权的威信带来极大的损害。"[2]

苏联从坚持不出兵到决然出兵阿富汗，这一转变的关键是因为阿明于1979年9月发动政变，除掉塔拉基，自己当政。

阿明上台，已使苏联极其难堪。阿明自1979年9月中旬上台后，在短短的三个月里，又处决了600多名阿富汗人民民主党党员、军人，以及被怀疑为有"反阿明情绪"的人，[3]使阿富汗全国陷于更加严酷的恐怖气氛之中。此外，反政府武装也越来越壮大起来。1979年10月，反政府武装几乎控制了阿富汗全国80%的领土、1000万人口，阿明政权只能困守在大城市和人口稠密的地区。

更令苏联紧张和不安的是，阿明政府越来越公开表现出离苏倾向。阿明不仅指责苏联插手"九月事件"，要求苏联撤回驻阿富汗的3000名军事顾问、教官和技术人员，并且拒绝苏联向其发出的访问邀请。[4]与此同时，阿明提出要实行"更为平衡的外交方针"，公开表示希望同美国改善关系。阿明亲自与美国驻阿富汗代办秘密接触，为美国文化中心在阿富汗开展工作创造良好的条件，要求美国及其他西方国家恢复对阿富汗的援助。按照阿明的指示，阿富汗

[1] 《勃列日涅夫与塔拉基的会谈记录(1979年3月20日)》,《苏联历史档案选编》，第32卷，上册，第113—116页。

[2] 参见《勃列日涅夫与塔拉基的会谈记录(1979年3月20日)》，同上书，第116—118页。

[3] 《安德罗波夫等人关于阿富汗事件给苏共中央的报告（1979年12月31日)》，同上书，第297页。

[4] 参见刘温国、郭辉:《强弩之末——前苏联入侵阿富汗秘闻》，第120页。

特工部门停止了针对美国驻阿富汗大使馆的种种监控。种种迹象表明，阿明当权的阿富汗将倒向美国和西方，这是苏联万万不能容许的。还在 1979 年 3 月 17—19 日的苏共中央政治局紧急会议上，葛罗米柯、安德罗波夫、乌斯季诺夫等苏共中央核心“三巨头”虽然都同意不直接出兵阿富汗，但是他们都反复强调：“我们无论如何不能失去阿富汗。”“不能失去阿富汗”，既是苏共确定的原则，也是不出兵的底线。阿明当政后，苏共眼看已经守不住这个原则和这条底线了。

在这样的局面下，苏共中央从苏联的整体战略利益考虑，把出兵问题和废除阿明政权、保住阿富汗结合起来：要想保住阿富汗，必须除掉阿明；要除掉阿明，只有苏联直接出兵，别无他途。正是出于这样的连环考虑，苏联转向决定直接出兵。1979 年 10 月 10 月，根据苏共中央的指示，安德罗波夫将卡尔迈勒从捷克接到莫斯科，策划以卡尔迈勒取代阿明的计划。阿明被苏共中央称作“新生的法西斯分子、阿富汗人民的摧残者、美国和世界帝国主义的代理人，一贯奉行破坏‘四月革命’和阿富汗民主运动的理想，破坏苏阿友好的路线。”[1] 卡尔迈勒被苏共中央奉为是“阿富汗人民民主党较有理论造诣、能冷静和客观地评价阿富汗形势的领导人之一。他对苏联总是抱有殷诚的感情，在党内和国家中享有崇高的威望”。[2]

1979 年 12 月 8 日，勃列日涅夫召开了苏共中央政治局“小范围”会议，与会的有苏联国家安全委员会主席安德罗波夫、苏联外交部长葛罗米柯、苏联国防部长乌斯季诺夫，以及老资格的政治局委员苏斯洛夫。政治局“小范围”会议作出了以卡尔迈勒取代阿明，派遣一定数量的部队前往阿富汗的倾向性决定，并指示相关职能部门落实措施。12 月 12 日，勃列日涅夫主持苏共中央政治局会议，作出了以卡尔迈勒取代阿明、出兵阿富汗的决议。决议说：同意尤·弗·安德罗波夫、德·费·乌斯季诺夫、安·安·葛罗米柯同志提出的看法和措施；所有这些措施交尤·弗·安德罗波夫、德·费·乌斯季诺夫、安·安·葛罗米柯

---

[1] 《葛罗米柯同阿富汗外交部长杜斯特的会谈记录摘要（1980 年 1 月 4 日）》，《苏联历史档案选编》，第 32 卷，上册，第 301 页。

[2] 《安德罗波夫等人关于阿富汗事件给苏共中央的报告（1979 年 12 月 31 日）》，同上书，第 298—299 页。

同志承办实施，并向中央政治局通报所制定措施的执行情况。[1]

1979 年 12 月 25 日，苏联国防部长签署了命令苏军越过阿富汗民主共和国边界的命令。苏军总参谋部的某些领导人，包括总参谋长奥加尔科夫在内，曾提出：苏军直接出动会激化作战行动，使反政府的“圣战”升级；阿富汗的民族、部落、伊斯兰等等的关系极其复杂，这些情况将会使苏军处于非常艰难的境地。但是这些意见不仅不被采纳，除奥加尔科夫外，其余提意见者大多遭排斥。

1979 年 12 月 26 日，乌斯季诺夫、葛罗米柯、安德罗波夫、契尔年科等 4 人，在勃列日涅夫的别墅扎列契耶，向勃列日涅夫汇报了“中央政治局通报所制定的措施”的执行和实施情况。勃列日涅夫“同意同志们拟定的近期行动计划。”[2] 当天，苏共中央政治局正式讨论出兵阿富汗问题。因为事关重大，这次政治局会议对于出兵阿富汗问题，改变以往口头表决的方式，以记名的方式进行表决：出席会议的 10 名政治局委员一致同意。其实，这也是装装样子而已，因为出兵阿富汗在此次政治局会议之前，在“小范围”会议上就决定了，军队行动的命令也已经下达了。

12 月 27 日，苏共中央政治局会议，再次研究关于处理阿富汗问题事宜[3]。会议批准“给阿富汗革命委员会主席、阿富汗人民民主党中央委员会书记、阿富汗民主共和国总理卡尔迈勒同志的致敬电”，热烈祝贺他“当选阿富汗人民民主党总书记，并担任阿富汗民主共和国国家的最高职务”。[4] 而

---

[1] 《苏共中央关于阿富汗形势的决议（1979 年 12 月 12 日）》，《苏联历史档案选编》，第 32 卷，上册，第 273 页。

[2] 《乌斯季诺夫等人关于阿富汗问题向勃列日涅夫的汇报（1979 年 12 月 26 日）》，同上书，第 274 页。

[3] 《乌斯季诺夫等人关于阿富汗问题向勃列日涅夫的汇报（1979 年 12 月 26 日）》，同上书，第 275 页。另据安德罗波夫说：在政治局会议之前，大约是 12 月 24 日或 25 日，勃列日涅夫、葛罗米柯、乌斯季诺夫、安德罗波夫 4 人的“小范围”会议，商定了向阿富汗派遣一支 3000 人的部队的决定。参见阿・利亚霍夫斯基著：《阿富汗战争的悲剧》，刘宪平译，社会科学文献出版社 2004 年版，第 104—105 页。

[4] 参见《苏共中央政治局会议关于处理阿富汗问题的第 177 号记录摘要（1979 年 12 月 27 日）》附件 5，《苏联历史档案选编》，第 32 卷，上册，第 284 页。

此时卡尔迈勒还在苏联境内，担任这三个职务的仍然是阿明。会议同时批准给苏联驻外使馆的指示，说明苏联“考虑到阿富汗新领导人关于要求援助反击外来侵略的请求，苏联遵循自己的国际主义职责，决定派遣有限数量的苏联军队进驻阿富汗。”[1]

在决定出兵的同时，以卡尔迈勒取代阿明的计划也布置周全，付诸实施了。

还在 1979 年 5 月 2 日，苏联国家安全委员会国外情报总局（第一总局）局长伊万舒金大将，根据苏共中央的指示，组建了建制为 520 人的特种部队。这支代号为“154 部队”的特种部队，配备有先进的步兵战车、装甲运输车、炮兵通讯设备、自行高射炮等重型武器，士兵全部来自乌兹别克、塔吉克、土库曼等中亚民族，而且统一穿戴阿富汗军队的服装。“154 部队”从一开始组建，就显见它的非同寻常的神秘性。伊万舒金，彼得·伊万诺维奇生于 1909 年，1930 年加入苏共，参加过卫国战争，1963 年任苏军副总参谋长，1971 年授大将军衔。伊万舒金接任苏联国家安全委员会国外情报总局局长之后，受命组建这支特种部队，足见这支特种部队在苏共中央的心目中，重如一支“方面军”。11 月 9 日，“154 部队”悄悄进入阿富汗境内，被部署在喀布尔南面的小城普勒阿拉姆，随时准备袭击塔日—别克宫。

塔日—别克宫建在一座小山岗上，只有一条狭窄的道路与外界相通，实际上是一座堡垒。阿明入主塔日—别克宫之后，为防止受到攻击，在山坡上到处埋设地雷。宫内由 120 名贴身警卫组成的卫队，日夜巡逻。周围还有由贾恩达特少校率领的一支约 2000 人的特别部队守卫。阿明自以为可以万无一失。

1979 年 12 月 27 日晚，按事先的周密部署，“154 部队”，外加苏军一个空降连、一个装备反坦克导弹的排，瞬间以排山倒海之势，突袭塔日—别克宫。疯狂的战斗持续约 20 分钟，阿军被打死 400 余人，1700 余人成了苏军的俘虏。由于事发突然，阿明穿着一条短裤，躲到桌子底下，被当场击毙。在进攻中，苏军被打死 10 余名，包括特种部队指挥官博亚里诺夫上校。12 月 28 日凌晨，喀布尔电台播放卡尔迈勒的讲话录音，宣布“美国代理人”

[1] 《苏共中央政治局会议关于处理阿富汗问题的第 177 号记录摘要（1979 年 12 月 27 日）》附录 1，《苏联历史档案选编》，第 32 卷，上册，第 279 页。

阿明的政权已被推翻，阿明已被处决；卡尔迈勒任阿富汗人民民主党中央总书记、阿富汗革命委员会主席兼政府总理。1980 年 1 月 1 日，勃列日涅夫致电卡尔迈勒，祝贺他当选为阿富汗党和国家领导人。

苏军部队以“应阿富汗政府邀请，根据苏阿友好条约，履行国际主义义务”为名，于 1979 年 12 月 25 日 15 时（莫斯科时间）越过阿富汗边界，大举侵入阿富汗。12 月 27 日，苏军全面控制了喀布尔的人民民主党中央委员会、国防部、内务部、外交部、广播电视中心、电话局、监狱等各要害部门。

苏军入侵阿富汗，几乎招致全世界的谴责。

1979 年 12 月 28 日，美国总统卡特发表声明：“苏联军队进入阿富汗是对和平明目张胆的威胁，它可能标志着我们双边关系中根本和长期的变更。”卡特要求苏联迅速撤军，并停止干涉阿富汗内部事务。[1]12 月 29 日，勃列日涅夫在答复卡特时说：苏联政府派遣有限数量的军队进驻阿富汗是“应阿富汗政府的请求”，“我认为必须再次向您解释一下，阿富汗政府的请求和苏联满足这一请求，这绝对是苏联和阿富汗的事。它们自己可以自行协调相互关系，当然不能允许对这种关系的任何的外来干涉。”[2] 中国政府于 1979 年 12 月 30 日发表声明，强烈谴责苏联的霸权主义行径，坚决要求苏联停止对阿富汗内政的干涉，撤出一切武装部队。1980 年 1 月 7 日，孟加拉、牙买加、尼日尔、菲律宾、赞比亚等 5 个不结盟组织理事国，代表世界上 50 多个不结盟国家，向联合国安理会递交了不结盟国家通过的关于阿富汗局势的决议草案，要求尊重阿富汗的主权、领土完整、独立和不结盟地位，立即无条件从阿富汗撤走一切外国军队。苏联在全世界几乎是四面楚歌！为了给苏军入侵阿富汗辩护，1980 年 1 月 12 日，勃列日涅夫特地安排了一场“答《真理报》记者问”。勃列日涅夫说：“阿富汗是根据 1978 年 12 月阿富汗同苏联签订的友好睦邻合作条约的明确条款，根据每个国家的权利，根据联合国宪章，根据其他国家不止一次行使过的单独或集体的自卫权向我们发出呼吁的。对我们来说，向阿富汗派遣苏联军事人员不是一个简单的决定。但是，党中央和苏联政府采取行动是充分意识到自

[1] ［俄］阿·利亚霍夫斯基著：《阿富汗战争的悲剧》，第 164 页。

[2] 《苏共中央政治局会议关于答复卡特的第 177 号记录摘要（1979 年 12 月 29 日）》附件，《苏联历史档案选编》，第 32 卷，上册，第 294 页。

己的责任的，并考虑了整个情势。”[1]

苏军入侵阿富汗后，凭借先进的武器装备和军事设施，在战场上取得明显的优势，很快就控制了全国的各大城市和交通干线。勃列日涅夫踌躇满志，认为苏联出动5万兵力，在3—4周内即可结束战斗。[2]葛罗米柯也说:“这只需一个月，我们很快就会完成一切并迅速离开。”[3]

在苏军的凌厉打击下，反政府武装改变了战术：苏军主力一出动，它们立即分散、隐蔽；苏军主力一撤走，它们立即聚集起来，伏击苏军车辆、袭击机场、哨所。苏军的报复就是焚毁庄稼、灭绝牲畜，甚至将整个村庄夷为平地。这一切，更激起了阿富汗全民对苏的“圣战”。苏军只好不断增兵，1980年底，入侵苏军已达8.5万人，其中70%—75%是作战部队。[4]阿富汗几乎遍地是穆斯林游击队，苏军陷入了阿富汗战争的泥潭。卡尔迈勒被阿富汗人民称为“苏联的狗”。在一个特定的时间里，入侵阿富汗的苏军经常保持在3万—10万之间。在以后的10年里，约90万的各军种部队曾赴阿富汗作战。

阿富汗战争成为苏联肌体上“日夜流血的创口”!

[1] 《答〈真理报〉记者问（1980年1月12日）》，《勃列日涅夫言论》，第16集，第9页。

[2] 参见［俄］阿·多勃雷宁著:《信赖——多勃雷宁回忆录》，第503页。

[3] ［俄］列·姆列欣著:《历届外交部长的命运》，第527页。

[4] 参见刘温国、郭辉:《强弩之末——前苏联入侵阿富汗秘闻》，第212页。

第九章　勃列日涅夫后期的苏联社会与勃列日涅夫逝世

本章是本卷的最后一章，阐述勃列日涅夫后期的苏联社会状况，以及勃列日涅夫逝世。

勃列日涅夫当政 18 年，在苏联前后 8 任领袖中，当政年代之久，仅次于斯大林。至于“后期”从什么时候算起？这个问题，在苏联史研究领域，并无绝对的界定。周尚文等著《苏联兴亡史》中《勃列日涅夫时期的苏联政治经济》一章[1]，将这一时期的历史分为《勃列日涅夫执政初期的改革与调整》与《勃列日涅夫执政后期的停滞和后退》等两节。该书既把勃列日涅夫当政时期的历史分为“初期”、“后期”两段，而且也点出了两段历史的基本特征，以及它们在苏联历史上的定位。陈之骅主编《勃列日涅夫时期的苏联》在第一章《总论》中，也提出“勃列日涅夫执政前期”和“勃列日涅夫执政后期”的概念。[2] 其他一些苏联历史著作也有这样的划分。不管称作“初期”、“后期”，或者“前期”、“后期”，总之是将勃列日涅夫当政时期的苏联历史划分为两个阶段。只是，两个阶段的历史从哪里断开，都没有明晰的划分。

本书赞同国内已有的苏联历史著作对勃列日涅夫当政时期苏联历史的这样的划分，以及对不同阶段的基本特征的分析。只是本书认定：1976 年 2 月召开的苏共二十五大应是勃列日涅夫当政的前期和后期的分界线。这是因为：

一、从历史的大时段上来看，此时离卫国战争胜利已 30 多年，离十月革命胜利则近 60 年了。20 世纪 70 年代中期，世界第三次科技革命已近完成，人类的生活和思维迈进一个新阶段。苏联构筑的自我封闭的樊篱，越来越难以为继，无论是世界或苏联，都开始迈向一个新的生活年代。

二、从苏联历史来看，勃列日涅夫上台后，比较关注农业生产和农村状况，加大农业投入，尤其是完成了改善农民生活质量，提高农村现代化水平的电气化、煤气化和硬路面道路网络化等“三大改造”。农业生产和农村面貌有了明显的改观。20 世纪 70 年代中期，苏联社会如要继续前进，农村和农业生

[1] 周尚文等：《苏联兴亡史》，上海人民出版社 2002 年版，第 24 章。

[2] 参见陈之骅主编：《勃列日涅夫时期的苏联》，中国社会科学出版社 1998 年版，第 7、14 页。

产实现苏联式的现代化，都期待苏共中央提出新思路、新方针，拿出新的措施。但是勃列日涅夫和苏共中央却专注于军备竞赛和争霸世界，农业生产倒退，农村社会止步不前。

三、从国民经济的主体部分，即从工矿企业、交通运输、金融贸易等部门的状况来看，勃列日涅夫上台后，由于支持开展新经济体制改革，使“八五”（1966—1970）计划执行得好于以往的各个五年计划。到20世纪70年代中期，新经济体制改革却被实施了“安乐死”。勃列日涅夫和苏共中央对苏联社会经济发展存在什么矛盾，以及应当实施怎样的发展战略等等的分析，毫无创意，全面回归到斯大林时代的旧思路、老办法。勃列日涅夫在苏共二十五大的总结报告中，谈到关于“现阶段发展经济的关键问题”，仅仅罗列出：加速科技进步，进一步发展农业，增加消费品生产，发展对外经济联系，等等，没有从世界经济发展的阶段和趋势，苏联社会经济结构的特征与矛盾，提出经济发展的方略与政策。

四、在国际生活中，到20世纪70年代中期，也就是说，大致在1975年签订欧安会最后文件前后，苏联自己创导“缓和”，可是在欧洲边界现状不可改变得到有关国家的承认之后，在获得更多的西方世界贷款，从西方世界引进更多的先进科技之后，又立即让“缓和”死亡。苏联致力于不顾一切地谋求核优势，骄狂地向世界霸国的目标迈步，终于跌进自己挖掘的陷阱。

五、从作为党政一体、苏共中央总书记的勃列日涅夫自身来说，自1974年11月第一次中风后，往后的8年，实际上是带病延年，靠药物和特殊的治疗维持生命，根本不能胜任作为国家执政党的领袖的职责了。苏联的特殊体制把勃列日涅夫留在党和国家领袖的位置上，组成一个特殊的老年人执政班子，维持着苏联的局面。

基于上述认识，以1976年2月苏共二十五大作为勃列日涅夫当政的“前期”和“后期”的分界，是符合苏联历史进程的实际的。

本卷的卷名《盛极而衰——勃列日涅夫的十八年》，“盛极”的“极点”就是1976年2月举行的苏共二十五大，这也是苏联74年历史的转折点。

第一节　勃列日涅夫后期苏联社会的某些现象

劳动纪律松垮

1967年3月14日，苏联最高苏维埃主席团发布命令，全国推行每周5天工作制。随着新经济体制被实施“安乐死”，磨洋工、酗酒、逃工、旷工、毁坏劳动工具和机器等现象就越来越普遍，越来越严重，到20世纪70年代后期，几乎成为苏联社会的一种“社会病”。1977年，勃列日涅夫在全苏工会代表大会上讲话时，批评说：由于玩忽职守、酗酒，或者材料缺陷，损失了数以百万计的工作日。1978年11月，勃列日涅夫在苏共中央全会上又指责苏联的生产劳动：“为什么我们仍未完全摆脱生产上的梗塞现象？”[1]

这种“社会病”愈来愈使苏共中央不安起来。1979年5月5日，苏共中央通过《关于进一步改进意识形态和政治教育工作》的决议，强调要用共产主义劳动态度和集体主义精神教育全体劳动者，帮助劳动者树立共产主义劳动态度。1979年8月2日，苏共中央又通过《关于改进维护法制和加强同违法行为作斗争》的决议。决议批评许多党委会和苏维埃机关，对同违法行为作斗争的尖锐性估计不足，对忽视教育的情况往往放任不管，对维护法制也没有提出严格要求。决议要求各级检察、内务、司法、安全等机构，要坚决同犯罪行为作斗争；要求各级党委应同各级国家机关、群众团体协同一致地同犯罪行为作斗争。

与此同时，苏共中央又号召各企业开展社会主义竞赛。但是“社会主义竞赛”对劳动者来说几乎丧失了任何吸引力，“社会主义竞赛”已经完全流于形式。1978年，《劳动报》曾报道这样一则“社会主义竞赛”的消息：某建筑公司开展“社会主义竞赛”，在计划的期限内完成了莫斯科郊区某儿童中心的施工任务。竣工后验收时发现，该建筑物没有安装供水设备。于是重新安装供水设备。这样，既比原计划延长了更多的时间，还花了更多的钱。1978年11月，勃列日涅夫不得不批评这种“社会主义竞赛”是“整天吵吵嚷嚷和讲

[1]　参见［瑞典］珀萨·哈斯塔德：《不幸的苏联工人》，《苏联问题译丛》，第4辑，三联书店1980年版，第145页。

空话”。[1]

这种“社会病”的流行，和20世纪70年代后期苏共领导自身存在的一种矛盾现象有密切关系，即一方面是苏共领导教条式地强化主流意识，无节制地印刷和发行马克思列宁主义以及以勃列日涅夫为首的苏共现领导人的著作；另一方面苏共领导却无视现实已经出现的“意识形态疲软”，无视被教条化了的马克思列宁主义已丧失了魅力，仍然不断强化灌输的力度。苏共领导曾经试图以强化苏维埃爱国主义、鼓励钻研科学技术、开放消费思想空间等等，来填补社会意识形态领域中由于“主流意识疲软”而出现的空缺。但是，这样做不仅没有收到苏共领导预期的效果，反而使问题变得更加复杂起来。勃列日涅夫又想起，应当加强对工人的物质刺激。但是，苏联社会的整个体制纹丝不动，“物质刺激”无论怎样理也是理不顺的，于是反过来又激化了矛盾。

1980年8月，斯维尔德洛夫州下伊谢特金属构件厂就因为奖励问题而引发了工人怠工事件。

该厂的奖励条例规定：如果某车间未完成生产计划，该车间的全体人员无权受奖。8月份，有100多人的某车间没有按计划完成产品的生产任务，于是该车间全体人员被取消奖励。可是该车间大部分工人都是合同工，每个合同工都超额完成了本人的当月生产任务。车间主任要求该厂领导给合同工发放奖励，遭到厂领导的拒绝。第二天，两个作业班的57名工人拒绝上班。最后，该厂领导作了妥协，才使事态没有扩大。

类似的情况在全苏各企业频繁发生。1979年，工人拒绝上班事件发生了300余次，涉及9000多人。1980年七八两月，发生了22次、涉及2206人的工人拒绝上班事件。有更多的企业，工人虽然上班，但拒绝完成生产任务。1980年10月10—12日，北方镍联合体电解车间在三个班次中，有120名工人没有从电解槽里回收金属。[2]

面对这些情况，1980年2月11日，苏共中央政治局委员、苏联国家安全委员会主席安德罗波夫在高尔基市会见选民时，发表题为《人民的团结是伟大

[1] 参见[瑞典]珀萨·哈斯塔德：《不幸的苏联工人》，《苏联问题译丛》，第4辑，第146页。

[2] 《苏共中央书记处关于因违反劳动组织和劳动报酬条件而产生的一些消极现象，向苏共中央的情况汇报（1980年10月15日）》，《苏联历史档案选编》，第33卷，第665页。

的力量》的讲话，内中着重强调要加强劳动纪律，说“在加速国家的经济和社会发展方面，加强党的纪律、国家纪律和劳动纪律的工作具有重要作用。这是由社会主义社会性质本身、社会主义制度下劳动的特点所决定的。加强劳动纪律问题虽然不是新问题，然而，在目前条件下，在发达社会主义条件下，这个老问题具有新的意义。要知道，生产机构越发达，企业之间的相互联系越错综复杂，对劳动活动的协调性和组织性的要求就越高。在这种条件下，任何违反劳动纪律、不完成计划、工作中出废品等现象，都会影响到生产的总节律及其最终结果”。[1]

1980 年 10 月 15 日，苏共中央书记处通过了关于劳动组织和劳动纪律问题的决议，其中说：“近来在一些工业、建筑业、运输业中发生了职工停工及其他一些消极现象，原因是领导人没有执行修订的劳动定额和劳动报酬，劳动组织中有缺点，劳动条件差，以及对劳动者的意见和申诉的形式主义和官僚主义态度。”[2] 决议宣布：将“严惩对劳动者的意见、建议、请求漠不关心、拖拉、不予解决的干部。”10 月 24 日，苏共中央发出关于加强劳动组织和劳动纪律工作的指示，责成中央各部门会同各部和主管部门，“采取措施改善劳动集体中的教育工作。当同行政当局发生分歧时，应用法律解释规定的职工权利”。[3]

尽管如此，各级党政机关及工会也采取了一些措施，但是酗酒、怠工、旷工、集体停工等等现象仍在蔓延。勃列日涅夫死后，接替党中央总书记职务的安德罗波夫，指示苏联国家安全委员会全线出动，以法律手段来对待这一本属道德和规章自律的社会问题。

强化主流意识

勃列日涅夫当政的后期，更加注意强化社会的主流意识。这一工作可以

[1] 参见沈志华等编著：《苏联共产党 93 年》，第 807 页。

[2] 《苏共中央书记处关于改进劳动组织工作的决定（1980 年 10 月 15 日）》，《苏联历史档案选编》，第 33 卷，第 661 页。

[3] 《苏共中央关于加强劳动组织和劳动纪律工作的指示（1980 年 10 月 24 日）》，同上书，第 667 页。

说是贯彻于社会生活的方方面面，甚至不顾历史事实地篡改历史。

苏联一向存在严格的书报审查制度，勃列日涅夫当政的后期更是如此。

苏共中央有计划地选译一些社会主义兄弟党、兄弟国家领导人的回忆录，作为苏联社会进行共产主义教育的补充读物。德国统一社会党中央总书记昂纳克的回忆录《生平纪事》，也是被选译的著作之一。此书译成俄文后，计划由苏共中央政治书籍出版社于1982年出版。

出版之前，苏共中央指示苏共中央马克思列宁主义研究院进行仔细审查，然后向苏共中央提出报告。

苏共中央马列主义研究院根据苏共中央的指示，审查了昂纳克的回忆录《生平纪事》，提出删改意见，其中有：

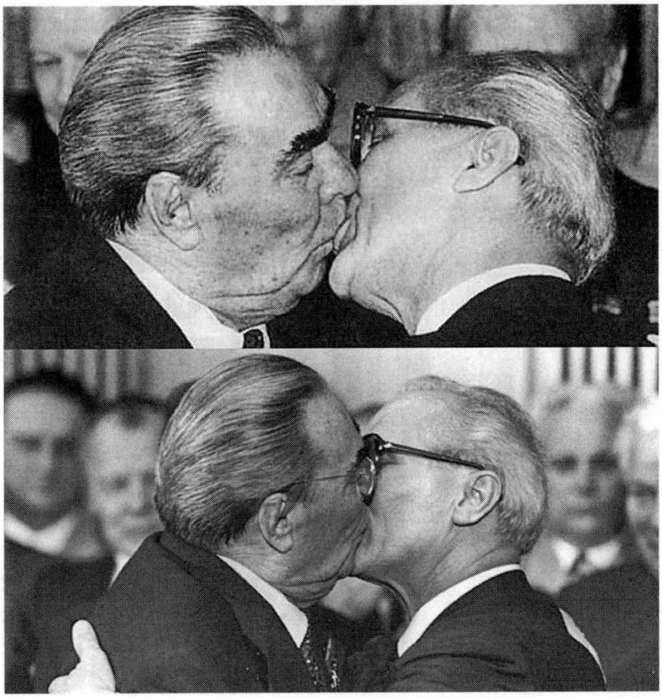

勃列日涅夫和昂纳克

“首先应该删节的是那些通常从正面谈到布哈林、季诺维也夫、李可夫、列·加米涅夫、普列奥布拉任斯基、拉狄克等活动家或其著作的地方。”

“在正面评价社会主义大家庭各国党的领导人相互交换意见时去掉爱·盖莱克的名字。”

“删去第153页如下一段话看来是适当的：1945年4月在柏林地区‘红军战士把14—70岁的所有男子都抓了起来作俘虏，不管他们穿着军装还是平民服装’，直到这段末尾。”

此外，建议修改的还有1961年8月修筑柏林墙时，昂纳克的这样一句话："我们的武装力量得到部署在德意志民主共和国苏联武装力量的支持。"

苏共中央马列主义研究院院长叶戈罗夫就此书的审查结果，向苏共中央报告说："责成苏共中央政治书籍出版社与作者就这些删节达成协议"，方能出版。苏共中央同意照此执行。

布哈林、季诺维也夫、李可夫、加米涅夫、普列奥布拉任斯基、拉狄克等人，都是苏共和苏联国家早年的杰出活动家，对苏联的革命和建设事业作出过杰出贡献，这些都是历史事实，且不论他们都成了斯大林大清洗的牺牲者。盖莱克从1970年12月至1980年9月，担任波兰统一工人党中央委员会第一书记达10年之久，这也是历史事实。昂纳克的《生平纪事》仅仅是把他们作为真实的人出现在自己的回忆录中，可是连这点也不被勃列日涅夫和苏共中央所允许，任意加以篡改。1945年4月苏军进入柏林的一些做法，1961年8月修筑柏林墙，昂纳克在回忆录中也不过点出了某些历史事实，这些也是苏共中央所不能容许的。他们害怕历史真实、隐瞒历史真相到了何等地步。

另一方面苏共中央又不惜代价，支持拥护苏共方针路线的各国共产党的各种活动。1975年1月27日，印度共产党召开第十次全国代表大会。被邀请派代表团出席大会的乌拉圭共产党、阿根廷共产党、希腊共产党和塞内加尔非洲独立党等政党，都因为出不起旅费，向苏共中央申请经费。为了支持印度共产党第十次全国代表大会的召开，也为了支持提出申请的这些国家共产党的活动，苏共中央都一一予以满足。

1981年12月9日，苏共中央政治局通过了《关于建立支援左派工人组织基金会》的决定，在苏共中央国际部下面，建立支援左派工人组织基金会，1982年度的金额为1835万美元。苏共中央责成苏联国家银行向波诺马廖夫支付1550万美元专用款。[1]

不许为早年离开苏联的一些名人恢复名誉，也是为了不致因此而冲击强化主流意识的工作。

[1] 参见《苏共中央政治局关于建立支援左派工人组织基金会的决定（1981年12月9日）》，《苏联历史档案选编》，第30卷，第276页。

20世纪70年代后期，苏联国内的科学家、文学家、艺术家，多次向苏共中央提出，应当为早年离开苏联，以后仍继续从事科学研究或文学艺术事业，并且卓有成就的人恢复名誉。要求为西科尔斯基恢复名誉，即此一例。

西科尔斯基生于1889年，1908年开始在俄国设计并制造飞机，以成功地制造多引擎飞机而闻名。十月革命后，西科尔斯基于1919年移居美国，从事客机、军用飞机和直升飞机的设计，卓有建树。1982年3月17日，苏联科学院院士、总设计师安东诺夫，苏联英雄、空军上将格罗莫夫等人，联名致信苏共中央，要求在苏联的报刊、广播、电视等媒体上"宣传这位优秀的同胞"，"在国内与伊戈尔·西科尔斯基活动有关的地方给他竖立纪念碑。"[1]

苏共中央政治局委员契尔年科认为"这是一个原则性的问题"，指示苏共中央宣传部等职能部门加以认真研究，然后向苏共中央提出处理意见。苏共中央宣传部、科教部、行政机关部于1982年4月29日向苏共中央报告："关于给西科尔斯基'恢复名誉'的问题早些时候就曾在苏联科学院讨论过，但未获支持。苏联国防部和克格勃亦保留上述观点。"[2]这份报告说，西科尔斯基领导研制的飞机广泛应用在美国及其他资本主义国家的武装力量中；西科尔斯基在叙述其作为飞机设计师的活动中，对十月革命和苏维埃政权的建立均作出极端消极的评价。"苏共中央有关部门认为不宜采纳作者的建议，并认为在讨论该问题时将以此为限。"[3]齐米亚宁也在这份报告上批示："我支持中央有关部的结论。"

对世界经济和国际关系研究所的精神迫害

对世界经济和国际关系研究所进行精神迫害，是勃列日涅夫当政的后期，

---

[1] 《安东诺夫等人关于为西科尔斯基恢复名誉致苏共中央的信（1982年3月17日）》，《苏联历史档案选编》，第30卷，第210页。

[2] 《谢尔巴科夫等关于为西科尔斯基恢复名誉给苏共中央的报告（1982年4月29日）》，同上书，第213页。

[3] 同上。

苏共中央窒息人的思想、禁锢学术研究的典型事例之一。

苏联科学院世界经济和国际关系研究所成立于 1956 年。20 世纪六七十年代，这里聚集着一批对世界政治、经济卓有研究、对苏联的体制及其内外政策有见地的人才。他们希望通过自己的研究成果来影响苏共中央的决策，他们中的代表就是苏共中央候补委员、苏联科学院院士、苏联科学院主席团成员、世界经济和国际关系研究所所长伊诺泽姆采夫。

伊诺泽姆采夫生于 1921 年，1939 年入伍，卫国战争期间一直是一名炮兵中士，1943 年入党。卫国战争结束后，他进国际关系学院学习，留校攻读研究生。1959 年调到世界经济和国际关系研究所任副所长，后来到《真理报》编辑部任过副总编。1966 年成为苏联科学院通讯院士，1968 年成为院士。

伊诺泽姆采夫是勃列日涅夫的“党的知识分子小组”的重要成员；“党的知识分子小组”是一个专门为勃列日涅夫起草各类文稿，包括报告、总结文件等等的特殊“小班子”。这样，这个小组的成员就有更多的机会和勃列日涅夫交谈，甚至讨论一些重大问题。他们草拟的文稿，得到勃列日涅夫认可后，仍然需要党中央政治局的同意，才能定稿 。当这类文稿拿到苏共中央政治局去讨论时，“政治局委员们忧心忡忡地在发言稿上写道：‘可是这个问题如何与马克思主义的原理一致？而这一点又如何与列宁的论点相符？……我建议最好与列宁的论点更接近一些。’”[1] 这些几乎是苏共中央政治局委员们不变的意见。每当这种时候，勃列日涅夫总是说：“把所有意见都考虑进去。”于是，他们不管什么问题，都到马克思、列宁的著作中去寻找根据，尽可能地粘接起来。

世界经济和国际关系研究所的经常性的工作之一，是为苏共中央写“对策性报告”，这类任务主要是苏共中央下达题目。但是，这类分析报告在经过党中央职能部门时，90% 被扔进废纸篓。苏共中央国际部第一副部长布鲁坚茨曾说：“当然，也收到过一些有意义的材料。但是如果这些材料与此前通过的方针不符的话就完全不予理睬……领导之所以需要科学，更多的是为他们已

[1] 参见［俄］列·姆列欣著：《普里马科夫的仕宦生涯》，唐修哲等译，新华出版社 2000 年版，第 54 页。

经赞同的立场提供论据。”[1]

世界经济和国际关系研究所也研究他们认为必须研究的重大课题，提出一些有思想的主张。他们提出：应当重新处理与欧洲共同市场的关系，重新认识欧洲一体化问题，要看到这是自然的、客观的进程；参加军备竞赛使苏联国家处于艰难的境地；把自己与世界其他部分割裂开来，自己把自己孤立在世界一体化的进程之外是多么地不理智；苏联社会也存在通货膨胀；等等。一次，当伊诺泽姆采夫说出苏联社会也存在通货膨胀时，柯西金马上说：“您说的是什么通货膨胀？物价上涨时才会有通货膨胀，而我们的物价稳定。我们没有通货膨胀！”伊诺泽姆采夫争辩说：“居民手中有钱，而商店里没有商品，因为这些商品很快就被抢购一空，这已经是通货膨胀的征兆。”柯西金不满地打断说：“你们的资产阶级玩意儿我们听够了。”[2]

伊诺泽姆采夫和他领导的世界经济和国际关系研究所，之所以用较为现实的态度研究当代世界的一些重要问题，用伊诺泽姆采夫的话来说是“让首长们睁开眼睛看到所发生的事情”[3]。但是，他们较为科学的研究，竟成了他们的罪状。他们被指责：为什么不深刻揭露帝国主义？为什么不制订与帝国主义进行斗争的理论基础？为什么就我们的裁军政策提出绝对反爱国主义和反苏的建议？为什么关于缓和问题的报告却是破坏我们的国防能力的？等等。世界经济和国际关系研究所被称作“修正主义老巢”；伊诺泽姆采夫等人被列入“修正主义者”的名单；伊诺泽姆采夫被指责为“宣扬反对国家的立场”。

以苏共中央政治局委员、莫斯科市委书记格里申为首，成立了“世界经济和国际关系研究所专案组”，审查这个所。苏联国家安全委员会严密监视这个所。20 世纪 80 年代初，有 15 名苏联国家安全委员会工作人员以各种身份进入该所。新的迫害正在准备着。伊诺泽姆采夫难以忍受这样的诬陷和迫害，他向勃列日涅夫求助。勃列日涅夫虽然健康状况极坏，仍然过问这件事。

---

[1] 参见［俄］列·姆列欣著：《普里马科夫的仕宦生涯》，唐修哲等译，新华出版社 2000 年版，第 62 页。

[2] 同上书，第 55 页。

[3] 同上书，第 73 页。

勃列日涅夫打电话给格里申，问："伊诺泽姆采夫及其研究所出了什么事？"格里申回答："列昂尼德·伊里奇，关于这件事，我一无所知。我立即调查清楚。" [1]

格里申让撤掉对世界经济和国际关系研究所的监视。但是，对学术研究的粗暴干预，以及学术研究必须服从苏共中央的现实需要，并没有就此止步。

第二节　勃列日涅夫逝世

畸形的老人政局

勃列日涅夫晚年苏联政坛和苏联社会最显眼的是老人当政，形成一种畸形的老人政局。苏共中央总书记勃列日涅夫，苏共中央政治局委员、苏共中央书记基里连科，两位同样年逾古稀、同样重病缠身的老人，在形式上主持和主管着苏共和苏联国家的一切事务；实际掌控决策和决定权的，则是乌斯季诺夫、安德罗波夫、葛罗米柯等三位老人组成的"三驾马车"，"三驾马车"的平均年龄也近 71 岁了。畸形的老人政局既是勃列日涅夫当政时期苏联业已形成的领导职务终身制的自然结果，也适应了业已形成的特权阶层的社会需要。

1976 年 3 月，苏共二十五大之后产生的中央政治局委员，平均年龄超过 66 岁半；中央政治局候补委员，平均年龄 62 岁；中央书记平均年龄 63 岁半，这已经是一个高龄的领导班子了。

二十五大之后到 1981 年 3 月二十六大之间的 5 年里，这个班子的人员变动情况有：

1976 年 10 月，48 岁的里亚鲍夫被增选为党中央书记，成为最年轻的党中央书记，到 1979 年 4 月又被解除党中央书记职务；

1977 年 5 月，波德戈尔内被解除中央政治局委员职务，卡图谢夫被解除

[1] 参见［俄］叶·普里马科夫著：《大政治年代》，焦广田等译，东方出版社 2001 年版，第 12 页。

中央书记职务，鲁萨科夫被增选为党中央书记，6 月，勃列日涅夫兼任苏联最高苏维埃主席团主席；

1977 年 10 月，契尔年科和库兹涅佐夫被增选为中央政治局候补委员，库兹涅佐夫并作为勃列日涅夫的副手，担任苏联最高苏维埃主席团第一副主席；

1978 年 11 月，马祖罗夫被解除中央政治局委员职务，契尔年科从中央政治局候补委员升为政治局委员，吉洪诺夫、谢瓦尔德纳泽当选为中央政治局候补委员，戈尔巴乔夫被增选为中央书记；

1979 年 11 月，吉洪诺夫从中央政治局候补委员升为政治局委员，戈尔巴乔夫成为中央政治局候补委员；

1980 年 10 月，戈尔巴乔夫升为中央政治局委员，基谢廖夫补上马谢罗夫因交通事故死亡而出现的空缺，成为中央政治局候补委员；

1980 年 10 月，吉洪诺夫取代柯西金，出任苏联部长会议主席。

这样，从苏共二十五大至二十六大的 5 年里，政治局委员中 2 人病殁、3 人被解除职务，增选 3 人；政治局候补委员中 1 人因车祸丧生，增选 3 人；中央书记中 1 人死亡、2 人被解除职务（里亚鲍夫在中央书记的位置上只坐了 2 年半），实际增选2人。值得注意的是，鲁萨科夫被增选为中央书记时已68岁，库兹涅佐夫被增选为政治局候补委员时已 76 岁，吉洪诺夫被增选为政治局委员时已 74 岁。

1981 年 3 月苏共二十六大之后产生的领导大班子，除死亡和政治原因被解除职务者外，其余的均连任；增加的除戈尔巴乔夫作为接班人较年轻之外，其他均为老人、老老人。苏共二十六大之后产生的 14 名政治局委员，平均年龄 70 岁；8 名政治局候补委员，平均年龄 66 岁；10 名中央书记，平均年龄近 69 岁。

20 世纪 70 年代后期，在苏共中央最高领导层中，实际上形成了勃列日涅夫、安德罗波夫、乌斯季诺夫、葛罗米柯等的“圈中圈”。由于勃列日涅夫的健康状况严重恶化，不能正常视事，安德罗波夫、乌斯季诺夫、葛罗米柯就成为苏联党和国家内、外决策的“三驾马车”。1982 年 1 月 25 日，苏斯洛夫病逝，勃列日涅夫选择了安德罗波夫继任被认为是“党内第二号人物”的职务。5 月 24 日，安德罗波夫以苏共中央政治局委员身份再当选为苏共中央书记。安德罗波夫的行政职务——苏联国家安全委员会主席一职，由费多尔丘克接替。而此时，安德罗波夫已患不治之症。由于他作为接班人的地位，他的健康状况也成了苏联党和国家的最高机密而严格封锁。

勃列日涅夫病逝

20世纪70年代中期以前，勃列日涅夫身体比较健壮，喜爱汽车，几乎拥有世界上各种品牌的名车。1974年11月23日，勃列日涅夫在符拉迪沃斯托克接待美国总统福特时中风。[1] 苏联第四医疗总局局长恰佐夫院士等医生，在勃列日涅夫来符拉迪沃斯托克的专用列车上，为勃列日涅夫进行了紧急治疗，暂时控制住了病情，建议勃列日涅夫推迟与福特的会谈。但是勃列日涅夫坚持按原计划与福特会谈，并要求对他的健康状况保密。

勃列日涅夫中风的消息可以保密，但是从生理学上来说，中风是一个事实。勃列日涅夫记忆力明显消退，甚至记不住政治局事先准备好的重要意见，谈判时只好现编现讲。勃列日涅夫自己也意识到存在的问题，于是采取新的做法：勃列日涅夫只宣读事先准备好的文本，接下来的谈判转托葛罗米柯去进行。原计划对符拉迪沃斯托克的访问被取消了，尽管市民已被安排到道路两旁夹道欢迎。

送走福特之后，勃列日涅夫又于11月25日从符拉迪沃斯托克抵达乌兰巴托，参加蒙古人民共和国成立50周年庆祝活动。旅途的劳顿使他再次中风，短暂失去知觉。经过紧急救治，控制住病情之后，12月4日，勃列日涅夫又飞赴巴黎，对法国进行为期3天的工作访问。从法国回来后，勃列日涅夫的病情加重了，大脑动脉出现了粥样硬化，中枢神经功能发生障碍，神情呆滞。

1974年底，克留奇科夫被任命为苏联国家安全委员会第一总局（国外情报局）局长。担任这个要害部门的首长，按例要由苏共中央总书记亲自与之谈

---

[1] 阿尔巴托夫在他所撰写的《苏联政治内幕：知情者的见证》一书中说："1974年12月，勃列日涅夫在符拉迪沃斯托克附近的军用机场刚刚送走美国总统福特，便感到自己身体不适。"（参见中译本第267页）该书在中国影响较大，这一说法在国内有关著作中被广泛引用。经核对多种书，福特来访是11月23日，勃列日涅夫是在到达符拉迪沃斯托克之后，与福特会谈之前中风的。

一次话。12 月 30 日，勃列日涅夫在克里姆林宫的办公室接见克留奇科夫，在座的还有安德罗波夫。事先，安德罗波夫已经向克留奇科夫打过招呼：勃列日涅夫精神状态不佳，说话要大声，“如果在总书记的讲话中有难以辨清的内容，也不要再问”。[1] 但是，尽管克留奇科夫已有了思想准备，当他见到勃列日涅夫时，还是出乎意料之外。克留奇科夫说：“桌旁坐着一个十足的病人，当同我问候时，他好不容易才站起身来，并且好长一会儿都喘不过气来，随后便直接栽倒在沙发椅上。安德罗波夫大声地介绍了我，勃列日涅夫在回答时就说了一句话：‘好吧，我们就这样决定吧。’我说了几句表示保证不负众望的话，正式程序部分至此就结束了。当告别时，勃列日涅夫又勉强站了起来，拥抱了我，并祝我一切顺利，但不知为什么他竟然流出了眼泪。”[2]

为了能有足够的休息，勃列日涅夫开始服用安眠药，而且剂量越来越大。有时，白天为了午休也要服用安眠药。由于大剂量服用安眠药，勃列日涅夫变得极易疲倦，出现呆滞状态，到后来又对兴奋剂上瘾。这样，他丧失了处理手头应该解决的问题的必要精力，说话也越来越困难，记忆力越来越不济。到了他生命的晚期，连最起码的谈话内容和一些礼节性的应酬话，也要别人替他准备好。1976 年，勃列日涅夫曾经想辞职，这倒确实是因为“年迈和健康恶化”，但是他周围的人都要扶着他，哪怕他已经不能思考，也不让他从总书记的位置上退下来，因为这是一种共同的需要。

1980 年，勃列日涅夫访问了哈萨克斯坦，这是勃列日涅夫担任苏共中央总书记之后，8 次访问哈萨克斯坦的最后一次。

1980 年 6 月下旬，勃列日涅夫“回娘家”亲自为哈萨克斯坦共和国党中央第一书记库纳耶夫、乌兹别克斯坦共和国党中央第一书记拉希多夫等人颁发列宁勋章。当他飞抵阿拉木图，缓慢地在左、右人员的搀扶下，走下飞机舷梯时，显得十分兴奋。但是人们发现，他即使走几步路，也要警卫人员搀扶。更糟糕的是勃列日涅夫的意识模糊，行事颠三倒四。6 月 25 日晚，库纳耶夫为勃列日涅夫的来访举行约 1000 人的盛大招待会。众人就座后，库纳耶夫举杯，建议为勃列日涅夫的来访干杯。大家刚把酒杯放下，勃列日涅

[1] ［俄］弗・亚・克留奇科夫著：《个人档案——克留奇科夫狱中自述》，第 86 页。

[2] 同上。

夫突然站起身来，走向出口，走向自己的座车。一分钟后，整个车队就开走了，众人相顾愕然。显然，勃列日涅夫是忘记自己到了什么地方，为什么来到这里。[1]

1982年3月3日，勃列日涅夫到艺术剧院观看米海伊尔·沙特洛夫的剧作《如此胜利》。[2]3月下旬，勃列日涅夫在塔什干之行中险些丧生。

1982年3月下旬，勃列日涅夫来塔什干是亲自为乌兹别克苏维埃社会主义共和国颁发列宁勋章。3月23日，勃列日涅夫计划参观塔什干飞机制造厂、塔什干纺织联合企业和苏联建国50周年拖拉机厂。随从人员考虑到参观工厂太劳累，在征得领导人同意后，取消了对塔什干飞机制造厂的参观。可是，在匆匆参观完织布厂和拖拉机厂之后，勃列日涅夫看看手表，对陪同参观的乌兹别克共和国党中央第一书记拉希多夫说："离吃午饭还有点时间。我们答应了参观工厂。那里已经准备迎接我们，人都集合好了，在等我们，不太好……会问……会议论……还是去一趟吧。"[3]于是，车队又来到飞机制造厂。

勋章的爱好者

当勃列日涅夫的车队来到飞机厂时，当地的警卫已经撤离，厂区从里到外，人山人海。勃列日涅夫不听随从警卫的劝阻，坚持进厂参观。当勃列日涅夫等人走进装配车间后，人群也跟着蜂拥而入。为了一睹领袖的风采，成千上万的工人爬上正在装配的飞机四周的脚手架，像蚂蚁一样。就在勃列日涅夫等人从飞机下面走出来时，一个和机身一样长、4

[1] 参见［哈萨克斯坦］奥·维多娃著：《中亚铁腕纳扎尔巴耶夫》，韩霞译，新华出版社2002年版，第62页。

[2] *Майсурян А.* Другой Брежнев. Вагриус. М., 2004. С.398。

[3] ［俄］尼·津科维奇著：《极端政治：前苏联首脑遇刺秘闻》，成都科技翻译研究会译，中央编译出版社1998年版，第207页。

米宽的木台，因承受不住上面那么多人的重量而斜倒了，木台上的人顺着倾斜的坡面像豌豆一样，往勃列日涅夫等人身上倾倒下来。警卫人员不顾死活，顶住木台。勃列日涅夫被仰面压倒在地，耳朵被撕破，血流不止，右锁骨骨折。其他陪同人员也不同程度受伤。无论怎样，警卫人员总算撑住木台，不然的话，木台下的人恐难活命。勃列日涅夫尽管受伤，次日仍坚持为乌兹别克共和国颁发列宁勋章，并在授勋大会上发表讲话，回到莫斯科后就住进了医院。这年的“五一”节，勃列日涅夫也在医院里度过。

晚年的勃列日涅夫，早已不能坚持正常的工作。为了维持勃列日涅夫在形式上的领导地位，党中央政治局会议一般都控制在 20 分钟左右。“勃列日涅夫茫然地坐在那里，并不十分清楚自己身在何处，会议室里都有谁，应该做些什么。经常出现这种局面，他坐在那儿，读着助手们用特别大号字母打字机打出的简短讲稿，有时读错行，前言不搭后语。他大概自己也意识到这一点，用忧伤的目光望着在场的人。为了尽快作出结论和提出提案，结束这种折磨人的场面，契尔年科出面结束会议，大家急忙通过各种议案，怀着不安的心情离开政治局会议室。”[1]

西方媒体已在公开谈论勃列日涅夫的身后问题了。但是，1982 年秋天，勃列日涅夫仍然尽可能地在各种政治场合和电视屏幕上露面。9 月 26 日，勃列日涅夫出席在巴库举行的为阿塞拜疆苏维埃共和国荣获列宁勋章举行的庆祝大会，并发表讲话。10 月 27 日，勃列日涅夫接受乌斯季诺夫的提议，在克里姆林宫会见苏联陆海军领导人。参加会见的有 500 多名陆海军的将军和元帅，勃列日涅夫又发表讲话。

1982 年 11 月 7 日，勃列日涅夫出席在红场举行的庆祝十月革命 65 周年庆典。红场上举行了盛大的阅兵式和群众节日游行，勃列日涅夫在列宁陵墓上站了近 3 个小时。晚上，勃列日涅夫又出席在克里姆林宫举行的庆祝招待会，并发表讲话。这次讲话成为勃列日涅夫的最后一次公众讲话。

11 月 9 日中午 12 时左右，勃列日涅夫来到克里姆林宫。在节日的忙碌和兴奋之后，勃列日涅夫的心情仍然很好，和周围的人打招呼，讲几句笑话，然

[1] ［俄］瓦·博尔金著：《戈尔巴乔夫沉浮录》，李永全等译，中央编译出版社 1996 年版，第 30 页。

勃列日涅夫葬礼

后请安德罗波夫进他的办公室，谈了很久。20时不到，勃列日涅夫离开克里姆林宫，返回在扎列契耶的别墅休息。

11月10日10时过后，副官进入勃列日涅夫的卧室想叫醒总书记，发现他躺在床上，身体已凉了。警卫人员开始紧急施救，抢救了15分钟，各种器械都无济于事，估计死亡时间在早晨8时左右。勃列日涅夫去世后，安德罗波夫、葛罗米柯、乌斯季诺夫、吉洪诺夫等4人立即秘密商定，支持安德罗波夫任苏共中央总书记。

11月12日，苏共中央、苏联最高苏维埃主席团、苏联部长会议发表公告，宣告1982年11月10日早晨8时30分，苏共中央总书记、苏联最高苏维埃主席团主席列昂尼德·伊里奇·勃列日涅夫猝然逝世。

11月12日，苏共中央举行非常全体会议，选举安德罗波夫为苏共中央总书记。

11月15日，苏共中央和苏联政府在莫斯科红场举行勃列日涅夫的追悼大会。中国外交部长黄华参加了追悼会。

勃列日涅夫的逝世，意味着苏联一个时代的结束。

附　录

参考书目

《马克思恩格斯选集》，人民出版社 1995 年第 2 版。

《列宁选集》，人民出版社 1995 年第 3 版。

《斯大林全集》，人民出版社 1956 年版。

《斯大林文选（1934—1952）》，人民出版社 1962 年版。

《邓小平年谱》（上、下），中央文献出版社 2004 年版。

［保］托・日夫科夫著：《日夫科夫回忆录》，吴锡俊等译，新华出版社 1999 年版。

［俄］阿・多勃雷宁著：《信赖——多勃雷宁回忆录》，肖敏等译，世界知识出版社 1997 年版。

［俄］阿・舍甫琴柯著：《与莫斯科决裂》，王观声译，世界知识出版社 1986 年版。

［俄］费・布尔拉茨基著：《领袖和谋士：关于赫鲁晓夫、安德罗波夫和其他人》，徐锦栋等译，东方出版社 1992 年版。

［俄］弗・亚・克留奇科夫著：《个人档案（1941—1994）》，何希泉等译，东方出版社 2000 年版。

［俄］格・阿・阿尔巴托夫著：《苏联政治内幕：知情者的见证》，徐葵等译，新华出版社 1998 年版。

［俄］列・姆列欣著：《历届克格勃主席的命运》，李惠生等译，新华出版社 2001 年版。

［俄］列・姆列欣著：《历届外交部长的命运》，徐葵等译，新华出版社 2005 年版。

［俄］列・姆列欣著：《普里马科夫的仕宦生涯》，唐修哲等译，新华出版社 2000 年版。

［俄］罗・梅德维杰夫著：《人们所不知道的安德罗波夫》，徐葵等译，新华出版社 2001 年版。

［俄］米・谢・戈尔巴乔夫著：《戈尔巴乔夫回忆录》，述弢等译，社会科学文献出版社 2003 年版。

[俄] 尼·赫鲁晓夫著:《赫鲁晓夫回忆录》，张岱云等译，东方出版社1988年版。

[俄] 尼·赫鲁晓夫著:《最后的遗言》，上海国际问题研究所、上海市政协编译组译，东方出版社1988年版。

[俄] 尼·津科维奇著:《极端政治——前苏联首脑遇刺秘闻》，成都科技翻译研究会译，中央编译出版社1998年版。

[俄] 尼·津科维奇著:《权力与争斗》，郅友昌等译，东方出版社2000年版。

[俄] 尼·雷日科夫著:《大动荡的十年》，王攀等译，中央编译出版社1998年版。

[俄] 瓦·博尔金著:《戈尔巴乔夫沉浮录》，李永全等译，中央编译出版社1996年版。

[俄] 瓦·米特罗欣、安·克里斯托弗著:《克格勃绝密档案》(上、下)，王振西等译，当代世界出版社2002年版。

[俄] 维·阿法纳西耶夫著:《真理报总编辑沉浮录》，贾泽林译，东方出版社1995年版。

[俄] 谢·赫鲁晓夫著:《赫鲁晓夫下台内幕》，述弢译，中央编译出版社2000年版。

[俄] 亚·季诺维也夫著:《俄罗斯共产主义的悲剧》，侯艾君等译，新华出版社2004年版。

[俄] 亚·尼·雅科夫列夫著:《一杯苦酒——俄罗斯的布尔什维主义和改革运动》，徐葵等译，新华出版社1999年版。

[俄] 叶·普里马科夫著:《大政治年代》，焦广田等译，东方出版社2001年版。

[俄] 弗拉迪斯拉夫等著:《克里姆林宫秘史》，徐芳夫译，世界知识出版社2001年版。

[俄] 利亚霍夫斯基著:《阿富汗战争悲剧》，刘宪平译，社会科学文献出版社2004年版。

[俄] 罗·梅德维杰夫主编:《政治日记》(选译)，贾连义等译，山东人民出版社1983年版。

[俄] 特罗扬诺夫斯基著:《跨越时空》，徐葵等译，世界知识出版社 1999 年版。

[哈萨克斯坦] 奥·维多娃著:《中亚铁腕——纳扎尔巴耶夫》，韩霞译，新华出版社 2002 年版。

[捷] 亚·杜布切克著:《杜布切克回忆录》，黄英尚译，新华出版社 2001 年版。

[捷] 约·斯姆尔科夫斯基著:《斯姆尔科夫斯基回忆录——苏联侵捷前后》，钟杰译，商务印书馆 1975 年版。

[捷]《禁止公布的文件》，伍仁译，东方出版社 1986 年版。

[联邦德国] 米·莫罗佐夫著:《权力——勃列日涅夫的经历》，张玉书等译，香港朝阳出版社 1978 年版。

[美] 比姆·雅各布著:《出使苏联东欧回忆录》，潘益世等译，商务印书馆 1981 年版。

[美] 亨·基辛格著:《白宫岁月》，陈瑶华等译，世界知识出版社 2003 年版 1—4 册。

[美] 理·里夫斯著:《孤独的白宫岁月》，蒋影译，经济出版社 2004 年版。

[美] 乔·桑特尔著:《尼克松传》成都出版社 1996 年版。

[美] 唐·米切尔著:《俄国与苏联海上力量史》，朱协译，商务印书馆 1983 年版。

[美] 威·奥多姆著:《苏联军队是怎样崩溃的》，王振西等译，新华出版社 2000 年版。

[美] 小杰克·马特洛夫著:《苏联解体亲历记》(上、下)，吴乃华等译，世界知识出版社 1996 年版。

[苏] 阿·阿夫托尔汉诺夫著:《勃列日涅夫的力量和弱点》，杨春华等译，新华出版社 1981 年版。

[苏] 安·安·葛罗米柯、鲍·尼·波诺马廖夫主编:《苏联对外政策史 1945—1980》，韩正文等译，中国人民大学出版社 1989 年版。

[苏] 安·安·葛罗米柯著:《永志不忘——葛罗米柯回忆录》，伊吾译，世界知识出版社 1989 年版。

[苏] 彼·叶·谢列斯特:《我们的苏维埃乌克兰》，原文化部咸宁干校翻

译组译，三联书店 1974 年版。

[苏] 罗·梅德维杰夫著：《论苏联的持不同政见者》，刘明等译，群众出版社 1984 年版。

[苏] 阿赫塔姆江等著：《苏联对外政策编年史（1917—1978）》，苏联对外政策编年史翻译组译，商务印书馆 1983 年版。

[英] 彼·琼斯等著：《中苏关系内幕纪实》，郭学德等译，中国经济出版社 1995 年版。

《苏联问题译丛》，三联书店 1980 年版、1981 年版，第 1—10 辑。

北京大学苏联东欧研究所编：《勃列日涅夫时期苏共中央全会文件汇编（1964 年 11 月—1976 年 2 月）》，商务印书馆 1978 年版。

陈之骅等主编：《苏联兴亡史纲》，中国社会科学出版社 2004 年版。

陈之骅主编：《勃列日涅夫时期的苏联》，中国社会科学出版社 1998 年版。

宫达非主编：《苏联剧变新探》，世界知识出版社 1998 年版。

郭永胜：《苏联持不同政见者运动研究》，内蒙古人民出版社 2005 年版。

孔寒冰：《中苏关系及其对中国社会发展的影响》，中国国际广播出版社 2004 年版。

李丹慧编：《北京与莫斯科：从联盟走向对抗》，广西师范大学出版社 2002 年版。

刘邦义：《哥穆尔卡评传》，中共中央党校出版社 1995 年版。

刘国盛等：《强弩之末——前苏联入侵阿富汗秘闻》，社会科学文献出版社 2001 年版。

柳植：《世纪性的实践》，安徽大学出版社 2005 年版。

陆南泉等主编：《苏联兴亡史论》，人民出版社 2004 年版。

马龙闪：《苏联文化体制沿革史》，中国社会科学出版社 1996 年版。

马细谱主编：《战后东欧——改革与危机》，中国劳动出版社 1991 年版。

上海人民出版社编译室译：《勃列日涅夫言论》第 1—11 集，上海人民出版社 1975 年版。

上海师范大学历史系世界史教研室译：《苏斯洛夫言论选》（上、下），上海人民出版社 1976 年版。

上海译文出版社、复旦大学外文系俄文教研室、赵凤珍等译：《勃列日涅夫言论》第 12—18 集，上海译文出版社 1979—1986 年版。

沈志华、于沛等编著：《苏联共产党 93 年》，当代中国出版社 1993 年版。

沈志华执行总主编：《苏联历史档案选编》，社会科学文献出版社 2002 年版，叶书宗主编，第 29—31 卷。

沈志华执行总主编：《苏联历史档案选编》第 32 卷（上、下），社会科学文献出版社 2002 年版。

沈志华主编：《中苏关系史纲》，新华出版社 2007 年版。

苏共中央马列主义研究院科学共产主义部编：《发达社会主义》，中国人民大学苏联东欧研究所译，中国人民大学出版社 1982 年版。

苏联国防部军事历史研究所编：《苏联武装力量》，《苏联武装力量》翻译组译，战士出版社 1981 年版。

苏联问题编写组编：《冰封岁月——中苏关系实录》，福建人民出版社 2001 年版。

孙其明：《中苏关系始末》，上海人民出版社 2002 年版。

孙尚清、章良猷编：《苏修“经济改革”文集》，三联书店 1975 年版。

王义高等：《苏联教育 70 年成败》，北京师范大学出版社 1999 年版。

吴冷西：《十年论战》，中央文献出版社 1999 年版。

辛华编译：《苏联共产党第二十三次代表大会主要文件汇编》，三联书店 1978 年版。

辛华编译：《苏联共产党第二十四次代表大会主要文件汇编》，三联书店 1976 年版。

辛华编译：《苏联共产党第二十五次代表大会主要文件汇编》，三联书店 1977 年版。

辛华编译：《苏联共产党第二十六次代表大会主要文件汇编》，三联书店 1982 年版。

邢广程：《苏联高层决策 70 年》第 4 卷，世界知识出版社 1998 年版。

徐天新：《平等强国的理想与苏联的实践》，安徽大学出版社 2005 年版。

姚莲瑞：《智谋大师葛罗米柯》，中原农民出版社 1997 年版。

于潜等编著：《东欧经济理论——东欧著名经济学家、经济改革思想介评》，中国经济出版社 1989 年版。

赵永穆等译:《苏联共产党最后一个“反党”集团》(上、下),中国社会出版社 1997 年版。

哲学社会科学部经济研究所苏联经济问题研究组编:《苏修关于“经济改革”的决议、条例汇编》,商务印书馆 1976 年版。

郑异凡:《不惑集》,辽宁教育出版社 2001 年版。

郑异凡:《史海探索》,安徽大学出版社 2005 年版。

中共中央党校科学社会主义教研室国外社会主义问题教研组编:《苏联“发达社会主义”理论资料选编》,中共中央党校科研办公室 1986 年版。

中华人民共和国外交部外交史研究室编:《周恩来外交活动大事记 1949—1975》,世界知识出版社 1993 年版。

周尚文、叶书宗、王斯德:《苏联兴亡史》上海人民出版社 2002 年版。

周新城、周太忠、金宗芬等译:《苏联共产党和苏联政府经济问题决议汇编》,第 5、6、7、10 卷,中国人民大学出版社 1983—1986 年版。

左凤荣:《致命的错误——苏联对外战略的演变与影响》世界知识出版社 2001 年版。

《人民日报》1964—1982 年。

Вопросы экономики.

Известия. 1978–1982

Коммунист.

Правда. 1964–1982

Плановое хозяйство.

Экономическая газета.

Барсенков А.С. Вдовин А.И. История России（1938–2002）. Изд. Аспект-Прес. 2003.《俄国史》

Брежнев Л.И. Воспоминания. М., 2005.《勃列日涅夫回忆录》

Брежнев Л.И. Ленинским курсом. Т.т.1–9. Москва.1970–1982.《遵循列宁主义方针》

Волкогонов Д. Семь Вождей. М., 1995.《七位领袖》

История России XX век. Отв.ред. В.П.Дмитренко. М., АСТ. 1996.《20 世纪俄国史》

История России. Советское Общество. 1917–1991. Под ред. *В.В.Журавлева*. М., Терра. 1997.《俄国史。苏联社会》

История России. С древнейших времен до конца XX века. Отв. ред. *А.Н. Сахаров*. М., АСТ, 1996. С.582.《俄国史——从远古至 20 世纪末》

Леонид Брежнев в воспоминаниях, размышлениях, суждениях. Вожди глазами современников. Ростов-на-Дону . Феникс. 1998.《回忆勃列日涅夫。同时代人眼中的领袖》

Майсурян А. Другой Брежнев. Вагриус. М., 2004.《勃列日涅夫的另一面》

Млечин Л.М. Брежнев. Изд. Проспект. 2006.

Политический дневник. 1965–1970 . Под ред. *Р. Медведева*. Фонд имени Герцена. Амстердам. 1972–1975.《政治日记》

Семанов С. Леонид Брежнев. Правитель"Золотого века" . Изд. Вече. 2002.《黄金世纪的执政者》

ФетисовТ.И. Премьер известный и неизвестный. Воспоминание о А.Н.Косыгине. Республика . 1997.《人所知道的和不知道的总理。回忆柯西金》

主题索引

K

L

M

N

O

P

Q

R

S

T

W

X

Y

Z

人名索引

C

D

E

F

G

H

J

M

N

P

Q

R

S

T

W

X

Y

Z

人物简介

A

阿登纳，康·(Adenaue，Konrad 1876—1967）——1920—1932年任德国普鲁士议会议长。1949—1963年任德意志联邦共和国总理。1946—1966年任基督教民主联盟主席。

阿尔巴托夫，格·阿·(Арбатов Георгий Аркадьевич 1923—　）——1943年加入苏共。20世纪70年代任苏联科学院美国和加拿大研究所所长。苏联科学院院士。1981年当选苏共中央委员。

阿尔祖马尼扬，阿·阿·(Арзуманян，Анушаван Агафонович 1904—1965）——苏联经济学家，苏联科学院院士。1962年当选苏联最高苏维埃代表。

阿法纳欣科——20世纪70年代任苏联驻刚果人民共和国大使。

阿赫玛托娃，安·安·(Ахматова，Анна Андреевна 1889—1966）——苏联俄罗斯女诗人。

阿利卢耶娃，斯·约·(Аллилуева，Светлана Иосивна 1926—　）——斯大林的女儿。

阿利耶夫，盖·阿·札·阿·(Алиев，Гейдар Али Рза Оглы 1923—2003）——1945年加入苏共。1969年任苏共阿塞拜疆共和国中央第一书记。1971年当选苏共中央委员。1976年当选苏共中央政治局候补委员。1993年、1998年两次当选阿塞拜疆总统。

阿列克谢耶夫，米·尼·(Алексеев，Михаил Николаевич 1918—2007）——苏联作家。1942年加入苏共。1978年获社会主义劳动英雄称号。

阿明，哈·(1927—1979）——阿富汗普什图族。1965年参加创建阿富汗人民民主党。1978年阿富汗民主共和国成立后，任政府副总理兼外交部长。1979年9月任总统。

艾哈德，路·(Erhard Ludwig 1897—1977）——1963—1966年任联邦德国总理。

艾森豪威尔，德华特·戴维（Eisenhower，Dwight David 1890—1969）——美国第34届（1953—1961）总统。1944年授五星上将军衔。

安德罗波夫，尤·弗·(Андропов，Юрий Владимирович 1914—1984）——1939年加入苏共。1962年当选苏共中央书记。1967年任苏联国家安全委员会主席。1982年当选苏共中央总书记。1983年任苏联最高苏维埃主席团主席。

安致远——1967 年前后，任中国驻苏大使馆临时代办。

昂纳克，艾·(Honecker，Erich, 1912—1994) ——1929 年加入德国共产党。1958 年当选德国统一社会党中央政治局委员、中央书记。1971 年当选该党中央第一书记。1976 年任民主德国国务委员会主席。

奥尔绍夫斯基（Olszewski）——20 世纪 80 年代波兰统一工人党中央领导人之一。

奥加尔科夫，尼·瓦·(Огарков，Николай Васильевич 1917—1994) ——1945 年加入苏共。1968 年任苏联武装力量第一副总参谋长。1974 年任苏联国防部副部长。1977 年任总参谋长。授苏联元帅军衔。

B

巴甫洛夫，格·谢·(Павлов，Георгий Сергеевич 1910—1991) ——1939 年加入苏共。1957 年任苏共马里州委第一书记。1965 年任苏共中央办公厅主任。1971 年当选苏共中央委员。

巴甫洛夫，伊·彼·(Павлов，Иван Петрович 1849—1936) ——苏联生理学家，创立高级神经活动学说。1907 年成为彼得堡科学院院士，后为苏联科学院院士。1904 年获诺贝尔奖。

巴甫洛夫斯基，伊·格·(Павловский，Иван Григорьевич 1909—1999) ——1939 年加入苏共。1967 年任苏联武装力量陆军总司令兼国防部副部长。授大将军衔。1971 年当选苏共中央委员。

巴雷，穆·西·(Barre，Muhammad Siyad 1919—1995) ——1965 年任索马里陆军司令。1969—1976 年任索马里最高革命委员会主席、政府首脑。1976 年任索马里民主共和国总统、部长会议主席、索马里革命社会主义党总书记。

巴秋林——苏联国家计划委员会副主席。

巴伊巴科夫，尼·康·(Байбаков，Николай Констатинович 1911—2008) ——1939 年加入苏共。1944 年起任苏联石油工业人民委员、部长。1965 年起任苏联国家计划委员会主席。1952—1961 年、1966—1986 年任苏共中央委员。

鲍尔金，叶·阿·(Болтин，Евгений Арсеньевич) ——苏军中将。

贝林格，恩·(Berlinguer，Enrico 1922—1984) ——1943 年加入意大利共产党，1948 年当选意共中央委员。1969 年任意大利共产党中央副总书记。

倍倍尔，奥·(Bebel，August 1840—1913) ——德国社会民主党和第二国际创始人之一。多次当选德意志帝国议会议员。

比拉克，瓦西尔（1917—　）——1954 年当选捷克斯洛伐克共产党中央委员。1968 年任斯洛伐克共产党中央第一书记。

彼得罗夫，瓦·伊·（Петров，Василий Иванович 1917—　）——1944 年加入苏共。1976 年任苏联武装力量陆军第一副总司令。1980 年任陆军总司令、国防部副部长。1972 年授大将军衔。1976 年当选苏共中央委员。

波格丹诺夫（马利诺夫斯基），亚·亚·（Богданов（Малиновский），Александр Александрович 1873—1928）——俄国革命活动家、哲学家、经济学家、医生。1905 年当选俄国社会民主工党中央委员。1909 年前为布尔什维克。

波利亚科夫，维·尼·（Поляков，Виктор Николаевич 1915—2004）—— 1944 年加入苏共。1965 年任汽车工业部副部长，1975 年任部长。1976 年当选苏共中央候补委员。

波诺马廖夫，鲍·尼·（Пономарёв，Борис Николаевич 1905—1995）—— 1919 年加入苏共。1956 年当选苏共中央委员。1961 年任苏共中央书记。1962 年成为苏联科学院院士。1972 年当选苏共中央政治局候补委员。

波斯别洛夫，彼·尼·（Поспелов，Пётр Николаевич 1898—1979）—— 1916 年加入苏共。1953 年任苏共中央书记。1949—1967 年间，曾任马克思列宁主义研究院院长。1957 年当选苏共中央主席团候补委员。

波图利内，A.B.（1936—　）——1954 年入海军服役。1958 年加入苏共。20 世纪 70 年代中期任反潜艇“护卫”号舰长。

伯恩施坦，爱·（Bernstein，Eduard 1850—1932）——德国社会民主党和第二国际右翼领袖之一。

勃兰特，威·（Brandt, Willy, 1913—1992）—— 原名弗拉姆，赫伯特·卡尔（Frahm Herbert Carl）。1964 年任德国社会民主党主席。1969—1974 年任德意志联邦共和国总理。1976 年任社会党国际主席。

勃列日涅夫，列·伊·（Брежнев，Леонид Ильич 1906—1982）—— 1931 年加入苏共。1952 年当选苏共中央委员、中央主席团候补委员。1960 年任苏联最高苏维埃主席团主席。1964 年 10 月起任苏共中央第一书记（1966 年改称总书记）。

勃列日涅娃，加·列·——勃列日涅夫的女儿。

博亚里诺夫——苏军特种兵上校。1979 年 12 月在制造阿富汗政变过程中被打死。

布哈林，尼·伊·（Бухарин，Николай Иванович 1888—1938）——1906 年加入

俄国社会民主工党。十月革命后任《真理报》主编。1924 年当选俄共中央政治局委员。

布里亚采，鲍 · ——苏联马戏团演员，勃列日涅娃的情夫。

布热津斯基，兹 ·（Brzezinski，Zbigniew）——曾任美国总统安全事务特别助理。

C

查利泽，瓦 · 尼 ·（Чалидзе, Валерий Николаевич, 1938—　）——苏联物理学家，持不同政见者。

车尔尼雪夫斯基，尼 · 加 ·（Чернышевский, Николай Гаврилович 1828—1889）——俄国革命民主主义者，作家。

陈毅(1901—1972)——字仲弘。1923 年加入中国共产党。中华人民共和国成立后，历任上海市市长、国务院副总理兼外交部长、中共中央军委副主席。

楚卡诺夫，格 · 埃 ·（Цуканов，Георгий Эммануилович 1919—2001）——1941 年加入苏共。1963 年在苏共中央机关任职。1971 年当选苏共中央委员。1964—1983 年任苏共中央第一书记（总书记）助理。

茨维贡，谢 · 库 ·（Цвигун, Семен Кузьмич 1917—1982）——1967 年起任苏联部长会议国家安全委员会第一副主席，1978 年起任苏联国家安全委员会第一副主席。1982 年 1 月自杀身亡。

D

达尼埃尔，尤 · 马 ·（Даниэль，Юлий Маркович 1925—1988）——苏联作家。1961 年开始，以尼古拉 · 阿尔扎克（Николай Аржак）的笔名在西方发表讽刺斯大林主义的文学作品。1965 年被捕，被判处 5 年强迫劳动。1970 年 9 月获释，后移居美国。

达乌德，穆罕默德（Daoud，Muhammad 1908—1978）——1949 年任阿富汗王国国防大臣。1973 年任阿富汗共和国国家元首兼政府总理。1977 年任阿富汗共和国总统。

戴高乐（de Gaulle 1890—1970）——法国总统（1956—1969）。

德斯坦——法国总统（1974—1981）。

杜布切克，亚 ·（Dubceka，Alexandra 1921—1992）——1939 年加入捷克斯洛伐克共产党。1963 年任斯洛伐克共产党中央第一书记、捷共中央主席团委员。1968 年 1 月至 1969 年 4 月任捷共中央第一书记。

多勃雷宁，安 · 费 ·（Добрынин，Анатолий Федорович 1919—　）——1945 年

加入苏共。1962 年任苏联驻美国大使。1971 年当选苏共中央委员。

多尔基赫，弗拉基米尔·伊凡诺维奇（Долгих，Владимир Иванович 1924— ）——1942 年加入苏共。1969 年任苏共克拉斯诺亚尔斯克边疆区委第一书记。1971 年当选苏共中央委员。1972 年当选苏共中央书记。

多纳西门托——20 世纪 70 年代中期任安哥拉人民解放运动中央委员，安哥拉人民共和国总理。

E

恩格斯

F

费多尔丘克，维·瓦·（Федорчек, Виталий Васильевич 1918—2008）——1970 年起任乌克兰部长会议国家安全委员会主席，1982 年起任苏联部长会议国家安全委员会主席。

费多谢耶夫，彼·尼·（Федосеев，Пётр Николаевич，1908—1990）——1939 年加入苏共。苏联哲学家。1960 年成为苏联科学院院士。1962—1971 年任苏联科学院副院长。

弗罗洛夫，瓦·谢·（Фролов，Василий Семёнович，1914— ）——1944 年加入苏共。1958 年任苏共中央部长。

福尔马尔，格·亨·(Vollmar, Georg Heinrich 1850—1922)——德国社会民主党人。后期主张改良主义。

福特，格·鲁·（Ford，Gerald Rudolph 1913—2006）——1974 年尼克松辞职后，出任美国总统。

G

盖莱克，爱德华——1970—1980 年任波兰统一工人党中央委员会第一书记。

戈尔巴乔夫，米·谢·（Горбачёв，Михаил Сергеевич 1931— ）——1952 年加入苏共。1971 年当选苏共中央委员。1980 年当选苏共中央政治局委员。1985 年当选苏共中央总书记，1990 年当选苏联总统。

戈尔什科夫，谢·格·（Горшков，Сергей Георгиевич 1910—1988）——1942 年

加入苏共。1961 年当选苏共中央委员。1956 年任苏联海军总司令，1967 年授苏联海军元帅军衔。

戈留诺夫，谢・康・(Горюнов，Сергей Кондратьевич 1899—1967）——1920 年加入苏共。1944 年授空军上将军衔。

哥穆尔卡，瓦・(Gomulka，Wladyslaw，1905—1982）——1926 年加入波兰共产党。波兰人民共和国成立后，任波兰统一工人党中央总书记、政府副总理。1956 年当选波兰统一工人党中央第一书记。

哥特瓦尔德，克・(Gottwald，Klement 1896—1953）——1921 年加入捷克斯洛伐克共产党。1929 年起任捷共中央总书记。1945 年起任捷共中央主席。1948 年起任捷克斯洛伐克社会主义共和国总统。

格拉勃斯基——20 世纪 80 年代中期波兰统一工人党中央领导人之一。

格里高连科，彼・格・(Григоренко，Пётр Григорьевич 1907—1987）——卫国战争参加者。1959 年授少将军衔。因参与持不同政见者活动，被免去少将军衔，并被开除出党。1977 年底与家人共赴美国，被苏联政府取消其苏联国籍。

格里申，维・华・(Гришин，Виктор Васильевич 1914—1992）——1939 年加入苏共。1956 年任全苏工会中央理事会主席。1967 年任苏共莫斯科市委第一书记。1971 年当选苏共中央政治局委员。

格列奇科，安・安・(Гречко，Андрей Антонович 1903—1976）——1928 年加入苏共。1953 年任驻德国苏军总司令。1955 年授元帅军衔。1960 年起任华沙条约联合武装力量总司令。1967 年起任苏联国防部长。1973 年当选苏共中央政治局委员。

葛罗米柯，安・安・(Громыко，Андрей Андреевич 1909—1989）——1931 年加入苏共。1943 年起任苏联驻美国大使。1957 年起任苏联外交部长。1973 年当选苏共中央政治局委员。1985 年起任苏联最高苏维埃主席团主席。

H

哈尔拉莫夫，亚・巴・(Харламов，Александр Павлович 1929—　）——1952 年加入苏共。1970 年起任《苏维埃俄罗斯报》副主编、主编。1976 年起任《农村生活报》主编。

哈恰图罗夫，季・谢・(Хачатуров，Тигран Сергеевич，1906—　）——1945 年加入苏共。1966 年成为苏联科学院院士，苏联科学院经济学部秘书。

贺龙（1896—1969）——1927年参加南昌起义，同年参加中国共产党。中华人民共和国成立后，1952年起任国家体育运动委员会主任、国务院副总理。1956年当选中共中央政治局委员，任中共中央军委副主席。

赫尔岑，亚·伊·(Герцен, Александр Иванович 1812—1870）——俄国作家，民粹主义创始人之一。

赫鲁诺夫，叶·瓦·(Хрунов，Евгений Васильевич 1933— ）——苏联宇航员。

赫鲁晓夫（Хрущев, Никита Сергеевич 1894—1971）——1953—1964年任苏共中央第一书记。

亨德利赫，伊日（1913— ）——1934年加入捷克斯洛伐克共产党。1951年任捷共中央书记。1962年当选捷共中央主席团委员、中央书记。1968年春被解除职务。

胡萨克，古斯塔夫（Husak，Gustav 1913—1991）——1933年加入捷克斯洛伐克共产党。1969年为捷共中央第一书记。1975年任捷克斯洛伐克社会主义共和国总统。

胡志明（1890—1969）——1920年参加共产党。1946年任越南民主共和国主席。1951年任越南劳动党中央主席。

惠廷——美国国务院中国问题专家。

J

基里连科，安·巴·(Кириленко，Андрей Павлович 1906—1990）——1931年加入苏共。1950年任苏共第聂伯罗彼得罗夫斯克州委第一书记。1962年当选苏共中央政治局委员。1966年起任苏共中央书记。

基希施莱格，鲁·(Kirchschlager，Rudalf，1915— ）——奥地利社会党人。1974年起任奥地利联邦共和国总统。

基辛格，古·乔·(Kiesinger，Kult Georg，1904—1988）——1966—1969年任德意志联邦共和国联邦总理。1967—1971年任基督教民主联盟主席。

基辛格，亨·阿·(Kissinger，Henry Alfred，1923— ）——美国哈佛大学教授。1969年起任美国总统国家安全事务特别助理。1973—1977年任国务卿。

吉洪诺夫，尼·亚·(Тихонов，Николай Александрович 1905—1997）——1940年加入苏共。1966年当选苏共中央委员。1977年当选苏共中央政治局委员。1980年起任苏联部长会议主席。

吉科宁，乌·卡·(Kekkonen，Urho Kaleva 1900—1986）——1956年起任芬兰共

和国总统。

季米里亚捷夫，克·阿·(Тимирязев，Климент Аркадьевич 1843—1920）——俄国植物生理学学派创始人之一。彼得罗夫农林学院教授。

季莫费耶夫斯基，A.A.（Тимофеевский А. А.）——1965 年 4 月在列宁格勒历史学家讲习班上，主张应当为斯大林“恢复名誉”。

季托夫，维·尼·(Титов，Виталий Николаевич 1907—1980）——1938 年加入苏共。1956 年当选苏共中央委员。1965 年任哈萨克共和国党中央第二书记。

贾瓦希什维利（Джавахишвили）——曾任苏共格鲁吉亚共和国党中央书记。

蒋南翔——中国高等教育部部长。

杰米契夫，彼·尼·(Демичев，Пётр Нилович 1918— ）——1939 年加入苏共。1958 年任苏共中央办公厅主任。1959 年任苏共莫斯科州委、市委第一书记。1961 年当选苏共中央委员、中央书记。

金兹伯格，亚·伊·(Гинзбург，Александр Ильич，1936— ）——苏联持不同政见者。1979 年移居国外，后定居法国。

K

卡达尔·亚·(Kadar Janos 1912—1989）——1931 年加入匈牙利共产党。1942 年当选匈共中央委员。1956 年当选匈牙利劳动人民党中央政治局委员、中央书记。1957 年当选匈牙利社会主义工人党中央第一书记。

卡尔迈勒，巴·(Karmal，Babrak 1929— ）——1965 年起为阿富汗人民民主党中央委员。1979 年 12 月成为阿富汗人民民主党中央总书记、阿富汗民主共和国革命委员会主席。

卡里亚金，尤·费·(Карякин, Юрий Федорович 1930— ）——苏联作家。

卡尼亚，斯·——1980 年 9 月当选波兰统一工人党中央第一书记。1981 年 10 月停职。

卡佩克，安托宁（1922— ）——1945 年加入捷克斯洛伐克共产党。1962 年当选捷共中央主席团候补委员。1970 年当选捷共中央主席团委员。

卡皮察，彼·列·(Капица，Пётр Леонидович 1894—1984）——1939 年成为苏联科学院院士。苏联低温物理学和强磁场物理学奠基人之一。1978 年获诺贝尔奖。

卡皮托诺夫，伊·瓦·(Капитонов，Иван Васильевич 1915—2002）——1939 年

加入苏共。1952 年任苏共莫斯科市委第一书记。1952 年当选苏共中央委员。1965 年当选苏共中央书记。

卡特，詹·伊·(Garter，James Earl 1924—　)——习称吉米（Jimmy）。美国民主党人。1977 年起任美国第 39 届总统。

卡图谢夫，康·费·(Катушев，Константин Федорович，1927—　)——1952 年加入苏共。1966 年当选苏共中央委员。1977 年当选苏共中央书记。不久调任苏联驻经互会代表。

凯尔迪什——苏联科学院院士。

康茹科夫——苏联外交部领事局副局长。

考茨基，卡·(Kautsky, Karl 1854—1938）——德国社会民主党和第二国际领袖和理论家之一。

柯斯捷林，阿·叶·(Костерин，Алексей Евграфович 1896—1968）——苏联作家。1916 年加入俄国社会民主工党。参加过国内战争，参与创建北高加索苏维埃政权。1938 年被捕，判处 5 年劳改营劳改。1955 年平反。

柯西金，阿·尼·(Косыгин，Алексей Николаевич 1904—1980）——1927 年加入苏共。1948 年起任苏联财政部长。1964 年起任苏联部长会议主席。1960 年当选苏共中央政治局委员。

科尔德，德拉霍米尔（1925—　）——1945 年加入捷克斯洛伐克共产党。1962 年当选捷共中央主席团委员、中央书记。1969 年 10 月任捷克斯洛伐克社会主义共和国中央人民检查委员会主席。

科列瓦托尔——苏联马戏团经理。

科马罗夫——苏联莫斯科新闻通讯社出版社社长。1971 年出版朱可夫回忆录《回忆与思考》。

科切马索夫（Кочемасов）——苏联战略火箭部队师长。

科热夫——苏联交通部部长。

克里格尔，弗朗齐歇克（1908—　）——1935 年加入捷克斯洛伐克共产党。1966 年当选捷共中央委员。1968 年 4—8 月为捷共中央主席团委员。

库拉科夫，费·达·(Кулаков，Федор Давыдович 1918—1978）——1940 年加入苏共。1961 年当选苏共中央委员。1965 年当选苏共中央书记。1971 年当选苏共中央政治局委员。

库利科夫——苏共奔萨州委第一书记，苏共中央委员。

库纳耶夫，季·阿（Кунаев，Динмухамед Ахмедович 1912—1993）——1939 年加入苏共。1952 年任哈萨克共和国科学院院士。1956 年当选苏共中央委员。1964 年任苏共哈萨克共和国党中央第一书记。

库兹涅佐夫，尼·格·（Кузнецов，Николай Герасимович 1902—1974）——1925 年加入苏共。1939 年任苏联海军人民委员。1953 年任海军总司令。

库兹涅佐夫，瓦·瓦·（Кузнецов，Василий Васильевич 1901—1990）——1927 年加入苏共。1944 年任全苏工会中央理事会主席。1952 年当选苏共中央委员。1953 年任苏联外交部副部长。

库兹涅佐夫，伊·马·（Кузнецов，Иван Максимович 1928— ）——1956 年加入苏共。1981 年当选苏共中央委员，任苏联最高苏维埃主席团第一副主席。

L

拉拉扬茨（Лалаянц）——苏联国家计划委员会副主席。

拉希多夫，沙·拉·（Рашидов，Шарав Рашидович 1917— ）——1939 年加入苏共。1950 年任乌兹别克共和国最高苏维埃主席团主席。1959 年任苏共乌兹别克共和国中央第一书记。1961 年当选苏共中央委员。

腊斯克——美国国务卿。

雷勃尼科夫（Рыбников）——军事委员会政治部上校。

里戈——1968 年 4 月当选捷克斯洛伐克共产党中央主席团委员。

里亚鲍夫，雅·彼·（Рябов，Яков Петрович，1928— ）——1954 年加入苏共。1971 年当选苏共中央委员。1976 年当选苏共中央书记。

刘少奇（1898—1969）——1921 年加入中国共产党。1959 年当选中华人民共和国主席、国防委员会主席。

隆哥，路易吉（Longo，Luigi 1900—1980）——意大利共产党创始人之一。1972 年任意大利共产党中央主席。

卢森堡，罗莎（Luxemburg Rosa 1871—1919）——波兰社会民主党、德国社会民主党和第二国际左翼领袖和理论家之一，德国共产党创建人之一。

鲁坚科，罗·安·（Руденко，Роман Андреевич 1907—1981）——1926 年加入苏共。1953 年任苏联总检察长。1961 年当选苏共中央委员。

鲁缅采夫，阿·马·（Румянцев，Алексей Матвеевич，1905—1993）——1940年加入苏共。1952年当选苏共中央委员。经济学家。1966年成为苏联科学院院士。

鲁莫尔——意大利共和国政府总理。

陆定一（1906—1996）——1925年加入中国共产党。1959年任中国国务院副总理。1962年当选中共中央书记。1979年被补选为中国全国政协副主席。

路易斯，维克多——《伦敦新闻晚报》自由撰稿人。

罗伯托——1960年代“安哥拉民族解放阵线”领导人。

罗马诺夫——苏联电影事业委员会主席。

罗曼诺夫，格·瓦·（Романов，Григорий Васильевич，1923—2008）——1944年加入苏共。1966年当选苏共中央委员。1976年当选苏共中央政治局委员。

罗斯特洛波维奇，姆·列·（Ростропович，Мстислав Леопольдович 1927—2007）——苏联人民演员、大提琴家、指挥家。1974年到欧洲巡回演出，1978年被取消苏联国籍。1977年开始担任华盛顿国家交响乐团首席指挥、艺术指导。同年移居美国。1990年恢复国籍。

罗斯托，沃·（1916—2003）——1961—1968年先后任美国总统国家安全事务副特别助理、国务院政策规划委员会主席、总统国家安全事务特别助理等职。1968年以后为得克萨斯大学教授。

洛拉什维利——格鲁吉亚第比利斯市委第一书记。

M

马哈茂德——第四次中东战争时，埃及西奈地区空军司令。

马克思

马利诺夫斯基，罗·雅·（Малиновский，Родион Яковлевич 1898—1967）——1926年加入苏共。1944年授苏联元帅军衔。1956年当选苏共中央委员。1957年任苏联国防部长。

马歇，乔治（Marchais，George 1920—1997）——1947年加入法国共产党。1972—1994年任法共中央总书记。

马祖罗夫，基·特·（Мазуров，Кирилл Трофимович 1914—1989）——1940年加入苏共。1956年任苏共白俄罗斯共和国中央第一书记。1965年当选苏共中央政治局委员。

曼德尔斯坦姆，奥·埃·（Мандельштам，Осип Эмильевич 1891—1938）——苏联俄罗斯诗人、作家。

梅德维杰夫，罗·亚·（Медведев，Рой Александрович，1925— ）——苏联持不同政见者，历史学家。

梅德维杰夫，若·亚·（Медведев，Жорес Александрович，1925— ）——苏联持不同政见者，科学家。

门格斯图，海·马·（Mengistu，Haile Mariam，1941— ）——1977 年任埃塞俄比亚临时军事行政委员会主席。1979 年任埃塞俄比亚劳动人民党组织委员会主席、国家元首兼政府总理，武装部队总司令。

蒙哥马利，贝·洛·（Montgomery，Bernard Law 1887—1976）——英国陆军元帅。1946—1948 年任英国总参谋长。

米哈伊尔一世——罗马尼亚国王。1947 年 12 月 30 日退位。

莫伊谢耶夫，尼·尼·（Моисеев，Никита Николаевич，1917—2000）——1944 年加入苏共。苏联物理学家。1966 年成为苏联科学院通讯院士。

N

内图，奥古斯丁（Neto，Agostinho，1922—1979）——1975 年任安哥拉人民共和国总统、安哥拉人民解放运动主席（1977 年改称安哥拉劳动党）。

纳吉·伊姆雷（1896—1958）——1948 年匈牙利劳动人民党成立后为中央政治局委员。1953—1955 年任匈牙利人民共和国政府总理。1956 年 10 月 24 日重新任政府总理。“十月事件”后，到南斯拉夫大使馆避难。1958 年被处决。

纳列尔特——捷克斯洛伐克共产党中央主席团委员、捷克斯洛伐克社会主义共和国政府总理。1968 年 4 月辞职。

纳赛尔，加·阿·（Nasser，Gamal Abdul，1918—1970）——1956 年任阿拉伯埃及共和国总统。1963 年任阿拉伯社会主义联盟主席。

纳扎尔巴耶夫，努·阿·（Назарбаев，Нурсултан Абишевич 1940— ）——1962 年加入苏共。1977 年任苏共哈萨克共和国中央书记。1991 年哈萨克斯坦独立后，当选哈萨克斯坦共和国首任总统。

尼基琴科（Никитенко）——乌克兰共和国国家安全委员会主席。

尼克松，理·米·（Nixon，Richard Milhous 1913—1994）——美国共和党人。美

国第 37 届总统（1969—1974）。

尼亚佐夫（Ниязов, Сапармурат Атаевич 1940—　）——土库曼斯坦总统。

涅克里奇，亚・莫・（Некрич，Александр Моисеевич 1920—1993）——苏联历史学家。1976 年被迫移居美国。

诺维科夫，亚・亚・（Новиков，Александр Александрович 1900—1976）——1920 年加入苏共。1942 年任苏联空军司令。1944 年授苏联空军主帅军衔。1953 年任苏联远程航空兵司令。

诺沃提尼，安・（Novotny，Antonin 1904—1975）——1946 年当选捷克斯洛伐克共产党中央委员。1953 年任党中央第一书记。1957 年任捷克斯洛伐克社会主义共和国总统。

P

帕斯捷纳克，鲍・列・（Пастернак，Борис Леонидович 1890—1960）——苏联俄罗斯作家、诗人。1957 年在国外发表长篇小说《日瓦戈医生》。1958 年获诺贝尔奖。

蓬皮杜，乔・让・雷・（Pompidou，Georges Jean Raymond 1911—1974）——1969—1974 年任法兰西共和国总统。

皮沃瓦罗夫——曾任苏共中央办公厅主任。

普拉托诺夫，安・普・（Платонов，Андрей Платонович 1899—1951）——苏联作家。

普里亚尼什尼科夫，德・尼・（Прянишников，Дмитрий Николаевич，1865—1948）——苏联农业科学院院士，苏联科学院院士。苏联农业化学家。

普斯托维特，尼・（Пустовит，Николай）——造成 1980 年马谢罗夫交通死亡事故的肇事车辆“嘎斯”的驾驶员。

普扎诺夫，亚・米・（Пузанов，Александр Михаилович 1906—1990）——1925 年加入苏共，1952 年当选苏共中央委员。1952—1956 年任俄联邦部长会议主席。1972 年任苏联驻阿富汗大使。

Q

齐涅夫，格・卡・（Цинев，Георгий Карпович 1907—1996）——1953 年起在苏联国家安全委员会担任领导工作，1970 年任该委员会副主席。

齐萨日——1968 年 5 月增补为捷克斯洛伐克共产党中央书记。

契尔沃年科，斯·瓦·（Червоненко，Степан Васильевич，1915—2003）——1940 年加入苏共，1961 年当选苏共中央委员。1959 年起任驻华大使，1965 年起任驻捷克斯洛伐克大使。

契里亚耶夫，格·伊·（1925—1982）——1944 年加入苏共。1965 年任苏共雅库特州委第一书记。1971 年当选苏共中央委员。

恰科夫斯基，亚·鲍·（Чаковский，Александр Борисович，1913—1994）——苏联作家。1941 年加入苏共。1962 年任《文学报》主编。

恰努克瓦泽——曾任苏共格鲁吉亚共和国党中央书记。

切布里科夫，维·米·（Чебриков，Виктор Михайлович，1923—1999）——1944 年加入联共，1981 年当选苏共中央委员。1968 年起任苏联国家安全委员会副主席。1978 年授上将军衔。1982 年 12 月起任苏联国家安全委员会主席。1988—1989 年任苏共中央书记。

切尔尼克——1968 年 4 月当选捷共中央主席团委员、捷克斯洛伐克社会主义共和国总理。

切尔诺夫，维·米·（Чернов, Виктор Михайлович）——俄国社会革命党领袖和理论家之一。1917 年任临时政府农业部长，1918 年 1 月任立宪会议主席。后流亡国外。

切卡诺夫——曾任克里姆林宫卫队局局长。

丘尔巴诺夫，尤·米·（Чурбанов，Юрий Михайлович，1936—　）——勃列日涅夫的女婿。1960 年加入苏共。1977 年任内务部副部长，1980 年任内务部第一副部长。1981 年当选苏共中央候补委员。

R

日夫科夫，托·（Zhivkov，Todor 1911—1998）——1932 年加入保加利亚共产党。1954 年起任保加利亚共产党中央第一书记（总书记）。

日米耶尔斯基·罗·——波兰元帅。

S

萨布林，B.M.（1939—1976）——1956 年入苏联海军服役。大型反潜舰“护卫”号政治副舰长。

萨达特，埃·埃·（Sadat，Anwar el，1918—1981）——1970年起任阿拉伯社会主义联盟主席，阿拉伯埃及共和国总统。1981年10月6日阅兵时遇刺身亡。

萨哈罗夫，安·德·（Сахаров，Андрей Дмитриевич，1921—1989）——苏联物理学家，号称“氢弹之父”。1953年成为苏联科学院院士。苏联持不同政见者。

萨曼塔尔——索马里民主共和国总统。

萨姆科夫，叶·亚——敖德萨工学院党委书记。

塞拉西，海·（1892—1975）——埃塞俄比亚皇帝。

沙塔洛夫，弗·亚·（Шаталов，Владимир Александрович 1927—　）——苏联宇航员。1953年加入苏共。1969年乘坐“联盟—4号”、“联盟—8号”，完成空中对接。1975年授空军中将军衔。

施莱辛格（Schlesinger）——20世纪70年代任美国国防部长。

施密特，海·（Schmidt，Helmut 1918—　）——1974年起任德意志联邦共和国联邦总理。

什捷缅科，谢·马·（Штеменко，Сергей Матвеевич 1907—1976）——1930年加入苏共。1948年任苏军总参谋长。1968年授大将军衔，兼任华沙条约缔约国联合武装部队参谋长。

什维斯特卡——1968年4月捷共中央全会当选捷共中央主席团委员。

斯大林

斯捷潘诺夫，弗·伊·（Степанов，Владимир Ильич 1912—　）——曾任苏共中央宣传鼓动部部长。

斯兰斯基，鲁·（1901—1952）——1921年加入捷克斯洛伐克共产党。1945年起任捷共中央总书记。

斯米尔诺夫，列·瓦·（Смирнов，Леонид Васильевич，1916—2001）——1943年加入苏共。1961年当选苏共中央委员。1963年起任苏联部长会议副主席。

斯姆尔科夫斯基，约·（1911—1974）——1933年加入捷克斯洛伐克共产党。1968年3月当选捷共中央主席团委员。同年4—12月任国民议会主席。1969年被解除一切职务，开除出党。

斯图鲁阿，罗·罗·（Стуруа，Роберт Робертович 1938—　）——1965年加入苏共。格鲁吉亚共和国第比利斯鲁斯塔韦利话剧院导演、院长。

斯维尔斯基，阿·伊·（Свирский Алексей Иванович，1865—1942）——1919年

加入苏共。苏联俄罗斯作家。

斯沃博达，卢·(Svoboda，Ludvik 1895—1979) ——1948 年加入捷克斯洛伐克共产党。1945 年任捷克国防部长，授大将军衔。1968 年起任捷克斯洛伐克社会主义共和国总统。

苏斯洛夫，米·安·(Суслов，Михаил Андреевич，1902—1982) ——1921 年加入苏共，1941 年当选苏共中央委员。1947 年起任联共中央书记，1952 年起任中央政治局（主席团）委员。

索尔仁尼琴，亚·伊·(Солженицын，Александр Исаевич 1918—2008) ——苏联作家，持不同政见者。1970 年获诺贝尔奖。

索洛缅采夫，米·谢·(Соломенцев，Михаил Сергеевич 1913—2008) ——1940 年加入苏共。1966 年当选苏共中央书记。1971 年当选苏共中央政治局候补委员。

索洛维约夫，尤·费·(Соловьев，Юрий Филиппович，1925—) ——1955 年加入苏共。1978 年起任苏共列宁格勒市委第一书记。1976 年当选苏共中央委员。

索斯诺夫，伊·德·(Соснов，Иван Дмитриевич，1908—1993) ——1940 年加入苏共。1975 年任苏联交通建设部部长。1976 年当选苏共中央候补委员。

T

塔别耶夫，费·阿·(Табеев，Фикрят Ахмеджанович 1928—) ——1951 年加入苏共。1960 年任苏共鞑靼州委第一书记。1961 年当选苏共中央委员。1980 年任苏联驻阿富汗大使。

塔拉基，努·穆·(Taraki，Nur Muhammad 1917—1979) ——阿富汗人民民主党主要创建人。1978 年起任阿富汗民主共和国革命委员会主席、政府总理。

特拉佩兹尼科夫，谢·巴·(Трапезников，Сергей Павлович 1912—) ——历史学家。1931 年加入苏共。1965 年任苏共中央部长。1966 年当选苏共中央委员。

特瓦尔多夫斯基，亚·特·(Твардовский，Александр Трифонович 1910—1971) ——苏联作家、诗人。1940 年加入苏共，1961 年当选苏共中央候补委员。1950 年任《新世界》杂志主编。

特维尔多赫列鲍夫，安·尼·(Твердохлебов，Андрей Николаевич，1940—) ——苏联物理学家。苏联持不同政见者。

托马——1976 年之前，任苏联造船工业部部长。

W

瓦文萨，莱·(1943— ）——1980年创立波兰独立自治团结工会，简称“团结”工会，并当选为“团结”工会主席。

维什涅夫斯卡娅——苏联人民演员。罗斯特洛波维奇的妻子。

沃雷诺夫，鲍·瓦·(Волынов, Борис Валентинович 1934— ）——苏联宇航员。1958年加入苏共。1969年乘坐“联盟—5号”宇航。返回后获苏联英雄称号。

沃洛布耶夫，巴·瓦·(Волобуев，Павил Васильевич 1923— ）——历史学家。1944年加入苏共。1970年起为苏联科学院通讯院士，1990年起为院士。

乌布利希，沃·(Ulbricht Walter 1893—1973）——1918年加入德国社会民主党“斯巴达克同盟”。1923年当选德国共产党中央委员。1960年任德意志民主共和国国务委员会主席。

乌斯季诺夫，德·费·(Устинов，Дмитрий Фёдорович，1908—1984）——1927年加入苏共。1953年任苏联国防工业部长。1976年任苏联国防部长。授元帅军衔。1976年当选苏共中央政治局委员。

X

西达莫尼泽——格鲁吉亚共和国民族史研究所研究人员。

西蒙诺夫，康·米·(Симонов，Константин Михайлович，1915—1979）——苏联作家。1942年加入苏共。1952年当选苏共中央委员。

西尼亚夫斯基，安·多·(Синиявский，Андрей Донатович，1925—1997）——苏联科学院高尔基文学研究所作家。因在西方以笔名发表作品，1965年被捕，并被处7年强迫劳动。后移居法国。

西佐夫，格·费·(Сизов，Геннадий Фёдорович，1903—1991）——1926年加入苏共。1964—1966年为苏共中央委员。

希克，奥·(1919— ）——捷克斯洛伐克经济学家，社会主义商品经济理论创导者之一。1962年任捷克科学院经济研究所所长，当选为捷共中央委员。1963年任捷克全国经济改革委员会主席。

希潘达——20世纪70年代初任“安哥拉人民解放运动”副主席，属乌姆崩杜部族。

希思，爱·理·乔（Heath，Edward Richard George 1916—2005）——英国保守

党领袖。1970—1974 年任英国首相。

肖斯塔科维奇，德·德·(Шостакович，Дмитрий Дмитриевич 1906—1975)——苏联作曲家。1960 年加入苏共。

谢尔，沃·(Scheel Walter，1919—)——1969 年任德意志联邦共和国联邦政府副总理、外交部长。1979 年任联邦德国总统。

谢尔比茨基，弗·瓦·(Щербицкий，Владимир Васильевич，1918—1990)——1941 年加入苏共。1971 年当选苏共中央政治局委员。1972 年任苏共乌克兰共和国中央第一书记。

谢尔久克，亚·伊·(Сердюк，Александр Иванович，1900—1988)——1943 年加入苏共。苏联人民艺术家。

谢雷，列·米·——20 世纪 70 年代的敖德萨工人。

谢列斯特，彼·叶·(Шелест П.Е. 1908—1996)——1964—1973 年任苏共中央政治局委员，1962 年起任乌克兰共产党中央书记、1963 年起任第一书记。1972—1973 年任苏联部长会议副主席。

Y

雅布隆斯基，亨·(Jablonski，Henryk 1909—2003)——1948 年当选波兰统一工人党中央委员。1971 年当选党中央政治局委员。任波兰国务委员会主席。

雅库鲍夫斯基，伊·伊·(Якубовский，Иван Игнатьевич 1912—1976)——1937 年加入苏共。1961 年当选苏共中央委员。1976 年任华沙条约缔约国联合武装部队总司令。

雅鲁泽尔斯基，威·(Jaruzelski，Wojciech 1923—)——1948 年参加波兰统一工人党。1981 年起任波兰统一工人党中央第一书记。

亚历山德罗夫—阿根托夫，安·米·(Александров-Агентов，Андрей Михаилович，1918—)——1948 年加入苏共。1963 年在苏共中央机关任职。1976—1986 年任苏共中央候补委员、委员。1964—1986 年任苏共中央第一书记（总书记）助理。

叶戈罗夫，安·格·(Егоров，Анатолий Григорьевич 1920—1997)——1944 年加入苏共。苏联科学院院士。1974 年任苏共中央马克思列宁主义研究院院长。1976 年当选苏共中央委员。

叶利谢耶夫，阿·斯·(Елисеев Алексей Станиславович 1934—)——苏联宇航员。1967 年加入苏共。

叶利扎维京——苏联驻华大使馆临时代办。

叶皮谢夫，阿·阿·(Епишев，Алексей Алексеевич 1908—1985）——1929年加入苏共。1962年任苏联武装力量陆海军总政治部主任，授大将军衔。1964年当选苏共中央委员。

叶赛宁，谢·亚·(Есенин，Сергей Александрович 1895—1925）——苏联俄罗斯诗人。

伊里因，维·伊·(1947—　）——1968年入伍服役，少尉军衔。1969年行刺勃列日涅夫未遂而被捕。

伊利切夫，列·费·(Ильичёв，Леонид Фёдорович 1906—1990）——1924年加入苏共。1961年当选苏共中央委员、中央书记。1962年成为苏联科学院院士。1965年调任苏联外交部副部长。

伊利扎维金——20世纪60年代后期任苏联外交部远东司副司长。

伊诺泽姆采夫，尼·尼·(Иноземцев，Николай Николаевич 1921—1982）——1943年加入苏共，1981年当选苏共中央委员。1968年成为苏联科学院院士。

英德拉——1968年5月增补为捷克斯洛伐克共产党中央书记。

余湛——20世纪60年代后期任中国外交部苏联东欧司副司长。

约翰·保罗二世(Ioannes Paulus 1920—2005）——1964年为波兰克拉科夫都主教。1978年10月起为罗马教皇。

约翰逊，林·巴·(Johnson，Lyndon Baines 1908—1973）——美国民主党人。美国第36届总统（1963—1969)。

Z

扎依采夫，叶·费·(Зайцев, Евгений Федорович 1920—1980）——马谢罗夫的座车驾驶员。

周恩来（1898—1976)

朱德（1886—1976)

朱可夫，格·康·(Жуков，Георгий Констатинович 1896—1974）——1919年加入苏共。1953年起任苏联国防部长。1956—1957年为苏共中央主席团委员。

兹维塔耶娃，玛·伊·(Цветаева，Марина Ивановна 1892—1941）——俄国女诗人、作家。

大 事 记

1964 年

10 月 14 日　苏共中央召开全体会议，决定解除赫鲁晓夫苏共中央第一书记、苏共中央主席团委员、苏联部长会议主席职务。选举勃列日涅夫为苏共中央第一书记。勃列日涅夫推荐柯西金担任苏联部长会议主席，被中央全会一致通过。

10 月 15 日　苏联最高苏维埃主席团举行会议，解除赫鲁晓夫的苏联部长会议主席职务，任命柯西金为苏联部长会议主席。

10 月 16 日　中共中央主席毛泽东、中国国家主席刘少奇、中国人大常委会委员长朱德、中国政府总理周恩来，联名致电祝贺勃列日涅夫当选苏共中央第一书记，祝贺柯西金被任命为苏联部长会议主席。

10 月 19 日　勃列日涅夫在欢迎宇航员大会上讲话，说苏共第二十次、第二十一次、第二十二次代表大会制定的党的总路线是列宁主义的路线。它过去、现在和将来都是苏联党和政府整个对内、对外政策的唯一的、不可动摇的路线。

10 月 27 日　苏共中央通过《关于取消对集体农庄庄员、工人和职员个人副业的不合理限制》的决议，将家庭副业的经营范围恢复到 1958 年前所规定的标准。

11 月 5 日　以周恩来为团长、贺龙为副团长的中国党政代表团抵达莫斯科，参加十月革命 47 周年庆典。

11 月 6 日　勃列日涅夫在庆祝十月革命 47 周年大会上讲话，除重申坚持苏共二十大、二十一大、二十二大所制定的路线之外，还说改革使我们遭到了从来没有见过的大灾祸。

11 月 9 日、11 日　苏、中双方代表团举行会谈。会谈毫无结果，不欢而散。

11 月 16 日　苏共中央全会通过了关于把州、边疆区的工业党组织、农业党组织合并的决议，恢复统一的州、边疆区的党委员会。全会还选举谢列斯特、谢列平为苏共中央主席团委员，选举杰米契夫为苏共中央主席团候补委员。

12 月 7 日　尤苏波夫被解除哈萨克共和国党中央第一书记职务。哈萨克共和国部长会议主席库纳耶夫出任党中央第一书记。

12 月 9—11 日　苏联最高苏维埃举行会议，听取并讨论了柯西金关于改善现行的计划和管理制度，加强对生产的经济刺激的报告。

12 月 11 日　勃列日涅夫出任苏联宪法委员会主席。

1965 年

1 月 1 日　苏联最高国民经济委员会决定，莫斯科、列宁格勒等 10 个大城市的缝纫和制鞋企业，摩尔达维亚、中亚地区和高加索地区各共和国的 400 家轻工业企业，推行根据商业部门直接订货完成生产计划的试验。新经济体制改革启动。

2 月 1 日　全苏列宁农业科学院通讯院士、列宁勋章获得者莫伊谢耶夫致信勃列日涅夫和柯西金，提出农业生产艰难状况的 3/4 原因在于，我们对商品经济的要求和原则予以粗暴的压制和破坏。

2 月 22 日　苏共莫斯科市委第一书记叶戈雷契夫在《共产党人》杂志 1965 年第 3 期上发表《教育青年是党的事业》的署名文章，批评宣传工作中片面夸大个人崇拜时期的专横和痛苦。《伊凡・杰尼索维奇的一天》被点名批评。

3 月 1—5 日　共产党和工人党代表协商会议在莫斯科召开。应邀的 26 个国家的党中，苏联、东欧各国，以及英、法、意等 19 个国家的党参加会议。中国、朝鲜、阿尔巴尼亚、越南等 7 个国家的共产党或拒绝参加，或没有接受邀请。

3 月 3 日　勃列日涅夫、基里连科、谢列平、伊利切夫等苏共领导人出席俄罗斯联邦作家协会第二次代表大会开幕式。基里连科代表苏共中央向大会致辞表示，反对艺术中的自然主义、形式主义倾向，反对在意识形态领域搞和平共处。

3 月 4 日　亚、非、拉美各国留苏学生在莫斯科举行反对美国扩大越南战争的示威游行，和苏联军警发生流血冲突。30 多名中国留学生受伤，其中 9 人受重伤。

3 月 26 日　苏共中央通过《关于进一步发展苏联农业的刻不容缓的措施》的决议，认为破坏物质利益原则是农业落后的基本原因。

4 月 7 日　苏共中央书记杰米契夫在编辑人员会议上讲话，批评各种报刊和大众宣传媒体纠缠不休地谈论斯大林的个人崇拜，把一切过错都归咎于九泉之下的斯大林。

4 月 5—9 日　勃列日涅夫率苏联党政代表团对波兰进行正式访问。4 月 8 日在华沙签订了苏波友好合作互助条约，作为 1945 年 4 月 21 日签订的苏波友好合作互助条约的继续。

9 月 27—29 日　苏共中央举行全体会议。柯西金在 27 日会议上作《关于改进工业管理、完善计划工作和加强工业生产的经济刺激》的报告。29 日中央全会就柯西金的报告通过了相应决议。新经济体制改革全面铺开。

9 月　西尼亚夫斯基和达尼埃尔被捕（1966 年 2 月，西尼亚夫斯基被判处强迫劳动 7 年，达尼埃尔被判处强迫劳动 5 年）。

10 月 4 日　苏共中央和苏联部长会议《关于完善计划工作和加强工业生产的经济刺激》的决议公布。当天，苏联部长会议批准了《社会主义国营生产企业条例》，赋予企业在财产、计划、财务、产品销售、生产工艺、劳动工资等诸方面更大的自主性，并为此提供法律依据。

10 月 9 日　苏共中央主席团、苏联部长会议为贯彻苏共中央九月全会关于新经济体制改革的决议，决定从 1966 年开始在国民经济各部门的工业企业中分期分批地推行新经济体制改革。

12 月 5 日　苏联宪法日。诗人亚·叶赛宁·沃尔平牵头，在莫斯科普希金广场集会，要求尊重宪法，要求公开审讯西尼亚夫斯基和达尼埃尔。

12 月 9 日　苏联最高苏维埃会议宣布，米高扬因“年老体弱”退休，选举波德戈尔内为苏联最高苏维埃主席团主席。

1966 年

1 月 12—17 日　勃列日涅夫率苏联党政代表团对蒙古人民共和国进行正式访问。1 月 15 日，两国签订了为期 20 年的、具有军事同盟性质的《友好合作互助条约》。条约规定：两国将采取包括军事措施在内的一切措施，以保证两国的安全和领土完整。

1月25日　新农业劳动组合示范章程起草委员会成立，勃列日涅夫任委员会主席。

2月24日　勃列日涅夫以苏共中央名义，邀请中国共产党派代表团出席即将举行的苏共第二十三次代表大会。

3月22日，中共中央复信苏共中央，拒绝了苏共中央的邀请。从此，苏中两党的党际关系终结。

3月29日—4月8日　苏共召开第二十三次代表大会。

5月17日　勃列日涅夫出席苏联列宁共青团第十五次代表大会并讲话，强调离十月革命的日子越久远，对青年一代进行思想教育的任务就越重要。

6月　经苏共中央批准，俄罗斯联邦最高苏维埃主席团发布命令，增补俄联邦刑法第190条，惩治思想犯罪活动。

6月20日—7月1日　法国总统戴高乐访问苏联，在莫斯科签署了苏法宣言。双方表示赞成在东西方所有国家间创造缓和气氛，欧洲国家在所有领域进行有效合作。

7月4—6日　华沙条约缔约国政治协商委员会会议在布加勒斯特举行。5日，会议通过了加强欧洲和平与安全宣言，提出同时解散现有的军事联盟，召开全欧洲会议来讨论保障欧洲安全，建立全欧洲合作等问题。

7月26日　苏共中央、苏联部长会议通过《关于1966—1970年苏联农业的电气化》决议，规定到1970年底之前，保证实现集体农庄庄员和国营农场职工的家庭电气化。

10月7日　苏联政府通知中国驻苏大使馆，决定召回在华的全部苏联留学生。根据对等原则，决定中国的全体留苏学生休学，限令在10月份离开苏联。

11月10日　苏共中央政治局会议，勃列日涅夫在会上作关于克服意识形态工作中的严重缺点和错误的讲话。会议根据勃列日涅夫的讲话，作出了相应的决定，由波诺马廖夫负责，编写新的苏共党史，作为对全民进行政治思想教育的中心轴。

11月15日　勃列日涅夫率苏共代表团出席保加利亚共产党第九次代表大会。勃列日涅夫向大会致辞说：自己最主要的职责是提高社会主义国家联合起来的威力。

12月1—9日　柯西金对法国进行正式访问。两国签署的苏法声明中表示：双方将促进欧洲安全，组织全欧合作，使一代人和今后几代人免遭核战争的灾祸。

12月12—13日　苏共中央召开全体会议，听取和讨论了勃列日涅夫《关于苏联国际政策和苏共为共产主义运动团结一致而斗争》的报告。全会表示完全赞同苏共中央政治局在这方面的政治路线和实际工作，通过了相应决议。

1967年

1月13日　苏联外交部长葛罗米柯向苏共中央政治局提出《外交政策备忘录》。该文件的基本精神是：国家利益是外交活动的基本原则，应当明确区分外交活动和共产主义运动的不同。

1月25日　中国留欧学生69人回国途中路经莫斯科，在向列宁、斯大林墓献花圈、齐声朗读毛主席语录时遭苏联军警殴打，30余人受伤，其中4人重伤。

2月3日　晚7时许，苏联便衣160余人闯入中国驻苏大使馆，砸毁使馆内的新闻图片展览橱窗，打伤包括中国驻苏大使馆临时代办安致远在内的10余人。

2月6—13日　苏联部长会议主席柯西金正式访问英国。两国发表的联合声明表示，以必要的方式筹备召开关于讨论保障欧洲安全和发展欧洲合作的全欧洲会议将是有益的。

2月9日　苏联外交部口头通知中国驻苏大使馆：从2月12日起，所有前往苏联或途径苏联的中国公民，必须取得苏联的相应签证；由苏联出境的必须持有苏联出境签证。

3月7日　斯大林女儿阿利卢耶娃在印度参加其印度丈夫布拉特热什·辛格的葬礼之后，来到美国驻印度大使馆，要求到美国政治避难（4月22日，阿利卢耶娃飞抵美国）。

3月14日　苏联最高苏维埃主席团发布命令：企业、学校和机关的工人、工作人员的工作日，改为每周工作5天、休息2天。

3月31日　苏共中央政治局委员、苏联国防部长马利诺夫斯基病逝。

4月12日　格列奇科被任命为苏联国防部长。雅库鲍夫斯基被任命为国防部第一副部长、华沙条约组织联合武装部队总司令。

5月10—13日　勃列日涅夫率苏联党政代表团正式访问保加利亚。5月12日，两国签订友好互助合作条约，表示双方有义务同华沙条约其他缔约国一起，保证该条约缔约国的国界不可侵犯。

5月17日　吉尔吉斯共和国首都伏龙芝市（现比什凯克）由足球骚乱而引发了游行示威，导致1人被打死、3人被打伤、18人被逮捕。

5月19日　安德罗波夫被任命为苏联国家安全委员会主席。该委员会原主席谢米恰斯内被调任乌克兰共和国部长会议第一副主席。

5月22日　在乌克兰诗人舍甫琴柯的遗骨从俄罗斯迁回故乡第聂伯河畔的乌克兰城市卡涅夫的纪念日，基辅发生知识分子、青年学生在舍甫琴科纪念像前集会游行。几名被认为是游行组织者的人被捕。

6月13日　哈萨克共和国奇姆盖特市发生群众性游行示威。结果，7人被打死、50多人被打伤，大批人被捕。

6月20日　苏共召开中央全会，勃日列涅夫作《关于苏联对以色列在近东的侵略的政策》报告。全会赞同苏联的立场以及对近东事态所采取的实际措施。

6月21日　安德罗波夫当选苏共中央政治局候补委员；他所担任的苏共中央书记职务被解除。当天，由20人组成的克里米亚鞑靼人请愿团来到克里姆林宫请愿。安德罗波夫接见了请愿团。

6月23日　柯西金与美国总统约翰逊在纽约附近的葛拉斯堡罗举行最高级会谈。会谈仅限于彼此了解一些对方的意图。

6月27日　格里申取代叶戈雷契夫任苏共莫斯科市委第一书记。叶戈雷契夫被调任苏联驻丹麦大使。

7月3—8日　法国总统蓬皮杜正式访问苏联，双方表示赞同欧洲大陆的缓和政策，继续研究全欧洲会议问题。

7月11日　苏共中央解除谢列平的苏共中央书记职务。

9月6—8日　勃列日涅夫率苏联党政代表团正式访问匈牙利。9月7日，两国签订友好合作互助条约，承认现有边界的不可侵犯性。

11月3—4日　勃列日涅夫在克里姆林宫庆祝十月革命50周年大会的报告中，正式提出苏联已建成发达社会主义。

12 月 8 日　勃列日涅夫到达布拉格“休息和打猎”。10 日，勃列日涅夫离开布拉格返回苏联。勃列日涅夫此行，放弃了对诺沃提尼的支持。

12 月 11—12 日　德国统一社会党中央第一书记、民主德国国务委员会主席乌布利希应邀正式访问苏联。两国会谈主要涉及捷克斯洛伐克的局势问题，双方表示：对当前国际局势的估计，观点完全一致。

12 月 14—15 日　以罗共中央总书记、罗国务委员会主席齐奥塞斯库为首的罗党政代表团对苏进行正式友好访问。

1968 年

1 月 22 日　苏共中央举行意识形态工作人员会议，强调意识形态领域没有“和平共处”。

1 月 22—24 日　英国首相威尔逊正式访问苏联。双方表示：近期两国签订的一系列经济性协定表明，彼此都有进一步发展多方面合作的意向。

2 月 22 日　勃列日涅夫抵达布拉格，参加捷克 1948 年“二月夺权”20 周年庆典。

3 月 4 日　《真理报》发表苏联科学院副院长、苏联科学院院士鲁缅采夫、哈恰图洛夫的文章，说：赋予价值规律以主要调节者作用，意味着转向与马克思列宁主义格格不入的市场社会主义。理论界展开了对市场社会主义的猛烈批判。

3 月 6—7 日　勃列日涅夫、柯西金等苏共领导人在索非亚参加华沙条约缔约国政治协商委员会会议。

3 月 23 日　苏、波、匈、捷、保、民主德国等 6 国共产党、工人党和政府领导人在德累斯顿举行会晤。强调在目前形势下，要特别警惕帝国主义势力对社会主义大家庭的侵略意图和破坏活动。

3 月 27 日　人类历史上遨游太空的第一人加加林，在进行普通飞行训练时发生意外，不幸机毁人亡。

5 月 3 日　勃列日涅夫邀请捷克党政领导人杜布切克、切尔尼克、斯姆尔科夫斯基等到莫斯科“谈一谈”，正告他们要谨慎地行动。

5 月 8 日　苏共邀请保、匈、波、民主德国等 4 国的党的领导人到莫斯科，商讨捷克的局势与应当采取的对策。

6月14日　勃列日涅夫与来访的、由斯姆尔科夫斯基率领的捷克国民议会代表团座谈。勃列日涅夫表示：苏联随时准备为捷克的独立而战斗。勃列日涅夫还对斯姆尔科夫斯基进行策反工作，遭婉拒。

6月18日　华沙条约缔约国的苏、波、匈、捷等4国武装力量，开始在捷克境内举行联合军事演习。

7月1日　苏联、美国和英国，分别在莫斯科、华盛顿和伦敦，签署防止核武器扩散条约，并予公开，以供其他国家签署。以后有100多个国家在该条约上签署。法国和中国没有在该条约上签字。

7月4—10日　阿拉伯联合共和国总统纳赛尔正式访问苏联。双方商谈了进一步扩大政治、经济、军事方面合作的可能。

7月14—15日　苏、波、匈、保、民主德国等5国的党的领导人在华沙会晤。他们通报了捷克局势的发展，决定联名致信捷共中央委员会，指出回击捷克国内的反共势力、保卫捷克的社会主义事业是华沙条约缔约国的共同任务。

7月15日　莫斯科—纽约直达航线首航。

7月22日　苏共中央政治局会议通过决议，认为有必要派遣华沙条约联合武装力量进驻捷克，撤换捷克党政领导人。

7月29日—8月1日　苏共中央代表团和捷共中央代表团在捷克边陲小镇切尔纳举行会谈。捷共被迫承诺将更换克里格尔、齐萨日等的领导职务；苏共承诺不干涉捷克内政。

8月5日　苏共中央和苏联部长会议通过《关于进一步发展苏联的道路建设》的决议。决议规定：包括混凝土路面、沥青路面、坚固土路面在内的硬路面修筑，每年提高20%。到1975年，年修筑里程达4万公里。20世纪70年代末，农村基本实现硬路面公路网络化。

8月16、17日　格列奇科、雅库鲍夫斯基、叶皮谢夫等苏军领导人视察柏林、华沙等地，检查入侵捷克部队的临战准备状况。

8月20日　午夜时分，以苏军为基干的华沙条约缔约国武装力量，对捷克实行武装占领。入侵苏军逮捕了杜布切克、切尔尼克、斯姆尔科夫斯基、克里格尔等4名捷克领导人，押到莫斯科。

8月23日　苏共中央与被劫持到莫斯科的杜布切克等捷克领导人在莫斯

科“会谈”。

8 月 25 日　包括巴维尔·李维诺夫在内的一批人，在莫斯科红场集会，抗议苏军入侵捷克斯洛伐克。

8 月 26 日　苏捷《联合公报》在莫斯科签署。捷共被迫放弃改革，放弃《行动纲领》；杜布切克等捷克领导人返回捷克。

9 月 12 日　苏共中央和苏联部长会议通过《关于整顿农村建设》的决议，要求把农村居民点建设成设施齐全的村镇。20 世纪 70 年代后期，农村基本普及燃气使用。

10 月 4 日　杜布切克率捷克代表团抵达莫斯科，与苏联签订了《盟国军队暂驻》条约，苏军的武装占领合法化。华沙条约其他缔约国的入侵军队撤离。

11 月 13—14 日　苏共中央与由意大利共产党中央总书记贝林格率领的意共代表团在莫斯科举行会谈。意共坚持认为捷克没有出现有让苏军进驻的“特殊情况”。

11 月 29 日　苏联最高苏维埃主席团决定：将苏联社会治安部更名为苏联内务部。

1969 年

1 月 14 日　载人宇宙飞船“联盟 4 号”进入预定轨道。15 日，载人宇宙飞船“联盟 5 号”又飞上预定轨道，并在太空与“联盟 4 号”实现硬对接。17、18 日，“联盟 4 号”、“联盟 5 号”相继返回地面。

1 月 22 日　列宁格勒军区少尉伊里因在克里姆林宫博罗维察门暗杀勃列日涅夫。勃列日涅夫临时改道幸免，伊里因被当场抓获，关入精神病院。

3 月 2 日　苏军远东边防军与中国人民解放军边防军在珍宝岛发生军事冲突。苏军边防军死亡 23 人、伤 14 人。彼得·亚基尔致信《共产党人》杂志编辑部，反对“亲斯大林运动”（1972 年 6 月，亚基尔被捕）。

3 月 15 日　苏军远东边防军与中国人民解放军边防军在珍宝岛发生大规模武装冲突。战斗从上午8时开始，持续到晚上7时，苏军边防军撤出珍宝岛。

3 月 17 日　华沙条约缔约国政治协商委员会会议在布达佩斯举行。会议向欧洲各国发出一份呼吁书，呼吁早日召开欧洲安全和合作会议。

3 月 29 日　苏联政府发表声明，建议恢复中断的中苏边界谈判。

4 月 10 日　苏联政府就北大西洋公约组织建立 20 周年发表声明，建议和该条约组织共同努力，采取行动，以建立欧洲可靠的安全体系。

4 月 24 日　苏联部长会议颁布新的《集体农庄示范章程》，以取代 1935 年颁布的章程。新章程将庄员的宅旁园地拥有额放宽到 0.5 公顷。

6 月 5—17 日　共产党、工人党国际会议在莫斯科召开，75 个党的代表团参加会议。勃列日涅夫在会上讲话时指出：苏共和苏联人民今后仍将对解决反帝斗争的任务作出更大的贡献。

6 月 11 日　苏联政府就召开保障欧洲和平与安全的全欧洲会议问题，向芬兰政府递交了备忘录。

8 月　罗·梅德维杰夫因给《共产党人》杂志编辑部写信，反对为斯大林恢复名誉，被开除出苏共。

8 月 13 日　苏联边防军在苏中边界的西段，突入中国新疆裕民县铁列克提地区，打死正在巡逻的中国边防分队一个排。

9 月 11 日　苏联部长会议主席柯西金抵北京首都机场和中国国务院总理周恩来举行机场会晤，就重开边界谈判、双方从有争议地区脱离接触等问题达成了协议。

10 月 14—18 日　波德戈尔内对芬兰进行正式访问，双方表示今后仍将为确保全欧洲会议的举行创造必要的前提。

10 月 20 日　苏、中两国边界谈判在北京复会。代表苏联政府的是苏联外交部副部长库兹涅佐夫；代表中国政府的是中国外交部副部长乔冠华。

10 月 30—31 日　华沙条约缔约国外交部长会议在布拉格举行。会议特别关注召开全欧洲安全和合作会议问题。

11 月 24 日　苏联最高苏维埃主席团批准不扩散核武器条约。

11 月 25 日　全苏集体农庄庄员第三次代表大会在莫斯科召开。

12 月 17 日　苏共中央政治局会议，主要议题是讨论关于斯大林诞生 90 周年报刊如何发表文章问题。勃列日涅夫就所讨论的主要问题作总结：以平静的语气、按照代表大会通过的决议和中央相应决议的精神，发表文章。12 月 21 日，斯大林诞辰 90 周年纪念日，《真理报》按这一精神，发表了一篇简短的编辑部文章。

12 月底　苏联政府重新派托尔斯季科夫为驻中国大使。中国新派出的驻苏大使是刘新权。

1970年

1月15日　苏共中央和苏联部长会议通过《关于加速发展西伯利亚石油开采工业》的决议。

2月　由苏共中央书记波诺马廖夫主编、苏共中央政治局批准的《苏联共产党历史》增订第3版出版。《真理报》为此发表书评，称这本书是"真正马克思列宁主义教科书"。

5月5—7日　勃列日涅夫率苏联党政代表团对捷克斯洛伐克进行正式访问。6日，两国签订友好合作互助条约。

6月29日—7月7日　埃及总统纳赛尔对苏联进行友好访问。双方探讨了进一步发展苏埃关系问题。

8月11—13日　联邦德国总理勃兰特对苏联进行正式访问，签订了苏联和联邦德国条约。条约确认无条件恪守欧洲各国现有国界内的领土完整；所有欧洲国家，包括波兰和两个德国的边界，现在和将来都不可侵犯。

9月1日　苏共中央和苏联部长会议通过决议，成立司法部。捷列比洛夫被任命为苏联司法部部长。

9月21日—10月1日　印度共和国总统瓦拉哈吉里·文卡塔·吉里对苏联进行正式访问。双方除就国际问题交换意见之外，印度表示欢迎苏联和联邦德国签订的条约，认为这是巩固欧洲和平的重要步骤。

10月6—13日　法兰西共和国总统乔治·蓬皮杜访问苏联，两国签署了苏法宣言、苏法议定书。两国表示赞同召开全欧洲安全和合作会议。

10月8日　索尔仁尼琴获诺贝尔文学奖。

10月20—24日　苏联党政代表团对索马里民主共和国进行正式访问。

10月30日　《真理报》刊登索洛维耶夫《论社会主义经济中的商品货币关系》一文。文章激烈批评"右倾修正主义者"夸大商品货币关系的作用，导致"市场社会主义"的错误。

11月4日　萨哈罗夫和查利泽等人组成"苏联人权委员会"。

1971 年

1 月 13—19 日　波德戈尔内正式访问阿拉伯联合共和国，庆祝阿斯旺水力、电力综合工程竣工并交付使用。

1 月 15 日　苏联政府向中华人民共和国政府建议，两国缔结互不使用武力条约。苏联提出的条约草案中说：双方将不以使用任何武器，包括常规武器、火箭武器、核武器的武装力量，来反对另一方。中国政府不予答理。

3 月 30 日—4 月 9 日　苏共举行第二十四次代表大会。

4 月 19—23 日　芬兰共和国总理阿・卡尔亚莱宁正式访问苏联，签订了在芬兰建设第二个原子能发电站的合作议定书。

4 月 25 日　苏联用 1 枚火箭发射 8 颗“宇宙号”人造卫星。

5 月 27 日　苏联和阿拉伯联合共和国在开罗签署为期 15 年的友好合作条约。（1976 年 3 月，萨达特单方面废除了该条约）

9 月 3 日　苏、美、英、法等 4 国政府，在柏林签署了“四国协定”，最终确定了西柏林的法定地位。

9 月 11 日　原苏共中央第一书记、苏联部长会议主席赫鲁晓夫逝世。

9 月 16—18 日　联邦德国总理勃兰特访问苏联。两国表示一致主张尽快举行全欧洲安全和合作会议；促进同时接纳民主德国和联邦德国进入联合国。

10 月 11—13 日　阿拉伯埃及共和国总统萨达特对苏联进行了正式友好访问。

10月25—30 日　勃列日涅夫访问法国。两国签署了合作协定和合作原则。

1972 年

1 月 23—28 日　苏共中央政治局委员、苏联外交部长葛罗米柯访问日本。24 日，葛罗米柯与日本外相福田康夫会谈时，回避领土问题，泛谈：“要加强苏日两国关系就必须避免第三国介入”。1 月 28 日，葛罗米柯单独会晤日本首相佐藤荣作，建议：“希望双方能回归 1956 年的《苏日共同宣言》。我愿意向苏共中央政治局提议归还齿舞、色丹两岛，以促成苏日和约的缔结。相信政治局也会赞成我的看法。”佐藤毫无准备，日本议会也未讨论过这个问题。佐藤只好表示：“考虑一下看看。”

2月25—27日　芬兰共和国总统吉科宁对苏联进行非正式访问。双方主张尽快召开全欧洲安全和合作会议；所有国家都必须着手在赫尔辛基进行多边协商。

3月6日　苏共中央作出关于格鲁吉亚共产党、第比利斯市委在组织工作和政治工作中的错误的决议，严厉批评上述党组织的官僚主义、违犯党纪国法、滥用职权等错误行为。

3月20日　勃列日涅夫在苏联工会第十五次代表大会上讲话，正式提出建立亚洲集体安全体系。1973年8月15日，勃列日涅夫在阿拉木图讲话时，进一步阐述了建立亚洲集体安全体系问题。

4月25日　格鲁吉亚共和国首府第比利斯市市委第一书记洛拉什维利被撤职，由该共和国内务部部长谢瓦尔德纳泽接任此职。

5月22—30日　美国总统尼克松正式访问苏联，两国签订了"限制反弹道导弹系统条约"、"关于限制进攻性战略武器的某些措施的临时协定"、"苏美相互关系原则文件"等协定。

7月　苏联军事顾问团和所有专家，被从埃及驱逐回国。苏联所有在埃及的军事设施，被埃及政府收归为国有财产。

7月　谢列斯特被解除乌克兰共和国党中央第一书记职务。7月27日，乌克兰共产党中央新任第一书记谢尔比茨基批评谢列斯特所犯的民族主义错误。谢列斯特的《我们的苏维埃乌克兰》一书，于1970年由乌克兰政治书籍出版社用乌克兰文出版。

8月22日　苏联国家电影委员会主席罗曼诺夫被撤职，《苏维埃文化报》主编叶尔马什被任命为该委员会主席。当天，苏共中央通过《关于进一步发展电影事业》的决议。决议批评有些电影缺乏思想性和阶级立场，曲解历史和现实，电影委员会对电影事业领导不力。

9月29日　格鲁吉亚共和国党中央第一书记姆日阿瓦纳泽退休。第比利斯市委第一书记谢瓦尔德纳泽任格鲁吉亚共和国党中央第一书记。

12月21日　苏共中央、苏联最高苏维埃、俄罗斯联邦最高苏维埃举行庆祝苏联成立50周年大会。勃列日涅夫在大会的报告中宣布：人的新的历史共同体——苏联人民在我国成为现实。

1973 年

1 月 11—12 日　法兰西共和国总统蓬皮杜对苏联进行非正式访问，和勃列日涅夫在明斯克附近的扎斯拉夫里举行会谈，重申召开欧洲安全和合作会议的必要性。

2 月 20 日　格鲁吉亚共和国党中央书记恰努克瓦泽因贪污腐化而被撤职。党中央第一书记谢瓦尔德纳泽在共和国党中央全会上严厉谴责一些高级干部利用手中的权力，过着花天酒地的生活。5 名区委书记、企业领导人同时被撤职。

4 月 17—18 日　乌克兰共产党召开中央全会，批判谢列斯特的民族主义错误。

4 月 26 日　谢列斯特被解除苏共中央政治局委员职务，令其退休。

5 月　由基里连科牵头的“科学技术革命问题委员会”草拟一份经济改革纲领，递交苏共中央政治局。经济改革纲领共 130 页，一直锁在勃列日涅夫的保险柜里。

5 月 18—22 日　勃列日涅夫访问联邦德国。两国领导人会谈时对两个德国都加入联合国表示欢迎；两国决心促使欧洲安全和合作会议在近期内召开。

6 月 18—25 日　勃列日涅夫正式访问美国，签署了苏美联合公报、关于进一步限制进攻性战略武器的谈判基本原则、防止核战争协定等一系列协定。

6 月 25—27 日　勃列日涅夫与蓬皮杜在巴黎会晤。

7 月 3—7 日　欧洲安全和合作会议在赫尔辛基开幕。35 个国家的外交部长参加会议。第一阶段会议议程有：欧洲安全；经济、科学技术和环境保护方面的合作；人文和其他方面的合作；会后的进一步措施等。

7 月 30—31 日　社会主义国家共产党、工人党领导人在莫斯科会晤。

9 月 6 日　苏共中央书记处通过《关于萨哈罗夫院士反社会活动》的通报，向全党的政工干部传达。

9 月 18 日　欧洲安全和合作会议第二阶段会议在日内瓦举行。第二阶段会议直至 1975 年 7 月 21 日结束，形成了《欧洲安全和合作最后文件》。

10 月 7—10 日　日本国首相田中角荣正式访问苏联。田中与勃列日涅夫会谈时，提出：“北方领土问题的解决应作为两国首脑会议的主要议题。”勃列日涅夫则提出“西伯利亚开发问题”，不谈领土问题。

10 月 25—31 日　世界和平大会在莫斯科举行。143 个国家的 3000 多名代表与会。勃列日涅夫在向大会的致辞中说：现代国际关系发展中的主要倾向是从冷战转向紧张局势的缓和，由军事对抗转向加强安全与和平合作。

11 月 12 日　《真理报》发表阿赫别基扬的《依靠集约方法》的文章。文章对西伯利亚和远东地区的 1064 名企业经理调查后得悉，80% 的人诉说：上级机关像从前一样干预企业的经营和生产活动。

12 月 10 日　勃列日涅夫在苏共中央全会上讲话，提出：克服农业的严重落后状况，关键是要把农业生产集约化的任务提到首要地位，强调现在的任务是急剧改变工作重点，把重点转到管理经济的集约化方法上去。

1974 年

1 月 10 日　苏共中央指示苏联驻赞比亚大使，分别拜会安哥拉“人运”领导人内图和希潘达，要求他们消除彼此的分歧。

2 月 12 日　苏联最高苏维埃主席团通过关于褫夺索尔仁尼琴苏联国籍、驱逐出境的命令。

2 月 13 日　索尔仁尼琴被押上特意安排的、飞往联邦德国的航空班机，飞抵美因河畔的法兰克福。

2 月 16—18 日　芬兰共和国总统吉科宁对苏联进行非正式访问。会谈中，双方认为在日内瓦举行的欧洲安全和合作会议第二阶段的工作是有成效的。应尽快结束第二阶段工作，并准备在赫尔辛基召开第三阶段最高级会议。

3 月 15 日　勃列日涅夫出席在阿拉木图举行的纪念垦荒 20 周年大会并讲话，要求更广泛地吸收劳动人民参与管理工作；通过国家机构和广泛的群众性社会组织网络，使管理社会的形式愈益丰富，是苏联完善社会主义民主的方针。

5 月 26 日　罗斯特洛波维奇从莫斯科飞往伦敦，开始了到国外巡回演出的行程。

6 月 4—8 日　阿富汗共和国国家元首兼政府总理达乌德对苏联进行正式友好访问。

6 月 24 日　《真理报》摘要刊登了苏共中央《关于莫斯科鲍曼高等技术学校和国立萨拉托夫车尔尼雪夫斯基大学在提高社会科学教学的思想理论水平方

面的工作》的决议，批评这两所高校在社会科学教学工作中对重要的理论问题、苏联社会主义历史等论述得肤浅，对资产阶级和修正主义批判得无力，没有注意现阶段意识形态斗争的特点，决议要求完善马列主义教育体制。

6月27—7月3日　美国总统尼克松正式访问苏联。访问期间，两国签署了关于限制地下核试验条约、关于限制反导弹防御系统条约的附加议定书等协定。

7月11日　波德戈尔内正式访问索马里，签订了苏联、索马里民主共和国友好合作条约。1977年11月，索马里政府单方面废除了这一条约。

10月28—31日　联邦德国总理施密特、外长根舍正式访问苏联。两国声明说：将尽一切可能使缓和进程成为欧洲人民生活中持久而稳定的因素。

11月23—24日　美国总统福特和勃列日涅夫在符拉迪沃斯托克举行工作会晤，双方就限制进攻性战略武器问题进行了具体商谈。勃列日涅夫中风。

11月25—27日　勃列日涅夫率苏联党政代表团，参加蒙古人民革命党第三次代表大会暨蒙古人民共和国成立50周年的庆祝活动。

12月4—7日　勃列日涅夫对法国进行工作访问。苏、法两国领导人表示决心积极参与欧洲安全和合作会议的工作。回国后，勃列日涅夫的中风症状加重，健康状况严重恶化。

12月30日　勃列日涅夫在克里姆林宫办公室接见新任的苏联国家安全委员会第一总局（国外情报局）局长克留奇科夫。勃列日涅夫的健康状况已不能胜任正常的工作，几分钟接见，只说了一句话。

1975年

1月27日　印度共产党召开第十次全国代表大会。苏共中央决定向担负不起旅费的乌拉圭、阿根廷、希腊等国的共产党，提供参加印共十大的全部费用。

2月13—17日　英国首相威尔逊正式访问苏联。双方签署了防止核武器扩散宣言，以及在各领域开展合作的协议。

3月19—24日　法兰西共和国总理希拉克正式访问苏联。

4月16日　苏共中央召开全会，解除谢列平的苏共中央政治局委员职务。谢列平被调任全苏职业技术教育委员会副主席。

5月14—16日　为庆祝华沙条约组织成立20周年，华沙条约缔约国议会代表在华沙会晤，通过《争取各国人民和平、安全、合作和接近》文件。

7月30日—8月1日　欧洲安全和合作会议第三阶段会议，即最后阶段最高级会议在赫尔辛基举行。勃列日涅夫率苏联代表团出席会议，8月1日，与会各国共同签署了《欧洲安全和合作会议最后文件》。

10月6—13日　德国统一社会党中央第一书记昂纳克率民主德国党政代表团访问苏联，两国签订了友好合作互助条约。条约规定保障两国边界不受侵犯；将以西柏林不是联邦德国的一部分为出发点，维护和发展同西柏林的联系。

10月14—18日　法兰西共和国总统德斯坦正式访问苏联。

11月8日　大型反潜舰“护卫”号兵变。10日，兵变被镇压。

11月10—15日　联邦德国总统谢尔正式访问苏联。

12月9—10日　苏联最高苏维埃主席团主席波德戈尔内正式访问阿富汗。达乌德和阿富汗反应冷淡。双方只决定将1931年签订的两国中立和互不侵犯条约的有效期顺延10年。

1976年

1月9—13日　苏共中央政治局委员、苏联外交部长葛罗米柯正式访问日本。

2月24日—3月5日　苏共召开第二十五次代表大会。

3月31日　苏联驻阿拉伯埃及共和国大使馆向埃及政府转交了苏联政府关于埃及政府单方面终止1971年5月17日签订的苏埃友好合作条约的声明。

5月10日　苏联最高苏维埃授予勃列日涅夫苏联元帅军衔。

5月24—31日　安哥拉人民解放运动中央政治局委员、安哥拉人民共和国总理洛波·多纳西门托正式访问苏联，双方签署了友好关系和合作原则宣言。

7月6—12日　埃塞俄比亚国家代表团正式访问苏联。苏联表示准备向埃塞俄比亚派遣专家组。

9月　苏联飞行员驾驶当时苏联最先进的米格—25战斗机，叛逃到日本函馆。在美国的要求下，日本不顾苏联的强烈反对，同意飞行员贝伦科流亡美国，并协助美国将米格—25肢解，进行技术分析。此事件导致苏日关系恶化。

10月7—13日　安哥拉人民解放运动中央委员会主席、安哥拉人民共和国总统内图，率安哥拉人民共和国党政代表团正式访问苏联，签订了为期20年的友好合作条约。

12月15日　索马里革命社会主义党中央政治局委员、索马里民主共和国总统萨曼塔尔访问苏联。苏共承诺将大力帮助培训索马里干部。

1977年

3月26—31日　美国国务卿万斯访问苏联，与苏联讨论了限制进攻性战略武器问题。

4月12—15日　阿富汗共和国第一任总统达乌德对苏联进行正式友好访问。两国表示：1921年签订的苏阿友好条约和1931年签订的苏阿中立和互不侵犯条约，仍然是两国关系的基础。

5月4—8日　社会主义埃塞俄比亚临时军事行政委员会主席门格斯图率国家代表团对苏联进行正式友好访问。两国签署了友好关系和合作原则宣言，强调国家间的关系应放弃使用武力或以使用武力相威胁。

5月24日　苏共中央举行全体会议，听取勃列日涅夫作《关于苏联宪法草案》的报告。全会解除了波德戈尔内的苏共中央政治局委员职务。

6月6日　塔斯社发表声明，反对外国策划干涉埃塞俄比亚。

6月7日　勃列日涅夫答日本《朝日新闻》主编秦正流问，说苏日之间存在什么“没有解决的领土问题”，是没有根据的。

6月16日　苏联最高苏维埃会议解除了波德戈尔内的苏联最高苏维埃主席团主席职务。会议选举勃列日涅夫担任此职。

6月20—22日　勃列日涅夫对法国进行正式访问，与德斯坦会谈以后，签署了苏法宣言。

7月25日—8月19日　苏联斡旋索马里与埃塞俄比亚之间的边界冲突，与索马里代表团在莫斯科进行了三轮谈判。索马里代表团最终拒绝了苏联的建议。

8月4日　苏共中央政治局会议讨论了索马里与埃塞俄比亚之间的军事冲突问题以及苏联的对策。政治局形成的意见是：请非洲国家领导人从中调停；

苏联不和两国发生正面争执。

9月27—29日　安哥拉人民解放运动中央委员会主席、安哥拉人民共和国总统内图对苏联进行友好访问。

10月4—7日　苏联最高苏维埃非常会议通过了《苏维埃社会主义共和国联盟宪法（根本法）》。苏共称这部宪法是“发达社会主义的真正的宣言书”。

10月30—31日　门格斯图秘密访苏。苏共中央同意向埃塞俄比亚增派军事顾问团和军事专家，急速、大力增加对埃塞俄比亚的援助，帮助制定反击计划。

11月2—3日　苏共中央、苏联最高苏维埃、俄罗斯联邦最高苏维埃在克里姆林宫举行联合庆祝大会，纪念十月革命60周年。来自世界104个国家的123个代表团出席大会。

12月3日　苏共中央政治局委员基里连科率苏共代表团出席安哥拉人民解放运动第一次代表大会。基里连科在向大会致辞时说，要把“人运”变成先锋党。

1978年

1月19日　塔斯社发表声明，驳斥索马里国内外散布的关于苏联军事人员参加了埃塞俄比亚方面的战斗行动，以及在苏联帮助下埃塞俄比亚军队准备入侵索马里领土等言论。

2月1日　古巴共产党中央政治局委员、古巴共和国国务委员会委员、部长会议第一副主席、革命武装部部长劳尔·卡斯特罗访问苏联。

2月24日　苏联最高苏维埃主席团向中华人民共和国全国人民代表大会常务委员会发出呼吁书，建议由苏、中两国发表一项关于两国相互关系的联合声明。

3月14日　苏共中央政治局作出关于取消罗斯特洛波维奇和维什涅夫斯卡娅的苏联国籍的决定。

4月3—5日　社会主义埃塞俄比亚临时军事行政委员会主席、部长会议主席门格斯图对苏联进行工作访问。门格斯图与苏联会谈时表示，深切感谢苏联对埃塞俄比亚革命的支援。

5月3日　勃列日涅夫和柯西金致函塔拉基，葛罗米柯致函阿明，祝贺他们担任阿富汗民主共和国领导人。

5月18日　葛罗米柯接见途经莫斯科的阿富汗人民民主党中央政治局委员、阿富汗民主共和国副总理兼外交部长阿明。阿明向葛罗米柯通报了“四月革命”的目的和任务，并对苏联多方面提供的援助予以高度评价。

6月17日　《真理报》发表题为《论美国政府的当前政策》的编辑部文章，说美国政府的对外政策发生了危及和平事业的危险变化。

7月16—17日凌晨　苏共中央政治局委员、苏共中央书记库拉科夫猝死。

11月27日　苏共中央召开全体会议，全会解除了马祖罗夫的苏共中央政治局委员职务。契尔年科当选苏共中央政治局委员；吉洪诺夫、谢瓦尔德纳泽当选政治局候补委员；戈尔巴乔夫当选苏共中央书记。

11—12月　《新世界》杂志1978年第2、5、11期分别发表了勃列日涅夫的回忆录《小地》、《复兴》、《垦荒》，苏联全国再次掀起宣传勃列日涅夫热。

1979年

3月　阿富汗西部什叶派起事，100多名苏联顾问被打死。

3月17—19日　苏共中央政治局连续三天召开紧急会议，研究阿富汗局势和苏联的对策。会议最后达成的一致是：应当采取一切手段援助阿富汗塔拉基政权，但是苏联不能直接出兵。政治局会议决定将这一意见立即明确告知塔拉基及其他阿富汗领导人。

5月5日　针对全社会劳动纪律松垮的社会病，苏共中央通过了《关于进一步改进意识形态和政治教育工作》的决议。

6月上旬　苏共中央举行政治局会议，研究国际局势。勃列日涅夫在会上说：国际局势和苏美关系恶化的主要原因是卡特政府中日益增多了侵略者。

6月15—18日　勃列日涅夫与美国总统卡特在维也纳举行最高级会谈，签署了《苏美第二阶段限制进攻性武器条约》。

8月2日　苏共中央通过《关于改进维护法制和加强同违法行为作斗争》的决议。决议批评各级党委和苏维埃机关同违法行为的斗争不力；要求各级党委和国家机关、群众团体，协同一致地同犯罪行为作斗争。

9月10日　塔拉基在出席于哈瓦那举行的第六次不结盟国家政府首脑会议后，返国时途经莫斯科。勃列日涅夫会见了塔拉基，并告知他所面临的危险。

10月10日　安德罗波夫根据苏共中央的指示，将留居在捷克的卡尔迈勒秘密接到莫斯科，商讨和制定由卡尔迈勒取代阿明的具体实施方案。

11月8日　苏联任命原鞑靼州委第一书记塔别耶夫为苏联驻阿富汗大使。

12月8日　勃列日涅夫召开苏共中央政治局“小范围”会议，除勃列日涅夫外，出席的有安德罗波夫、葛罗米柯、乌斯季诺夫、苏斯洛夫等4人。“小范围”会议决定派遣一定数量的苏联武装部队前往阿富汗。

12月25日晚　苏军大举出兵阿富汗。

12月26日　苏共中央举行政治局会议，就出兵阿富汗问题举行记名投票表决，一致同意出兵阿富汗。

1980年

1月7日　法国共产党中央总书记马歇率法共代表团访苏。会谈后，马歇在苏联电视台发表讲话，说法、苏两党在某些问题上存在分歧。

1月8日　勃列日涅夫签署了《关于剥夺萨哈罗夫苏联国家奖》的命令。

1月22日　萨哈罗夫被逮捕，并被从莫斯科驱逐到高尔基市，限制自由，实行“行政流放”。1986年12月1日，苏联司法当局撤销了对萨哈罗夫的“行政流放”。

2月11日　安德罗波夫会见高尔基市选民并发表讲话，强调加强劳动纪律，说在发达社会主义条件下，加强劳动纪律这个老问题具有新的意义。

6月25日　勃列日涅夫访问阿拉木图，为库纳耶夫颁发列宁勋章。当晚，库纳耶夫为勃列日涅夫的来访举行盛大招待会，勃列日涅夫表现意识模糊。

7月31日　波兰统一工人党中央第一书记盖莱克秘密访问苏联，寻求支援。勃列日涅夫担心波兰算旧账，对盖莱克的请求不置可否。

8月25日　苏共中央政治局会议，研究波兰局势和苏联的应对。会议只责成苏斯洛夫注意观察波兰局势的变化，及时向苏共中央政治局通报。

9月3日　苏共中央与秘密来访的以卡尼亚为首的波兰统一工人党代表团会谈。苏共中央要求卡尼亚加强党在社会中的领导作用，坚决清除党内明显的异己分子。

10月4日　苏共中央政治局候补委员、白俄罗斯共和国共产党中央第一书记马谢罗夫死于交通事故。

10月15日　苏共中央书记处通过关于劳动组织和劳动纪律问题的决议，警告将严惩对劳动者的意见、建议、请求，采取漠不关心的态度的干部。

10月21日　苏共中央召开全体会议，选举戈尔巴乔夫为苏共中央政治局委员；选举白俄罗斯共和国共产党中央第一书记基谢廖夫为苏共中央政治局候补委员。

10月24日　苏联最高苏维埃会议通过柯西金辞去苏联部长会议主席职务的决议；任命吉洪诺夫为苏联部长会议主席。同日，柯西金被解除苏共中央政治局委员职务。

10月29日　苏共中央政治局会议，研究波兰局势。政治局一致认同“不能放弃波兰”，要求波兰党对全国实行军管。

12月10日　苏共中央政治局会议，明确与波兰党政领导人谈话时，不能有任何可能导致理解为苏联将派军队的话语表示。

1981年

2月23日—3月3日　苏共召开第二十六次代表大会。

4月初　波兰统一工人党中央第一书记卡尼亚和雅鲁泽尔斯基，应安德罗波夫之约，于晚9时至次日凌晨3时，在布列斯特附近的火车车厢上，与安德罗波夫举行会谈，商讨对全国实行军管问题。

12月9日　苏共中央政治局通过《关于建立支援左派工人组织基金会》的决定，规定在苏共中央国际部下面建立这一基金会，从物质上保证对世界各国左派工人组织的支援。基金由苏联国家银行提供。

1982年

1月19日　苏共中央委员、苏联国家安全委员会副主席茨维贡自杀身亡。

1月25日　苏斯洛夫病逝。勃列日涅夫选择安德罗波夫接任苏斯洛夫的职务。

3月23日　勃列日涅夫参观乌兹别克共和国塔什干飞机制造厂，因围观人群的挤压而受轻伤。第二天（24日），勃列日涅夫按原计划在授予乌兹别克共和国列宁勋章的大会上发表长篇讲话，其中提出了关于处理和中国的关系的

“四点补充”，表达了愿意同中国改善两国关系的愿望。

5月24日　安德罗波夫以苏共中央政治局委员兼任苏共中央书记。苏联国家安全委员会主席的职务，由费多尔丘克接任。

9月26日　勃列日涅夫出席在巴库举行的阿塞拜疆共和国荣获列宁勋章庆祝大会。

10月27日　勃列日涅夫在克里姆林宫会见苏联陆、海军领导人。

11月7日　勃列日涅夫出席在莫斯科红场举行的庆祝十月革命65周年庆典，并检阅军队和节日游行队伍。

11月9日　中午12时许，勃列日涅夫来到克里姆林宫的办公室。晚8时许离开克里姆林宫，返回扎列契耶别墅。

11月10日　10时许，发现勃列日涅夫已死亡。

11月12日　苏共中央、苏联最高苏维埃主席团、苏联部长会议发表公告，宣告1982年11月10日晨8时30分，苏共中央总书记、苏联最高苏维埃主席团主席勃列日涅夫猝然逝世。

СОДЕРЖАНИЕ

责任编辑：张伟珍
封面设计：吴燕妮
封面制作：王春峥

图书在版编目（CIP）数据

勃列日涅夫的十八年 / 叶书宗 著. –北京：人民出版社，2013.9（2026.2 重印）
（苏联史 / 郑异凡主编：8）
ISBN 978 – 7 – 01 – 012354 – 7

I. ①勃… II. ①叶… III. ①苏联 – 历史 –1964～1982 IV. ① K512.56

中国版本图书馆 CIP 数据核字（2013）第 163852 号

勃列日涅夫的十八年

BOLIERINIEFU DE SHIBA NIAN

叶书宗 著

人民出版社 出版发行
（100706 北京市东城区隆福寺街 99 号）

北京新华印刷有限公司印刷 新华书店经销

2013 年 9 月第 1 版 2026 年 2 月北京第 2 次印刷
开本：710 毫米 ×1000 毫米 1/16 印张：34
字数：503 千字

ISBN 978 – 7 – 01 – 012354 – 7 定价：148.00 元

邮购地址 100706 北京市东城区隆福寺街 99 号
人民东方图书销售中心 电话（010）65250042 65289539